iPad
全操作使いこなしガイド
2023

Contents

iPad iPad Air iPad mini iPad Pro

iPad iPad Air iPad mini iPad Pro

Section 2

設定

Section 3

文字入力

ABC

Section 4

連絡先

Section 5

FaceTime

Section 6
メール

Section 7

メッセージ

Section 8

Safari

Section 9

App Store

Section 10

カメラと写真

Section 11

ミュージック

Section 12

iCloud

Section 13
トラブル解決

用語索引

困った時は巻末の用語索引を開いてみよう。
機能名やメニューの項目、アプリ名で知りたい記事に素早くたどり着けるはずだ。

はじめにお読みください

本書掲載の情報は、2023年2月のものです。各種機能や操作法、表示内容などはiPadOSやアプリのアップデートにより変更される可能性があります。本書の内容は検証した上で掲載していますが、すべての環境での動作を保証するものではありません。

iPad iPad Air iPad mini iPad Pro

iPadのあらゆる操作や設定方法が細かいところまでしっかりわかる!

iPadを買ったけど、いまひとつ使いこなせていない……。操作方法をきちんと把握していないのでだましだまし使っている……。初歩的な疑問点ばかりで今さら人に聞けない……。解説書を買ったけど肝心なポイントが載っていない……。そんなiPadユーザーの「困った」に完全対応する決定版の操作ガイドです。ある程度使いこなしているユーザーも、細かい設定項目の確認や、知らなかった操作法の習得に役立てられる1冊です。手元に置いておけば、必ずiPadライフの一助になるはずです。

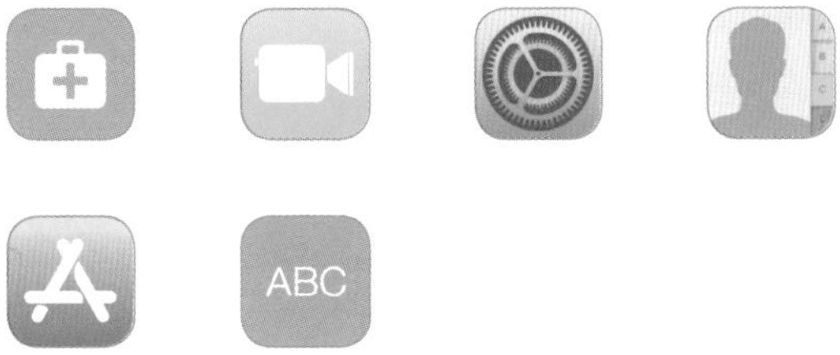

S T A R T

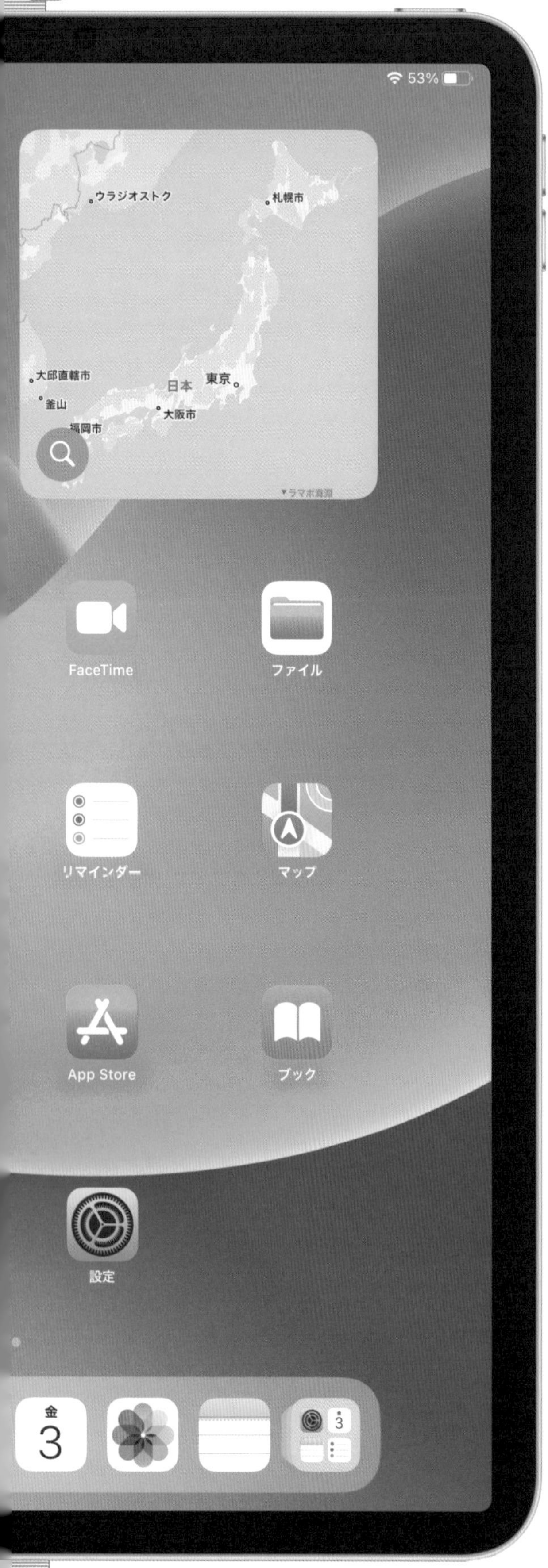

iPadを使い始めるための基本操作

no. 001

画面のロックを解除する

電源／スリープボタンを押すと、まず表示されるのが「ロック画面」。ロックを解除し、ホーム画面を表示してiPadを使用開始する。Face ID搭載iPadの場合は、画面に視線を向けてロックを解除し、画面下部から上へスワイプしてホーム画面を表示する。Touch ID搭載iPadの場合は、電源／スリープボタンに指を当てる、もしくはホームボタンを押してロックを解除する。なお、画面ロック（No121、124、126で解説）が設定されていない場合は、すべてのiPadで画面下部から上へスワイプしてホーム画面を表示できる。

Face ID搭載iPadでロックを解除する

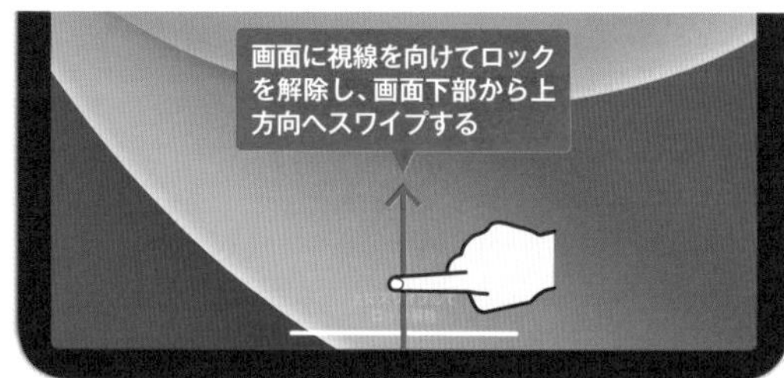

Face ID（顔認証）搭載iPadの場合は、画面に視線を向ければロックが解除される。その後、画面下部から上へスワイプしてホーム画面を表示。

Touch ID搭載iPadでロックを解除する

Touch ID（指紋認証）搭載iPadの場合は、ロック画面で電源／スリープボタンに指を置いてロックを解除する。

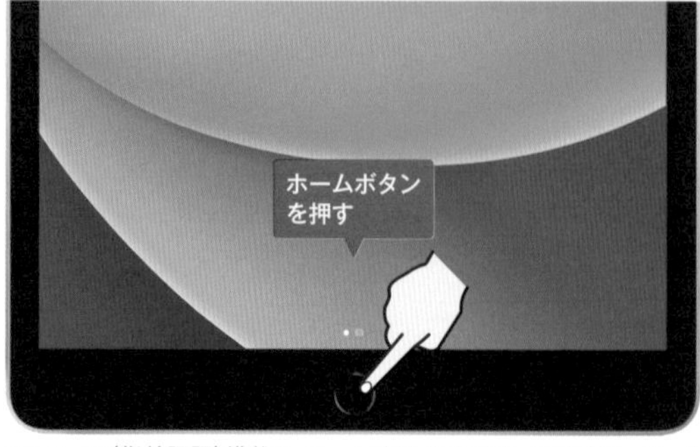

Touch ID（指紋認証）搭載で、ホームボタンのあるiPadの場合は、ホームボタンを押すとロック解除と同時にホーム画面が表示される。

no. 002

本体に備わったボタンの操作法

ボタンの機能と操作の基本を覚える

電源／スリープボタン(トップボタン)

このボタンを1回押すと、画面が消灯してスリープ状態になる。もう一度押すとスリープが解除される。ボタンを長押しするとSiriが起動。また、電源／スリープボタンと音量ボタンを同時に長押しすると電源がオフになり、電源オフ時に電源／スリープボタンを長押しすると電源がオンになる（ホームボタンのあるiPadの場合は電源／スリープボタンのみの長押しで電源のオン／オフが行える）。スリープは、画面表示やタッチパネル操作をオフにした状態だが、メールの着信、音楽などの再生も継続される。電源オフは、iPadのすべての機能を停止した状態。通常は、すぐに使い始められるようスリープ状態にしておこう。ただし、電子機器の使用が禁じられている場所ではスリープではなく、電源をオフにしなければならない。iPad mini（第6世代）など一部の端末では、電源／スリープボタンにTouch IDセンサーが内蔵されており、ロック解除などに利用できる。

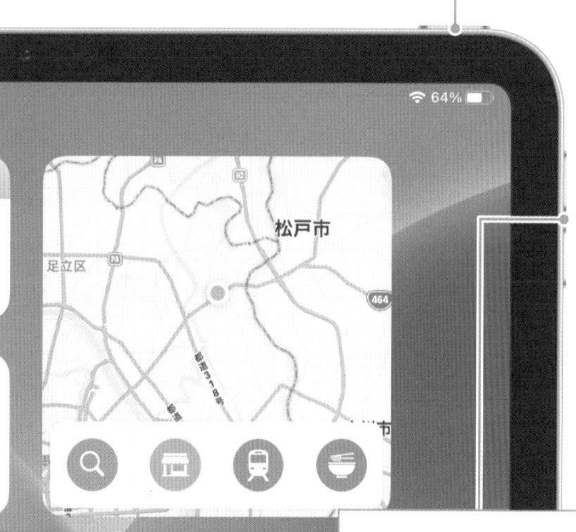

音量ボタン

音楽や動画、着信音や通知音の音量を調整する。なお、「設定」→「サウンド」の「着信音と通知音の音量」欄にある「ボタンで変更」がオンになっていないと、着信音や通知音の音量をこのボタンで調整することはできないので要注意。また、カメラ起動中は、シャッターや録画開始／停止ボタンとしても利用できる。なお、iPad mini（第6世代）では、端末の上部に音量ボタンが設置されている。

ホームボタン/Touch IDセンサー

ホームボタンが搭載されているiPadでは、アプリ使用中にホームボタンを押すといつでもホーム画面に戻ってこられる。スリープの解除にも利用できるほか、長押しするとSiriが起動する。また、ホームボタンにはTouch IDセンサーが内蔵されており、端末のロック解除やiTunes Store、App Store、さらにはサードパーティ製アプリのサインインなどを指紋認証で行える。

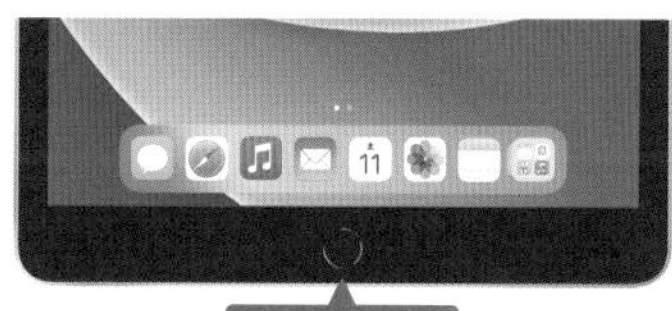

ホームボタン

no. 003 状況によって使い分けよう
電源のオン／オフとスリープを理解する

電源ボタンで本体の状態を適切に操作する

iPadでは、本体右上の電源／スリープボタンを短く押すとスリープおよびスリープの解除が行える。電源オンは電源／スリープボタンを長押し、電源オフは電源／スリープボタンといずれかの音量ボタンを長押しする（ホームボタン搭載機種は電源／スリープボタンのみ長押し）。電源オフ時はiPadのすべての機能が無効になり、バッテリーもほとんど消費されない。一方スリープ時は、画面表示をオフにしただけの状態となり、メール着信や音楽再生など各種アプリの動作もそのまま実行される。

スリープ／スリープ解除

画面が表示されている状態で電源／スリープボタンを一度押すと、画面が消灯しスリープ状態に。画面消灯時に押すとスリープが解除されロック画面が表示される。また、設定や機種にもよるが、ホームボタンや画面タッチでもスリープ解除が行える。

電源オン／オフ

電源がオフの時に電源／スリープボタンを2〜3秒押し続け、Appleマークが表示されると電源がオンになる。電源オン時に電源／スリープボタンといずれかの音量ボタン（ホームボタン搭載iPadは電源／スリープボタンのみ）を2〜3秒押し続け、表示されるスライダをスワイプすると電源をオフにできる。

no. 004 パソコンのUSBポートでも充電可能
iPadの充電に関する基礎知識

iPadを高速充電したいなら、標準で付属するUSB-C充電ケーブル（ホームボタンのあるiPadの場合はLightning - USBケーブル）でiPad本体と電源アダプタを接続し、コンセントを利用して充電しよう。Macユーザーの場合、iPadとMacを直接ケーブル接続しても高速充電が可能だが、コンセントよりは時間がかかる。また、USB-Cポートを搭載しているWindowsパソコンでもiPadをケーブル接続して充電することが可能だが、この場合もコンセントよりは充電時間がかかる。

標準で付属する充電アダプタとケーブルで充電する。なお、バッテリー残量が完全になくなると、しばらく充電しないと電源が入らないことがある。故障と勘違いしないようにしよう。

no. 005 オンにして正確に把握しよう
バッテリー残量をパーセント表示する

バッテリーの残量は画面右上に電池の絵柄で表示されるが、より正確に把握するために「設定」→「バッテリー」にある「バッテリー残量（%）」のスイッチはオンにしておきたい。なお、バッテリー残量が20%と10%になった際には「バッテリー残量が少なくなっています」という警告が表示される。

1 バッテリーの設定を開く

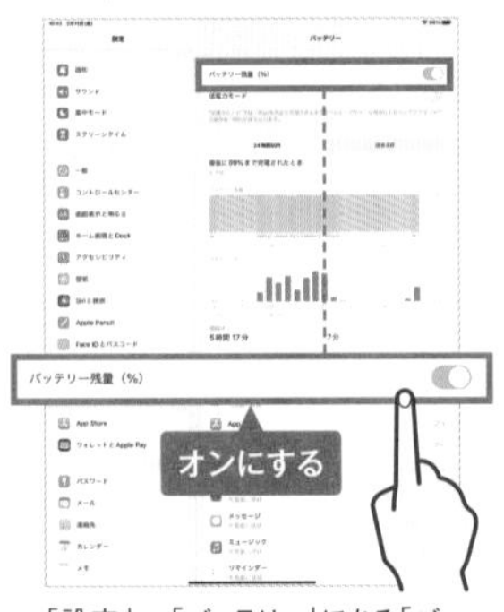

「設定」→「バッテリー」にある「バッテリー残量（%）」のスイッチをオンにする。この画面で、アプリのバッテリー使用率もチェックすることができる。

2 バッテリー残量を数値で確認

画面右上のアイコンの横に、バッテリー残量が数値でも表示され、より正確に残量が把握できるようになる。基本的にはオンにしておきたい機能だ。

no. 006

操作の出発点となる基本画面を把握する

ホーム画面の名称や仕組みを覚える

ホーム画面は複数のページで構成されている

iPad操作の起点となる「ホーム画面」では、アプリやフォルダ、ウィジェットなどを自由に配置することが可能だ。左右にスワイプするとページを切り替えることができ、初期状態では標準アプリが2ページに渡り配置されている。App Storeでアプリをインストールすれば、そのアプリがホーム画面に次々追加されていく仕組みだ。また、画面上部の「ステータスバー」には、現在時刻やバッテリー残量、動作中の機能などが表示されるので覚えておこう。

さまざまな情報を表示するステータスバー

画面上部の時刻などが表示されている細長いエリアを「ステータスバー」と呼ぶ。左側に現在時刻と日付、右側にモバイルデータ通信やWi-Fiの電波状況、バッテリーの残量、本体や各種アプリの動作状況を示すステータスアイコンが表示される。

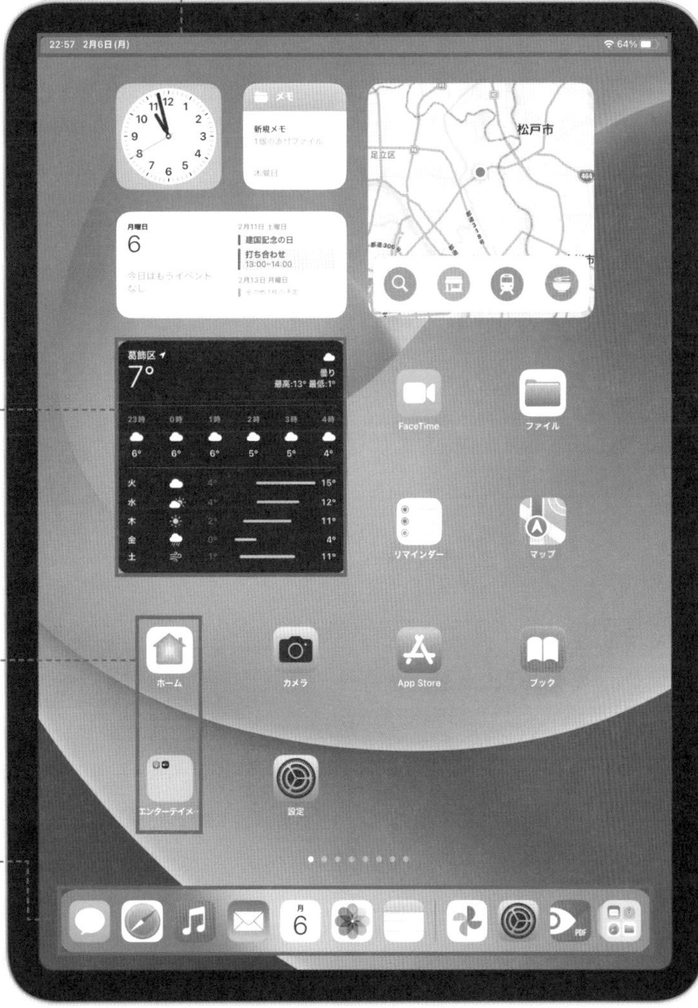

好きな場所に配置できるウィジェット

ホーム画面には、時計やカレンダー、天気などのウィジェットを自由に配置することができる。アプリをいちいち起動しなくても、各種情報をチェックできるので便利。配置する位置や大きさなども設定可能だ。

アプリやフォルダ

ホーム画面には、iPadにインストールされているアプリが並んでいる。これらをタップすればアプリが起動する仕組みだ。複数のアプリをフォルダでまとめることもできる。

画面下に固定表示されるDock

画面下の「Dock(ドック)」は、よく使うアプリを並べておく場所だ。ホーム画面のページを切り替えても常に同じ内容が表示される。また、Dockの右側には直近に使ったアプリが3つまで並び、右端にはAppライブラリ(No025で解説)のアイコンが表示される。

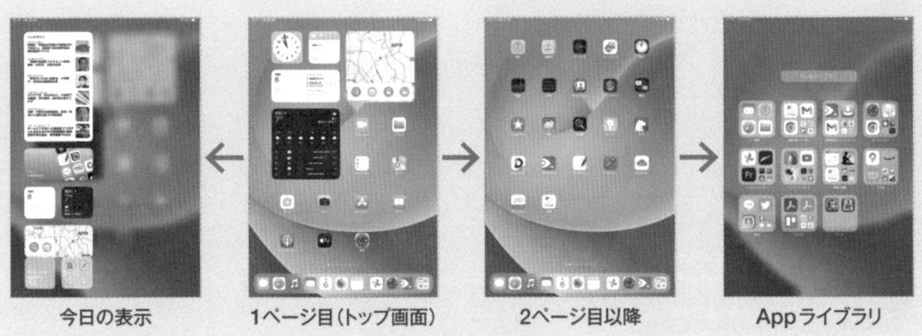

左右スワイプでページを切り替える

ホーム画面を左右にスワイプもしくはフリックすると、ページを切り替えることが可能だ。初期状態だと2ページだが、アプリを追加したり並べ替えたりすることで最大15ページまで増やすことができる。また、1ページ目を右にスワイプすると「今日の表示」画面が、最後のページまでスワイプするとAppライブラリが表示される。

no. 007

iPadを操るさまざまな動作

タッチパネル操作の基本を覚える

画面をタッチしてiPadを操る基本パターン

iPadのほとんどの操作はタッチパネルだけで行うことが可能だ。単に画面をタッチするだけではなく、連続で2回タッチする、画面をなぞる、2本指を使用するなど、さまざまな操作方法が用意されている。それぞれの動作には名前が付いており、本書の解説においても多用するので覚えておこう。また、設定で「ジェスチャ」機能がオンになっていれば、4本指や5本指を使ったジェスチャ操作も行うことが可能だ（No033で解説）。

タッチパネル操作で最も多用するのが、画面を1回軽くタッチする「タップ」。ホーム画面はもちろんあらゆるアプリの画面で使用する基本操作法だ。タップを素早く2回行うのが「ダブルタップ」。マップや写真、Safariの表示を素早く拡大、縮小する際に利用する。画面を指でタッチしたままにする「ロングタップ」は、オプションメニューの表示などで利用。また、画面を指でなぞって動かす操作が「スワイプ」、画面を軽くはじく操作が「フリック」だ。どちらも画面の表示エリアを移動させたり、画面をスクロールしたりする際に使用する。フリックに関しては、はじく強さによって勢いを付けて画面を操作することが可能だ。ロングタップしたまま指を動かす操作が「ドラッグ」で、指定したオブジェクトを動かす際などに使用。2本指で画面をタッチし、指の間隔を広げる操作が「ピンチアウト」、狭める操作が「ピンチイン」で、画面を細かく拡大縮小する際に使用する。これも頻繁に使う操作なので慣れておこう。

タップ

画面を1本指で軽くタッチする「タップ」。アプリの起動をはじめ、ボタンやメニューの選択など、あらゆる場面で使用する基本中の基本操作。

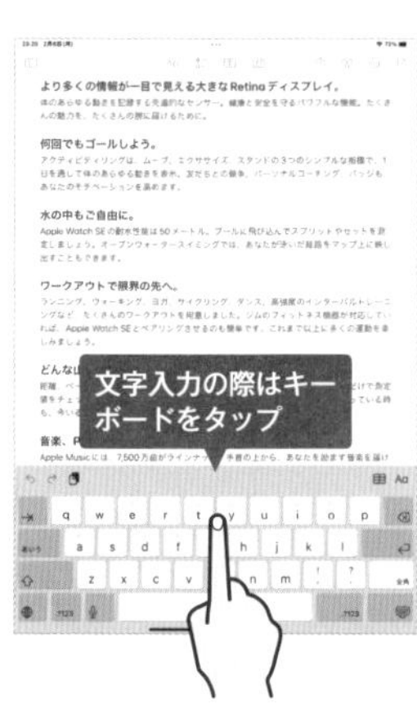

ダブルタップ

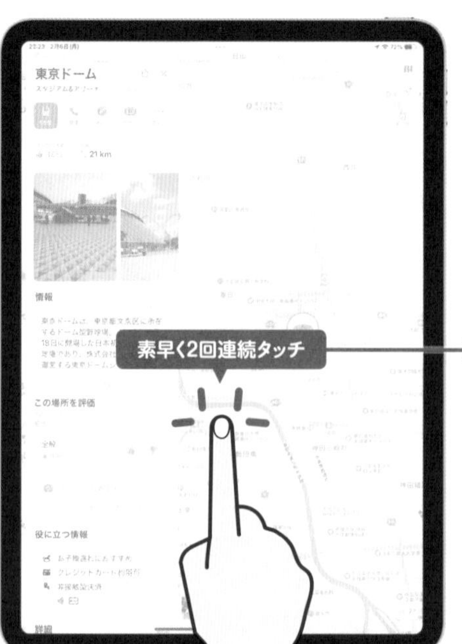

タップを素早く2回連続して行う操作。写真やSafari、マップアプリなどで画面をズームイン、拡大することができる。写真アプリでは、再度2回タップすると元に戻る。

基本操作

ロングタップ

画面を一定時間タッチしたままにする操作。ホーム画面のアプリを移動する際や、リンクやボタンの別メニューを表示させる場合に使用する。

スワイプ

画面に指を置き、さまざまな方向へ「なぞる」動作。ホーム画面のページ切り替え、画面のスクロール、マップの表示エリア移動など、あらゆる場面で利用する。

フリック

さまざまな方向へ画面を「はじく」操作。スワイプとは異なり、はじく動きの強弱によって、勢いを付けて画面を一気にスクロールさせることもできる。

ドラッグ

ロングタップしたまま画面から指を離さずに動かす操作。ホーム画面のアプリやウィジェットをロングタップしたら、そのままドラッグで位置変更が可能だ。

ピンチイン／アウト

画面を2本の指（通常は親指と人差し指）でタッチし、指の間隔を広げたり狭めたりする動作。写真やマップ、Safariなどで拡大、縮小が行える。

2本指での特殊操作

アプリによっては特殊な操作を行えるものも。例えば「マップ」では、2本指で画面をタッチして「ひねる」操作でマップを好きな角度に回転できる。

no. 008

iPadは横画面でも使える

横向きのランドスケープモードを利用する

iPad本体を横向きにすると、画面も横向きに回転し「ランドスケープモード」として利用できる。動画、写真の全画面表示や電子書籍の見開き表示、Webサイトの閲覧など、横幅の広いコンテンツやデータを扱う際に適した利用法だ。

ホーム画面も横向きになる

端末を横向きにするとランドスケープモードになる。iPadは、iPhoneとは異なりホーム画面やロック画面でもランドスケープモードが利用可能だ。なお、画面を回転させるには、コントロールセンターで「画面の向きのロック」がオフになっている必要がある（No035で解説）。

no. 009

音量上下の役割が自動で変わる

音量ボタンの入れ替わりについて理解する

最近のiPadは、本体の向きに応じて音量ボタンの役割が自動的に変わり、常に右または上のボタンで音量を上げ、左または下のボタンで音量を下げるようになっている。少し古いPadでも、設定で「音量コントロールの位置を固定」をオフにすれば同様に役割が自動で変わるようになる。

1 どの向きで持っても操作は同じ

最近のiPadの音量ボタンは、どの向きで持っても、右または上のボタンで音量を上げ、左または下のボタンで音量を下げることができるようになっている。

2 少し古いiPadは設定で変更

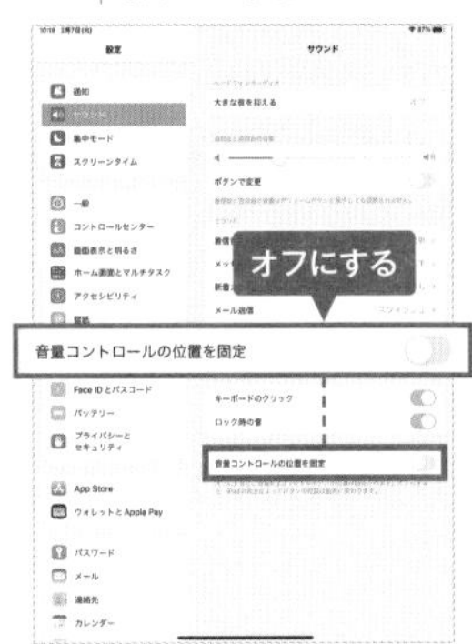

自動で役割が変わらないiPadの場合は、「設定」→「サウンド」で「音量コントロールの位置を固定」をオフにすると、音量ボタンの働きが自動で変わるようになる。

no. 010

着信や更新のお知らせ機能

アイコンに表示されるバッジの意味を理解する

メールアプリやメッセージアプリのアイコン右上角に、①や②といった赤い数字マークが表示されることがある。これは「バッジ」と呼ばれ、メールの着信や予定の通知をその件数と共にわかりやすく知らせてくれる機能だ。標準アプリに限らず、App Storeからインストールできるアプリにもバッジ対応のものは数多い。また、「設定」にバッジが表示されたら、何らかの未設定項目があることの合図となる。「設定」を開いて内容を確認しよう。なお、これらのバッジは、設定で表示のオン／オフを切り替えられる。

バッジ表示の例と表示をオフにする設定

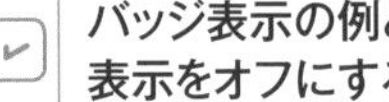

メール

設定

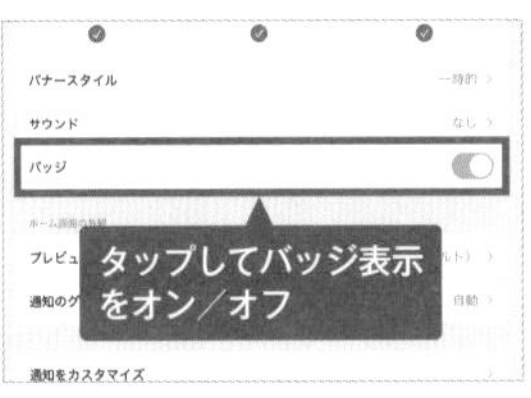

「メール」アプリのアイコンには、未開封メールの件数がバッジで表示される。「設定」アプリのアイコンにバッジが表示されたら、未設定項目またはiPadOSのアップデートに対応しよう。バッジ表示は、「設定」→「通知」でアプリを選び、「バッジ」のスイッチでオン／オフを切り替えられる（「設定」のバッジはオフにできない）。なお、メールアプリは登録しているアカウントごとにバッジの有無を設定可能だ。例えば、メルマガ用のアカウントなど、すぐに確認する必要がないものはオフにしておくといった使い方ができる。

no. 011

使用履歴から素早く再起動する

Appスイッチャーでアプリの使用履歴を表示

「Appスイッチャー」画面では、過去に使用したアプリの画面が表示される。各アプリの画面をタップすれば、アプリを切り替えることも可能だ。Appスイッチャーを呼び出すには、画面最下部から中央にゆっくりスワイプしよう（ホームボタンのあるiPadはホームボタンを2回押してもよい）。

Appスイッチャーでアプリを切り替える

Appスイッチャーで画面を左右にスワイプすれば、すべての使用履歴を確認できる。各画面をタップしてアプリを起動しよう。終了するには、何もないエリアをタップするか、ホームボタンを押す。

Appスイッチャーの履歴を削除する

履歴が増えすぎた際は、各履歴画面を上へフリックして個別に削除しよう。2本指や3本指で複数の履歴をまとめて削除することも可能だ。なお、履歴を削除したアプリは、アプリ自体が強制終了され、バックグラウンド動作も停止する。

no. 012

アプリをロングタップしてみよう

アプリのクイックアクションメニューを使う

ホーム画面のアプリをロングタップすると、「クイックアクションメニュー」が表示される。このメニューからアプリ自体を削除したり、アプリの各種機能を呼び出したりが可能だ。また、ウィジェットやフォルダをロングタップした場合でも、同じようにクイックアクションメニューが表示される。

1 アプリをロングタップする

まずはホーム画面に並んでいるアプリやウィジェット、フォルダなどをロングタップしてみよう。すると、クイックアクションメニューが表示される。

2 メニューが表示される

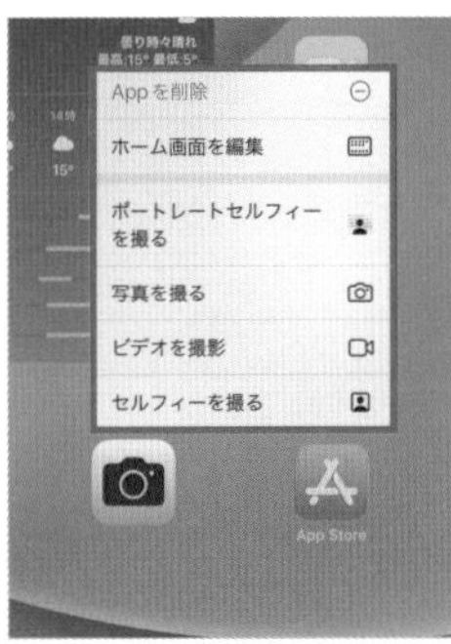

クイックアクションメニューの内容は、アプリによって異なる。アプリを削除したい場合は、ここから「Appを削除」を選べばよい。端末からアプリがアンインストールされる。

no. 013

ホーム画面の編集に必須の操作

ホーム画面を編集モードにする

ホーム画面のアプリの隙間など、何もない箇所をロングタップすると、ホーム画面が編集モードに切り替わり、アプリの並べ替えなどを行えるようになる(No014で解説)。クイックアクションメニュー(No012で解説)を開いて「ホーム画面を編集」をタップしてもよい。

1 ホーム画面を編集モードにする

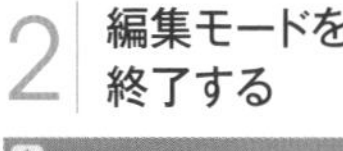

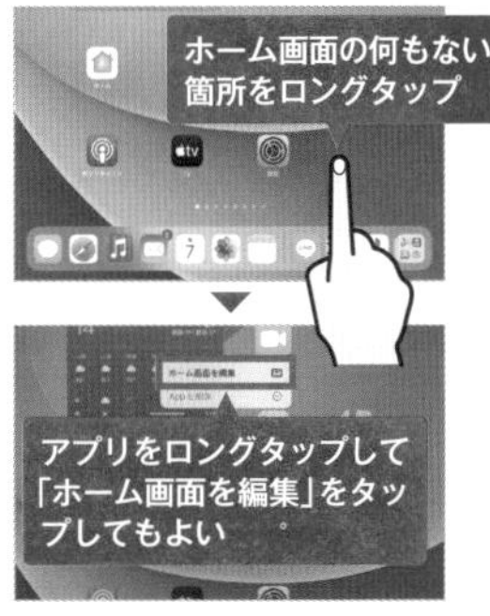

ホーム画面を編集モードにするには、ホーム画面の何もない箇所をロングタップすればよい。または、アプリをロングタップして「ホーム画面を編集」をタップする。

2 編集モードを終了する

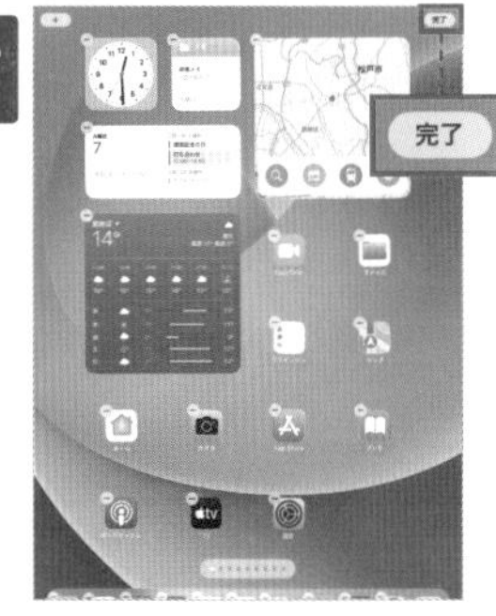

ホーム画面が編集モードになると、アプリやウィジェットなどがぷるぷると振動する。画面右上の「完了」をタップすれば、編集モードを終了できる。

no. 014

使いやすいようにアプリを並べ替えよう

ホーム画面のアプリの配置を変更する

1 ホーム画面を編集モードにする

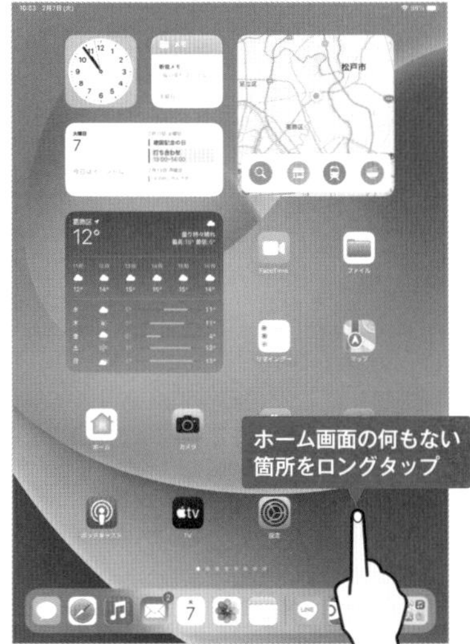

まずはホーム画面の何もない箇所をロングタップし、ホーム画面を編集モードにしよう。アプリが振動し始めたら、アプリの移動や削除などの編集が可能になる。

2 アプリを自由に移動させる

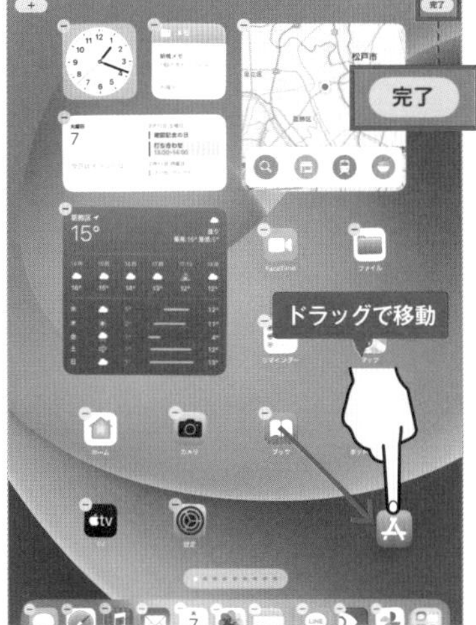

あとはアプリを好みの位置にドラッグしよう。画面の左右の端(1ページ目では右端のみ)に移動させれば、隣のページへアプリを移動することもできる。よく使うアプリを1ページ目にまとめるなど工夫しよう。右上の「完了」で編集完了だ。

使いこなしヒント

アプリの配置を元に戻すにはリセットすればOK

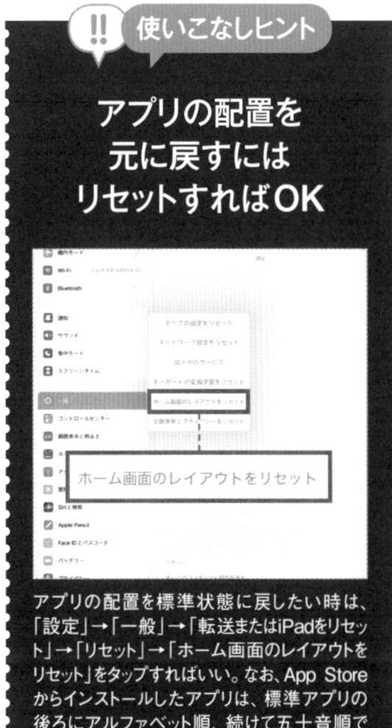

アプリの配置を標準状態に戻したい時は、「設定」→「一般」→「転送またはiPadをリセット」→「リセット」→「ホーム画面のレイアウトをリセット」をタップすればいい。なお、App Storeからインストールしたアプリは、標準アプリの後ろにアルファベット順、続けて五十音順で再配置される。

no. 015

レイアウト変更を効率的に

複数のアプリをまとめて移動させる

複数のアプリを別ページに移動したい時、アプリをひとつずつ移動するのは非常に手間がかかる。そこで、複数のアプリをまとめて扱える操作法を覚えておこう。ページ内の全アプリを一気に別ページに移動させるのも簡単だ。

1 ドラッグして少し移動させる

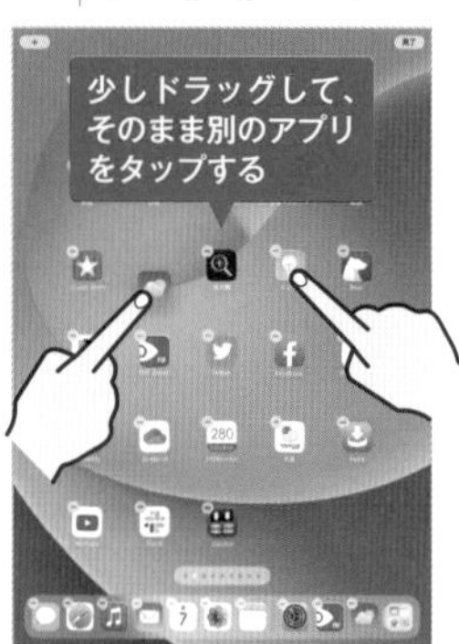

ホーム画面の何もない箇所をロングタップして編集モードにしたら、移動させたいアプリを少しドラッグする。指を離さないまま別の指で他のアプリをタップしてみよう。

2 集まったアプリをまとめてドラッグ

アプリがひとつに集まるので、指を離さず、そのまままとめてドラッグしよう。指を離さず次々にアプリをタップしていけば、ページ内の全アプリをまとめて扱うこともできる。

no. 016

ホーム画面管理の基本技

アプリをフォルダにまとめて整理する

ホーム画面のアプリは、フォルダにまとめて管理することができる。同じジャンルのアプリや、あまり使わないアプリをひとまとめにして、ホーム画面を整理しよう。フォルダ名も設定できるので、わかりやすい名前にしておくといい。

1 アプリ同士を重ね合わせる

ホーム画面の何もない箇所をロングタップして編集モードにしたら、アプリをドラッグして他のアプリに重ねると、フォルダが作成され複数のアプリを格納できる。

2 フォルダの各種操作

フォルダには4列×4段で16のアプリを配置でき、ホーム画面同様にページを増やしていける。また、ホーム画面と同じ操作で、アプリの移動や削除も可能だ。なお、フォルダ内にフォルダを作成することはできない。

基本操作

no. 017

アプリ使用中も呼び出せる

Dockを利用する

よく利用するアプリをいつでもすぐに起動できる

ホーム画面下部に表示される「Dock」は、頻繁に利用するアプリやフォルダをセットしておき、いつでも素早く起動するための場所だ。Dockは、ホーム画面のページを切り替えても固定された状態で表示され、アプリ使用中でも画面下部を上へスワイプすればいつでも表示できる。また、Dockの右側には「おすすめApp／最近使用したApp」エリアとして、基本的には直近に使用した3つのアプリが表示されるほか、一番右には「Appライブラリ」(No025で解説)を呼び出せるアイコンが配置されている。

アプリ使用中でもDockを利用可能

ホーム画面では常に表示されているDockだが、アプリ使用中に利用したい場合は、画面下部から上方向へスワイプする必要がある。アプリの画面をタップするとすぐに隠れるので、操作の邪魔になることはない。

Dockの右エリアに表示される項目

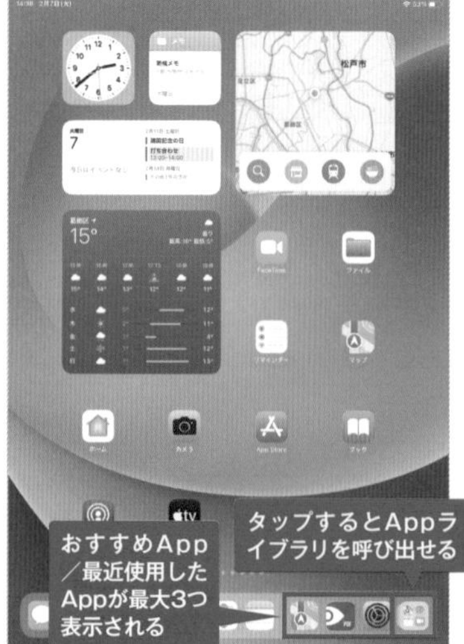

Dockの右エリアには、「おすすめApp／最近使用したApp」として、直前に使用したアプリが最大3つ表示され、再度使用しやすくなっている。また、一番右にはAppライブラリを呼び出せるアイコンが表示される。

no. 018

よく使うアプリを追加しよう

Dockのアプリを変更、削除する

Dockに配置されたアプリも、ホーム画面の他のアプリと同様に移動や削除ができる。Dockにはあらかじめ Safariやメール、ミュージックアプリなどがセットされているが、自分がよく利用するアプリに入れ替えておくといい。

Dockにアプリを追加する

ホーム画面の何もない箇所をロングタップして編集モードにしたら、Dockに配置しておきたいアプリやフォルダをドラッグしてDock内に移動させよう。Dock外へ出す場合も、同様に操作すればいい。よく使うアプリを並べておこう。

Dock右エリアのアプリを削除

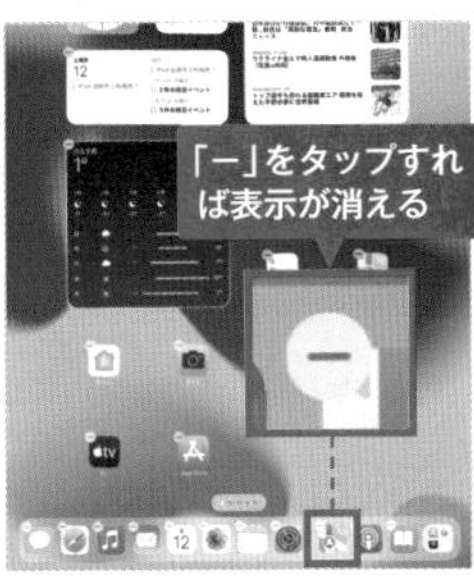

Dockの右にある「おすすめApp/最近使用したApp」エリアのアプリを削除したい場合は、ホーム画面の何もない箇所をロングタップして編集モードにし、アプリの左上に表示される「ー」をタップすればよい(アプリがアンインストールされるわけではない)。

no. 019

右エリアは非表示にできる

Dockの設定を変更する

Dockの右エリアには「おすすめApp/最近使用したApp」が最大3つと、Appライブラリの呼び出しアイコンが表示されているが、これらは設定で非表示にできる。非表示にすることで、Dockに配置できるアプリの数が増えるので、あまり使わなければ機能をオフにしておこう。

1 Dockの設定をオフにする

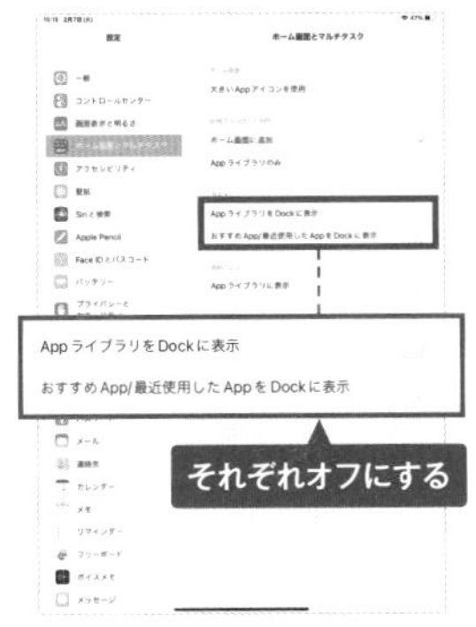

「設定」→「ホーム画面とマルチタスク」で、「AppライブラリをDockに表示」と「おすすめApp/最近使用したAppをDockに表示」をオフにしよう。

2 右エリアの表示が消える

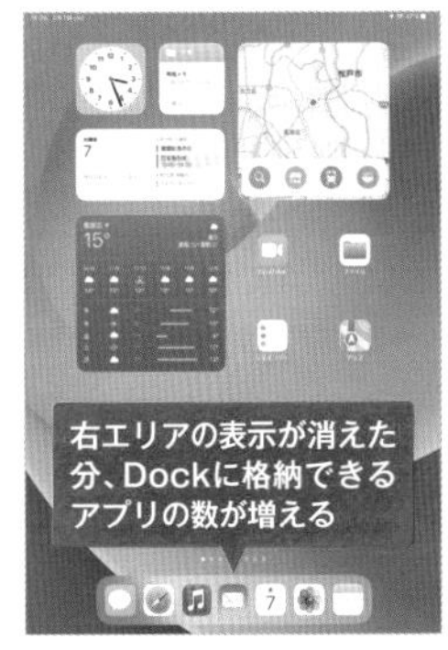

Dockの右エリアから、最近使用したアプリやAppライブラリの呼び出しアイコンの表示が消え、自分でDockに配置したアプリのみが表示されるようになる。

no. 020

スワイプ操作だけでアプリの画面を切り替える

最近使ったアプリを素早く切り替える

アプリを行き来して作業する際に助かる操作法

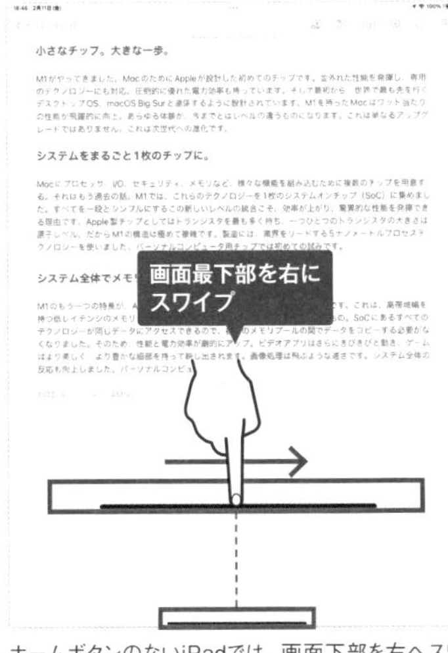

ホームボタンのないiPadでは、画面下部を右へスワイプするとひとつ前に使ったアプリを素早く表示できる。さらに右へスワイプして、過去に使ったアプリを順に表示可能。また、右へスワイプした後、すぐに左へスワイプすれば元のアプリに戻ることができる。

ホームボタンのあるiPadの場合は?

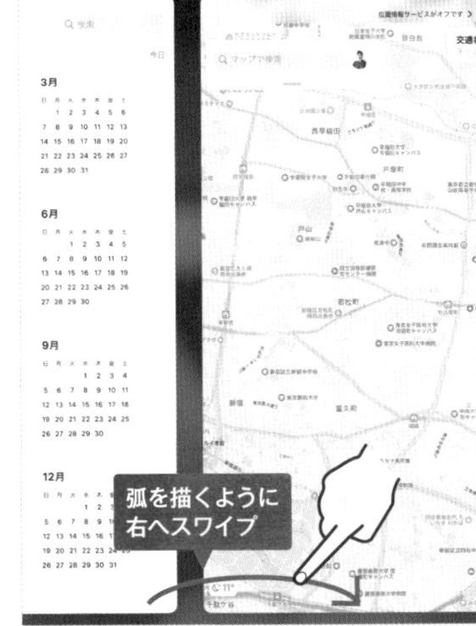

ホームボタンのあるiPadの場合は若干異なり、画面下部で右へ弧を描くようにスワイプすると同様の操作を行える。すぐに左へ弧を描くようにスワイプすると、元のアプリに戻ることも可能だ。

4本指で右にスワイプする方法でもOK

ジェスチャ機能(No033で解説)が有効であれば、4本指で画面を右にスワイプする方法も使える。なお、5本指でスワイプしてもいいが、別のジェスチャに誤認識されやすいので、4本指でスワイプするのがオススメ。

no. 021

スクロールバーをドラッグしよう

画面のスクロールを素早く行う

Safariなどのアプリでは、画面を上下スワイプするとページをスクロールできる。この際、画面右端にスクロールバーが表示されるのだが、これを直接上下にスワイプすることでもスクロールが可能だ。この方法だと高速にスクロールできるので、縦に長いページを閲覧する際に使うと便利。

1 スクロールバーを表示させる

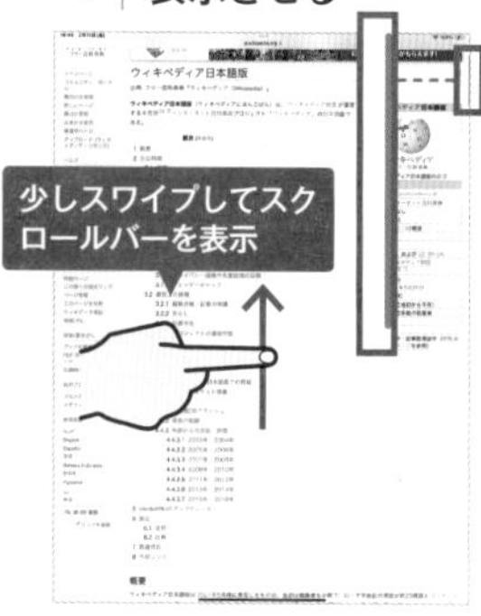

各種アプリでページを上下にスワイプしてスクロールさせると、画面の右端にスクロールバーが表示される。実際にSafariで適当なページを表示させて、右端にスクロールバーが出現するか試してみよう。

2 スクロールバーをスワイプする

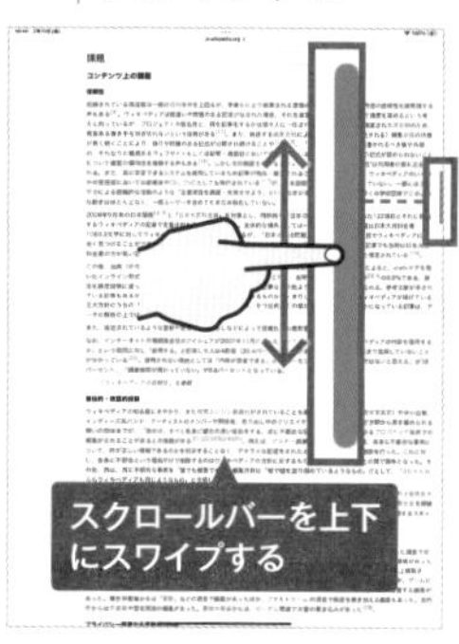

指でスクロールバーをタッチすると、スクロールバーが少し太くなる。そのまま上下にスワイプすれば、高速にスクロールすることが可能だ。なお、操作をやめてしばらくすると、スクロールバーは自動的に消える。

no. 022

不要なものを削除しよう

アプリをアンインストールする

ホーム画面に並んでいるアプリは、標準アプリの一部を除いて、アンインストール(削除)することが可能だ。削除したアプリはいつでも再インストールできる(No024で解説)が、削除した時点でアプリ内のデータも消えるので、大事なデータは別に保存しておくことも考えよう。

1 削除したいアプリをロングタップ

アンインストールしたいアプリをロングタップすると、クイックアクションメニューが表示されるので、「Appを削除」をタップしよう。

2 「Appを削除」で削除する

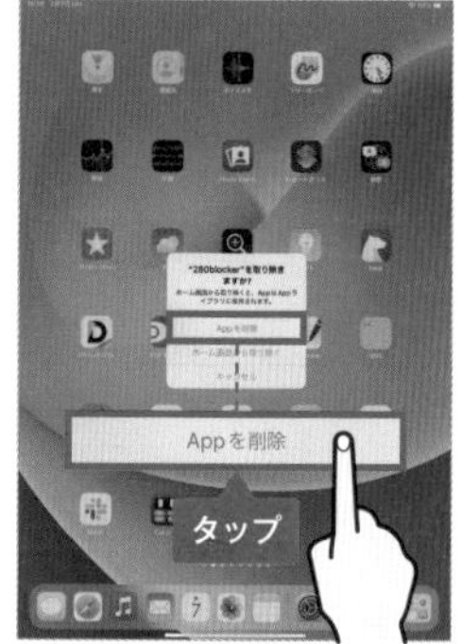

「Appを削除」→「削除」をタップするとアンインストールできる。iPad自体からアプリが削除されるので、アプリ内のデータもすべて消える点に注意しよう。

no. 023

アプリを一気に削除する

複数のアプリをアンインストールしたい時は

複数のアプリを効率的にアンインストールしたい場合は、ホーム画面の何もない箇所をロングタップし、削除したいアプリの左上にある「ー」ボタンをタップしていけばいい。なお、標準アプリの一部は削除ができず、「ホーム画面から取り除く」(No028で解説)しか選択できない。

1 「ー」ボタンをタップする

ホーム画面の何もない箇所をロングタップしてホーム画面の編集モードにしたら、削除したいアプリの左上に表示されている「ー」をタップしよう。

2 「Appを削除」で削除する

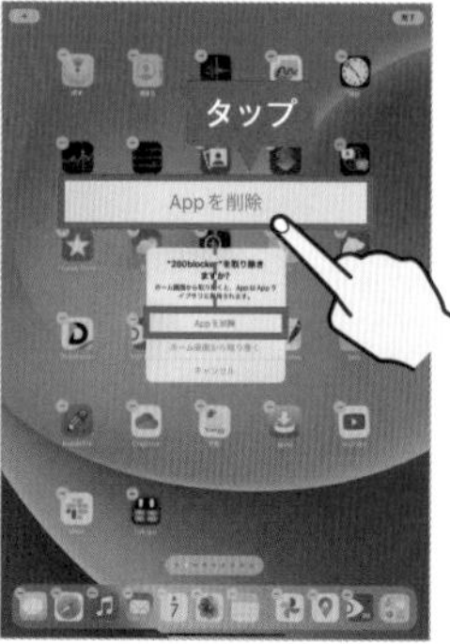

表示されたメニューで「Appを削除」→「削除」をタップしていくとアンインストールできる。この方法なら複数のアプリを次々と削除していくことが可能だ。

no. 024

App Storeから再ダウンロード

アンインストールしたアプリを再インストールする

iPadからアプリを削除しても、App Store(No431から解説)でいつでも再インストールできる。標準アプリを削除した場合も、App Storeで「Apple」とキーワード検索すればApple製の標準アプリがヒットする。デベロッパ名が「Apple」であることを確認して再インストールしよう。

1 App Storeから再インストールする

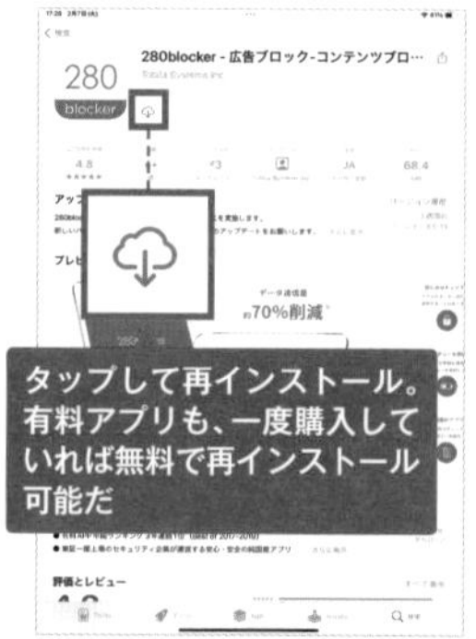

App Storeアプリを起動し、削除したアプリをキーワード検索しよう。一度インストールしたアプリには雲型のボタンが表示され、これをタップすると再インストールできる。

2 削除した標準アプリを探すには

標準アプリをアンインストールした場合は、App Storeアプリで「Apple」とキーワード検索。Appleのデベロッパページを開いて、必要な標準アプリを探すのが早い。

no. 025

全アプリをカテゴリごとに自動整理してくれる

Appライブラリで すべてのアプリを表示する

1 Appライブラリを表示する

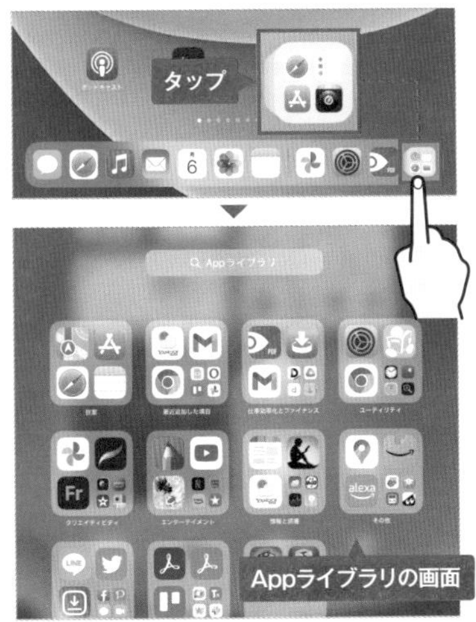

Dockの右端にあるアイコンをタップするか、ホーム画面を右端のページまでスワイプしてみよう。iPadの全アプリが「提案」、「最近追加した項目」、「ユーティリティ」、「SNS」などのカテゴリ別に表示される画面になる。これがAppライブラリだ。

2 Appライブラリからアプリを起動する

Appライブラリのカテゴリは、自動的に判別される。大きなアイコンをタップすれば、そのアプリが起動。小さいアイコンをタップすれば、同カテゴリ内に含まれるその他のアプリが表示される。何もないところをタップすれば、元の画面に戻ることが可能だ。

3 Appライブラリのアプリをホーム画面に配置

Appライブラリのアプリをロングタップすると、ホーム画面のときと同じようにクイックアクションメニューが表示される。さらに、アプリをドラッグしてカテゴリの枠外に移動させると、ホーム画面の好きな場所にアプリを配置させることが可能だ。

no. 026

不要なアプリを削除しておこう

Appライブラリで アプリをアンインストール

アプリのアンインストールは、ホーム画面から行う(No022で解説)のが手軽だが、Appライブラリからも行える。ホーム画面で見つからないアプリをアンインストールしたいときに使ってみよう。なお、アンインストールしたアプリは、ホーム画面とAppライブラリの両方で表示されなくなる。

1 アプリをロングタップする

Appライブラリを表示したら、アンインストールしたいアプリを探してロングタップしよう。表示されたクイックアクションメニューから「Appを削除」を選択する。

2 「削除」でアンインストール

上のような確認画面が表示されるので「削除」をタップ。これでアプリがアンインストールされる。再度アプリを使いたいときは、App Storeから再インストールすればいい。

no. 027

検索でアプリを素早く見つける

Appライブラリの 検索機能を利用する

Appライブラリの検索欄をタップすると、すべてのアプリがアルファベット順～五十音順に一覧表示される。ここからキーワード検索で目的のアプリを探し出してみよう。検索結果の項目をタップすればそのアプリが起動、ロングタップしてドラッグすればホーム画面にアプリを追加することも可能だ。

1 画面上部の検索欄をタップする

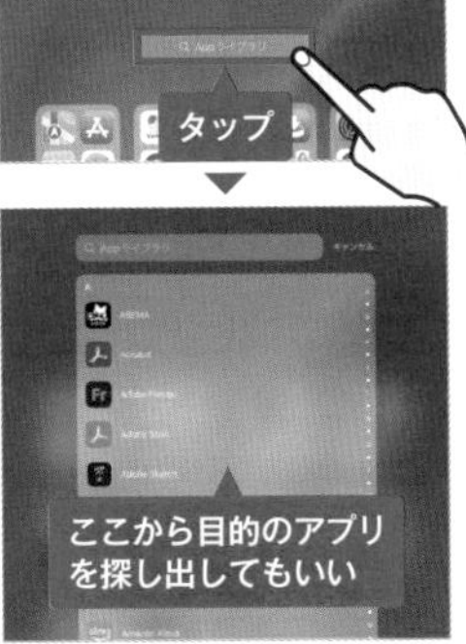

Appライブラリを表示したら、画面上部の検索欄をタップしよう。検索欄に何も入力していない状態だと、アプリがアルファベット順～五十音順に一覧表示される。

2 キーワード検索で探してみよう

キーワード検索でアプリを探してみよう。アプリ名だけでなく、「地図」や「PDF」など、そのアプリに関連するキーワードでもOKだ。項目をタップすればアプリが起動する。

no.028 ホーム画面をスッキリさせよう
アプリをホーム画面から取り除く

ホーム画面に大量のアプリを並べていると、目的のアプリが見つけずらくなる。そこでオススメなのが、「ホーム画面にはよく使うアプリだけ並べて、あまり使わないアプリはホーム画面から取り除く(アンインストールはしない)」という管理方法。ホーム画面から取り除いたアプリは、Appライブラリから探して起動すればいいのだ。

1 ホーム画面からアプリを取り除く

ホーム画面でアプリをロングタップしたら「Appを削除」→「ホーム画面から取り除く」をタップ。これでホーム画面からのみアプリを消すことができる。

2 Appライブラリで見つける

アプリ自体はアンインストールされていないので、Appライブラリで検索すれば見つけることができる。あまり使わないアプリはこの方法で管理するといい。

no.029 アプリやウィジェットをページごと移動
ホーム画面のページを並べ替える

ホーム画面を整理していると、「2ページ目にあるアプリやウィジェットをまるごと最初のページに持っていきたい」といった編集を行いたいときがある。そんな場合は、ホーム画面の編集モードで画面下に表示される「ドット」部分をタップしてみよう。ページの一覧が表示され、ドラッグ操作でページの入れ替えが可能だ。使いやすい順番に入れ替えてみよう。

1 編集モードで「ドット」をタップ

まずはホーム画面の何もないところをロングタップして編集モードにする。次に画面下に表示される「ドット」部分をタップしよう。

2 ページの並べ替えが可能だ

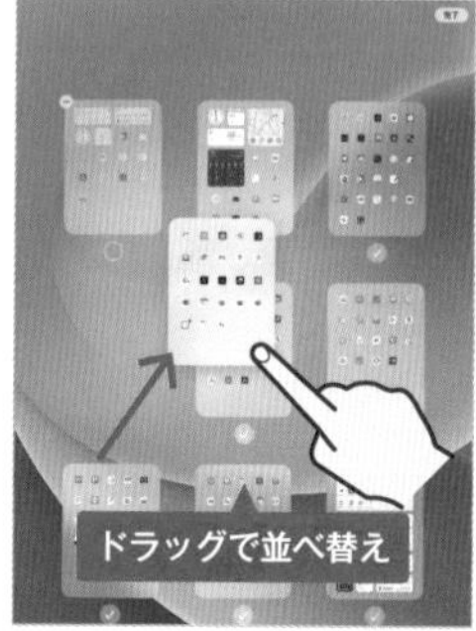

ホーム画面のすべてのページが一覧表示される。ページ部分をロングタップしてからドラッグすれば、並べ替えが可能だ。好きな順番に入れ替えてみよう。

no.030 使わないページは消しておこう
ホーム画面のページを非表示にする

No029で解説しているホーム画面のページ入れ替え画面では、各ページの下にチェックマークが付いている。ここをタップしてチェックマークを外すと、そのページを一時的に非表示にすることが可能だ。再びページを表示したいときはチェックマークを付ければいい。また、「ー」をタップすると、ページごとアプリやウィジェットを取り除くことができる。

1 ページを一時的に非表示にする

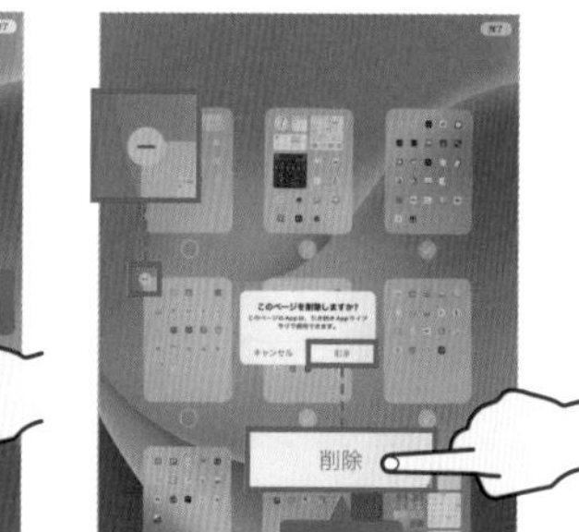

ホーム画面で何もないところをロングタップし、画面下のドット部分をタップ。上の画面になったら非表示にしたいページのチェックマークをタップして外そう。

2 ページ自体を取り除く

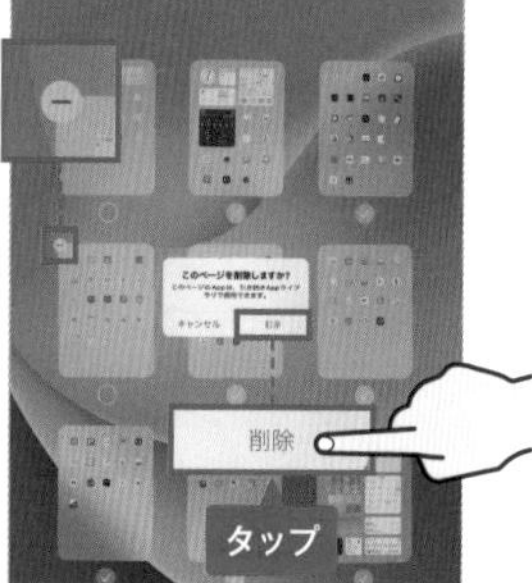

ページを取り除きたい場合は、さらに「ー」をタップして「削除」を選べばいい。ホーム画面からそのページが取り除かれる。取り除かれたアプリもAppライブラリには残っている。

no.031 iPadの画面を画像として残す
画面のスクリーンショットを保存する

本体の電源／スリープボタンとどちらかの音量ボタンを同時に押す(ホームボタンのあるiPadでは電源／スリープボタンとホームボタンを同時に押す)と、その時表示されている画面を撮影し画像として保存できる。撮影後は画面左下にサムネイル画像が表示され、タップするとマークアップ機能が起動。画像への書き込みや共有が簡単に行える。

1 スクリーンショットを撮影する

スクリーンショットを撮影すると、撮影画像のサムネイルが左下にしばらく表示される。画像加工や共有をするならタップしよう。

2 書き込みや共有を行う

サムネイルをタップすると、マークアップ機能が起動。画面右上の共有ボタンをタップすれば、メールやSNSなどで共有できる。

no. 032

落ち着いた色調の画面に切り替えてみよう

ダークモードを利用する

時間でライトモードとダークモードを切り替えることも可能

iPadOSでは、「外観モード」という機能が搭載されている。これにより、画面の色調を「ライトモード」と「ダークモード」の2種類から選ぶことが可能だ。ライトモードはいままで通りの明るい色調で、ダークモードは黒をベースとした暗い色調となる。ダークモードは、ライトモードに比べて目が疲れにくく、バッテリー消費も少し抑えられるのがメリットだ。外観モードは「設定」→「画面表示と明るさ」から設定が可能なのでチェックしてみよう。また、設定した時間で外観モードを自動的に切り替えることも可能だ。

1 ダークモードに切り替える

ダークモードに切り替えるには、「設定」→「画面表示と明るさ」をタップ。一番上にある外観モードの「ダーク」をタップしよう。すると、ホーム画面や設定画面が黒ベースの暗い色調になる。ダークモード対応のアプリであれば、同じように色調が変わる。

2 ライトモードとダークモードを時間で切り替える

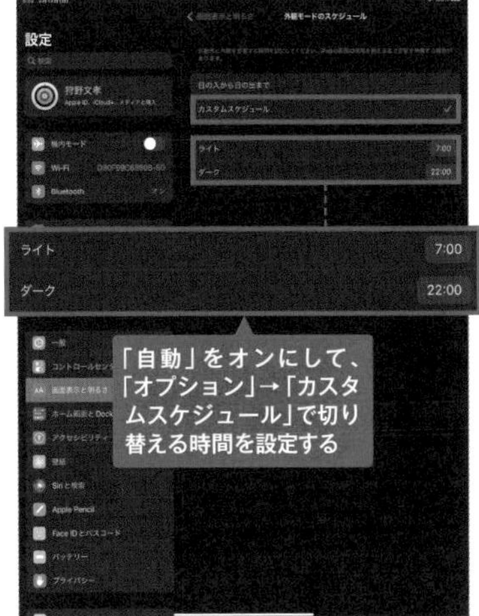

ライトモードとダークモードを時間帯で切り替えたい時は、「設定」→「画面表示と明るさ」にある「自動」をオンにしよう。さらに「オプション」で「カスタムスケジュール」から時間帯を設定する。昼間はライトモードにして、夜間はダークモードにするというのがオススメだ。

no. 033

タッチパネルを4~5本指で操作

ジェスチャ機能を使用する

設定から「ジェスチャ」機能をオンにしておけば、4~5本指を使ったジェスチャ操作が可能になる。例えば、アプリ使用中の画面を4本もしくは5本指でピンチインすれば、ホーム画面に戻ることが可能だ。また、4本もしくは5本指で画面を上へスワイプすれば、Appスイッチャー（No011で解説）を表示することができる。慣れると便利なので試してみよう。

no. 034

すべての通信をオフにできる

機内モードを利用する

航空機内など、電波を発する機器の使用を禁止されている場所でiPadを利用する際は、「機内モード」をオンにしよう。Wi-FiやBluetooth、モバイルデータ通信、電話など、電波を使う機能をすべて無効にすることが可能だ。機内モードのオン／オフは、コントロールセンター（No036で解説）にある飛行機マークのボタンをタップすれば切り替えることができる。

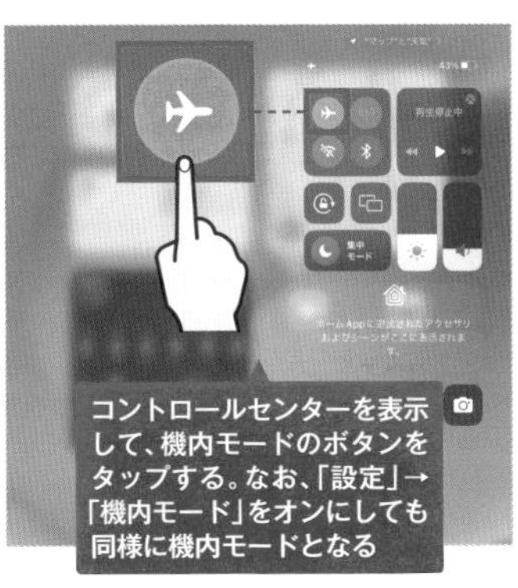

no. 035

コントロールセンターで向きをロックする

本体の向きで画面が回転しないようにする

iPadは、本体の向きに合わせて画面も縦、横に自動で回転する。便利な反面、例えばベッドに寝転がってSafariでWebサイトを見ている時など、本体の動きによって画面の向きが勝手に変わって記事が読みづらくなるといった弊害もある。そんな時はコントロールセンター（No036で解説）の「画面の向きのロック」をオンにしよう。現在表示している向きに画面が固定される。

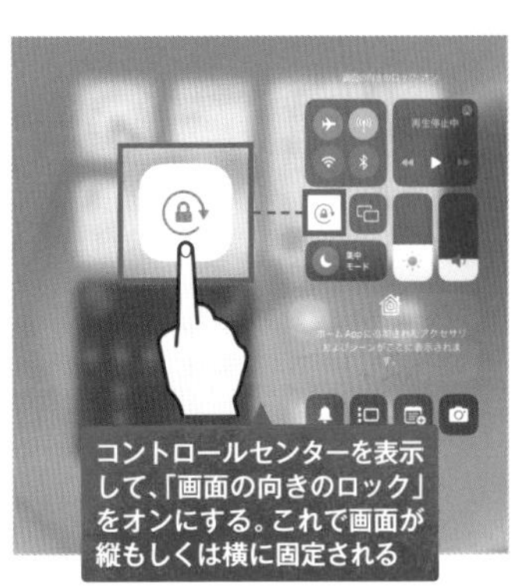

よく利用する設定や機能に素早くアクセス

no.036 コントロールセンターを利用する

タブをグループごとにまとめて整理する

「コントロールセンター」は、画面右上から下方向へスワイプして引き出せる画面だ。よく使う機能や設定がパネル状にまとめられており、いちいち設定画面を開かなくても、素早く機能を切り替えできるようになっている。また、ロック画面やアプリ使用中の画面からでも開くことができる。この画面では、Wi-FiやBluetoothの接続や切断、機内モードのオン／オフ、集中モードの切り替えなどを簡単に変更可能だ。特に画面の明るさ調整や画面の向きのロックはよく使うので、コントロールセンターで手早く変更できることを覚えておこう。

1 コントロールセンターを開く

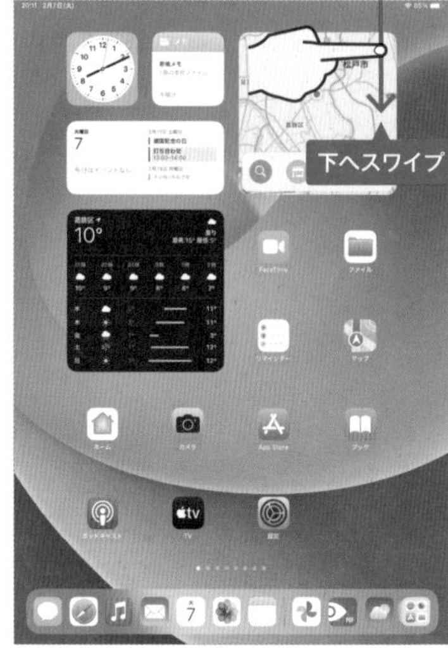

コントロールセンターを開くには、画面の右上から下にスワイプすればよい。ホーム画面やロック画面、アプリ利用中など、どの画面でも表示できる。

2 コントロールセンターで操作する

この画面で、Wi-Fiなどのオン／オフ、ミュージックアプリの操作、画面の向きのロック、画面ミラーリング、集中モードの切り替え、画面の明るさ、音量調整などを操作できる。

基本操作

no.037 隠れた機能を利用できる

コントロールセンターでコントロールをロングタップする

コントロールセンターの各コントロールは、ロングタップすることで隠れた機能を表示できる。例えば、右上の再生コントロールをロングタップすると、現在再生している音楽の詳細が表示され、画面の明るさをロングタップすると外観モードを切り替えできるなど、さらなる機能を利用可能だ。どんな機能が備わっているかひと通り確認しよう。

no.038 表示される機能を追加／削除する

コントロールセンターをカスタマイズする

「設定」→「コントロールセンター」では、コントロールセンターで表示される各種コントロールボタンを追加することができる。初期状態で表示されるカメラなどのボタンが不要なら、ここから削除することも可能だ。

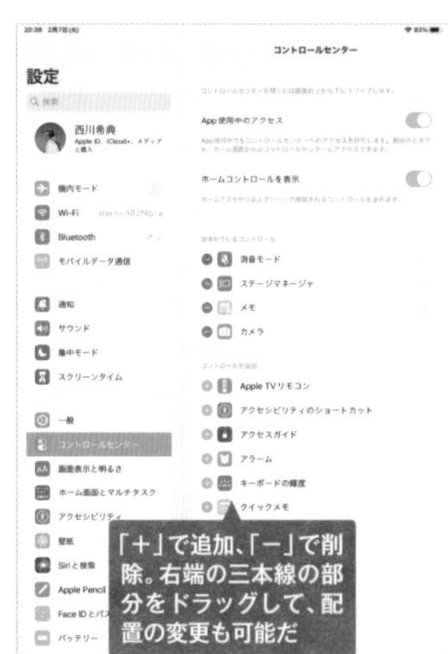

no.039 カメラやマイクを使ったアプリが分かる

プライバシー情報の表示を確認する

コントロールセンターでは、アプリがプライバシーに関わる機能を使っているかどうかも確認可能だ。コントロールセンターの一番上に、最近カメラやマイク、位置情報を使用したアプリ名が表示されるほか、この部分をタップすると、どのアプリが何の機能を使ったか履歴が表示される。プライバシー情報を使う必要のないアプリ名が表示されるようなら、念のため削除するなどして対処しよう。

no. 040

過去の通知をまとめて確認しよう

通知センターで通知をチェック

画面左上から下方向へスワイプして表示する

「通知センター」は、画面左上から下方向へスワイプして引き出せる画面だ。ここでは、各種アプリの通知や新着メールなど、通知の履歴をまとめて一覧表示することができる。通知はしっかり確認しないで消してしまうことも多いので、あらためてチェックしたい時に利用しよう。各通知は個別に消去したり、日にちごとにまとめて消去したりも可能。また、通知の履歴はロック画面でも同じように確認できる（No052で解説）。なお、ロック画面に通知を表示するかどうかは、アプリごとに設定することが可能だ（No144で解説）。

1 通知の履歴をスワイプで表示

画面左上のステータスバーから下方向へスワイプして通知センターを表示。これまでの通知履歴がまとめて確認できる。画面の最下部を上へスワイプするか、ホームボタンを押せば画面が閉じる。

2 通知の履歴から通知を消去する

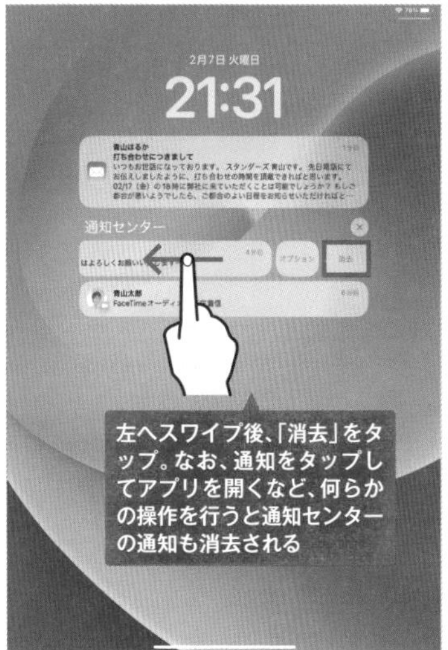

各通知を左方向へスワイプし「消去」をタップすれば、通知を個別に消去できる。また、「×」ボタンをタップしてから「消去」をタップすれば、通知をまとめて消去することも可能だ。

no. 041

通知から各種処理を行おう

通知センターで通知内容に応対する

通知センターの画面では、通知に対するさまざまな応対を行える。例えば、メッセージの通知をロングタップすると、通知センターの画面内でメッセージの全文表示や返信が可能だ。FaceTimeの通知では「かけ直す」や「メッセージを送信」の操作を行える。また、通知を左にスワイプして「オプション」をタップすれば、通知の一時停止設定などが可能だ。

1 通知をロングタップして処理を行う

アプリによっては、通知をロングタップして各種処理を行える。例えばFaceTimeでは、かけ直しやメッセージの送信といった操作が可能だ。

2 通知の一時停止なども可能

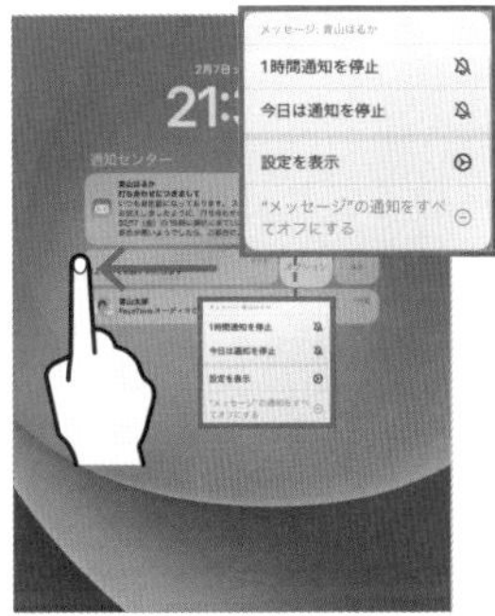

通知を左へスワイプして「オプション」をタップすると、「1時間通知を停止」や「今日は通知を停止」など通知の一時停止設定が可能だ。

no. 042

画面収録機能を利用する

画面の動きを動画として録画する

iPadOS搭載の「画面収録」機能を使えば、iPadの画面の動きをそのまま動画として保存できる。ただし、画面収録機能は、コントロールセンターをカスタマイズ（No038で解説）しないと利用できない。まずは、設定でコントロールセンターに画面収録機能のボタンを表示させておこう。

1 「画面収録」機能を表示する

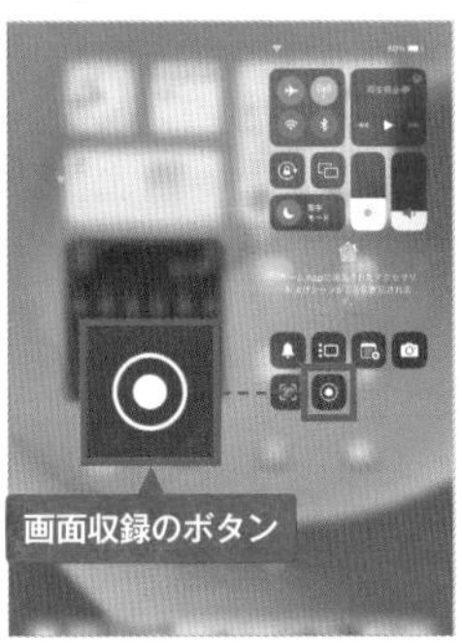

まずは「設定」→「コントロールセンター」で「画面収録」の「＋」をタップ。すると、コントロールセンターに画面収録のボタンが追加される。ロングタップすると、マイクのオン／オフも設定可能だ。

2 画面の動きが録画される

画面収録のボタンをタップして録画スタート。録画中はステータスバーに赤いマークが表示され、タップすれば録画を停止できる。保存した動画は写真アプリで再生可能だ。

アプリの一部機能をホーム画面で利用できる

no.043 ホーム画面にウィジェットを配置する

ウイジェットを配置してホーム画面を使いやすくカスタマイズ

iPadでは、ホーム画面に「ウィジェット」を配置することが可能だ。ウィジェットとは、アプリの一部機能をホーム画面で利用できるようにしたもの。時計やカレンダー、天気、メモなど、さまざまな標準アプリがウィジェットに対応している。iPadの初期状態でもすでにいくつかのウィジェットがホーム画面に並んでいるはずだ。ウィジェットの配置を自分でカスタマイズしたいなら、まずはホーム画面を編集モード（No013で解説）にしてから、画面左上の「＋」ボタンをタップしよう。ウィジェット一覧が表示されるので、ここから好きなものを選んで配置すればいい。

1 ホーム画面の編集モードから「＋」をタップ

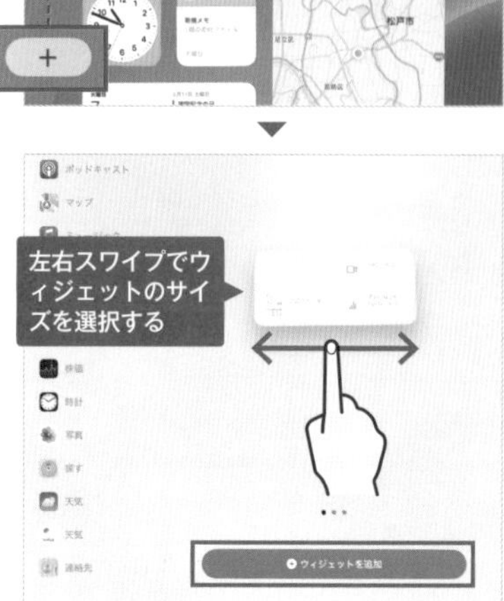

まずは、ホーム画面を編集モード（No013で解説）に切り替え、画面左上の「＋」をタップ。ウィジェット一覧が表示されるので、ホーム画面に追加したいウィジェットを選び、「ウィジェットを追加」をタップしよう。

2 ホーム画面にウィジェットを追加する

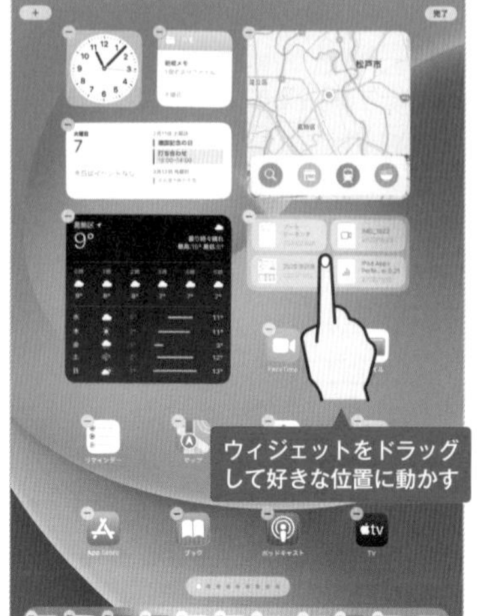

ホーム画面に配置されたら、ドラッグして位置を調整。ページの端にドラッグすれば別ページへの移動が可能だ。「－」をタップすれば削除もできる。編集が終わったら右上の「完了」をタップしよう。

ホーム画面の左端から呼び出せる

no.044 「今日の表示」にウィジェットを配置する

ホーム画面の1ページ目を表示した状態で、画面左端から右にスワイプすると、ウィジェットだけが並んだ画面が表示される。これをiPadでは「今日の表示」と呼ぶ。ここにも自分の好きなウィジェットを配置して表示させることが可能だ。ホーム画面にはよく使うウィジェットを配置し、「今日の表示」にはたまに使うウィジェットを配置しておくのがおすすめ。

1 「今日の表示」を表示させる

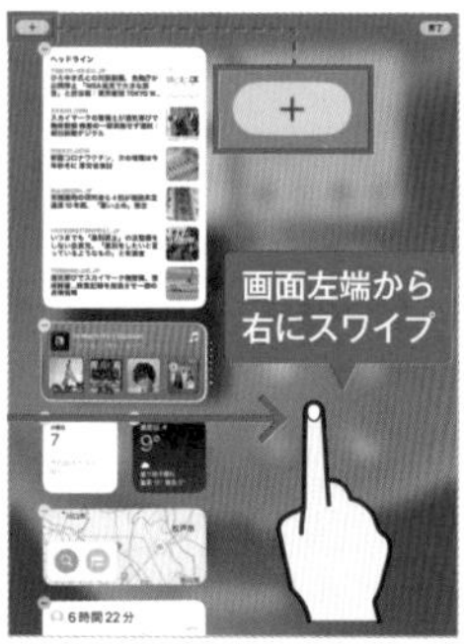

まずはホーム画面の1ページ目で編集モードに切り替える。画面左端から右にスワイプして、「今日の表示」を表示させたら「＋」をタップ。

2 好きなウィジェットを配置する

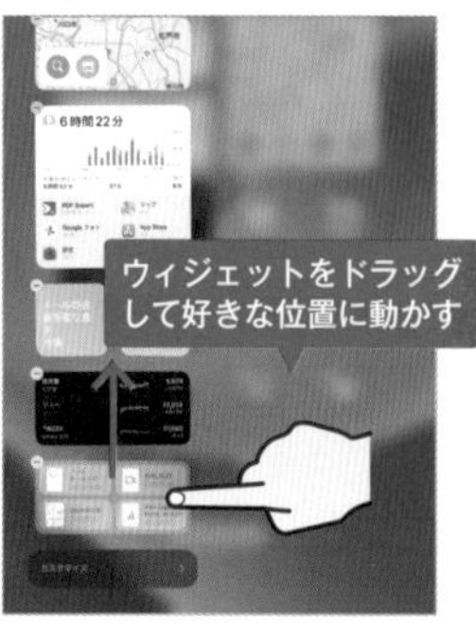

ウィジェット一覧が表示されるので好きなものを選ぶと、「今日の表示」内に配置される。位置を調整したら画面右上の「完了」をタップしよう。

複数のウィジェットをまとめて表示

no.045 スマートスタックを利用する

「スマートスタック」とは、複数のウィジェットを1つにまとめることができるフォルダのようなものだ。ホーム画面の編集モードでウィジェットをロングタップし、ドラッグで別のウィジェットに重ね合わせればスマートスタック化される。複数のウィジェットを省スペースに配置できるので便利だ。

1 スマートスタックを作ってみよう

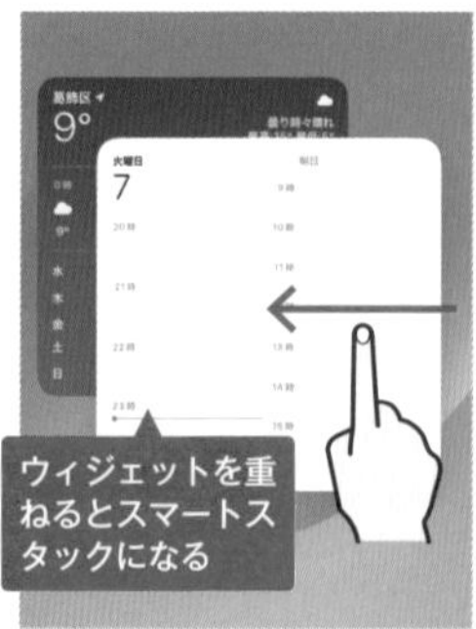

ホーム画面の編集モードでウィジェットをドラッグし、別のウィジェットに重ね合わせてみよう。フォルダのようにスマートスタック化される。なお、スマートスタックにまとめられるウィジェットは同じサイズのもののみだ。

2 上下スワイプで表示の切り替え

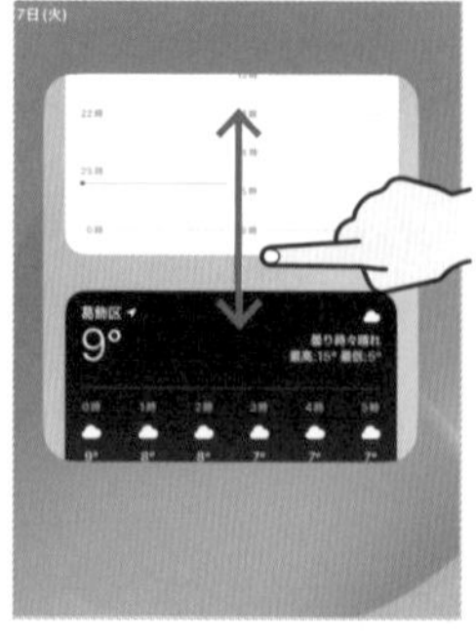

スマートスタックは、上下にスワイプすることで表示するウィジェットを切り替えられる。メールのウィジェットを複数のアカウントごとに作ってスタックしておくなど、アイデイア次第で便利に使うことが可能だ。

no. 046 スタック内の不要なウィジェットを消せる

スマートスタックを編集する

スマートスタックをロングタップして「スタックを編集」を選んでみよう。スタック内のウィジェットをスタック外に出したり、スタック内のウィジェットを削除したりなどの編集が行えるようになる。

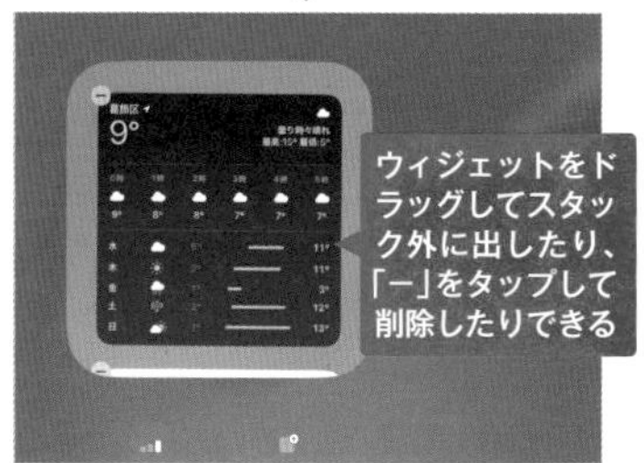

no. 047 最適なウィジェットに自動で切り替えてくれる

スマートローテーションを有効にする

スマートスタックには、「スマートローテーション」という機能がある。これは、アクティビティや位置情報、時間帯などに基づき、1日の中でスタック内の最適なウィジェットを自動的に切り替えて表示してくれる機能だ。スマートローテーションを使うなら、スマートスタックをロングタップして「スタックの編集」を選び、「スマートローテーション」のボタンをオンにしておこう。

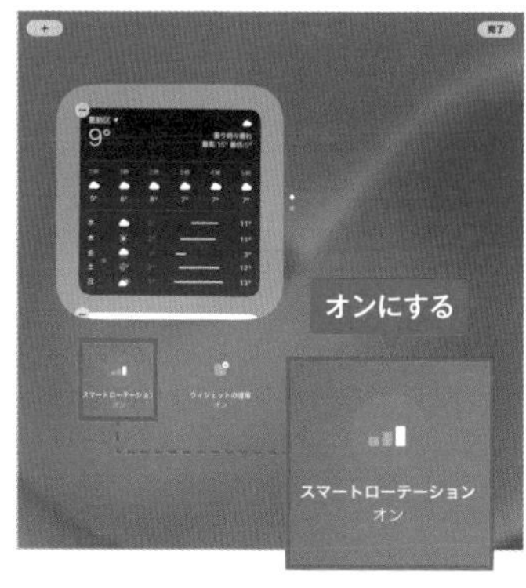

no. 048 便利なウィジェットを自動的に表示

ウィジェットの提案機能を有効にする

スマートスタックの編集画面で「ウィジェットの提案」をオンにすると、使ったことのあるアプリのウィジェットが、過去の使用実績に基づいてスタック内に自動で表示されるようになる。必要なときにいつでも確認できるように、提案されたウィジェットをスタックに追加するかどうかのオプションも提示される。便利なウィジェットを発見できる可能性があるので、ひとまずオンにしておこう。

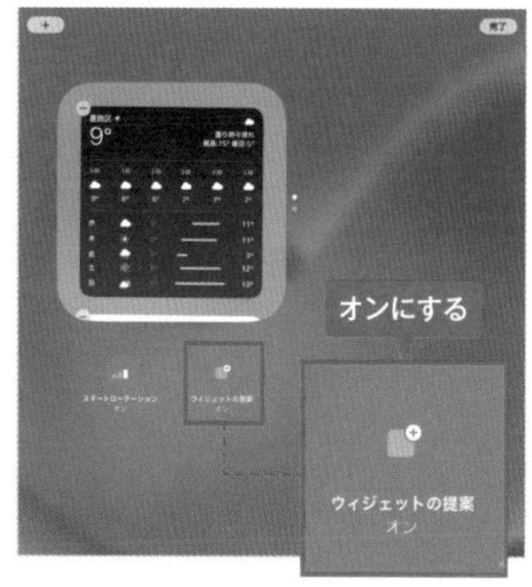

no. 049 ロングタップして機能を編集できる

各ウィジェットの機能を設定する

ウィジェットによっては、配置したあとに機能を設定できるものがある。例えば天気ウィジェットは、天気を表示する場所（現在地や好きな場所）を設定可能だ。ウィジェットの設定を行う場合は、ウィジェット自体をロングタップし、表示されたメニューから「"○○（ウィジェット名）"を編集」を選択すればいい。ウィジェットの設定画面が表示されるので、必要な項目を設定しておこう。

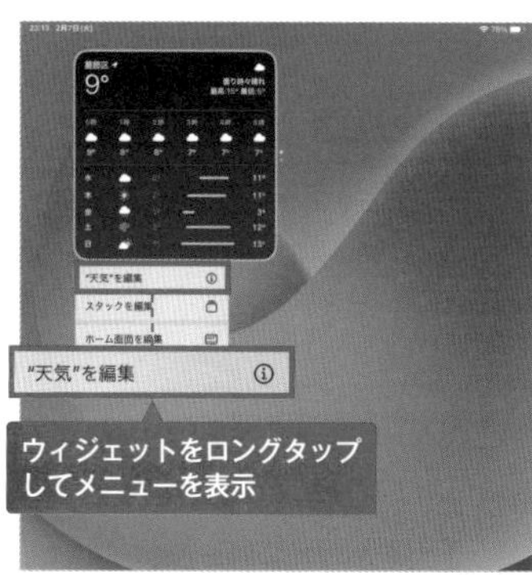

no. 050 古い形式のウィジェットを追加する

iPadOS 16非対応のウィジェットを利用する

iPadOS 16に対応していない旧形式のウィジェットは、No043で紹介した手順とは別の方法で追加することができる。まずは「今日の表示」画面を表示して、一番下にある「編集」をタップ。編集モードになったら、一番下にある「カスタマイズ」をタップしよう。旧形式のウィジェットが一覧表示されるので、「＋」で追加が可能だ。これで「今日の表示」画面の最下部に追加される。

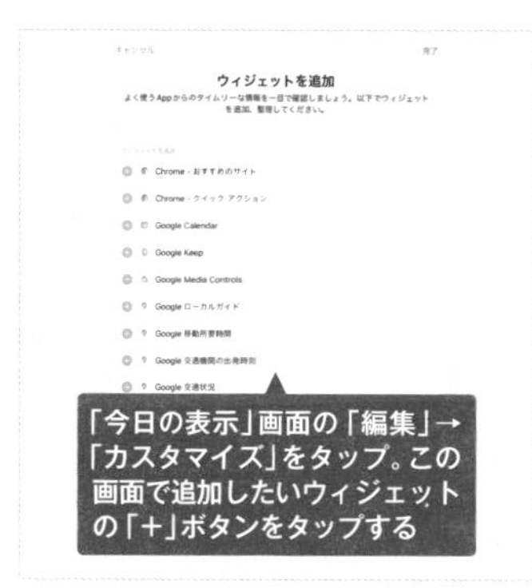

no. 051 余計な手間を省く必須操作

元のアプリの画面に戻る

例えばメールに記載されたURLをタップすると、Safariが起動してリンク先のWebサイトが表示される。内容を確認し、またすぐにメールに戻りたい場合は、ステータスバー左端に表示される「メール」をタップすればよい。メールやSafariに限らず、何らかの情報やデータを別のアプリに受け渡した際は、同様の戻るボタンが表示され、すぐに移動前のアプリに戻ることができる。

基本操作

no. 052

ロック中でも使える機能と注意点

ロック画面で行える さまざまな操作

通知の確認や音楽の再生などさまざまな操作が可能

ロック画面でもホーム画面と同じようにコントロールセンターやウィジェットを利用できる。また、通知センターはロック画面と一体化しており、最新の通知が表示されるのはもちろん、画面を上へスワイプすることで過去の通知も一覧可能だ。ロック画面を左にスワイプすれば、カメラを即座に起動して写真およびビデオの撮影を行える(ただし、過去に撮影した写真アプリ内の写真およびビデオは、ロックを解除しないと閲覧できない)。さらにSiriも利用できるなど、ロックを解除しなくても各種操作を行えて便利だ。ただし、セキュリティを重視するなら、アクセスできる機能を制限するよう設定を見直す必要がある。

コントロールセンターやカメラの起動

ロック画面で各種ツールを利用

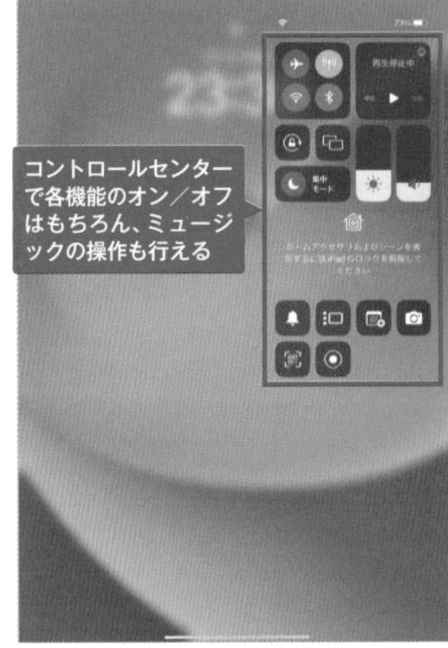

画面右上から下にスワイプすることでコントロールセンターを、画面を右へスワイプすることで「今日の表示」でウィジェットを表示できる。なお、ウィジェットからアプリを起動するにはロックの解除が必要だ。

素早くカメラを起動しすぐに撮影できる

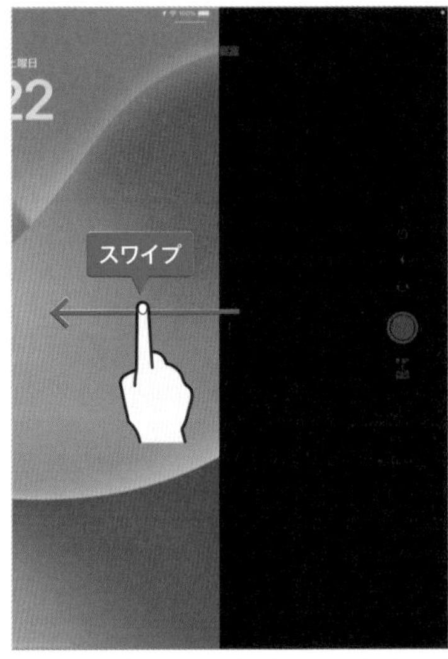

ロック画面を左へスワイプするとカメラが起動し、写真やビデオ撮影を即座に行える。タイマー撮影などの各種機能も利用可能だ。この方法で撮影した写真やビデオもロックを解除せず確認できる。

ロック画面で確認できる通知機能

ロック画面で通知センターを確認する

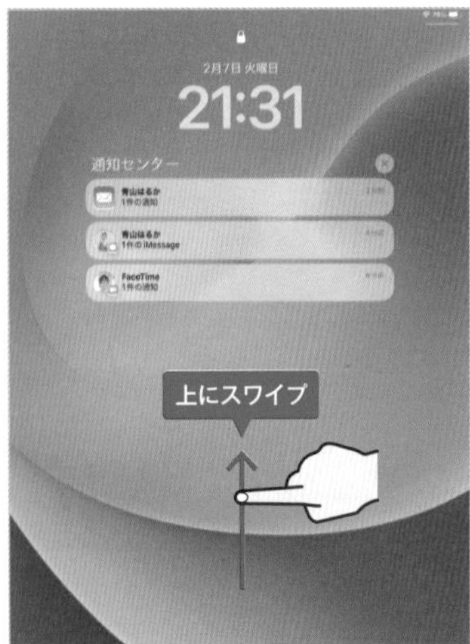

ロック画面には最新の通知が一覧表示される。各通知をロングタップおよびスワイプすれば、各種操作が可能だ。さらに画面を上方向へスワイプすることで過去の通知も一覧表示できる。

ロック画面でのさまざまな通知表示

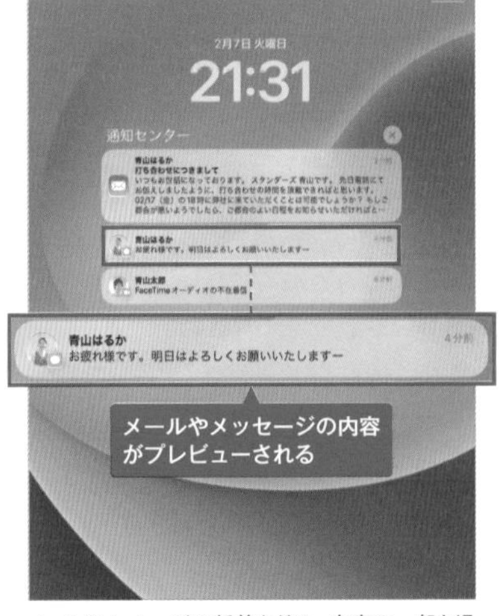

メールやメッセージの新着などは、内容の一部も通知に表示される。便利な反面、個人情報が漏洩する可能性もあるので、気になる場合は、「設定」→「通知」でメールやメッセージを選び、「プレビューを表示」を「ロックされていないときのみ」か「しない」に設定しておこう。

ロック画面の各種表示を制限する

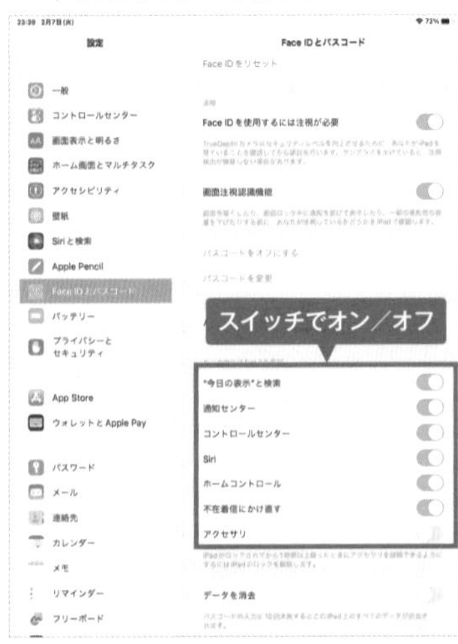

セキュリティを重視したいなら、ロック画面であまり使わない各機能をオフにしておこう。「設定」→「Face ID(Touch ID)とパスコード」の「ロック中にアクセスを許可」欄にある各スイッチをオフにすればOKだ。

基本操作

no. 053

アプリのインストールやiCloud利用に必須

Apple IDを取得する

Appleのサービスを利用するための必須アカウント

「Apple ID」は、Appleの各種サービスや機能を利用するためのアカウントで、IDとなるメールアドレスとパスワードのセットで利用する。App Storeでのアプリのインストールや、iCloudでのバックアップや同期、メッセージアプリでのiMessageのやりとり、FaceTimeでの通話、Apple Musicなどのサブスクリプションサービスなどに必須だ。iPadを最初に起動した際の初期設定手順で取得しなかった人は、ぜひ右の手順で新規作成しておこう。

App StoreやiCloud、Apple MusicといったAppleのオンラインサービスの支払い方法や利用状況、利用履歴は、すべてApple IDに紐付けられる。一度クレジットカード情報を登録しておけば、毎回支払い情報を入力しなくてもアプリや各種コンテンツを素早く購入できる上、過去にダウンロードしたコンテンツもいつでもまとめて確認、再ダウンロードが可能だ。また、iPhoneやパソコン、別のiPadで同じApple IDを使えば、さまざまなコンテンツや利用履歴を同期、共有できる。例えば、iPhoneで入力した連絡先をiCloudを介して自動的にiPadの連絡先に反映させたり、iPhoneで撮影した写真をiPadの大画面で閲覧したり、iPadで作成したメモをiPhoneで確認するといったことができる。なお、Apple IDは複数取得することもでき、あえてiPhoneとiPadで別々のアカウントを使うこともできる。

Apple IDの新規作成方法

1 設定からApple IDの作成画面を表示

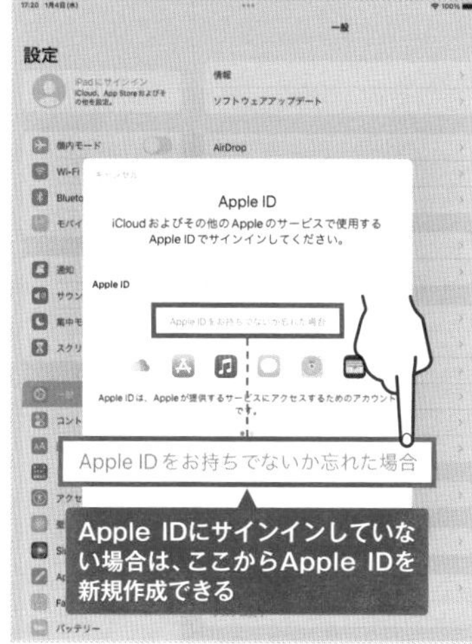

「設定」の一番上にある「iPadにサインイン」をタップして「Apple IDをお持ちでないか忘れた場合」→「Apple IDを作成」をタップ。生年月日や名前、メールアドレス（iCloudメールを無料で作成することも可能）、パスワードの設定と、処理を進めていく。すでにApple IDでサインイン中で、新たなApple IDを作成したいなら、https://appleid.apple.com/にアクセスして、「Apple IDを作成」を選択しよう。

2 電話番号を入力し本人確認を行う

パスワード設定後、SMSか音声通話での本人確認に使用する電話番号を入力する必要がある。入力した番号にSMSもしくは音声で届いた確認コードを入力。利用規約に同意後、iPadのパスコードを入力しよう。

3 メールアドレスの確認処理を行う

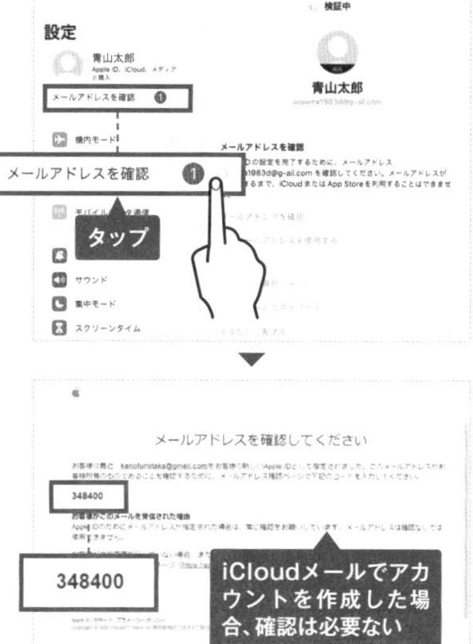

「設定」のApple ID画面で「メールアドレスを確認」をタップ。設定したメールアドレス宛に届いたメールに記載された6桁のコードを入力すれば完了だ。なお、App Storeなどを利用する場合は、別途支払い情報などの登録が必要となる。

使いこなしヒント

Apple IDにサインインするとApple ID名が表示される

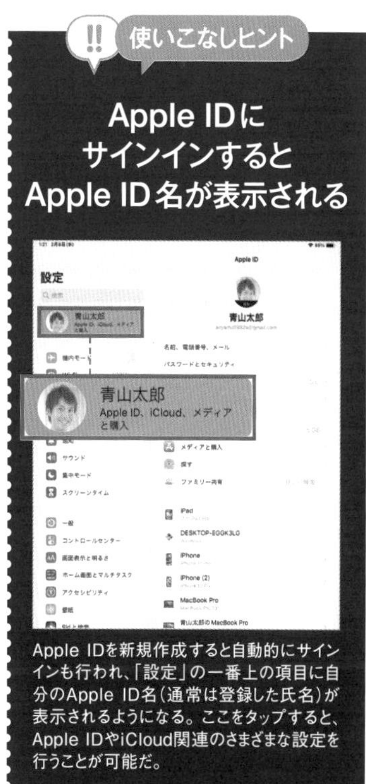

Apple IDを新規作成すると自動的にサインインも行われ、「設定」の一番上の項目に自分のApple ID名（通常は登録した氏名）が表示されるようになる。ここをタップすると、Apple IDやiCloud関連のさまざまな設定を行うことが可能だ。

no. 054 各種ストア機能を使うための準備
App Storeや iTunes Storeにサインイン

Apple StoreやiTunes Storeを利用するのであれば、「設定」→Apple ID名→「メディアと購入」の欄を確認しておこう。ここが「オフ」のままになっていると、App StoreとiTunes Storeでアプリやミュージックを購入するときに再びサインインが必要になってしまう。あらかじめ「メディアと購入」→「続ける」をタップしてサインインしておこう。

1 「メディアと購入」をタップする

まずは、「設定」を開いてApple ID名をタップ。「メディアと購入」の欄が「オフ」であればタップしよう。

2 「続ける」をタップする

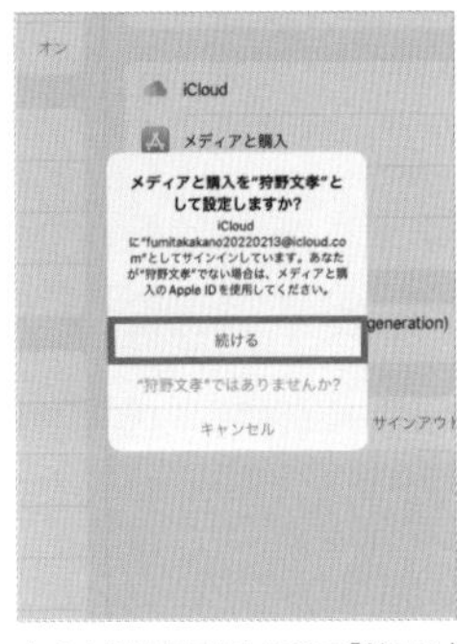

上のような表示になるので「続ける」をタップ。これでApp StoreとiTunes Storeにサインインされる。

no. 055 カード情報などを編集しよう
Apple IDの支払い情報を変更、削除する

iPadでアプリやコンテンツを購入するには、支払いや配送先情報を登録しておく必要がある。「設定」で一番上のApple IDをタップし、「お支払いと配送先」からクレジットカードなどの支払い方法と住所を追加しておこう。iPhoneでdocomoやau、SoftBankの通信プランを契約しているなら、iPhone側の設定で、月々の利用料と合算して支払う「キャリア決済」を選択することもできる(No437で解説)。なお、クレジットカードの更新などですでに登録済みの支払い方法を変更するには、「お支払いと配送先」画面で登録済みのカード名などをタップすればいい。同じ画面の右上にある「編集」から支払い方法の情報を個別に削除することも可能だ。

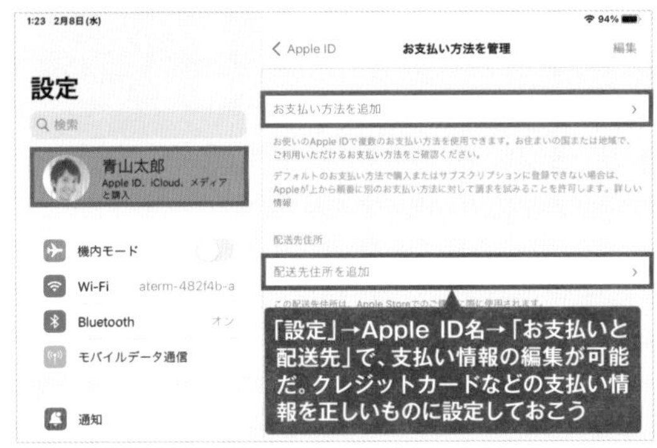

no. 056 アカウントの情報はいつでも変更できる
Apple IDのIDやパスワードを変更する

1 設定でApple IDの画面を開く

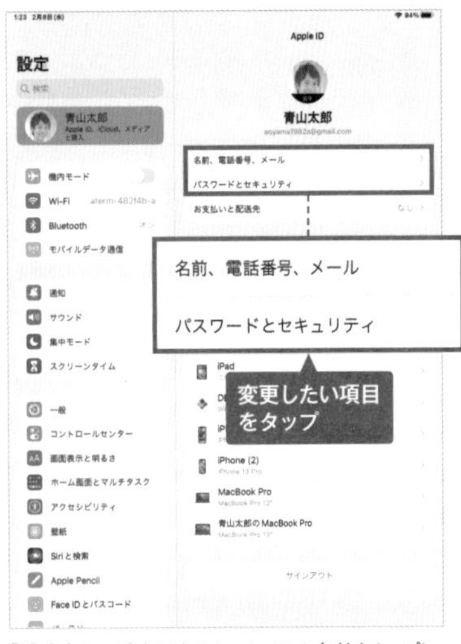

「設定」の一番上にあるApple IDの名前をタップし、Apple IDの管理画面を開く。Apple IDとして利用するメールアドレスを変更したい場合は「名前、電話番号、メール」を、パスワードを変更するには「パスワードとセキュリティ」をタップ。

2 Apple IDのメールアドレスを変更

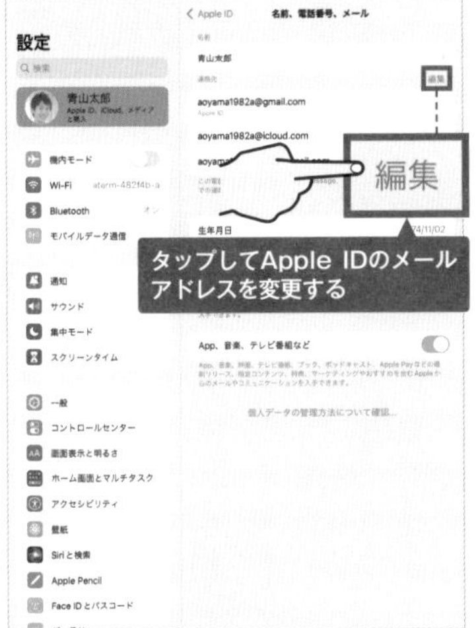

Apple IDのメールアドレスを変更するには、「名前、電話番号、メール」の「連絡先」欄にある「編集」をタップし、続けて「ー」→「削除」をタップ。新しいメールアドレスを入力しよう。iMessageやFaceTime用の連絡先を追加することもできる。

3 Apple IDのパスワードを変更

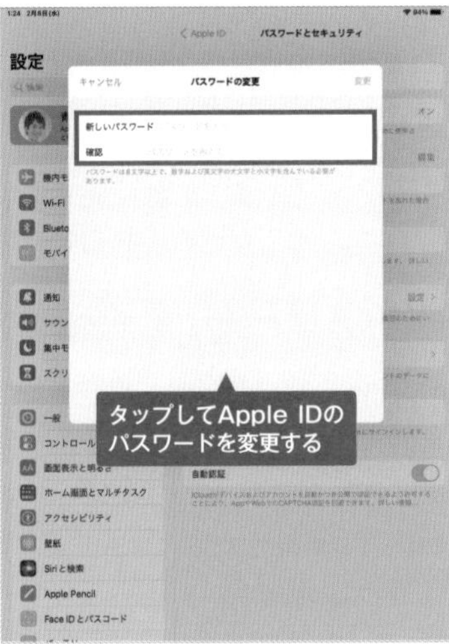

Apple IDのパスワードを変更するには、「パスワードとセキュリティ」→「パスワードの変更」をタップし、iPadのパスコードを入力。続けて新規パスワードを入力し、最後に「変更」をタップすればよい。

no. 057

面倒なパスワード管理を簡単かつ安全に

パスワードの生成、保存、自動ログイン機能を利用する

パスワードを複数端末で同期できるiCloudキーチェーン

iPadでは、Webサービスやアプリにログインする時のアカウント情報(ID、パスワード)を「iCloudキーチェーン」に保存し、次回のログイン時にワンタップで呼び出して自動入力できる。iCloudキーチェーンの情報は、同じApple IDを使っているiPhoneやiPad、Macに自動同期されるので、複数のApple製端末を使っている人はさらに便利だ。他にも、新規アカウント作成時のパスワード自動生成機能や、同じパスワードを使いまわしているアカウントの警告機能なども備えている。また、「1Password」など、他社製のパスワード管理アプリとも連携が可能だ。パスワード管理が安全かつ手軽になるので、ぜひ使いこなしてみよう。

iCloudキーチェーンを有効にしておこう

1 設定画面でキーチェーン機能を有効にする

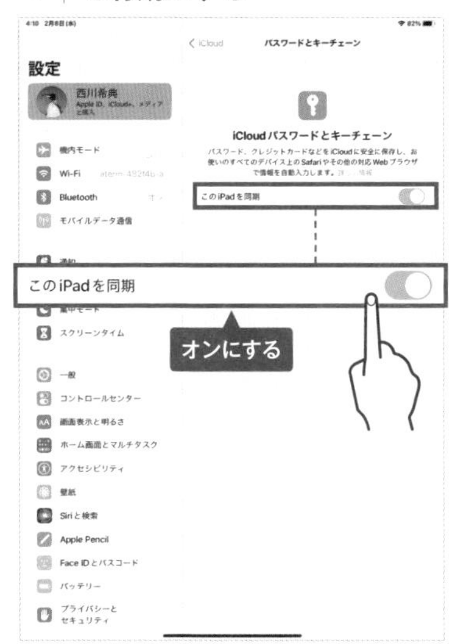

まずは「設定」→自分のApple ID名→「iCloud」→「パスワードとキーチェーン」をタップ。「このiPadと同期」のスイッチをオンにしておこう。

2 パスワードを保存する

次に「設定」→「パスワード」→「パスワードオプション」をタップ。「パスワードを自動入力」をオンにしておき、「iCloudパスワードとキーチェーン」をタップしてチェックを入れておこう。もし、他のパスワード管理アプリも同時に使うなら、そちらにもチェックを入れておく。

パスワードの生成や保存、自動入力機能を使う

1 パスワードを自動生成する

Webのサービスやアプリで新規アカウントを作成する場合、パスワードの入力欄をタップすると自動的にパスワードが生成され、「強力なパスワードを使用」をタップしてiCloudキーチェーンに保存できる。自分でパスワードを作成したい場合は、「その他のオプション」→「独自のパスワードを選択」を選ぼう。

2 タップしてパスワードを自動入力する

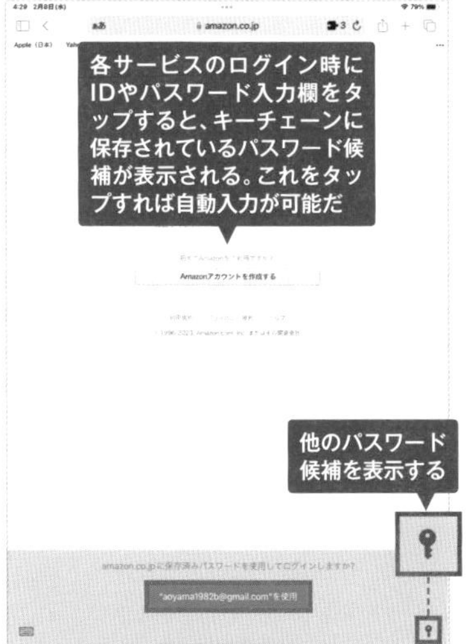

対応アプリやWebサービスにログインした際は、そのアカウント情報をiCloudキーチェーンに保存するかを聞かれる。「パスワードを保存」をタップして保存しておけば、次回のログイン時に保存した候補が表示されるようになる。ここから簡単にIDとパスワードを自動入力することが可能だ。

3 保存されているパスワードを確認する

「設定」→「パスワード」をタップし、Face IDなどで認証を済ませると、iCloudキーチェーンに保存されているアカウント情報を確認できる。ここからIDやパスワードの変更も可能だ。

no.
058

新しい認証方式のパスキーを使おう

パスワード不要で各種サービスにログインする

パスワード入力をFace IDやTouch IDに置き換える

通常、Webサービスやアプリに登録したりログインするには、IDとパスワードの入力が必要で、場合によってはSMSなどの2段階認証も必要だ。しかしiPadで採用されているアカウント認証方式の「パスキー」を使えば、パスワードの作成や入力が不要になり、Face IDやTouch IDを使った生体認証だけで簡単にログインできる。最初からパスワード不要でFace IDやTouch IDのみでアカウントを作成できるので、パスワード流出の心配もない。ただしパスキーでログインするには、Webサービスやアプリ側がパスキーに対応している必要がある。

1 アカウントをパスキーで作成する

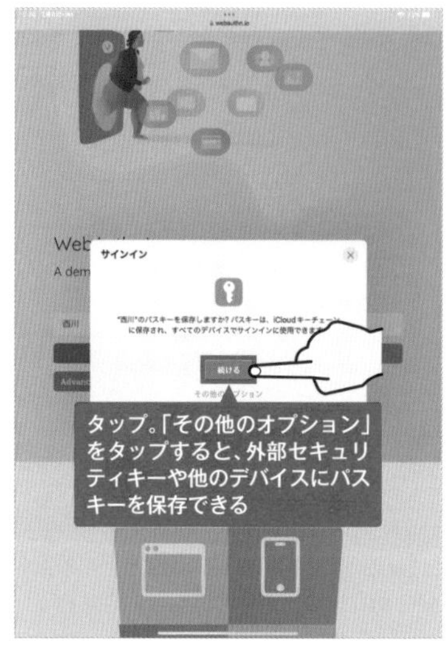

パスキーに対応するWebサービスやアプリであれば、アカウント作成時に「パスキーを保存しますか?」と表示されるので、「続ける」をタップしてFace ID や Touch ID で認証しよう。

2 Face IDやTouch IDの認証でログイン

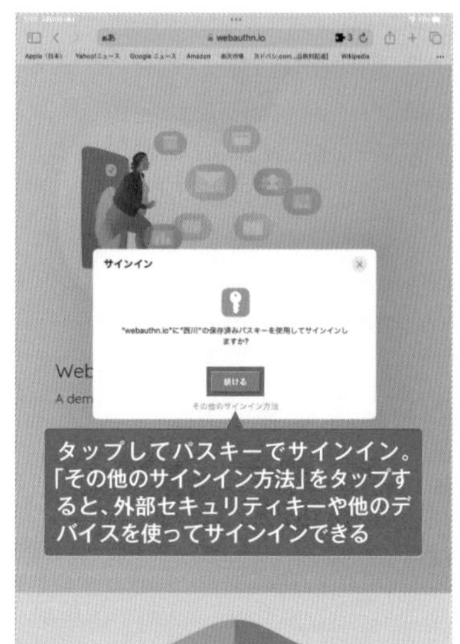

次回ログイン時は「保存済みパスキーを使用してサインインしますか?」と聞かれるので、「続ける」をタップ。Face IDやTouch IDの認証のみでWebサービスやアプリにログインできる。

基本操作

no.
059

古いApple IDを使っている人は要確認

2ファクタ認証でApple IDのセキュリティを強化する

不正アクセスを防止するための強固な認証手段

「設定」→自分のApple ID名→「パスワードとセキュリティ」を開き、「2ファクタ認証」の項目をチェックしてみよう。もしオンになっていない場合は、Apple IDの不正アクセスを防ぐ「2ファクタ認証」を済ませておくこと。2ファクタ認証済みのアカウントは、ユーザーが信頼したデバイスでのみアクセスが可能だ。また、新しいデバイスではじめてサインインする場合は、信頼済みのデバイスで表示される6桁のパスコードが必要となる。パスワード単体ではサインインできないので、たとえパスワードが流出しても不正利用される心配がなくなるのだ。

1 「2ファクタ認証」を有効にする

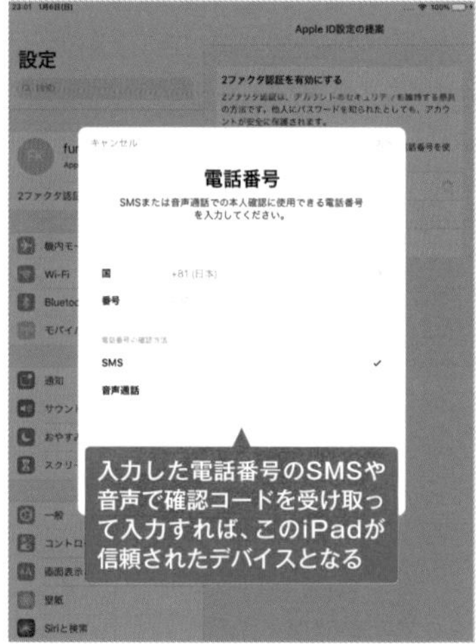

「設定」の一番上にあるApple IDの名前部分をタップし、続けて「パスワードとセキュリティ」→「2ファクタ認証を有効にする」をタップ。「続ける」で処理を進め、本人確認用の電話番号を入力する。なお、最近作成したApple IDの場合はすでに2ファクタ認証済みなので、この作業は必要ない。

2 2ファクタ認証でサインインする方法

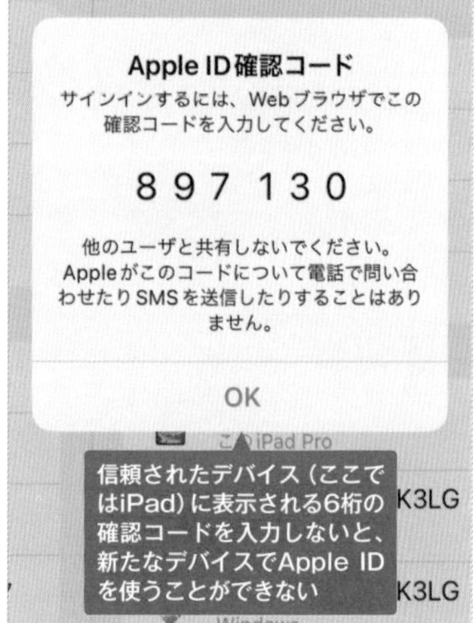

2ファクタ認証を有効にすると、新しいデバイスでApple IDにサインインした際に、手順1で登録した信頼されたデバイスで確認ダイアログが表示されるようになる。サインインにはこの確認コードも必要になるので、よりセキュリティが高まるのだ。

no. 060

他社製のサービスにもログイン可能

Apple IDで各種アプリやサービスにログイン

Apple IDは、Apple以外が提供している他社製アプリのログインにも利用することが可能だ。アプリがApple IDでのログインに対応していれば、新規アカウントを作らずにApple IDだけでログインできるようになる。過去にApple IDでログインしたアプリは、「設定」→Apple ID名→「パスワードとセキュリティ」→「Apple IDを使用中のApp」で管理可能だ。

1 Apple IDでサインイン

他社製アプリの中には、Apple IDでサインインできるものがある。新規アカウントを作らずにサインインできるので便利だ。

2 Apple IDを使用中のアプリを確認

「設定」→Apple ID名→「パスワードとセキュリティ」→「Apple IDを使用中のApp」を開くと、Apple IDと紐付いているアプリを確認できる。

no. 061

設定からサインアウト

Apple IDからサインアウトする

iPadの挙動がおかしいときは、一度Apple IDをサインアウトすると直ることがある。あまり頻繁に行う操作ではないが、いざという時のために手順を覚えておこう。サインアウトすると、もちろんApple IDを使うすべての機能は使えなくなるが、再ログインすれば元の環境に戻る。

1 Apple IDのサインアウトをタップ

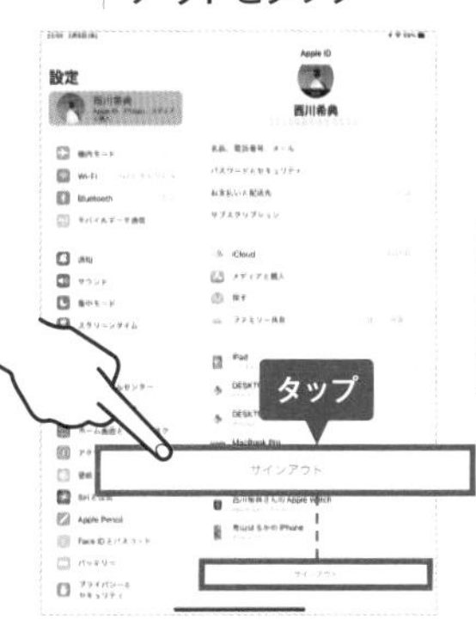

「設定」で一番上のApple ID名をタップし、一番下にある「サインアウト」をタップ。Apple IDのパスワードを入力して「オフにする」をタップする。

2 データのコピーを選択しサインアウト

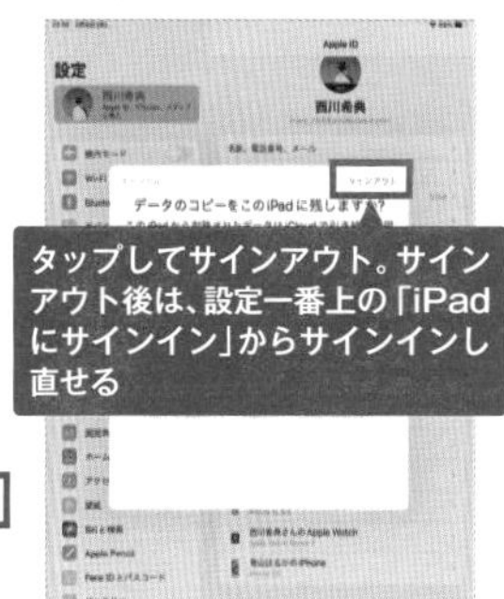

Safariなどのデータを iPadに残すか確認されるが、データ自体はiCloudに残ったままなのでコピーしなくても問題ない。「サインアウト」をタップしてサインアウトしよう。

no. 062

メールの内容まで検索できる

検索機能でiPad内のデータを検索する

ホーム画面を下にスワイプすると、画面上部に検索欄が表示される。この検索欄では、iPad内にあるアプリや連絡先、メール、音楽、ファイルなどのあらゆるデータをキーワード検索することが可能だ。なお、iPadの使用状況などに基づき、Siriが最適なアプリやWebサイトなどを提案することもある。

1 ホーム画面をスワイプする

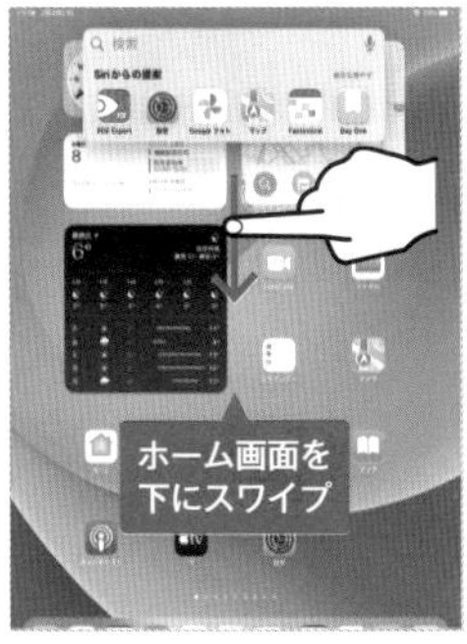

ホーム画面を下にスワイプして検索ボックスを表示。「Siriからの提案」には、ユーザーが次に使いそうなアプリや検索しそうなワードなどが予測表示される。

2 検索ボックスにキーワードを入力

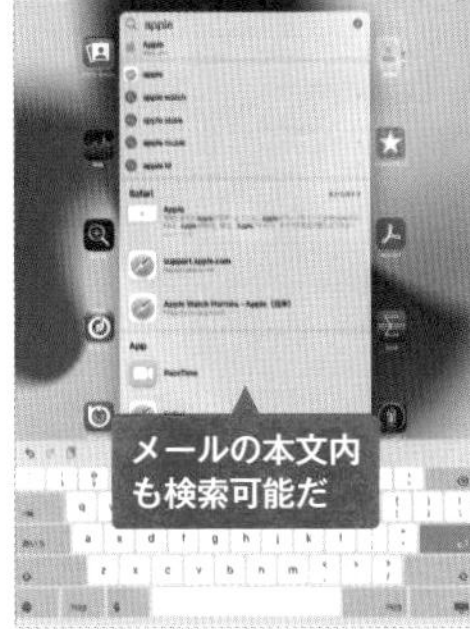

検索ボックスにキーワードを入力すると、検索候補が即座に表示される。検索結果の連絡先から直接メッセージやFaceTimeを利用したり、音楽の検索結果をすぐに再生することが可能だ。

no. 063

マルチタスク機能は排他利用

iPadのマルチタスク機能を切り替える

iPadには複数のアプリや画面を同時に開いて作業を効率化できるマルチタスク機能が備わっている。マルチタスク機能は、アプリを2つまで同時に開くことができる「Split View」と「Slide Over」、そしてアプリを4つまで同時に開くことができる「ステージマネージャ」の3種類を利用可能だ。ただし、ステージマネージャは利用できる機種が限られているほか、機能を有効にするとSplit ViewおよびSlide Overが使えなくなる点に気を付けよう。ステージマネージャのオン／オフは設定で変更可能だ。

ステージマネージャのオン／オフを切り替える

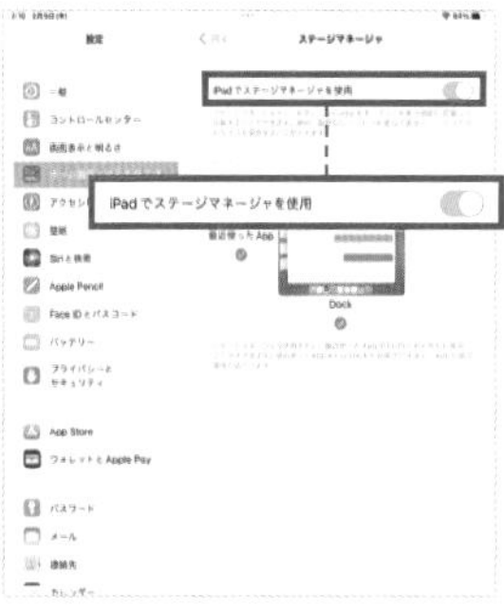

iPadのマルチタスク機能は、「設定」→「ホーム画面とマルチタスク」→「ステージマネージャ」→「iPadでステージマネージャを使用」をオンにするとステージマネージャが有効になり、オフにするとSplit ViewおよびSlide Overが有効になる。どちらか一方しか利用できない。

ステージマネージャ対応iPad

iPad Air(第5世代)、12.9インチiPad Pro(第3世代以降)、11インチiPad Pro(全世代)

no.064

ボタンをタップするだけ

マルチタスク機能をコントロールセンターで切り替える

No063で解説している通り、iPadのマルチタスク機能は設定でステージマネージャをオンにするとステージマネージャを利用でき、オフにするとSplit ViewおよびSlide Overを利用できる。このステージマネージャのオン／オフは、コントロールセンターでも手軽に切り替え可能だ。

1 コントロールセンターを開く

画面の右上から下にスワイプしてコントロールセンターを開こう。ホーム画面やロック画面、アプリ利用中など、どの画面でも表示できる。

2 ステージマネージャのオン／オフを切り替える

ステージマネージャボタンをオンにするとステージマネージャが有効になり、オフにするとSplit ViewおよびSlide Overが有効になる。

no.065

ウインドウの表示形式を変更できる

マルチタスクメニューを表示する

iPadでは画面上部の「…」ボタンをタップすることで、マルチタスク関連のメニューが表示される。ステージマネージャと、Split ViewおよびSlide Overで表示されるメニューが異なるが、どちらの場合も基本的のこのメニューから別の画面を追加したり閉じることが可能だ。

1 ステージマネージャのメニュー

ステージマネージャのマルチタスクメニュー。別のウインドウを追加したり閉じることができる。

2 Split ViewとSlide Overのメニュー

Split ViewおよびSlide Overのマルチタスクメニュー。Split ViewやSlide Overの画面を追加したり閉じることができる。

基本操作

no.066

画面を2分割して利用する

Split Viewで2つのアプリを同時に操作する

分割した画面で2つのアプリを同時に使える

ステージマネージャがオフのときに利用できる、iPadのマルチタスク機能のひとつが「Split View」だ。iPadの画面を2分割して、2つのアプリを同時に利用できる機能となっている。上下に2分割はできず必ず左右に2分割となるため、Split Viewを使うならiPadを横向きにした方が快適だ。対応しているアプリなら、左右で同じアプリを2画面表示することもできる。左右の画面で相互にデータのやり取りもできるので、写真アプリから写真をドラッグしてメモアプリに貼り付けたり、メモアプリを2つ開いて文章を編集するといった使い方も可能だ。

1 マルチタスクメニューでSplit Viewをタップ

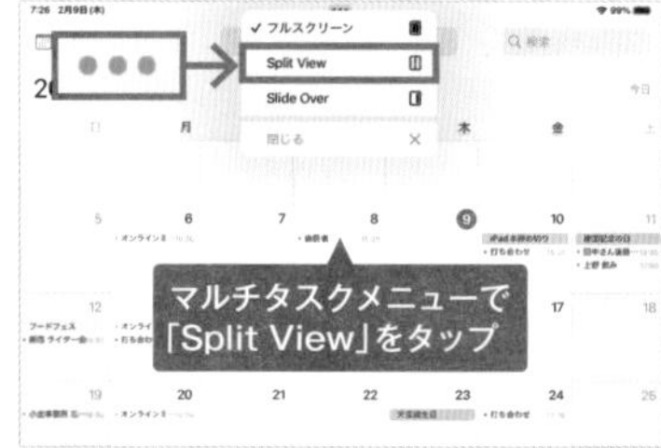

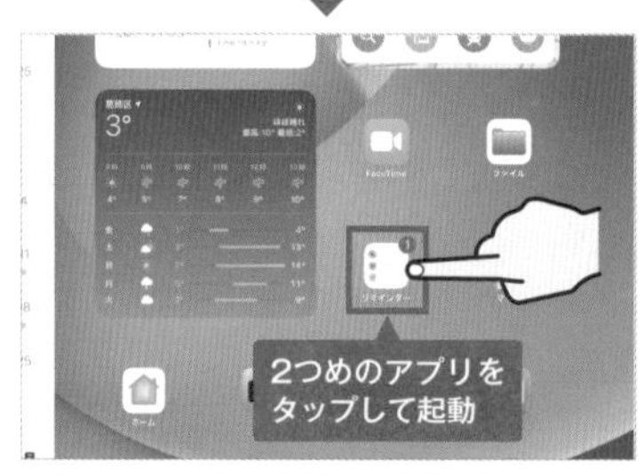

ひとつ目のアプリを起動し、画面上部の「…」→「Split View」をタップ。アプリが画面端に移動した状態でホーム画面が表示されるので、2つ目のアプリを起動する。

2 2つ目のアプリを選択しSplit Viewで表示

画面が分割されて2つのアプリを同時に利用可能になる。カレンダーとリマインダーを分割表示し、スケジュールとタスクを同時に把握するといった使い方が可能だ。

no. 067
分割表示するアプリを切り替える
Split Viewのアプリを変更する

Split Viewで表示しているアプリを変更したい場合は、画面上部にある「…」を引き下げればいい。ホーム画面が表示されるので、入れ替えたいアプリを起動しよう。または、Dock（No017で解説）内のアプリをロングタップ後、Split Viewのウインドウ内にドラッグ&ドロップしてもOKだ。

「…」を引き下げてアプリを選択

Split Viewでアプリを表示中に、画面上部の「…」を引き下げてみよう。ホーム画面が表示されるので、起動したいアプリをタップ。そのウインドウ内のアプリが変更される。

Dockからアプリをドラッグする

Dockを表示してアプリをロングタップ。Split View内にドロップすることでもアプリを変更できる。またはAppライブラリからアプリをドラッグ&ドロップしてもOKだ。

no. 068
画面の分割を解除する
Split Viewを終了する

Split Viewで分割した画面を終了させるには、閉じたい方のアプリの画面上部にある「…」をタップし、開いたメニューで「閉じる」をタップしよう。残ったアプリの画面がフルスクリーン表示になる。または、残したいアプリの「…」→「フルスクリーン」をタップしてもよい。

1 マルチタスクメニューで閉じるをタップ

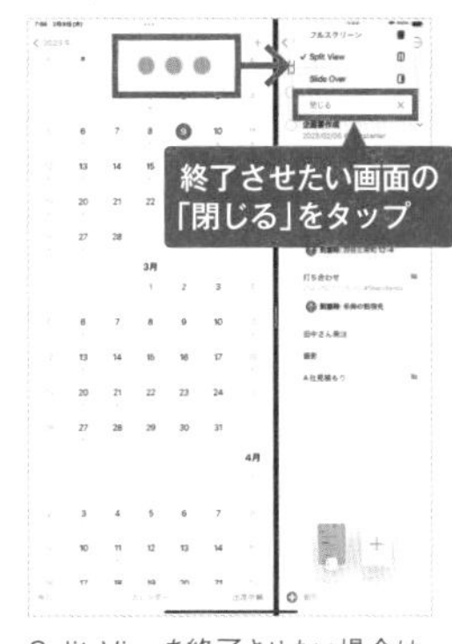

Split Viewを終了させたい場合は、閉じたい画面上部の「…」をタップし、表示されるメニューで「閉じる」をタップすればよい。

2 Split Viewの分割画面が終了した

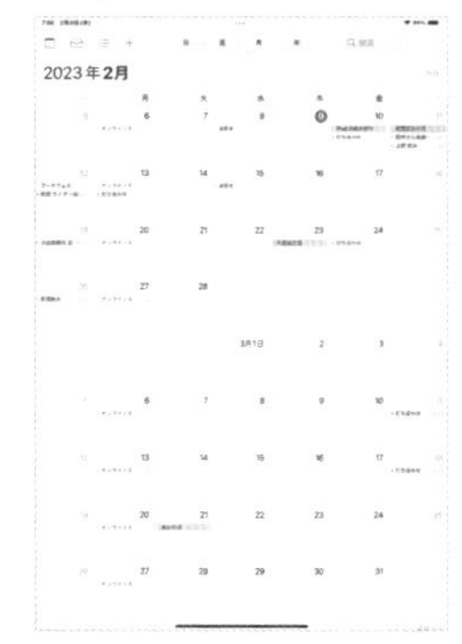

画面の分割が終了し、残ったアプリがフルスクリーンで表示される。残したいアプリのマルチタスクメニューから「フルスクリーン」をタップする方法もある。

no. 069
小さいウインドウで別のアプリを同時に表示
Slide Overでアプリ上にもうひとつのアプリを表示する

小型ウインドウは画面の外に出したり戻したりできる

ステージマネージャがオフのときは、Split Viewだけでなく「Slide Over」も利用できる。アプリの画面の上に小型ウインドウで別のアプリを表示できる機能だ。アプリを2つ同時に使えるのはSplit Viewと同じだが、Slide Overの場合は、小型のウインドウをサッとスワイプするだけで、必要に応じて画面の外に出したり画面上に戻したりできるのがポイント。時々確認したいアプリを必要なときだけ表示できるのだ。また、過去にSplit Viewで表示したアプリは素早く切り替えでき、複数のアプリとデータをやり取りするのにも便利だ（No070で解説）。

1 マルチタスクメニューでSlide Overをタップ

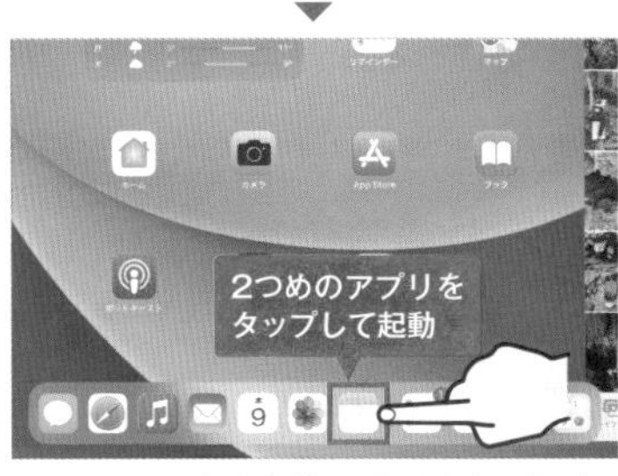

ひとつ目のアプリを起動し、画面上部の「…」→「Split View」をタップ。アプリが画面端に移動した状態でホーム画面が表示されるので、2つ目のアプリを起動する。

2 2つ目のアプリを選択しSplit Viewで表示

ひとつ目のアプリが小型のSlide Overウインドウで表示され、2つ目のアプリがフルスクリーン表示になる。メモを作成しながら写真をドラッグして貼り付けるといった作業に最適だ。

no. 070

ウインドウ内で表示するアプリを変更する

Slide Overのアプリを素早く切り替える

1 過去にSlide Overで表示したアプリに切り替え

Slide Over表示のアプリを別のアプリに切り替えたい場合は、Slide Overのウインドウ最下部にある線を左右にスワイプしてみよう。すると、過去にSlide Overで表示したことのあるアプリに切り替えできる。

2 Slide Overウインドウの一覧を表示する

また、Slide Overウインドウの一番下にある線を上にスワイプすると、Slide Over専用のAppスイッチャー画面が起動。過去にSlide Overで表示したアプリが一覧表示される。

3 DockかAppライブラリからアプリをドラッグする

過去にSlide Overで表示したことのないアプリの場合はDockから好きなアプリをドラッグして、Slide Over上にドロップすればアプリの切り替えが可能だ。DockにないアプリはDockのAppライブラリを表示してそこからアプリをドラッグしてもいい。

基本操作

no. 071

小型ウインドウを閉じる

Slide Overを終了する

Slide Overを終了させるには、小型ウインドウの「…」→「閉じる」をタップすればよい。「フルスクリーン」を選択すると小型ウインドウが全画面で表示される。なお、全画面のアプリの「…」をタップして「閉じる」を選択すると、全画面と小型ウインドウの両方が閉じる。

1 マルチタスクメニューで閉じるをタップ

Slide Overを終了させたい場合は、小型ウインドウの画面上部にある「…」をタップし、表示されるメニューで「閉じる」をタップすればよい。

2 両方の画面を一度に閉じるには

背面で全画面表示されている側のアプリで、画面上部の「…」→「閉じる」をタップすると、全画面のアプリと小型ウインドウの両方を一度に終了できる。

no. 072

マルチタスクメニューから切り替え可能

Slide OverとSplit Viewを切り替える

Split ViewとSlide Overのウインドウは、それぞれ表示の切り替えが可能だ。Split ViewからSlide Overに変更するには、変更したい側の画面でマルチタスクメニューから「Slide Over」をタップ。Slide OverからSplit Viewも同様の操作で変更でき、左右どちらに表示するかも選択できる。

1 Split ViewからSlide Overに変更

Split Viewで左右どちらかの画面のマルチタスクメニューを開き、「Slide Over」をタップすると、そちらの画面がSlide Overに変更される。

2 Slide OverからSplit Viewに変更

Slide Overウインドウのマルチタスクメニューで「Split View」をタップし、「左にSplit」か「右にSplit」を選択すればSplit Viewに切り替わる。

no. 073

3つのアプリを同時に起動できる

Split ViewとSlide Overを同時に利用する

1 Slide Over中にSplit Viewを実行する

Split ViewとSlide Overを組み合わせると、3つのアプリを同時に表示することが可能だ。まずSlide Overで2つのアプリを表示しておき、フルスクリーン表示側のマルチタスクメニューを表示。「Split View」をタップしよう。

2 Split Viewで表示するアプリを起動する

ホーム画面に切り替わるので、Split Viewで起動したいアプリをタップ。これで画面が2分割されて2つのアプリが同時に表示される。

2 Slide Overのウインドウを表示

Split Viewの状態になったら、画面右端から中央にスワイプしてみよう。最初に表示していたSlide Overのウインドウが表示される。これで3つのウインドウを同時に表示することが可能だ。

no. 074

過去に使ったウインドウも一覧できる

Appスイッチャーでウインドウを管理する

マルチタスク機能を使った状態でAppスイッチャーを表示すると、Split ViewやSlide Overで表示しているウインドウも一覧表示される。ここから、過去に使ったアプリをウインドウの状態も含めて再表示させることが可能だ。また、同じアプリで開いているウインドウを一覧表示することもできる。

1 Appスイッチャーを表示してみよう

画面最下部から上にスワイプしよう（ホームボタン搭載モデルはホームボタンを2回押してもよい）。アプリだけでなく各種ウインドウも含めて一覧表示される。

2 同じアプリのウインドウを表示

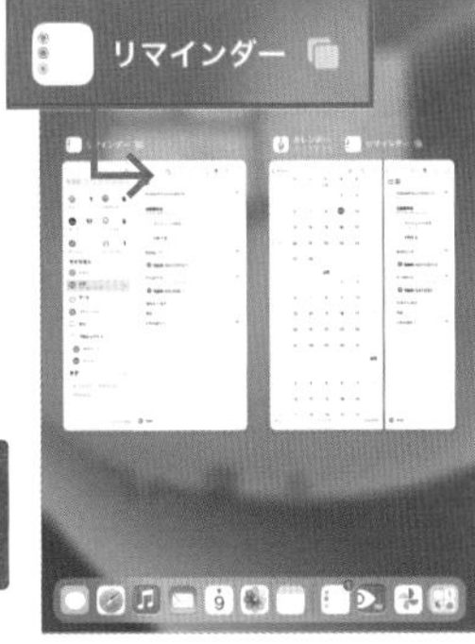

複数ウインドウを開いているアプリには四角が2つ重なったマークが表示される。そのアプリ名をタップすると、同アプリで開いているウインドウだけを一覧表示できる。

no. 075

ウインドウをドラッグして重ねてみよう

AppスイッチャーでSplit Viewを作成

Appスイッチャーで表示されている各ウインドウをロングタップしたら、そのまま別のウインドウの上にドラッグ&ドロップしてみよう。2つのウインドウがSplit View状態で結合されるのだ。また、Split View状態になっているウインドウの片方部分を上にスワイプすると、Split Viewを解除できる。

1 ウインドウ同士をドラッグして重ねる

Appスイッチャーを表示したら、ウインドウをロングタップして、別のウインドウ上にドラッグ&ドロップしてみよう。すると、2つのウインドウがSplit Viewで結合される。

2 片方のウインドウを上にスワイプ

また、Split View状態になっているウインドウの片方部分を上にスワイプすると、Split Viewを解除することができる。

no. 076

Dockからウインドウを作成する

DockからSplit ViewやSlide Overを始める

マルチタスクメニューを使わずに、各種アプリをSlide OverやSplit Viewのウインドウで表示する方法もある。アプリ起動中にDockを表示して、そこから別のアプリをドラッグ&ドロップするだけだ。Dockにないアプリの場合は、Appライブラリを表示して、そこからドラッグ&ドロップしてくればいい。

1 DockからSlide Overにする

アプリ起動中にDockを表示したら、Slide Over表示にしたいアプリをロングタップしてドラッグ。アプリの画面上でドロップする。これでそのアプリがSlide Over表示になる。

2 DockからSplit Viewにする

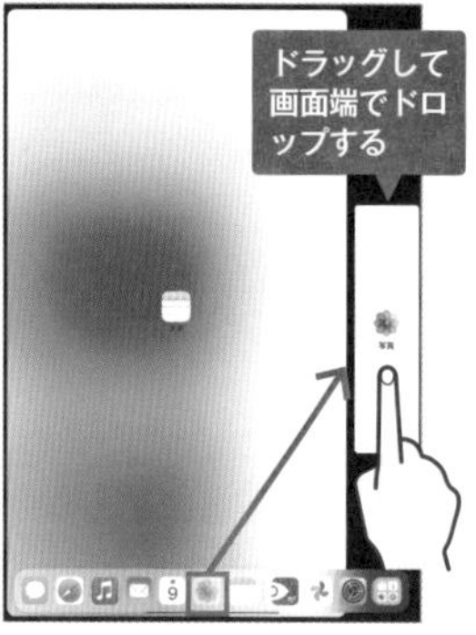

Split View表示にしたい場合、Dockからアプリをロングタップしてドラッグし、画面端でドロップすればいい。Split Viewでそのアプリが表示される。

no. 077

一部のアプリだけで使える表示形式

センターウインドウを利用する

メールやメモ、メッセージといった一部アプリでは、画面中央にウインドウを表示する「センターウインドウ」も利用可能だ。ただし、Slide OverやSplit Viewとは異なり、センターウインドウで表示できる内容は限定されている。メールの場合は、メールを「新規ウインドウで開く」で開いた画面のみだ。

ウインドウが画面中央で表示される

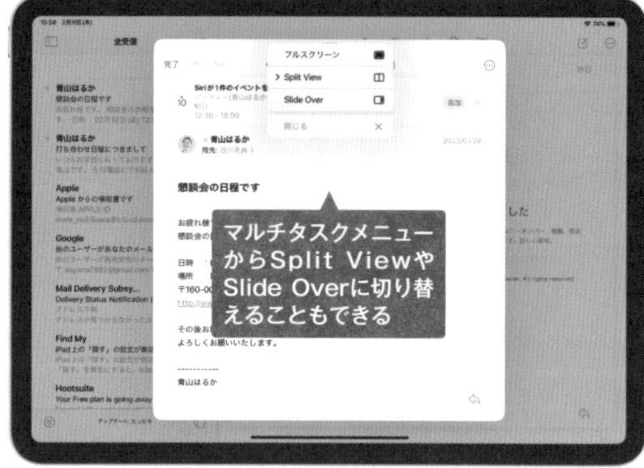

メールアプリの場合、メール一覧でメールをロングタップして「新規ウインドウで開く」を選ぶと、センターウインドウで内容が表示される。

基本操作

no. 078

アプリごとのウインドウを切り替え表示できる

シェルフでウインドウを管理する

アプリごとに開いている複数のウインドウをまとめて管理

Split ViewとSlide Overを利用中は、アプリを起動した際や「…」ボタンでマルチタスクメニューを表示した際に、画面下部のエリアで、同じアプリで開いている複数のウインドウがすべて表示されるようになっている。このエリアを「シェルフ」と言う。例えばSafariを起動すると、Safariが現在バックグラウンドで開いているウインドウ(Split ViewやSlide Overも含む)が画面下に一覧表示されるはずだ。ここから表示するウインドウを切り替えたり、ウインドウを消去できるほか、新しいウインドウを作成することもできる。

1 ウインドウの切り替えとウインドウの消去方法

シェルフは、アプリ起動時またはマルチタスクメニュー表示時に画面下に表示される。各ウインドウ画像をタップすれば、そのウインドウに表示を切り替えることが可能だ。また、ウインドウ画像を上にスワイプすれば、そのウインドウを消去できる。

2 新しいウインドウでアプリを起動する

シェルフの右端に「新規ウインドウ」の項目が表示されている場合、タップすることで新規のウインドウでアプリを起動することが可能だ。Safariの場合は、スタートページが表示された状態で新規ウインドウが作成される。

no.
079

パソコンのように画面を操作できる

ステージマネージャで最大4つのアプリを利用する

一部の機種でしか使えない点に注意

最大4つのアプリを同時に開いて利用できる、iPadのマルチタスク機能が「ステージマネージャ」だ。ステージマネージャは一部の機種でしか使えず、機能を有効にするとSplit ViewおよびSlide Overを利用できなくなる点に注意しよう（No063、No064で解説）。ステージマネージャを有効にしたiPadでアプリを起動すると、ウインドウの大きさを自由に調整できるようになり、まるでパソコンのような画面でアプリを切り替えながらさまざまな作業を行える。Split ViewやSlide Overと同じく、ウインドウ間で写真や文章をドラッグして貼り付けることもできるし、対応していれば同じアプリを複数のウインドウで開くことも可能だ。

ステージマネージャを有効にする

コントロールセンターのステージマネージャボタンをオンにするか、「設定」→「ホーム画面とマルチタスク」→「ステージマネージャ」→「iPadでステージマネージャを使用」をオンにすると、ステージマネージャが有効になる。

ステージマネージャの各種操作

1 マルチタスクメニューでウインドウを追加

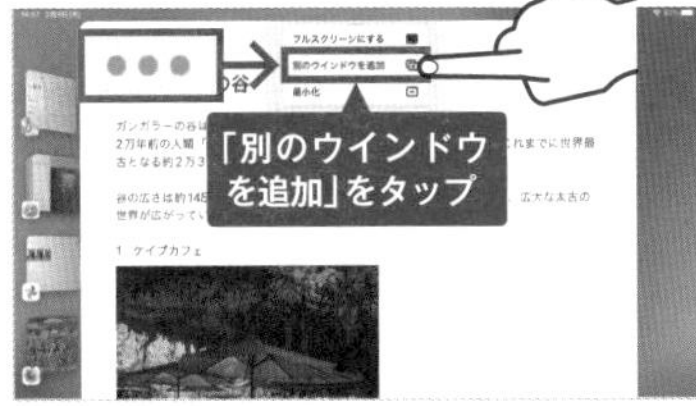

まずひとつ目のアプリを起動し、画面上部の中央にある「…」をタップする。表示されるメニューで「別のウインドウを追加」をタップしよう。

2 追加したいアプリを選択

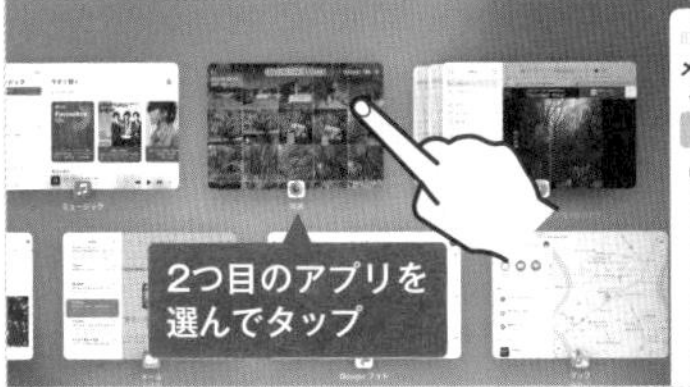

ウインドウが画面の端に移動し、最近使ったすべてのアプリのウインドウ一覧が表示される。ここから2つ目のアプリを選んでタップする。

3 最近使ったアプリに目的のアプリがない場合

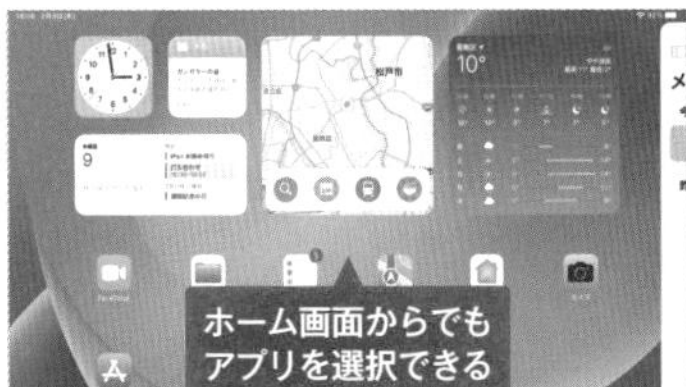

最近使ったアプリのウインドウ一覧に目的のアプリが見当たらない場合は、ウインドウ一覧の何もないエリアをタップするとホーム画面から選択できる。

4 ウインドウの位置や重ね順を変更する

ウインドウの位置を変更したい場合は、画面の上部をドラッグすればよい。また、背後にあるウインドウはタップすると最前面に表示される。

5 ウインドウの大きさを調整する

ウインドウの大きさも自由に調整できる。各ウインドウの右下や左下の角にある、黒い曲線のマークをドラッグすればサイズ変更が可能だ。

6 不要なウインドウを閉じる

不要なウインドウは、上部中央の「…」をタップし、表示されたメニューで「閉じる」をタップすれば閉じることができる。

no.
080

複数のグループを切り替えて作業しよう

ステージマネージャで複数のグループを作成する

別のアプリで新規グループを作成する

ステージマネージャを利用すると、最大4つのアプリをグループ化して作業できる。別のグループを作成したい時は、一度ホーム画面に戻り、他のアプリを起動して新しくグループを作成しよう。それまで作業していたグループは、左欄の「最近使ったApp」欄に移動するので、複数のグループをタップして切り替えながら効率的に作業できる。左欄の最近表示したAppリストから表示が消えたグループを利用したいときは、画面の下部から上にスワイプして途中で止めると、最近使ったアプリとグループの履歴がすべて表示され選択できる。

1 ホーム画面に戻り他のアプリを起動

作業中のグループとは別のグループを作成するには、一度ホーム画面に戻って、他のアプリを起動すればよい。

2 新しいグループを作成する

画面上部の「…」→「別のウインドウを追加」をタップし、新しいグループを作成してく。「最近使ったApp」欄にある元のグループをタップするとすぐに切り替えできる。

no.
081

「…」ボタンでメニュー表示

ステージマネージャでマルチタスクメニューを操作する

ステージマネージャのマルチタスクメニューでは、「別のウインドウを追加」でウインドウを追加するほかにも、「フルスクリーン」でウインドウを全画面表示したり、「最小化」でグループから外して最近使ったAppに移動したり、「閉じる」でウインドウを閉じることができる。

マルチタスクメニューで行える操作

各ウインドウで画面上部の「…」をタップすると、表示されるメニューで「フルスクリーンにする」「別のウインドウを追加」「最小化」「閉じる」操作を行える。

no.
082

よく使うアプリはDockから起動

ステージマネージャでDockを利用する

ステージマネージャでは下部にDock(No017で解説)が配置されているので、よく使うアプリはここから起動しよう。また、Dockや一番右のAppライブラリからアプリを選んでロングタップすると、作業中のグループにドラッグしてウインドウを追加できる。

Dockからウインドウを追加できる

Dockのアプリをロングタップしてドラッグすることで、ウインドウを追加できる。Dockの一番右にあるAppライブラリからも同様の操作が可能だ。

no. 083

最近使ったグループやアプリに素早く切り替え

ステージマネージャの最近使ったApp画面

画面左のエリアに表示される履歴リスト

ステージマネージャでは、画面の左側に「最近使ったApp」が配置されており、最近使ったグループやアプリが最大4つまで表示されて素早く切り替えできるようになっている。また、最近使ったAppからアプリをロングタップしてドラッグすることで、作業中のグループにウインドウを追加することも可能だ。左欄のリストから消えたグループやアプリは、画面を下から上にスワイプして途中で止めると、Appスイッチャー（No011で解説）と同様に過去に使用したグループやアプリがすべて表示されるので、この画面から探して切り替えればよい。

1 最近使ったグループやアプリに切り替え

画面の左側に4つ表示されているのが「最近使ったApp」だ。タップすると、最近使ったグループやアプリに素早く切り替えできる。

2 最近使ったAppをすべて表示する

最近使った4つ以上前のグループやアプリに切り替えるには、画面下部から上にスワイプして途中で止めればよい。Appスイッチャーと同様の画面が表示され、すべての履歴から選択できる。

no. 084

画面を広く使える

最近使ったAppとDockを非表示にする

ステージマネージャの左側に表示される「最近使ったApp」と、下部に表示される「Dock」は、必要なければ設定で非表示にして画面を広く使うこともできる。なお、非表示にしなくても、ウインドウのサイズを広げると自動的に表示が隠れるようになっている。

1 設定で各項目のチェックを外す

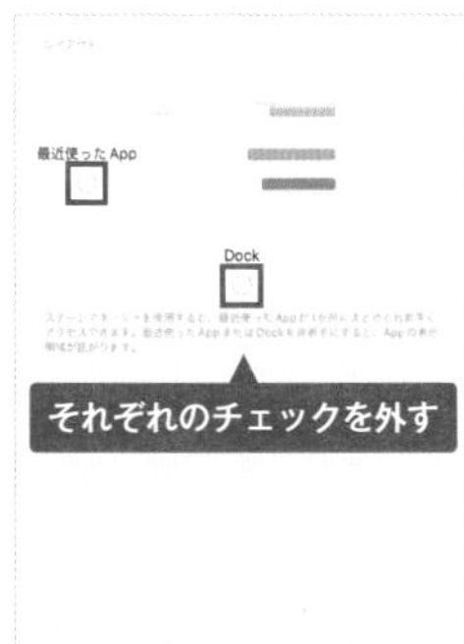

「設定」→「ホーム画面とマルチタスク」→「ステージマネージャ」で、「最近使ったApp」と「Dock」のチェックを外せば、それぞれ非表示にできる。

2 コントロールセンターでも変更できる

コントロールセンターのステージマネージャボタンをロングタップし、「最近使ったApp」と「Dock」のチェックを外すことでも、それぞれ非表示にできる。

no. 085

テキスト編集やファイル整理に使える

同じアプリをマルチタスクで利用する

iPadのマルチタスク機能であるSplit ViewとSlide Over、ステージマネージャは、基本的に複数の異なるアプリを同時に利用するための機能だが、Safariやメモ、メール、ファイルなどのアプリは、同じアプリを複数起動して利用することもできるようになっている。

一部のアプリは複数起動できる

対応しているアプリであれば、同じアプリを複数の画面で表示することもできる。2つ目のアプリ選択時にひとつ目と同じアプリをタップしよう。

no. 086

アプリ間でデータをスムーズに受け渡し

ウインドウ間でテキストやファイルをドラッグ&ドロップ

他のウインドウにテキストやファイルをコピーまたは移動できる

Split ViewやSlide Over、ステージマネージャで複数のウインドウを開いておけば、写真やテキスト、ファイル、リンクなどをドラッグ&ドロップして、ウインドウ間で移動やコピーを行える。写真アプリの写真をメモに貼り付けたり、メモで下書きしたテキストをメールに貼り付けて送信するといった作業も簡単だ。また、ファイルアプリを複数開いて異なるフォルダを開いておけば、ファイルをドラッグで移動して効率的に整理できる。アプリによって対応状況は異なるが、いろいろなデータをドラッグ&ドロップできるので試してみよう。

1 選択テキストを移動またはコピーする

メモアプリなどでテキストを選択したら、ロングタップ。テキストが浮き上がったような表示になったら、別のウインドウにドラッグ&ドロップしよう。その場所にテキストが移動またはコピーされる。

2 ファイルを移動またはコピーする

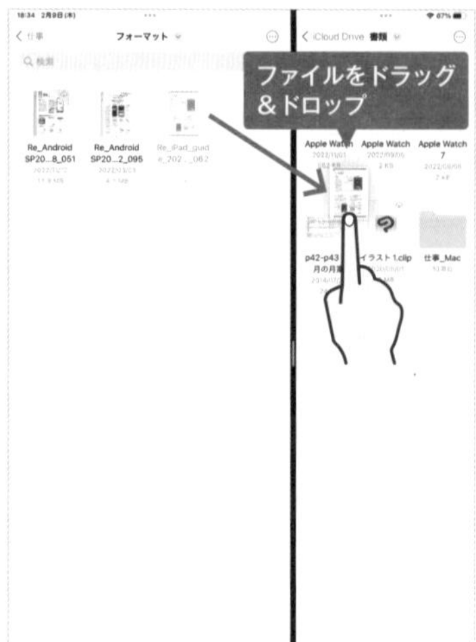

ファイルアプリなどでファイルをロングタップ。メニューが表示されるが、無視してそのまま別のウインドウにドラッグ&ドロップしよう。その場所にファイルが移動またはコピーされる。

基本操作

no. 087

新規ウインドウで素早く開く

リンクやファイルをマルチタスクで開く

各マルチタスク画面での操作を覚えておこう

マルチタスク機能によって、Safariのリンクやファイルアプリ内のファイルをドラッグすることで、リンク先やファイルを新しいウインドウで開くことが可能だ。ステージマネージャがオフのときは、Safariのリンクなどを画面の左右端までドラッグするとSplit Viewで開き、画面上でドロップするとSlide Overで開く。ステージマネージャがオンのときは、Safariのリンクなどをウインドウの外にドラッグすればよい。なお、リンクをロングタップして「新規ウインドウで開く」をタップしても、Split Viewや新しいウインドウで開くことができる。

Split ViewとSlide Overの操作

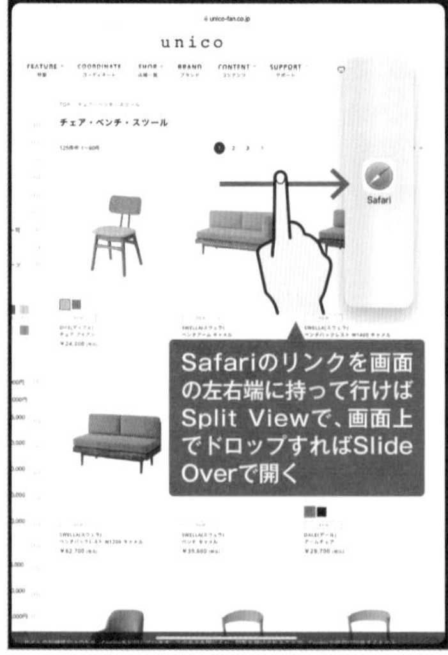

ステージマネージャがオフの時は、Safariのリンクやファイルアプリ内のファイルを、画面端までドラッグするとSplit Viewで、画面上でドロップすればSlide Overで開くことができる。

ステージマネージャの操作

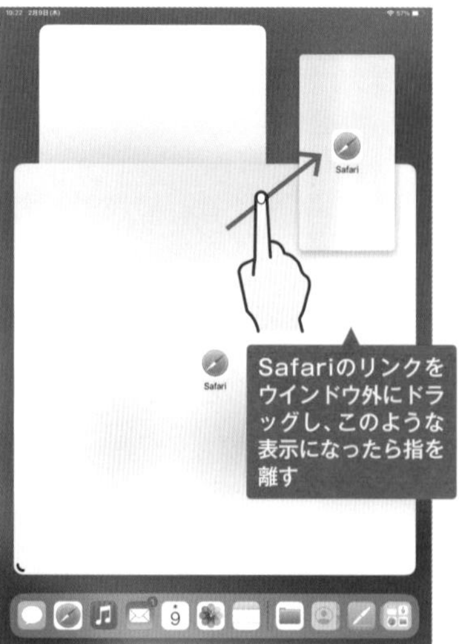

ステージマネージャがオンの時は、Safariのリンクやファイルアプリ内のファイルを、ウインドウの外にドラッグすることで、リンク先やファイルを別ウインドウとして追加できる。

no.088

以前開いたアプリのウインドウをすぐ開ける

各アプリで開いているすべてのウインドウを確認する

アプリごとのウインドウを一覧表示で確認する

iPadでは同じアプリを複数のウインドウで表示できるが、例えばSafariで複数のウインドウを開いているときにSafariを起動しても、最後に開いたウインドウしか表示されない。そこで、ホーム画面でアプリをロングタップし「すべてのウインドウを表示」をタップしてみよう。開いているウインドウがすべて表示され選択できる。なお、アプリを起動中にDockで同じアプリをタップしてウインドウを一覧表示することもできるほか、Split ViewとSlide Overを利用中は「シェルフ」画面も利用できる（No078で解説）。

1 すべてのウインドウをタップする

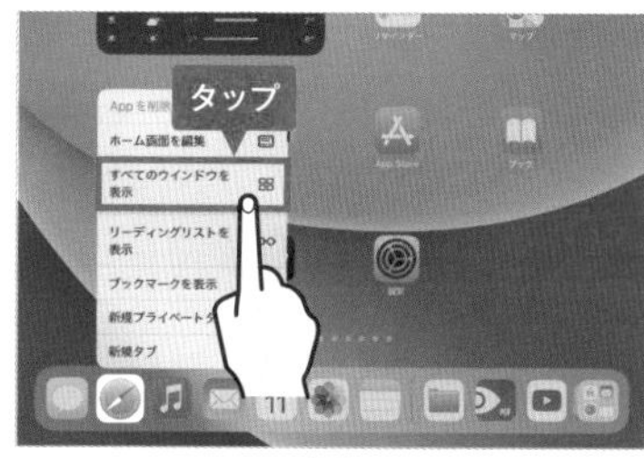

ホーム画面でアプリをロングタップし、メニューから「すべてのウインドウを表示」をタップすると、このアプリで開いているウインドウが一覧表示される。新規ウインドウの作成も可能だ。

2 Dockから同じアプリをタップする

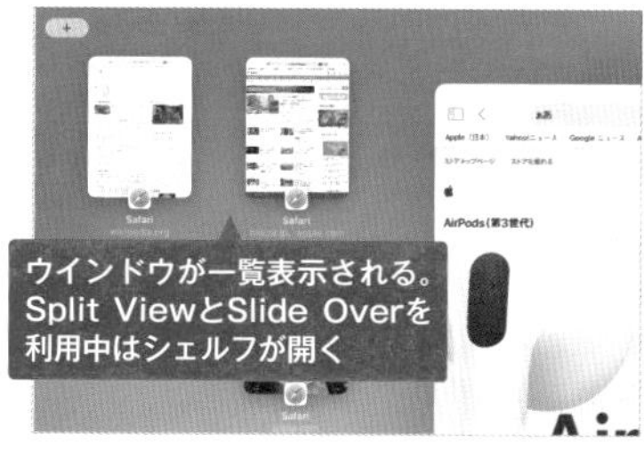

アプリを利用中にDockから同じアプリをタップすると、そのアプリで開いているウインドウが一覧表示される。ステージマネージャを利用中はこの方法が便利。

no.089

好きなアプリにデータを簡単に受け渡せる

別のアプリへ文章やデータをドラッグ&ドロップ

1 選択したテキストやファイルなどをロングタップ

対象のデータをロングタップして少し動かす

マルチタスク機能を使わなくても、文章やデータなどを別のアプリにドラッグ&ドロップすることが可能だ。まずは、選択テキストやファイルなどをロングタップして、少し動かした状態にしよう。

2 ホーム画面に戻り別のアプリを起動する

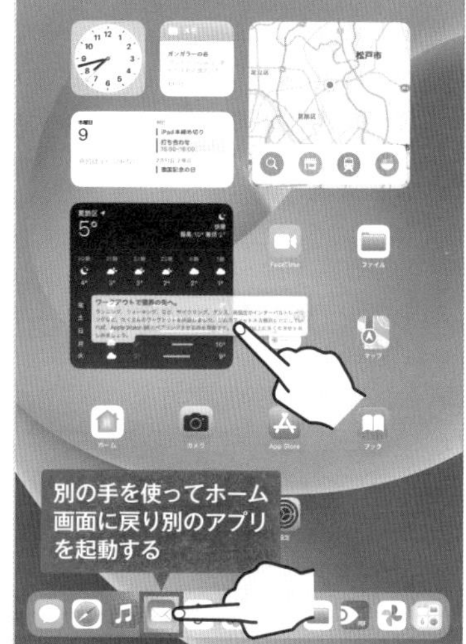

ロングタップしている指は離さず、別の手を使ってホーム画面を表示する。さらに、データを移動もしくはコピーしたい別のアプリを起動しよう。

3 別のアプリにデータをコピーまたは移動できた

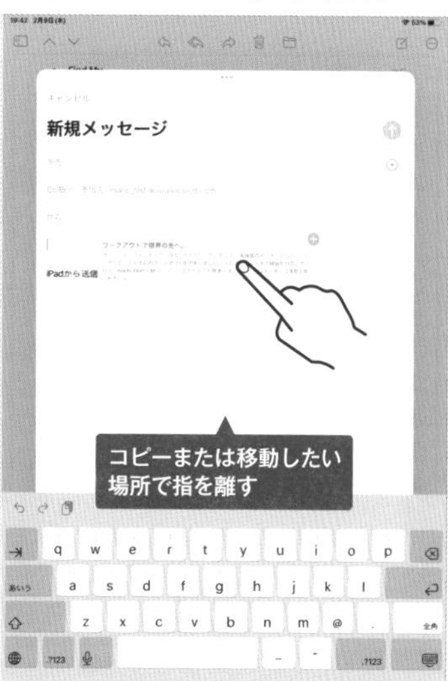

起動したアプリの画面でロングタップした指を離せば、選択したテキストやファイルなどがコピーまたは移動することが可能だ。これでNo086と同じようなデータの受け渡しができる。

no. 090

高速な無線LANに接続しよう

Wi-Fiを利用する

iPadのWi-Fiモデルだけでなく、モバイルデータ通信機能を搭載したWi-Fi + Cellularモデルでも、自宅ではWi-Fiでインターネット接続する方がおすすめだ。Wi-Fiは、自宅にインターネット回線があれば、数千円のWi-Fiルータを購入するだけで簡単に導入できる。なお、一度接続したWi-Fiネットワークには、以降基本的には自動で接続される。

1 Wi-Fiをオンにしてパスワードを入力

Wi-Fiルータに貼ってあるシールなどに記載されているWi-Fiネットワーク名(SSID)とパスワードを確認し、iPadの「設定」→「Wi-Fi」でWi-Fiをオンに。確認しておいたルータ名が検出されたらタップし、続けてパスワードを入力。「接続」をタップしよう。

2 高速かつ安定したネット接続が可能に

画面右上にWi-Fiのマークが表示されたら接続成功。Safariなどを起動して、きちんとネット接続されているかどうか確認しよう。

no. 091

Wi-Fiパスワードの入力を簡略化

Wi-Fiパスワードの共有機能を利用する

すでにiPhoneで接続中のWi-FiネットワークにiPadも接続したい場合、Wi-Fiパスワードを端末間で共有することができる。方法は、iPad側で接続したいWi-Fiネットワークのパスワード入力画面を表示し、iPhoneを近付けるだけだ。なお、他のユーザーのiOS端末でも共有元の端末で相手の連絡先が登録されていれば、Wi-Fiパスワードを共有可能だ。

1 Wi-Fiのパスワード入力画面で待機

iPad側で「設定」→「Wi-Fi」を表示して接続したいWi-Fiネットワーク名(SSID)をタップ。パスワード入力画面を表示しておく。

2 iPhoneを近付けて共有する

iPadにiPhoneを近付けると上のような画面になるので「パスワードを共有」をタップ。これでWi-Fiパスワードが共有される。

no. 092

使えないWi-Fiにつながらないように

不要なWi-Fiに自動接続しないようにする

Wi-Fiがオンの場合、一度接続したWi-Fiアクセスポイントには自動で接続するようになる。不安定なスポットやログインが必要なスポットに自動で接続されたくない場合は、自動接続機能をオフにしておこう。自動接続をオフにしても、パスワードなどの接続設定は保持されたままなので、ネットワークの選択画面でアクセスポイントをタップすればすぐに接続できる。

no. 093

使わないアクセスポイントの設定を削除

ネットワーク設定を削除する

Wi-Fiの自動接続機能をオフにしても、パスワードなどの接続情報は保存されたままだ。これをすべてリセットしたい場合は、ネットワーク設定を削除してしまおう。「設定」→「Wi-Fi」で、削除したいWi-Fiネットワーク名の「i」ボタンをタップ。詳細情報画面で「このネットワーク設定を削除」をタップすればよい。なお、次に接続する際には、あらためてパスワード入力が必要になる。

no. 094

スクロールの手間を省く

画面の一番上に素早く移動する

ノートアプリやニュースアプリ、Twitterアプリなどでどんどん下へスクロールした後、ページの一番上に戻りたい時は、フリックやスワイプを繰り返すのではなく、ステータスバー(時刻などが表示されている画面上部の細長いエリア)をタップすればよい。それだけで即座に一番上までスクロールされる。これは、縦にスクロールするほとんどのアプリで利用できる操作法だ。なお、Safariの場合はステータスバーをタップすると、スマート検索フィールドが表示されるので、もう一度ステータスバーをタップする必要がある。

no. 095

Chromeやgmailをデフォルトにする

デフォルトのWebブラウザやメールアプリを変更する

iPadでは、URLやメールアドレスのリンクをタップすると、デフォルトのブラウザ(Safari)やメールアプリが起動するようになっている。他社製のブラウザやメールアプリが導入されている場合、このデフォルトアプリを変更することが可能だ。以下では、Google製のブラウザアプリ「Chrome」とメールアプリ「Gmail」をデフォルトにする方法を紹介しよう。

1 ブラウザアプリのデフォルトを設定

「設定」→「Chrome」→「デフォルトのブラウザApp」を表示したら「Chrome」をタップ。これでChromeがデフォルトのブラウザになる。

2 メールアプリのデフォルトを設定

「設定」→「Gmail」→「デフォルトのメールApp」を表示したら「Gmail」をタップ。これでGmailがデフォルトのメールアプリになる。

no. 096

カメラ機能を拡大鏡として使う

拡大鏡機能を利用する

「最近小さな文字が見えにくくなった」という人は、iPadの拡大鏡機能を使ってみよう。iPadの背面カメラで映像を大きく写すことができる機能だ。これにより、文字の小さな雑誌や本、書類などを見やすくすることができる。なお、拡大鏡機能の画面左下にあるスライダーを動かせば、拡大率の変更も可能だ。

1 拡大鏡機能を追加する

まず、「設定」→「コントロールセンター」で「拡大鏡」を追加しておく。コントロールセンターを引き出して、拡大鏡ボタンをタップしよう。

2 拡大鏡で文字を大きく写す

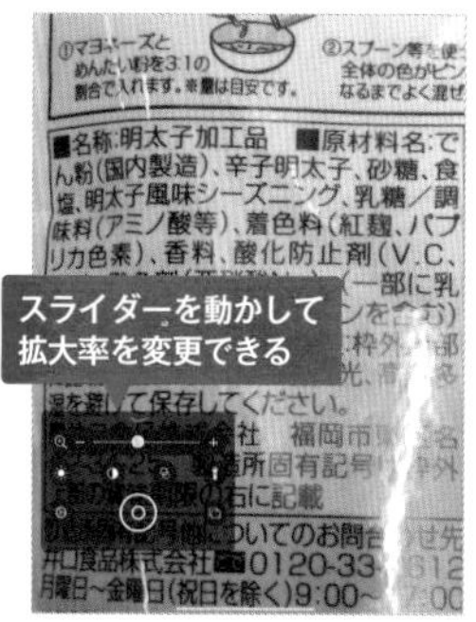

拡大鏡が起動した。左下の操作パネルで拡大率や明るさ、コントラストを変更できる他、シャッターボタンで現在の画面を固定表示できる。

no. 097

通知音や着信音を消音にする

消音モードを利用する

会議中や電車内など、通知音や着信音を鳴らしたくない場所では、消音モードを利用しよう。画面右上を下にスワイプしてコントロールセンターを表示し、消音ボタンをタップしてオンにするだけでOKだ。なお、iPad Air 2およびmini 3より古いモデルには側面にスイッチが搭載されており、「設定」→「一般」で消音のオン／オフ機能を割り当てることができる。

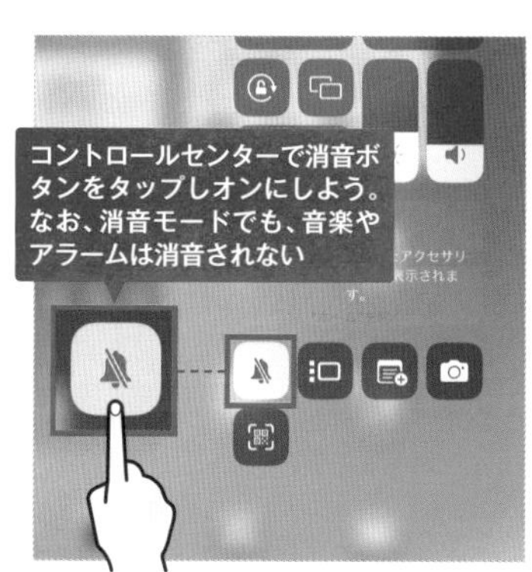

no. 098

True Tone機能をオフにしよう

画面の黄色っぽさが気になる場合は

現在販売中のiPadには「True Tone」機能が搭載されており、周囲の光に合わせて画面の色合いを自動調整してくれる。ただし、この機能を有効にしていると、室内など特定の環境だと画面が黄色っぽく表示される傾向にある。気になる場合は設定でTrue Toneをオフにしておくといい。

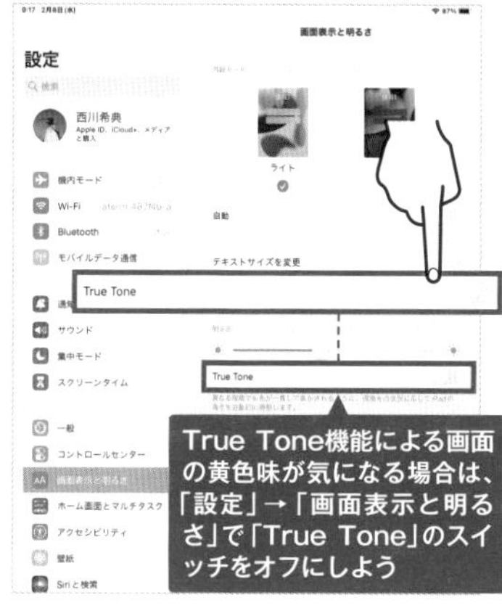

no. 099

ブルーライトをカットする

Night Shiftで目に優しい画面表示に

「Night Shift」は、目の疲れの原因といわれるブルーライトを低減させる機能だ。有効にすると、ディスプレイが暖色系の表示に調整され、目への負担が軽減される。夜間にブルーライトを発する画面を見続けると睡眠に影響を及ぼすと言われているので、就寝前にiPadを使う際に有効にしたい機能だ。

no. 100

音声で指示を出しiPadを秘書のように活用しよう

SiriでiPadをコントロールする

どんどん賢くなっていくiPadOSの秘書機能

iPadOSの特徴的な機能のひとつ「Siri」は、iPadに話しかけることで、各種情報の検索やアプリの操作などを実行してくれる機能だ。「今日の天気は?」や「ここから○○駅までの道順は?」、「○○をオンに」などと用件を話しかければ、Siriが各種処理を自動で実行してくれる。また、「この曲は何?」と言って曲名を調べたり、「アラームをすべて削除」と言って設定中のアラームを全削除したり、さらには「○時に○○を思い出させて」といってリマインダーに予定を登録したりなど、一歩進んだ使い方も可能だ。

1 設定でSiriを有効にしておく

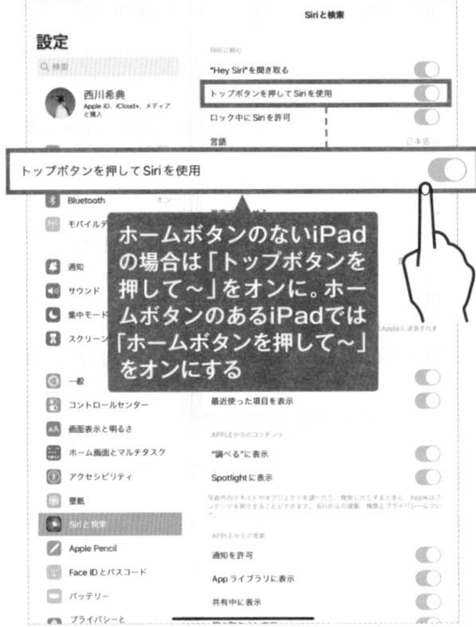

まずは「設定」→「Siriと検索」で「トップボタン(もしくはホームボタン)を押してSiriを使用」をオンにしておこう。なお、「Hey Siri」機能については、No102で解説している。

2 Siriを起動し用件を伝える

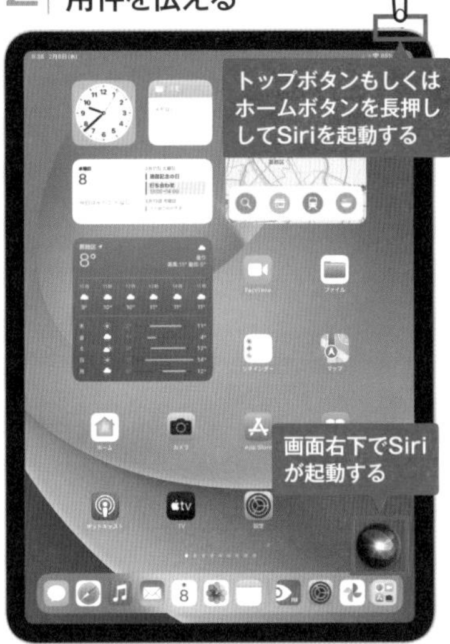

ホームボタンのないiPadの場合はトップボタン(電源/スリープボタン)、ホームボタンのあるiPadではホームボタンを長押しすればSiriが起動する。Siriに話しかけて、さまざまな用件を頼んでみよう。

基本操作

no. 101

Siriとのやりとりをテキスト表示する

Siriへの問いかけや返答を文字で表示

Siriに頼んだ内容がうまく伝わらないなら、「設定」→「Siriと検索」→「Siriの応答」で「話した内容を常に表示」をオンにしておこう。自分が話した内容がテキストで表示されるようになり、正しい質問に書き直すこともできる。また「Siriキャプションを常に表示」をオンにすると、Siriが話した内容がテキストで表示されるので、Siriの音声読み上げがオフの時でもテキストでSiriの返答を確認できる。

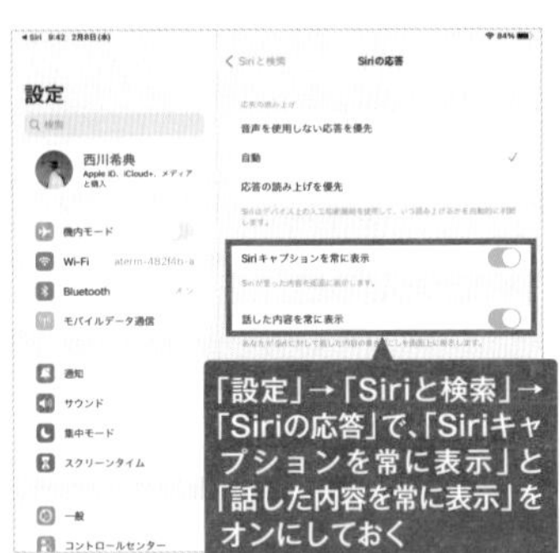

no. 102

自分の声だけで呼び出せる

Hey Siriと呼びかけてSiriを起動する

「Hey Siri」機能を有効にすれば、ボタンを押すことなく、iPadに「ヘイシリ」と話しかけるだけでSiriを起動できる。「設定」→「Siriと検索」で「"Hey Siri"を聞き取る」をオンにし、自分の声を認識させよう。なお、「トップボタン(ホームボタン)を押してSiriを起動」をオフにして、Siriの起動をHey Siriのみに限定することも可能だ。

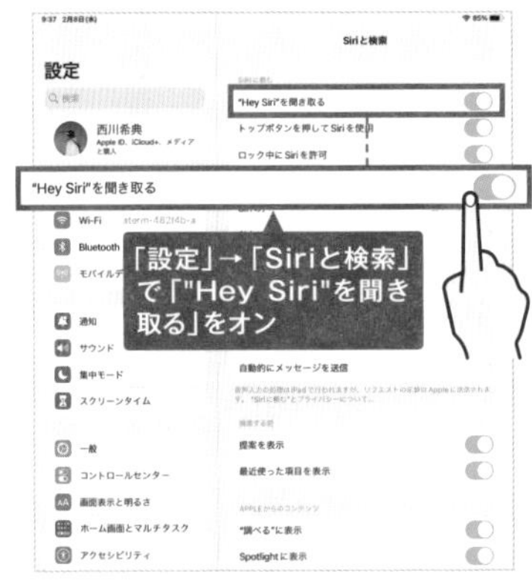

no. 103

声を出さずにSiriを使える

キーボード入力でSiriを利用する

周りに人がいる時など、声を出してSiriを使用するのが恥ずかしい状況では、「タイプ入力」機能を試してみよう。「設定」→「アクセシビリティ」→「Siri」で「Siriにタイプ入力」のスイッチをオンにすれば、Siri起動時にキーボードが表示され、文字入力でSiriに命令できるようになる。ただし、音声入力は無効になる(Hey Siriで呼び出した場合は有効)。なお、タイプ入力時も、Siriは音声で返答するので注意しよう。

no. 104

計算や経路検索もできてしまう

Siriの便利な使い方を覚えよう

SiriはiPadOSがバージョンアップする度に賢くなっており、音声入力だけでさまざまな操作が行える。以下に、覚えておくと役立つ音声入力例を紹介しておくので試してみよう。

Siriの音声入力例

音声入力	概要
3分後にタイマー	時計アプリのタイマーを3分間にセットしてスタートしてくれる
新宿駅に行きたい	目的地を新宿駅として、マップの経路検索を実行、ナビゲーションを開始する
ニューヨークに行きたいを英語で	「ニューヨークに行きたい」を翻訳し、Siriが英語で喋ってくれる
24日に締切とリマインド	リマインダーアプリを起動し、次の24日に「締切」とリマインド登録する
この曲は何?	ラジオやテレビで今流れている曲をSiriに聞かせると、曲名を検索してくれる
3,800円を4人で割り勘	3,800円を4人で割り勘して、「1人あたり950円です」と結果を喋ってくれる
妻に電話	最初は「妻」が誰かがわからないので、連絡先の登録が必要。登録が済むと電話してくれるようになる。「父」や「母」、「娘」、「上司」などでも登録できる
さようなら	Siriを終了する

no. 105

さまざまなアプリで共通した機能

「共有」ボタンの使い方を覚える

数多くのアプリで搭載されている「共有」ボタン。アプリ内でファイルや何らかの項目を選択し、共有ボタンをタップすると、AirDropやメールでの送信、SNS系アプリでの投稿など、さまざまな操作が共有シート上に表示される。他のアプリでデータを開いたり、印刷したりなども行えるので覚えておこう。

1 共有ボタンをタップする

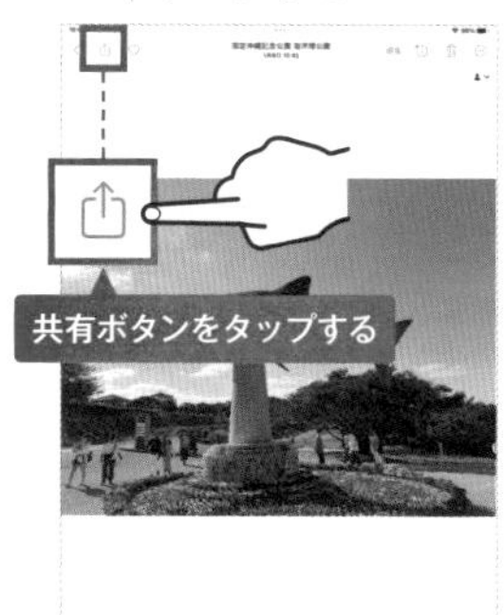

例えば写真アプリでは、画面左上に共有ボタンが表示される。ボタンをタップすると、画面中央に共有シートが表示されるのだ。

2 共有シートが表示される

共有シートの内容はアプリによって異なるが、メールで送信したり、他のアプリで開いたりが可能だ。複数のファイルを選択して処理することもできる。

no. 106

よく使う項目を一番上に並べ替える

共有シートのアクションを編集する

共有ボタンをタップして表示される共有シートには、さまざまな項目が表示される。これらの項目でよく使うものは一番上に並べ替えておくと使いやすくなる。共有シートの一番下にある「アクションを編集」をタップして、「よく使う項目」に登録する項目の「+」をタップしよう。

1 共有シートを上にスワイプする

まずは写真アプリなどで共有ボタンをタップして共有シートを表示。共有シートは上にスワイプすると、「写真をコピー」や「アルバムに追加」など、さまざまな項目が表示される。

2 アクションを編集する

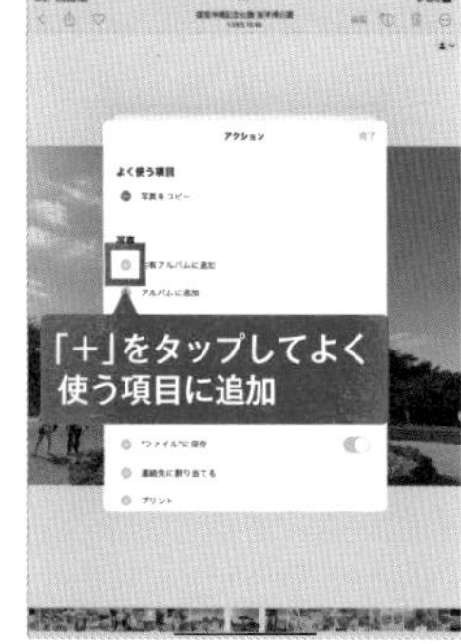

共有シートの一番下にある「アクションを編集」をタップすると、よく使う項目として一番上に並べ替えることが可能だ。または、一部の項目を共有シートから非表示にすることもできる。

no. 107

すぐに呼び出して書き込める

クイックメモ機能を利用する

ホーム画面またはアプリ画面の右下から画面中央に向かってスワイプすると「クイックメモ」が表示される。テキストや手書きのメモを書き込んだり、他のアプリから写真などをドラッグ&ドロップで取り込んだりが可能だ。作成したクイックメモはメモアプリに保存されるので、あとで編集も行える。

1 クイックメモを表示する

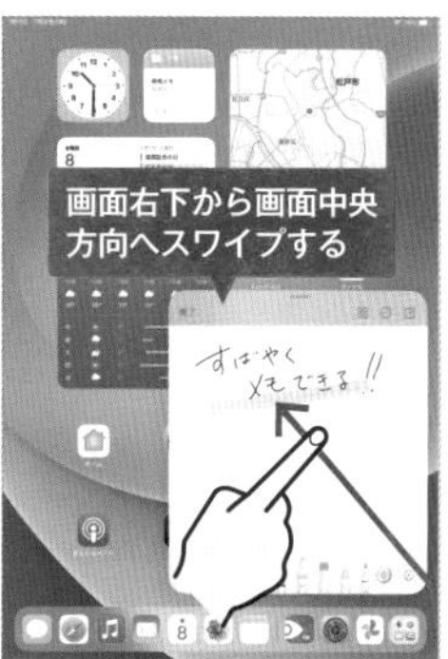

クイックメモは画面右下から画面中央へスワイプすれば表示される。ホーム画面だけでなくアプリの起動中でも呼び出せるので、何かメモを取りたいときに使ってみよう。

2 メモアプリで編集する

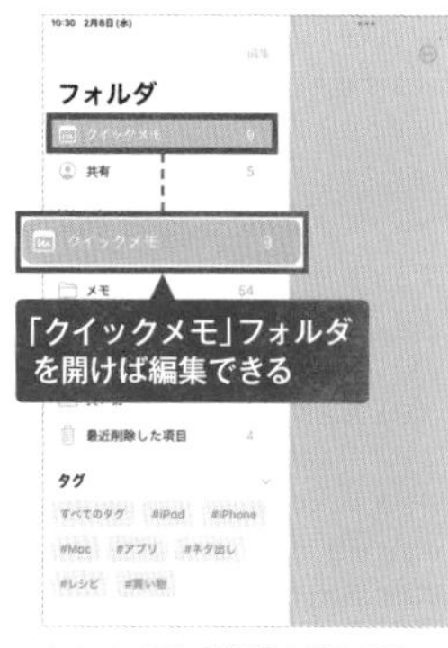

クイックメモに書き込んだ内容は、メモアプリの「クイックメモ」フォルダに保存される。外出中に思い付いたアイディアをサッとメモして、あとからじっくり編集したいときに便利だ。

no. 108

途中の作業を別の端末で再開する

HandoffでiPhoneと作業を相互に引き継ぐ

作成途中のメールや書類をそのまま再開

「Handoff」機能を使えば、iPhoneで作成中のメールや書類など、対応アプリの作業をiPadで引き継いで再開できる。もちろんその逆の引き継ぎも利用可能だ。まず双方の端末で同じApple IDを使ってiCloudにサインイン。さらにHandoffとBluetoothとWi-Fi（アクセスポイントに接続していなくてもよい）をオンにしよう。これで準備完了だ。例えば、iPhoneでメールやメモを新規作成しはじめると、iPadのDockにiPhoneマークの付いたアイコンが表示される。これをタップして起動すれば、作業を引き継ぐことができる。

1 HandoffとBluetooth、Wi-Fiをオンにする

iPadとiPhoneが同じApple IDでiCloudにサインインしていることを確認し、それぞれでHandoff、Bluetooth、Wi-Fiをオンにする。Wi-Fiは、ネットワークに接続していなくても問題ない。

2 Dockにアイコンが表示される

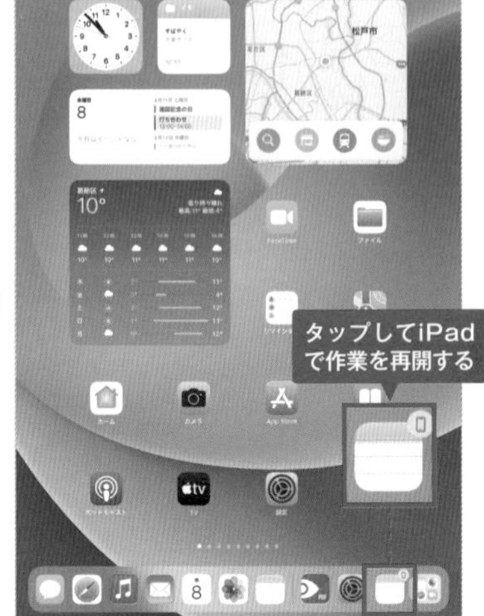

iPhoneのメモアプリでメモを作成しはじめると、iPadのDockに上のようなアイコンが表示される。タップして起動すれば、すぐに作業の引き継ぎが可能だ。iPadからiPhoneへの場合は、iPhoneのAppスイッチャー画面の下部にバナーが表示される。

no. 109

iPad本体を振って行う隠し技

ひとつ前の操作をキャンセルする

メール作成中などに文字入力を誤った際は、iPad本体を軽く振ってみよう。「取り消す - 入力」と表示され、「取り消す」をタップすると直前の入力操作をキャンセルできる。取り消された後もう一度iPadを振ると、「やり直す」というメニューが表示され、取り消し操作をキャンセルできる。文字入力以外でも、メールをゴミ箱へ入れた操作や写真アプリで適用したフィルタを取り消すなど、さまざまなアプリで実行できるテクニックだ。

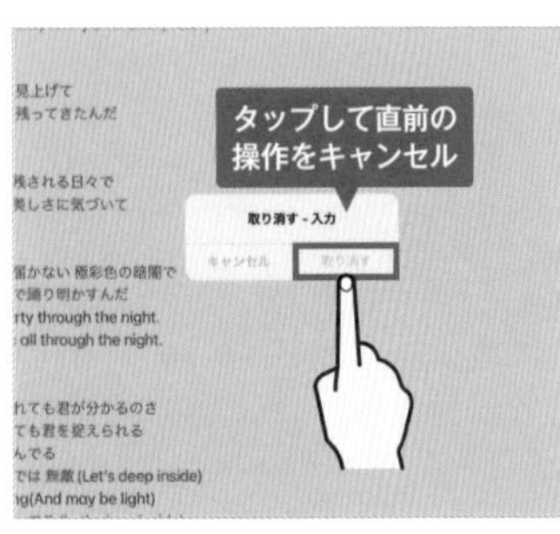

no. 110

机に置いたiPadをスムーズに使い始める

画面をタップしてスリープを解除する

ホームボタンのないiPadの場合、画面のタップでスリープを解除することができる。「設定」→「アクセシビリティ」→「タッチ」→「タップしてスリープ解除」を有効にしておこう。いちいち電源／スリープボタンを操作しなくても画面をタップするだけでスリープを解除できるようになるので便利だ。

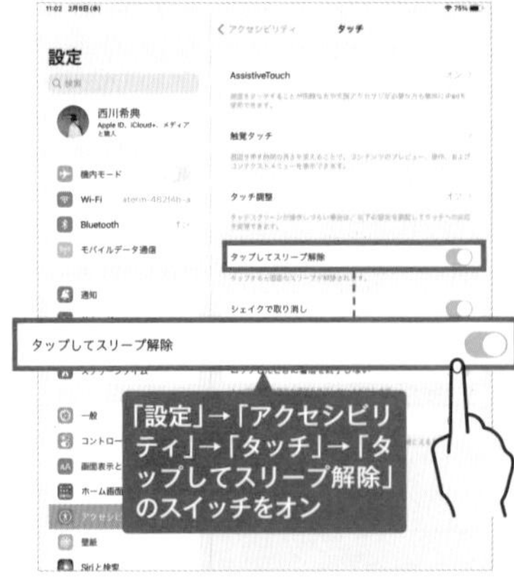

no. 111

ロック解除を素早くする設定技

指紋センサーに触れるだけでロックを解除する

Touch IDが有効で、「設定」→「アクセシビリティ」→「トップボタン／Touch ID」（もしくは「ホームボタン」）の「指を当てて開く」のスイッチがオンになっていれば、ロック画面でTouch IDセンサーに指を置くだけでロックを解除し、ホーム画面を表示できる。スイッチがオフの場合、ロック解除後に画面下部から上へスワイプしたりホームボタンを押さないとホーム画面に移行しない。

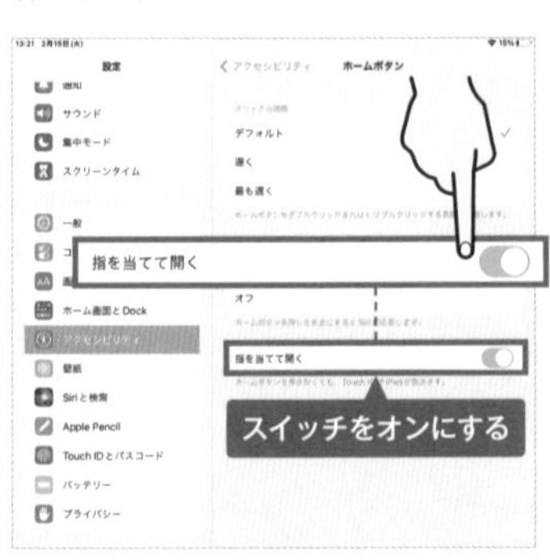

no. 112

連絡先や写真をスマートに交換

AirDropで他のユーザーとデータを共有する

近くの端末同士でデータ交換する便利機能

「AirDrop(エアドロップ)」を使えば、近くのiPadやiPhone、Macと手軽に連絡先や写真などのデータを送受信できる。通常、メールやクラウドサービス、データ交換アプリを使わなければならない作業が、標準機能だけで行えるのだ。AirDropを使うには、双方の端末が近くにあり、それぞれWi-FiとBluetoothがオンになっている必要がある。なお、Wi-Fiはアクセスポイントに接続している必要はない。

AirDropを利用するには、まずデータを受け取る側が、AirDropの受信を許可しておく必要がある。受信側は画面の右上から下にスワイプしてコントロールセンターを開き、左上のパネルにある「AirDrop」ボタン(Wi-Fiなどのボタンが配置されたパネルにAirDropボタンがない場合はロングタップすると表示される)をタップし、連絡先に登録済みの相手から受信する場合は「連絡先のみ」を、連絡先に登録していない相手から受信する場合は「すべての人(10分間のみ)」を選択する。「すべての人」を選んでも10分経過すると自動的に「連絡先のみ」に戻るので、その前にデータを送信してもらおう。データを送る側は、各アプリの共有シートから「AirDrop」ボタンをタップし、送信可能な相手を選択して送信すればよい。受信側の画面に表示される画面で「受け入れる」をタップすれば送受信が完了する。同じApple IDを使った自分のiPhoneやMacに送信した場合は、「受け入れる」画面が表示されず自動的に受信される。

AirDropの利用手順

1 受信側でAirDropの検出を許可する

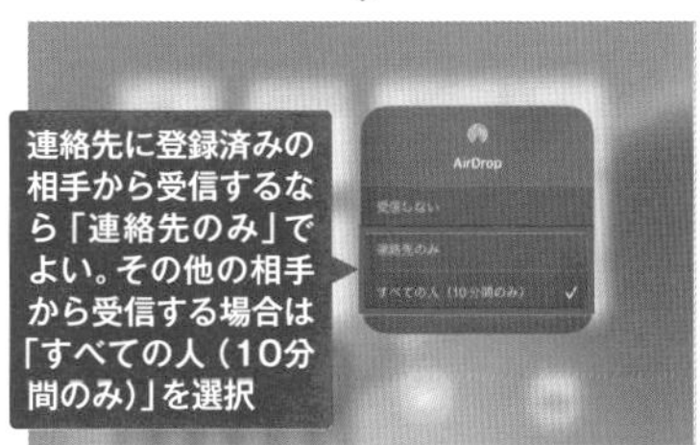

受信側のデバイスでコントロールセンターを開き、左上のパネルにある「AirDrop」ボタン(Wi-Fi+CellularモデルのiPadは左上のパネルをロングタップすると表示される)をタップ。「連絡先のみ」か、連絡先に登録していない人から受信するなら「すべての人(10分間のみ)」を選択する。

2 送信側で送りたい項目を選択する

連絡先の場合

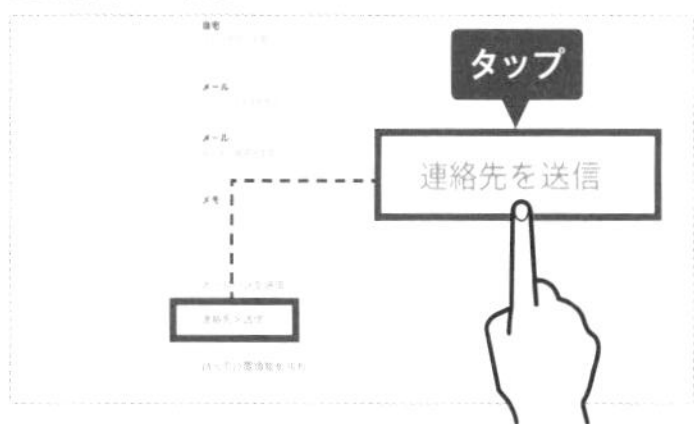

写真の場合

連絡先を送りたい場合は、各連絡先の下の方にある「連絡先を送信」をタップ。写真の場合は、写真アプリで写真を選択した上で共有ボタンをタップして共有シートを表示しよう。写真の場合は複数同時に選択して、まとめて送信することも可能だ。

3 送信する相手の端末を選択する

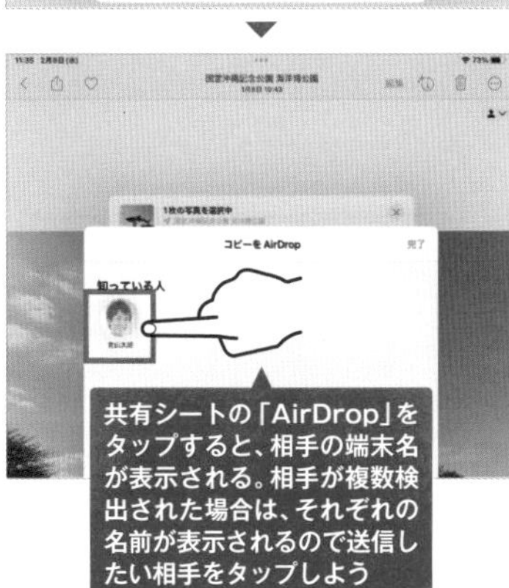

4 受信側が受け入れる

基本操作

支払い情報の一本化やコンテンツの共有が可能

no.113 ファミリー共有を使用する

別々のApple IDを使っていてもさまざまな共有が可能

家族がiPadやiPhoneを使っている場合は「ファミリー共有」機能を利用しよう。それぞれ別のApple IDを使っていても、全員がひとつの支払い情報でアプリや音楽、映画などの有料コンテンツを購入でき、購入したコンテンツもメンバー全員で共有できる（最大6名まで）。また、写真アプリに「Family」という共有アルバムを作って写真を共有したり、カレンダーアプリに「Family」という共有カレンダーを作って予定を共有したりも可能。「探す」アプリで家族の位置情報をリアルタイムに把握することもできる。なお、ファミリー共有を設定したメンバーなら、Apple TVやApple Music、Apple Arcadeなどの各種サービスもファミリーで共有可能だ。

ファミリー共有を設定する

1 Apple ID管理画面から設定を始める

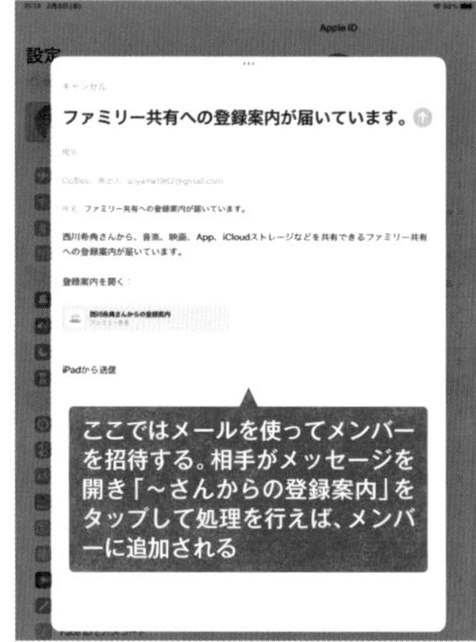

「設定」の一番上にあるApple IDの名前をタップし、Apple IDの管理画面を開こう。「ファミリー共有」をタップし、続けて「ファミリーを設定」→「登録を依頼」をタップしよう。招待を送る方法をAirDropやメッセージ、メールなどから選択。これで他のファミリーに追加したいメンバーを招待しよう。招待された側がリンクにアクセスし、Apple IDでサインインすればメンバーに追加することができる。

2 ファミリー共有の設定画面

ファミリー共有の設定画面で、メンバーの追加や共有項目の選択が可能。「メンバーを追加」→「登録を依頼」をタップすると、AirDropやメールでの招待が行える。「直接会って登録を依頼」だと、メンバーのApple IDを直接入力して追加できる。「お子供用アカウントを作成」を選べば、アイテム購入時に承認が必要な子供用Apple IDを作成し、メンバーに追加することが可能だ。

ファミリー共有でできること

各種購入コンテンツを家族で共有する

App Storeを開き、右上の自分のアカウントをタップ。「購入済み」を開くと、自分とファミリーメンバーの購入したアプリをチェックできる。

購入したアイテムの表示／非表示を切り替える

App Storeの購入済みで自分が購入したアプリを表示し、共有したくないアプリを左へスワイプ。続けて「非表示」をタップする。iTunes Storeで購入したアイテムの場合は、パソコンのiTunes（同じApple IDでサインインする）で、「アカウント」→「家族が購入したコンテンツ」を開き、共有したくないアイテムにカーソルを合わせて左上の「×」をクリックしよう。各アイテムを再表示するには、パソコンのiTunesで、「アカウント」→「マイアカウントを表示」を開き、「非表示の購入済みアイテム」右の「管理」をクリック。各アイテムの「表示する」をクリックする。

サブスクリプションを家族と共有する

「設定」→Apple ID名→「ファミリー共有」→「サブスクリプション」をタップすると、現在ファミリーと共有しているサブスクリプションサービスが表示される。ここからiCloudストレージの共有も登録可能だ。

no. 114

使わない場合は必ずオフにしておこう

iPhoneの電話やSMS/MMSをiPadで送受信する

iPadとiPhoneを両方使っているユーザー必見

iPadでは、iPhoneにかかってきた電話をiPadで受けて通話したり(セルラー通話)、iPhoneのSMS/MMSメッセージをiPadで送受信することができる。例えばiPhoneを鞄の中に入れたままの状態でiPadを使っている際など、わざわざiPhoneを取り出さなくても即座に電話の応対が可能だ。

iPadで電話を利用するには、iPhoneと同じApple IDでiCloudとFaceTimeにサインインし、同じWi-Fiに接続中であることが必須条件。また、iPhoneの「設定」→「電話」→「ほかのデバイスでの通話」で、iPadでの通話が許可されているかも確認しておこう。セルラー通話を利用すれば、連絡先などの電話番号をタップし、iPhone経由で電話を発信することもできる。なお、着信時にはiPhoneとiPadの両方で着信音が鳴って煩わしいので、本機能を使わないのであればオフにしておいた方がいい。

メッセージアプリでは、SMS/MMSもiPhone経由で利用することができる。まずは、iPhoneと同じApple IDでメッセージ(iMessage)にサインイン。着信用の連絡先にiPhoneの電話番号を登録後、メッセージ転送の設定を施しておけばiPhone経由でSMS/MMSの送受信が可能だ。この機能によって、iPadのメッセージアプリでもAndroidスマートフォンとやり取りができるようになる。ただし、iPad側で新規メッセージを作成して、SMS/MMSを送信することはできない。

iPhone経由で電話の発着信を行う

1 iPhoneと同じApple IDでサインインする

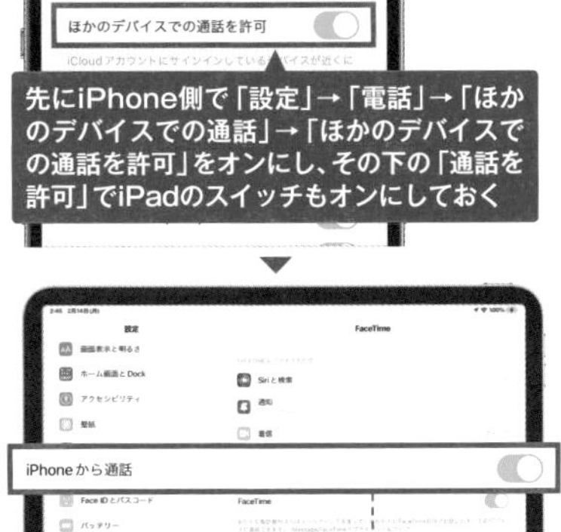

まずはiPhone側で「ほかのデバイスでの通話を許可」をオンにしておく。iPad側は「設定」→「FaceTime」→「iPhoneから通話」をオンにしておこう。あらかじめiPad側もiPhoneと同じApple IDでサインインしておくこと。

2 iPhoneにかかってきた電話をiPadで受ける

iPhoneに電話やFaceTimeがかかってきたら、iPadでも着信音が鳴り、通常通り受けることができる。また、iPadの連絡先から電話番号をタップすれば、iPhoneのセルラー通話を介して電話をかけることも可能だ。

iPhone経由でSMS/MMSの送受信を行う

1 iPhoneと同じApple IDでサインインする

まずは、iPadの「設定」でiPhoneと同じApple IDでサインインしておく。「設定」→「メッセージ」→「送受信」を開き、着信用の連絡先情報でiPhoneの電話番号にチェックを入れよう。iPhone側は、「設定」→「メッセージ」で「iMessage」をオンにし、続けて「送受信」をタップ。同じ電話番号にチェックが入っているかを確認しておこう。最後にiPhoneの「設定」→「メッセージ」の「SMS/MMS転送」で、iPad名の右にあるスイッチをオンにすれば設定完了だ。

2 iPhone経由でSMS/MMSを送受信

設定を終えるとiPhone経由でSMS/MMSの送受信が可能だ。iPhoneに届いたSMS/MMSがiPadにも同時受信される。ただし、iPad側で新規メッセージを作成してSMS/MMSを送信することはできない。

no. 115

滑らかで快適なペン入力を実現

Apple Pencilを活用しよう

さらに進化したApple Pencilを使ってみよう

iPadで手書きメモやイラストを描きたいのであれば、Apple Pencilを導入するのがおすすめだ。特にApple Pencil（第2世代）は、iPadの側面に取り付けるだけでワイヤレス充電でき、ダブルタップでツールの切り替えが可能など、初代モデルよりも使い勝手が向上している。他社製の安価なスタイラスペンとは異なり、ペン先の筆圧や傾き検知も非常に滑らか。実際のペンに近い書き味を実現し、描画のレスポンスもいいので、鉛筆画風の繊細なイラスト作成も完璧にこなせる。興味があれば、ぜひ試してほしい。なお、Apple Pencilは、モデルによって使えるiPadの種類が限定されているので注意しよう。

Apple Pencil（第2世代）の特徴

Apple Pencil（第2世代）
価格／19,880円（税込）
対応モデル／iPad Air（第4世代以降）、iPad mini（第6世代以降）、12.9インチiPad Pro（第3世代以降）、11インチiPad Pro

iPadに磁石でくっついてワイヤレス充電が可能

Apple Pencil（第2世代）は、iPadの側面にマグネットで取り付けることができ、そのままワイヤレス充電も行われる。ペアリングなどの設定が不要で、すぐに使うことが可能だ。

ダブルタップでよく使うツールに切り替え

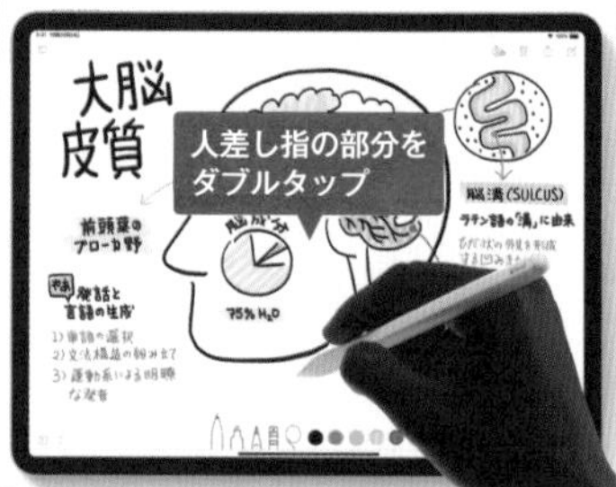

タップ操作に対応したのも新機能のひとつ。人差し指を置いている場所をダブルタップすると、ツールの切り替えが可能だ。例えばメモアプリでは、各描画ツールと消しゴムツールなどの切り替えができる。

Apple Pencilでできること

描画のタイムラグがなく筆圧や傾きにも対応

Apple Pencilは、ペンでタッチしてから描画されるまでタイムラグが少なく、実際のペンに近い書き心地だ。筆圧によって線の太さを変えたり、ペンの傾きで濃淡を表現したりなどもできる。

ダブルタップの動作を切り替えることができる

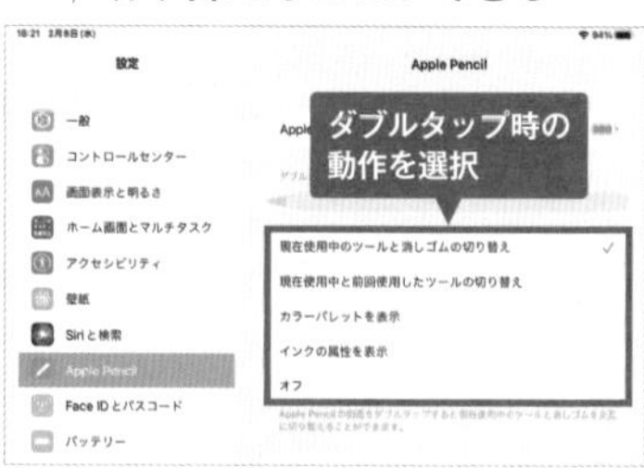

Apple Pencil（第2世代）では、ペンを指でダブルタップした時の動作をいくつかの選択肢から選ぶことができる。「設定」→「Apple Pencil」から好みの状態に設定しておこう。

ペンの電池残量をウィジェットで確認する方法

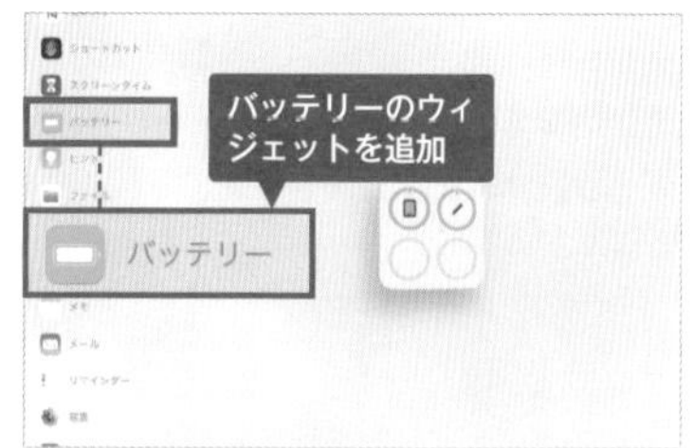

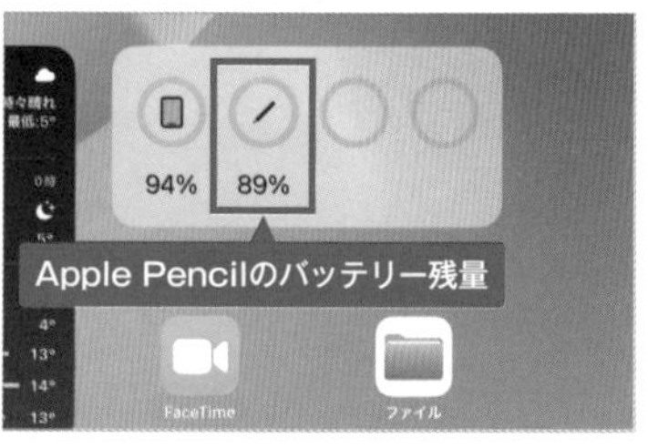

Apple Pencilの電池残量は、充電時に画面表示されるが、ウィジェットに「バッテリー」を追加しておけばいつでも確認することが可能だ。ウィジェットの追加操作などはNo043を確認しよう。

使いこなしヒント

メモアプリなどで手書き入力できる

メモアプリを起動してApple Pencilでタップすれば、自動で描画モードに切り替わり手書き入力できる。他にもイラストやノート、PDFアプリなど、さまざまなアプリで利用可能だ。

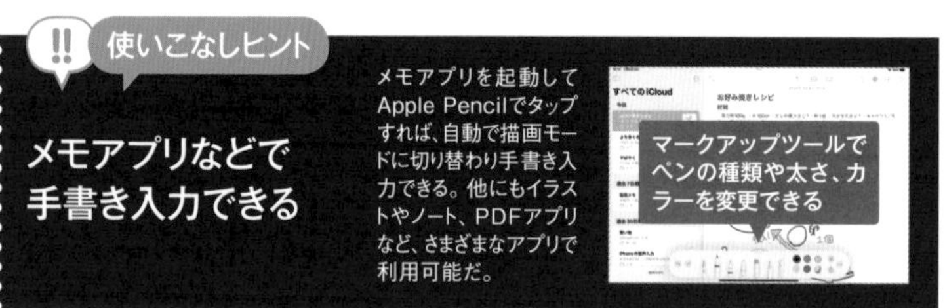

基本操作

no. 116

世代によって対応iPadが異なる

Apple Pencilの第1世代を利用する

Apple Pencilは世代によって対応するiPadが異なるので注意しよう。自分のiPadがApple Pencilの第1世代対応モデルなら、Apple Pencilは旧タイプの第1世代しか使えない。基本的にiPadの端子がLightningのiPadは第1世代に対応するが、iPad(第10世代)のみUSB-C端子なので、変換アダプタを使ってApple Pencilと接続する必要がある。

第1世代では、尾軸キャップを外すとLightningコネクタが出現。iPad のコネクタに差し込むか、変換アダプタを使ってケーブル充電する。

Apple Pencil(第1世代)
価格／14,880円(税込)
対応モデル／iPad Air(第3世代)、iPad mini(第5世代)、iPad(第6～9世代／第10世代は変換アダプタが必要)、12.9インチiPad Pro(第1、第2世代)、10.5インチiPad Pro、9.7インチiPad Pro

USB-C - Apple Pencilアダプタ
価格／1,380円(税込)
Apple Pencil(第1世代)とiPad(第10世代)を接続して充電するには、この変換アダプタが必要。販売中のApple Pencil(第1世代)には同梱されている。

no. 117

画面に書き込みも行える

Apple Pencilでスクリーンショットを撮影

No031でも紹介したスクリーンショット機能。実は、Apple Pencilで画面の左下の角から画面中央に向かってドラッグするだけでも、スクリーンショットを撮影できる。そのままApple Pencilでの描画機能も使えるので、Webページや書類に書き込みを行いたい時に便利だ。

1 左下の角からドラッグする

Apple Pencilでスクリーンショットを撮影するには、画面の左下の角からApple Pencilをドラッグすればいい。これでスクリーンショットが撮影される。

2 スクリーンショットに書き込みも可能だ

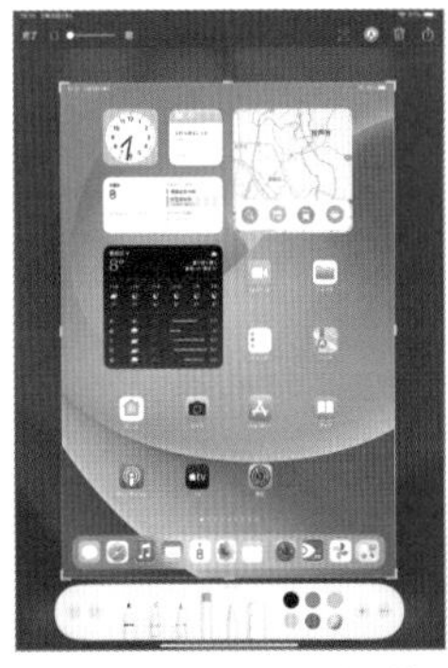

すると、上のような画面に切り替わり、描画機能でスクリーンショットに書き込みが行える。Apple Pencilを使ってそのままメモなどを書き込もう。

no. 118

インスタントメモ機能を使おう

Apple Pencilで即座にメモを起動する

突然思い浮かんだアイディアやイメージなどをApple Pencilで書き留めたい時に便利なのが「インスタントメモ」機能だ。iPadがスリープ状態、またはロック画面の状態の時に、Apple Pencilで画面をタッチしてみよう。メモアプリが起動して、すぐに書き込みが行えるのだ。

スリープ状態の画面やロック画面をApple Pencilでタッチ

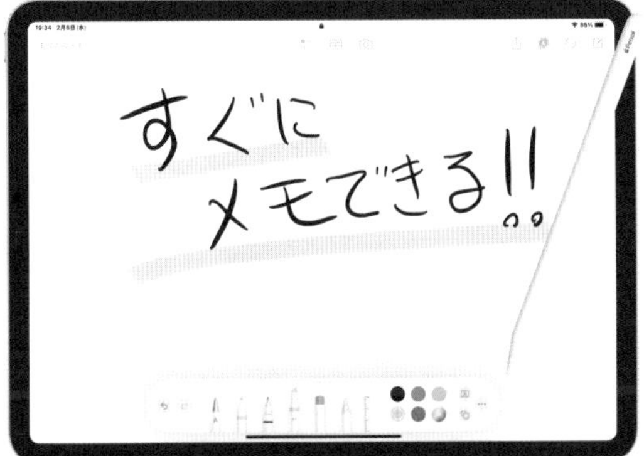

インスタントメモなら、「ロック画面を解除してメモアプリを起動して新規メモを作成して……」という面倒な手順なしにすぐ手書きメモが行える。

no. 119

左下と右下のスワイプ操作を変更

Apple Pencilのペンシルジェスチャを変更

Apple Pencilで左下や右下の隅から画面中央に向けてスワイプしたときのアクションは、左下隅がスクリーンショット(No117で解説)に、右下隅がクイックメモ(No107で解説)に割り当てられているが、これは設定で変更が可能だ。使いやすい方に設定しておこう。

1 ペンシルジェスチャの設定をタップ

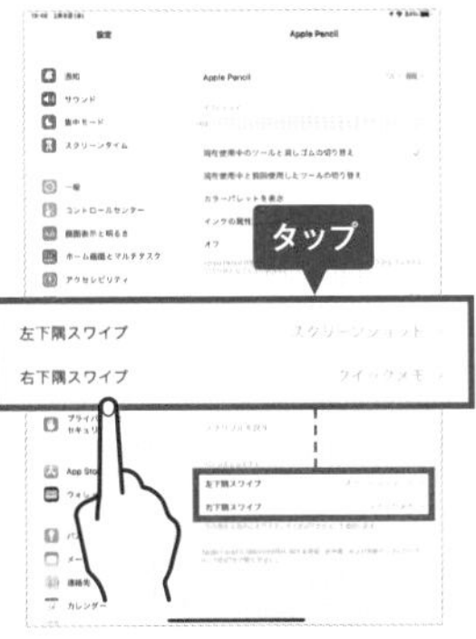

「設定」→「Apple Pencil」の下の方に「ペンシルジェスチャ」項目があるので、「左下隅スワイプ」か「右下隅スワイプ」をタップしよう。

2 割り当てるアクションを選択

それぞれの操作に、クイックメモとスクリーンショットのどちらを割り当てるかを選択できる。「オフ」を選択すれば機能を無効にできる。

no. 120

手書き文字をテキストに変換できる

Apple Pencilの スクリブル機能を利用する

ペンで書いた文字がテキストに自動変換される

iPadでは、Apple Pencilで手書きした文字をテキストに自動変換する「スクリブル」機能を利用できる。たとえば手書きしたノートに名前を付けて保存する際など、いちいちキーボードを表示しなくてもApple Pencilだけで操作が完結するので、ストレスなく作業を続けられる。メールやメモ、検索欄など、文字を入力できる場所であれば基本的にスクリブルで入力でき、日本語入力も可能だ。また、テキストを削除したり、文の途中に挿入するなど、簡単な編集もApple Pencilのみで行えるようになっている。これらの操作には少し慣れが必要なので、「設定」→「Apple Pencil」→「スクリブルを試す」をタップして練習しておこう。

スクリブル機能でできること

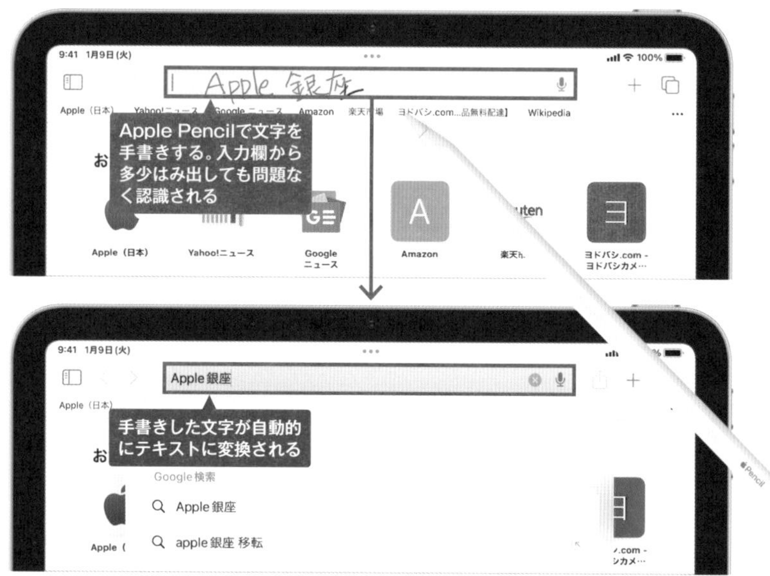

Safariの検索欄などにApple Pencilで文字を手書きすると、すぐにテキストに変換される。日本語と英語の混在も可能だ。日本語をうまく入力できないときは、スクリブル入力時に表示されるスクリブルツールバーの入力言語を「日本語」に変更すればよい（下の囲み記事で解説）。テキストの挿入や削除といった編集もApple Pencilだけで行える。

スクリブル入力の基本操作

テキストをグシャグシャとこすって雑に塗りつぶすと、こすった部分のテキストが削除される。

テキストをロングタップすると、その場所に入力フィールドが表示され、手書きでテキストを挿入できる。

テキストの上に線を引くと、線を引いたテキストが範囲選択される。テキストを円で囲んでもよい。

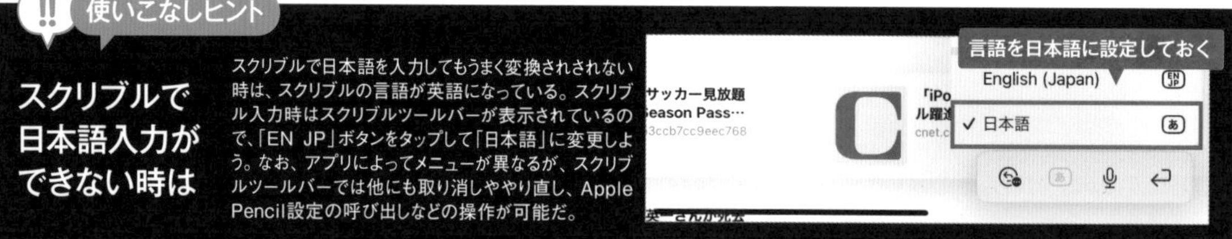

スクリブルで日本語を入力してもうまく変換されない時は、スクリブルの言語が英語になっている。スクリブル入力時はスクリブルツールバーが表示されているので、「EN JP」ボタンをタップして「日本語」に変更しよう。なお、アプリによってメニューが異なるが、スクリブルツールバーでは他にも取り消しやり直し、Apple Pencil設定の呼び出しなどの操作が可能だ。

基本操作

フロントカメラで自分の顔をスキャン

Face IDに顔を登録する

顔認証でロック解除や購入処理を行える

ホームボタンのないiPad Proでは、顔認証システム「Face ID」を利用できる。あらかじめユーザーの顔をフロントカメラでスキャンしておけば、画面ロックの解除や、各種ストアでの支払い時に、自分の顔をフロントカメラに向けるだけで瞬時に認証を行えるようになる。Face IDは赤外線の投射で認識するため、暗所でも利用できるほか、帽子やメガネを付けていても問題なく認証する。ただし、マスクを付けた状態では認証できない。また、iPadを上下逆に持っている場合、カメラが下に位置するため、顔を下に向けないと認証しにくいので注意しよう。

1 「Face IDをセットアップ」をタップする

「設定」→「Face IDとパスコード」→「Face IDをセットアップ」をタップ。また、上の欄の「iPadのロックを解除する」のスイッチをオンにしても、Face IDのセットアップが開始される。

2 Face IDの設定を進めて自分の顔を登録

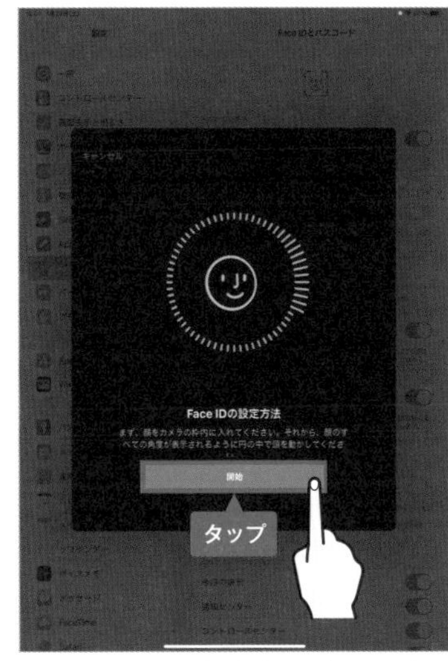

上の画面になるので、「開始」をタップ。画面の指示に従って、顔をカメラの枠内に入れよう。円を描くように頭を動かし、すべての角度を2回スキャンすれば完了だ。

設定

no. 122

認識精度をアップさせる

Face IDにもう一つの容姿を登録する

Face IDは「もう一つの容姿を設定」を追加することで、顔認証の認識精度をアップできる。メイクした顔とノーメイクなど、うまく認識されない場合がある顔を登録しておくといいだろう。なお、「もう一つの容姿を設定」に家族などの顔を追加して、複数人で使うこともできる。

1 「もう一つの容姿を設定」をタップ

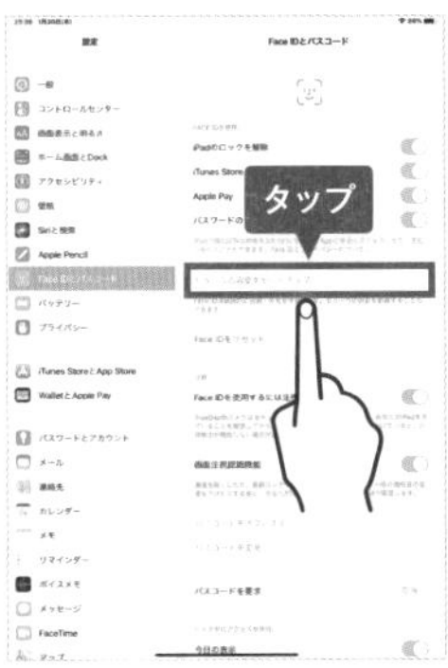

あらかじめFace IDで1つ目の顔を登録した状態で、「設定」→「Face IDとパスコード」→「もう一つの容姿を設定」をタップする。

2 もう一つの容姿を登録する

「開始」をタップし、画面の指示に従って2つ目の顔を登録しよう。眼鏡や髭の有無で登録しておけば認識精度が上がるほか、自分以外の顔も登録できる。

no. 123

ユーザーの目線を認識

Face IDの注視に関する設定を確認する

設定で「Face IDを使用するには注視が必要」をオンにしておけば、カメラを注視しないと認証されないので、寝ている間に悪用されることもない。また「画面注視認識機能」をオンにしておくと、画面を見ている時はディスプレイが暗くならず、通知音量も低く抑えられる。

1 Face IDの使用に注視を必要とする

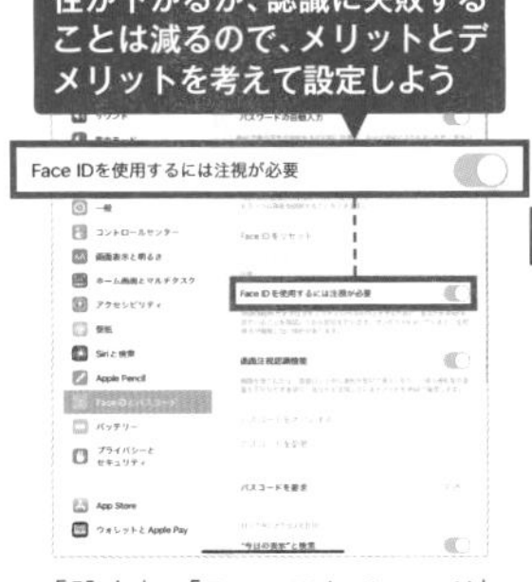

「設定」→「Face IDとパスコード」で「Face IDを使用するには注視が必要」がオンなら、Face IDの認識時に注視が必要となる。

2 画面注視認識機能を有効にする

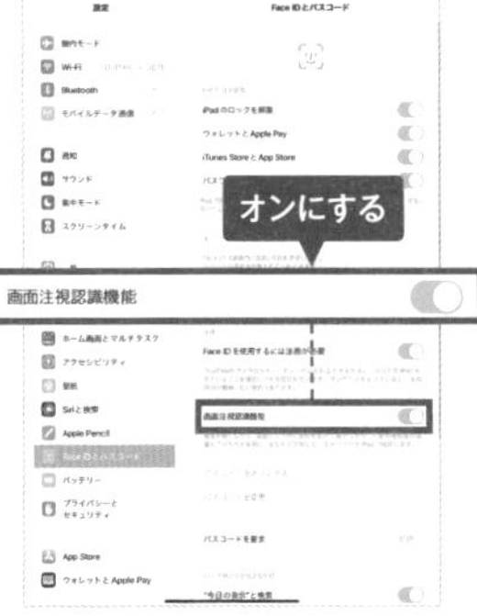

その下の「画面注視認識機能」をオンにしておけば、画面を見ている間はディスプレイが暗くならず、通知音量も小さくなる。

no. 124

両手の指を登録しておくと便利

Touch IDに指紋を登録する

指紋認証でロック解除や購入処理を行える

現在発売中のiPadの内、iPad Pro以外のモデルはすべて指紋認証システム「Touch ID」を搭載している。あらかじめ自分の指紋を登録しておくと、電源／スリープボタンやホームボタンに指を当てるだけでロック解除などの認証処理を素早く行うことができる。「設定」→「Touch IDとパスコード」で、「指紋を追加」をタップし、指示に従って指紋を登録しよう。最大5つまで指紋を登録可能なので、両手の指を登録しておくとよい。また、iPadを家族と共用している場合は、家族の指紋も登録しておこう。

1 「指紋を追加」をタップする

「設定」→「Touch IDとパスコード」→「指紋を追加」で指紋の登録画面が表示される。また、上の欄の「iPadのロックを解除する」のスイッチをオンにしても、Touch IDのセットアップが開始される。

2 Touch IDの設定を進めて指紋を登録

画面に従ってホームボタンに指を当てる／離すを繰り返し、指紋を登録しよう。指紋を登録→指の縁の指紋を登録→Touch IDが利用できない場合のパスコードを設定すれば、Touch IDの設定が完了する。

設定

no. 125

アプリ購入時のパスワード入力が不要に

画面ロック解除以外の各種認証もFace(Touch) IDを利用する

1 スイッチをオンにして各種認証を許可

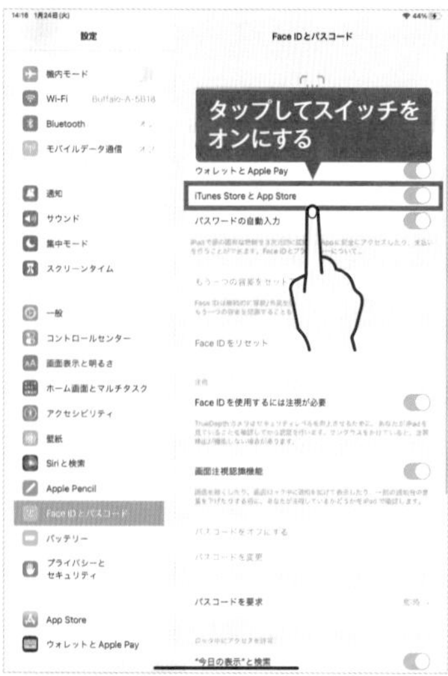

「設定」→「Face(Touch)IDとパスコード」の「FACE(TOUCH) IDを使用」欄の各スイッチをオンにすると、ロック解除以外でも顔や指紋を使って認証処理を行えるようになる。

2 Face(Touch) IDの認証で購入できる

「iTunes StoreとApp Store」をオンにすれば、アプリの入手時にApple IDのパスワード入力の必要がなくなり、顔認証や指紋認証でインストールを開始できるようになる。

3 Face(Touch) ID対応アプリも認証可能

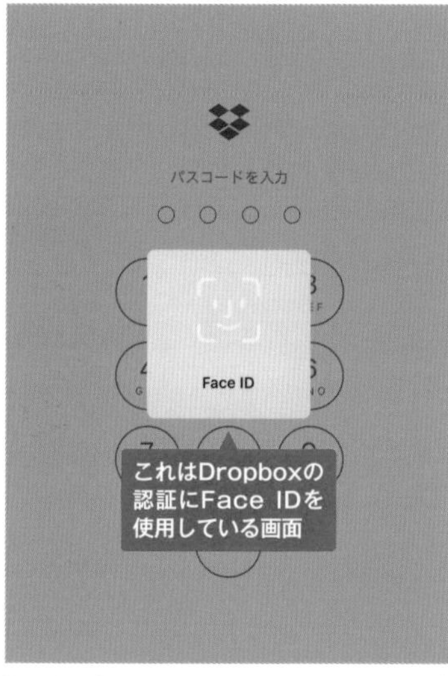

DropboxやAmazon、1Password、Evernoteといった Face(Touch)ID対応アプリも、それぞれのアプリ内の設定で機能を有効にしておけば、顔や指紋でロック解除や認証を行えるようになる。

no.126 最低限のセキュリティをしっかり施す

iPadにパスコードを設定する

連絡先やメールなど、iPadには個人情報が満載だ。iPadを外に持ち歩くことがあるなら、必要最低限のセキュリティとして、ロック画面を解除する際などに入力が必要となる「パスコード」を設定しておきたい。デフォルトでは6桁の数字でパスコードを設定するが、6桁では不安なら、「パスコードオプション」で英数字混じりのパスコードにすることも可能。数字の桁数を増減したり、簡単な4桁の数字にすることもできる。

1 「パスコードをオンにする」をタップ

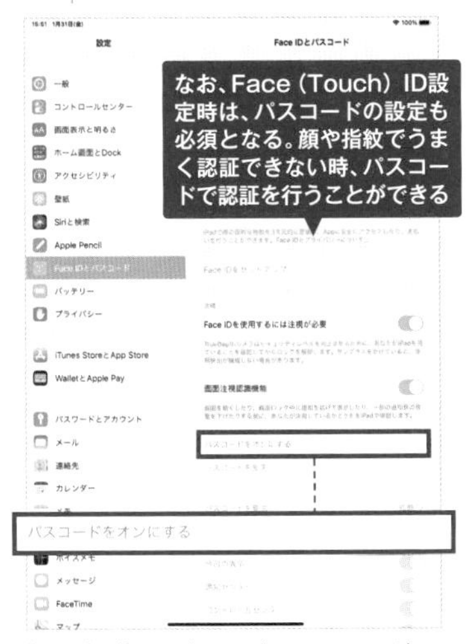

「設定」→「Face（Touch）IDとパスコード」で、「パスコードをオンにする」をタップする。

2 パスコードとして6桁の数字を入力する

パスコードの設定画面が表示されるので、6桁の数字を入力しよう。「パスコードオプション」をタップすれば、「カスタムの英数字コード」で英数字に、「カスタムの数字コード」で自由な桁数の数字に、「4桁の数字コード」で数字4桁のパスコードに設定できる。

no.127 セキュリティと使い勝手のバランスを

自動ロックとパスコードの要求時間を適切に設定する

iPadは一定時間操作しないでいると、自動的にロックされスリープ状態に移行する。このロックまでの時間はデフォルトだと2分だが、「画面表示と明るさ」→「自動ロック」で5分／10分／15分／なしに変更可能だ。また、「Face(Touch)IDとパスコード」→「パスコードを要求」で、ロック後にパスコードが要求されるまでの猶予時間も設定できる。ただし、Face(Touch)IDの「iPadのロックを解除」がオンだと、「即時」しか選択できない。

自動ロックまでの時間を設定する

「画面表示と明るさ」→「自動ロック」で、何も操作していないiPadが自動的にスリープ状態に移行するまでの時間を変更できる。自分で使いやすい間隔に設定しておけばいいが、「なし」はセキュリティ的に選ばない方がよい。

パスコード要求の猶予時間の設定

「Face（Touch）IDとパスコード」→「パスコードを要求」では、自動ロックした画面をパスコード不要で解除できる猶予時間を設定できるが、「iPadのロックを解除」が有効だと「即時」しか選べない。Face（Touch）IDを使わない場合でも、「即時」にしておくのが望ましい。

no.128 入力を10回失敗すれば全データを消去

パスコード誤入力時にデータを消去する

「設定」→「Face（Touch）IDとパスコード」で「データを消去」をオンにすると、パスコード入力に10回失敗した時点で、iPadの全データが消去される。いきなり消去されるわけではなく、まず5回失敗で1分間iPadを使用できなくなり、6回で5分、7回と8回で15分、9回で1時間使用不可となったのち、10回目で初期化される。

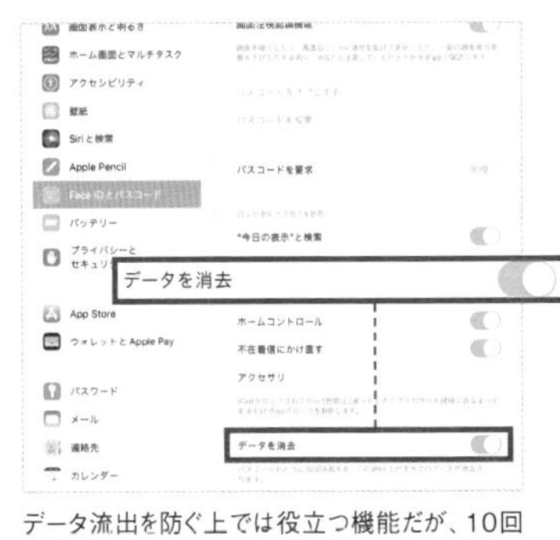

データ流出を防ぐ上では役立つ機能だが、10回程度だと、うっかりパスワードを忘れて入力を失敗する可能性もある。パスワードを確実に覚えておく自信がないなら、オフにしておいたほうが無難だろう。

no.129 必要な設定メニューを検索して呼び出す

設定項目をキーワード検索する

「設定」アプリではiPadを便利に使うためのさまざまな項目が用意されているが、iPad初心者にはどこに何の設定項目があるのか分かりづらいだろう。そんな時は、左メニュー上部の検索欄にキーワードを入力してみよう。関連する設定項目がリスト表示され、タップすればその設定画面を開くことができる。

設定の左メニュー最上部の検索欄でキーワード検索すれば、そのキーワードに関連する設定項目が表示され、タップすることですぐに設定画面にアクセスできる。

no. 130

着信や通知音の全体的な設定を行う

各種サウンドの種類や有無を設定する

通知音は無音に設定することもできる

「設定」→「サウンド」では、着信音や通知音の全体的な設定を行える。FaceTimeなどの着信音や、メール、メッセージ、カレンダー、リマインダーの通知音に加えて、メールの送信音も好きなものに変更できるので、いつもの音に飽きたら気分を変えてみよう。また、着信音以外は「なし」を選択して無音にできるので、通知音がうるさく感じるなら設定しておくといい。なお、メールやメッセージの通知音は、「設定」→「通知」の「メール」や「メッセージ」でも変更できる(No139で解説)。

1 着信音や通知音を変更する

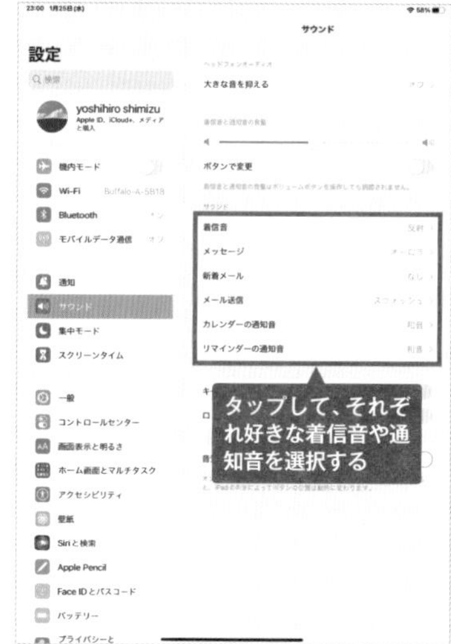

「設定」→「サウンド」で、着信音や各種通知音の種類を変更できる。通知設定では変更できない、メール送信の音も変更が可能だ。

2 通知音をオフにする

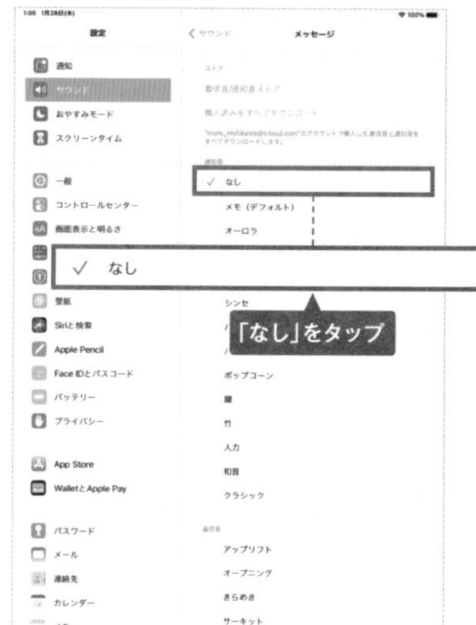

「着信音」では選択できないが、「新着メール」や「メール送信」などの各種通知音をタップして「なし」を選択すると、通知音を無音にできる。

設定

no. 131

キーボード入力音とロック音を消す

不要な操作音をオフにする

デフォルトでは、キーボードで文字を入力する際や、電源/スリープボタンで画面をロックする際に、いちいち操作音が鳴るようになっている。これらの音が煩わしい場合は、設定でオフにしておこう。「設定」→「サウンド」で、「キーボードのクリック」をオフにするとキータッチ音が、「ロック時の音」をオフにすると画面ロック時の音が、それぞれ鳴らなくなる。

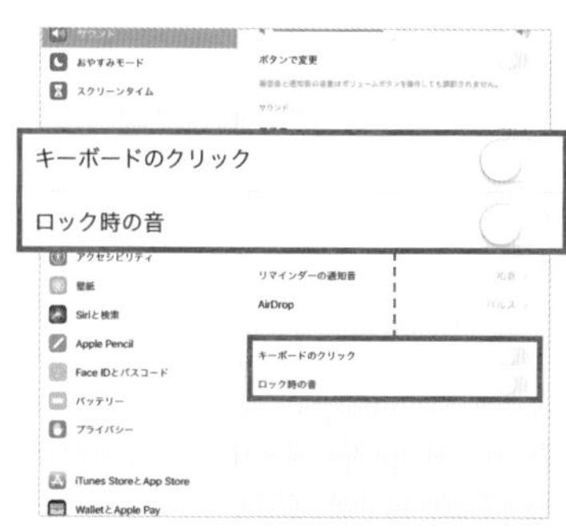

設定の「サウンド」で、「キーボードのクリック」および「ロック時の音」のスイッチをオフにすれば、キータッチ音と画面ロック時の音がそれぞれ消音される。

no. 132

見やすさと省電力を合わせて考える

画面の明るさを調整する

iPadの画面の明るさは、デフォルトだと、周囲の光量に応じて自動的に調整される。バッテリーの消費を抑えて手動で暗めにしたい場合などは、「設定」→「アクセシビリティ」→「画面表示とテキストサイズ」で「明るさの自動調節」をオフにした上で、「設定」→「画面表示と明るさ」のスライダーで明るさを変更しよう。

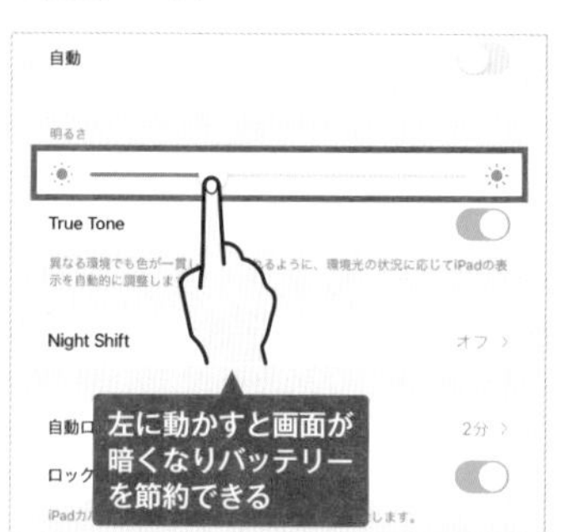

「画面表示と明るさ」のスライダーで明るさを調整。「アクセシビリティ」→「画面表示とテキストサイズ」で「明るさの自動調節」もオフにしておこう。

no. 133

バッテリーの節約に有効

視差効果を減らす

iPadは画面を傾けると、壁紙やアプリが少し動いて奥行きが演出されている。この視差効果による動きで画面酔いする人は、設定の「アクセシビリティ」→「動作」→「視差効果を減らす」をオンにしてエフェクトを無効にしておこう。同時に画面切り替え時のエフェクトや、一部アプリのアニメーション効果なども軽減されるので、バッテリーの節約にも役立つ。

「視差効果を減らす」をオンにすると、余計なエフェクト処理が消えバッテリーを節約できる。

no.134 午前／午後や平成表記で表示

時刻や年の表示形式を変更する

時刻表示を「20:30」ではなく「午後8:30」といった表示にするには、「設定」→「一般」→「日付と時刻」で「24時間表示」をオフにすればよい。また日付を西暦ではなく和暦表示にしたい場合は、「一般」→「言語と地域」→「暦法」→「和暦」にチェックすればよい。

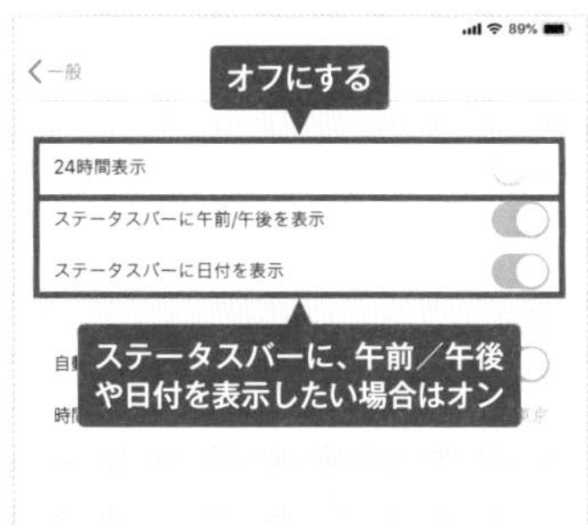

「24時間表示」をオフにすると、ステータスバーや時計、他のアプリも含めて午前／午後表記になる。

暦法を「和暦」に変更すると、カレンダーや他のアプリでも、「令和3年」といった表記になる。

no.135 不要な通知は積極的にオフにしよう

アプリごとに通知の有無を設定する

アプリをインストールした際にきちんと設定しておかないと、通知も増える一方だ。重要ではないので放置している通知も多いはず。不要な通知は、あらかじめ設定で無効にしておこう。

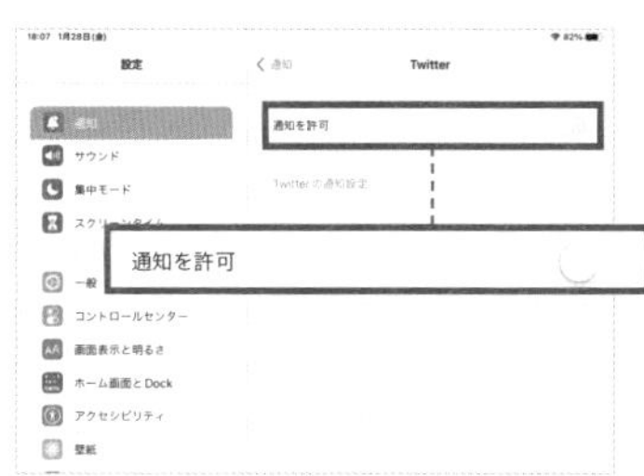

「設定」→「通知」でアプリを選択し、「通知を許可」をオフにしておけば、通知設定が用意されていないようなアプリでも強制的に通知をオフにできる。

no.136 すべてのアプリの設定を変更

通知のプレビュー表示を一括変更する

メールやメッセージを受信した際、ロック画面などにメッセージ内容の一部がプレビュー表示されると、他の人にも見られる恐れがある。これを防ぐには、「設定」→「通知」→「プレビューを表示」をタップし、「ロックされていないときのみ」か「しない」に設定すればよい。この設定では、すべてのアプリのプレビュー設定が一括変更されるが、メールやメッセージアプリで個別に設定したい場合はNo137の手順で設定しよう。

ロック画面にメッセージ内容がプレビュー表示されると、誰でも見ることができてしまう。見られたくない場合は設定を変更しよう。

no.137 メールはアカウント単位で変更可能

通知のプレビュー表示をアプリごとに設定

通知のプレビュー表示はアプリごとに設定可能だ。「設定」→「通知」でアプリを選び、「プレビューを表示」をタップする。プレビューを「常に」表示するか、「ロックされていないときのみ」表示するか、あるいは表示「しない」を選択できる。メールは、アカウント単位で個別に設定できる。

プレビュー表示のデフォルト設定はNo136の手順で変更し、設定を変えたい一部アプリのみこの画面で変更しよう。

no.138 通知は表示されるが通知音は鳴らない

通知のサウンドを無効にする

アプリの通知音だけをオフにしたい場合は、設定の「通知」を開いてアプリを選択し、「サウンド」のスイッチをオフにしておこう。これで、このアプリの通知がある場合は通知の履歴やバナーなどで表示されるが、その際に通知音が鳴らなくなる。特に「Twitter」や「LINE」などの、新着通知自体はチェックしておきたいが、やり取りのたびに通知音が鳴るのが煩わしいタイプのアプリでオフしておくとよい。

「設定」→「通知」でアプリを選択し、他の項目はオンのままで「サウンド」だけオフにしておけば、通知が表示される際に通知音だけ鳴らなくなる。

no.139 一部アプリでは変更が可能

着信や通知のサウンドを変更する

「設定」→「通知」にあるアプリのうち、メール、メッセージ、カレンダーなど一部アプリは、「サウンド」をタップすれば着信音や通知音を変更できる。着信／通知音は最初からいくつか内蔵されているほか、iTunes Storeから購入したり、自分で好きな曲の着信音を作成して設定することも可能だ。

FaceTime、メール、メッセージ、カレンダー、リマインダーの着信音や通知音は、「設定」→「通知」のほか、「設定」→「サウンド」からも変更できる（No130で解説）。

no. 140 通知の表示場所やバナースタイルを選ぶ

通知のスタイルを変更する

「設定」→「通知」を開いてアプリを選択すると、通知の表示場所を選択できる。またバナーによる通知の場合は、「バナースタイル」で表示スタイルの変更も可能だ。「一時的」は、画面上部に通知が表示されたのち、数秒で自動的に消える。「持続的」は、同じく画面上部に表示されるが、通知をタップしたり他のアプリを起動するといった操作を行わない限り表示され続ける。

1 通知の表示場所とバナースタイルの選択

「設定」→「通知」でアプリを選択。通知を、ロック画面や通知センター、バナーで表示したい場合は、それぞれチェックする。また「バナースタイル」でバナーの表示方法も選択しよう。

2 一時的と持続的の違い

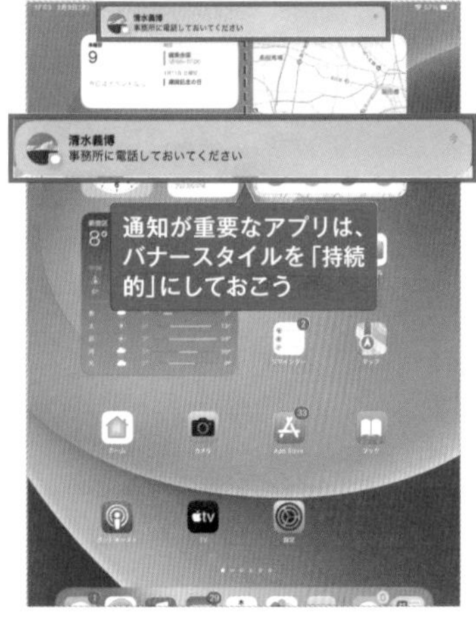

バナースタイルを「一時的」にしておくと、画面上部に通知バナーが表示され、数秒で自動的に消える。「持続的」にしておくと、何らかの操作を行わない限り上部に表示され続ける。

no. 141 同じアプリの通知をひとまとめに表示

通知をグループ化する

「設定」→「通知」でアプリを選択し、「通知のグループ化」を「自動」または「App別」にしておけば、同じアプリの通知がグループ化されてひとまとめに表示され、通知センターの表示がスッキリと見やすくなる。グループ化された通知をタップすると、すべての通知が展開される。TwitterやLINEなどの通知は、ユーザー単位でグループ化される仕様になっているが、「App別」に設定しておけば、アプリ単位でグループ化されるようになる。

1 通知のグループ化を設定する

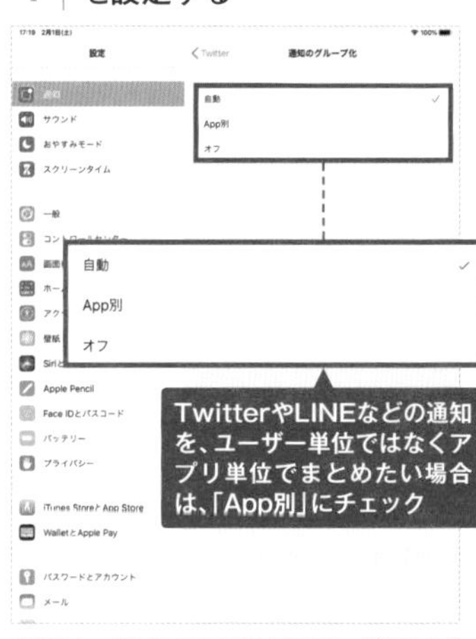

「設定」→「通知」でアプリを選択し、「通知のグループ化」を「自動」または「App別」に設定しておこう。「オフ」にすると、通知をグループ化しなくなる。

2 同じアプリの通知がグループ表示される

同じアプリや同じユーザーからの通知は、このようにグループ化されて表示される。グループ化された通知をタップすると、すべての通知が展開され、個別に確認できる。

no. 142 「時刻指定要約」を有効にしよう

指定時間に通知をまとめて表示

必要な通知はしっかり届かないと困るが、あまり頻繁に通知が表示されると気が散って仕方がない。特に、通知が届いたらすぐに確認するほど重要な内容ではないが、かといって通知を完全にオフにしたくはないアプリは、「時刻指定要約」に追加しておくのがおすすめだ。時刻指定要約の対象としたアプリの通知は、指定した時刻にまとめて通知センターで確認できるようになる。

1 時刻指定要約を有効にする

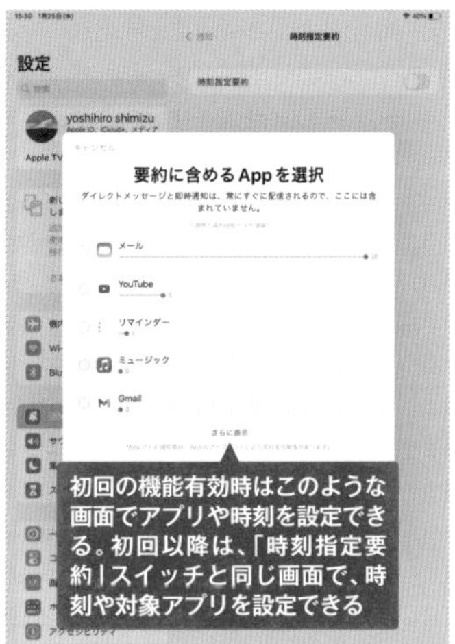

「設定」→「通知」→「時刻指定要約」で「時刻指定要約」のスイッチをオンにし、指定時刻にまとめて通知してほしいアプリを選択。次に通知の要約を受け取る時刻を設定する。1日に複数回受け取るよう設定することもできる。

2 通知をまとめたいアプリをオンにする

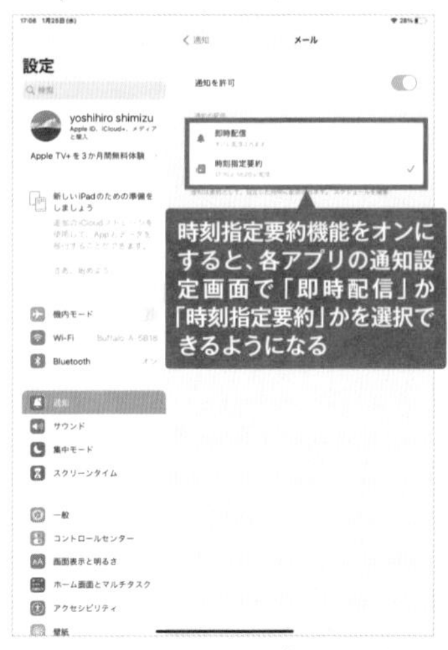

時刻指定要約をオンにしたアプリの通知設定画面では、バナーなどの表示の選択肢がなくなる。

設定

no.143 集中モードでも通知される

即時通知を設定する

アプリの通知設定にある「即時通知」項目。このスイッチをオンにしておけば、集中モード(No185で解説)や時刻指定要約(No142で解説)の設定にかかわらず通知がすぐに配信される。「即時通知」のスイッチの下に「ダイレクトメッセージ」のスイッチがある場合、そちらもオンにしておこう。

no.144 「通知」画面で該当項目をオフに

通知センターやロック画面に通知しない

通知センターの通知履歴をいちいち消去するのが面倒なら、設定の「通知」を開いてアプリを選択し、「通知センター」をオフにしておこう。また「ロック画面」をオフにすれば、ロック画面に通知が表示されなくなり、ロック中に表示される通知を誰かに見られる心配もなくなる。

「設定」→「通知」でアプリを選択し、「通知センター」をオフにすれば、通知センターに履歴が残らなくなる。また「ロック画面」をオフにすれば、ロック画面に通知が表示されない。

no.145 Siriに音声で通知を知らせてもらう

通知の読み上げ機能を利用する

「通知の読み上げ」をオンにし、対応ヘッドフォン(第1世代のAirPodsを除くAirPodsシリーズかBeatsブランド製品の一部)を接続した上、iPadがロックされている時にメッセージなどが届くと、「○○から○○というメッセージが届いています」と、Siriが内容を読み上げてくれる。直後に「返信する」と話しかけて返信することもできる。音楽を聴きながら移動している際や料理中など、ハンズフリーで通知の確認、返信を行える便利な機能だ。

1 通知の読み上げ機能を有効にする

「設定」→「通知」→「通知の読み上げ」で「通知の読み上げ」をオン。その下の「ヘッドフォン」もオンにする。さらにその下に並ぶ各アプリ名から読み上げを有効にしたいものを選び、タップして「通知の読み上げ」をオンにしよう。

2 返信に関する設定を確認

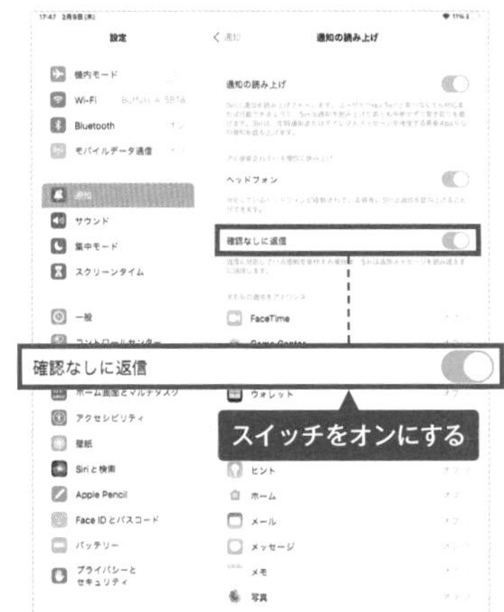

通知の読み上げの設定画面にある「確認なしに返信」をオンにすると、「返信する」という発声に続けてSiriに依頼した内容を読み返して確認することなく、即座に送信する。

no.146 未読件数などを示すバッジを非表示

アプリのバッジ表示をオフにする

設定の「通知」でアプリを選択し、「バッジ」をオフにすれば、アプリアイコンの右上に付く赤い数字、「バッジ」を非表示にできる。未読メール数などをひと目で把握できる便利な機能だが、未読件数が多すぎてバッジ表示が邪魔な場合はオフにしておこう。

「設定」→「通知」でアプリを選択し、「バッジ」のスイッチをオフにすれば、バッジを非表示にできる。表示が邪魔ならオフにしておこう。

no.147 「ホーム画面とマルチタスク」で設定する

バッジをAppライブラリにも表示する

アプリアイコンの右上に表示される通知バッジは、Appライブラリのアプリアイコンにも表示させることができる。「設定」→「ホーム画面とマルチタスク」→「Appライブラリに表示」をオンにしよう。これでAppライブラリにもバッジが表示されるようになる。

「設定」→「ホーム画面とマルチタスク」で「Appライブラリに表示」のスイッチをオンにする。

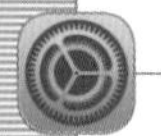

no.148 SharePlayなどの使用中に通知を許可

画面共有時の通知を設定する

iPadではFaceTime通話中に、映画や音楽を相手と一緒に視聴できる「SharePlay」機能（No273で解説）や、自分の画面を相手に見せることができる「画面共有」機能を利用できる（No274で解説）。画面を共有中は、標準だと通知が表示されないが、「設定」→「通知」→「画面共有」で「通知を許可」をオンにしておけば通知されるようになる。

no.149 よく使うアプリや連絡先を表示させない

Siriからの提案を設定する

Siriはさまざまな操作を音声入力で行えるだけでなく、アプリや連絡先の使用状況を学習し、Spotlight検索や共有シートにおすすめのアプリとして提案する機能も備えている（No563で解説）。よく使うアプリや連絡先を人に見られたくないなら非表示にしておこう。

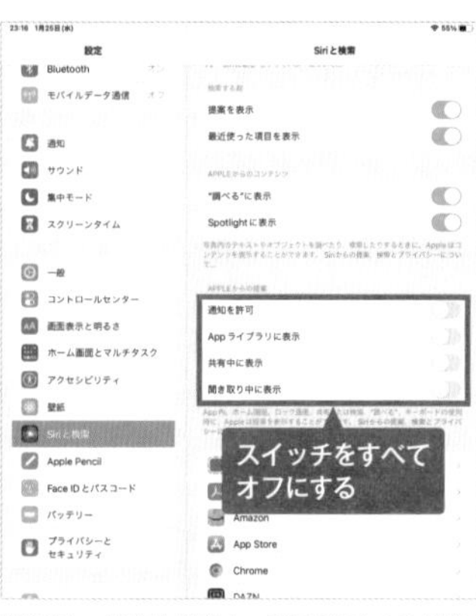

「設定」→「Siriと検索」→「APPLEからの提案」にある各項目のスイッチをオフにしておこう。よく使うアプリや連絡先が提案されなくなる。

no.150 Siriを使うなら確認しておこう

Siriの言語や声を変更する

Siri（No100で解説）は「設定」→「Siriと検索」に詳細な設定が用意されているので覚えておこう。「"Hey Siri"を聞き取る」で自分の声を登録できるほか、「言語」でSiriが応答する言語を変更したり、「Siriの声」で声の種類を切り替えできる。「Siriの応答」では、消音モード時には音声で読み上げないように設定したり、Siriが発した内容や自分がSiriに話した内容をテキスト表示させる設定が可能だ。また「自分の情報」で自分の連絡先を指定しておけば、Siriが自宅や会社の住所、電話番号、家族関係などを把握する。

1 「Siriと検索」で設定を確認

Siriの詳細設定は「設定」→「Siriと検索」にまとめられている。「Hey Siri」の設定をはじめ、言語やSiriの声の変更、Siriの応答に関する設定、自分の情報の登録などが可能だ。

2 Siriが音声で読み上げないように設定する

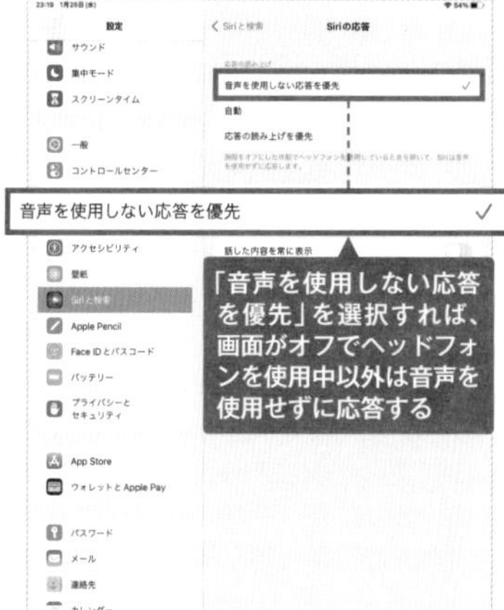

Siriか回答を音声で読み上げないようにするには、「Siriの応答」で「音声を使用しない応答を優先」を選択しておこう。

no.151 自分の連絡先を教えてSiriをもっと便利に

Siriに自分の情報を設定する

SiriにiPadの持ち主である自分の情報を教えておくと、自宅や職場の住所、家族の関係などを把握して、「自宅に帰る」や「妻にメッセージ」といった呼びかけでルート検索やメッセージ送信を行ってくれる。まず「連絡先」アプリで自分の連絡先情報を登録しておき、「設定」→「Siriと検索」→「自分の情報」で自分の連絡先を選択しよう。これで、Siriが自分の連絡先情報を利用できるようになる。

1 Siriに自分の情報を知らせる

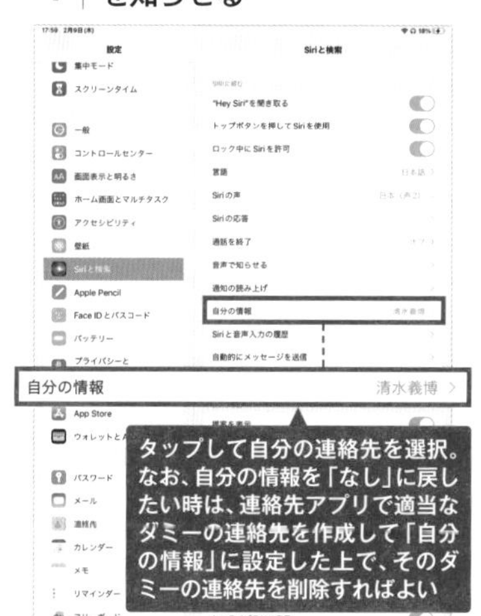

「設定」→「Siriと検索」→「自分の情報」をタップし、連絡先一覧から自分の連絡先を選択しよう。これで、Siriが自分の情報を利用できるようになる。

2 Siriが自分の情報を使った提案を行う

Siriに「自宅に帰る」や「妻に電話」などと伝えると、連絡先に登録された自分の情報を参照して、ルート検索や電話発信を行ってくれる。

no.152 Siriの履歴は手動で削除できる

Siriや音声入力の履歴を削除する

Siriに話しかけたり音声入力した内容は、最長で6ヶ月間Appleのサーバに保管され、追跡用の識別子を解除してさらに2年ほど保管されるので、意外と長く残っている。音声入力の履歴を今すぐ消しておきたいなら、「設定」→「Siriと検索」→「Siriと音声入力の履歴」→「Siriと音声入力の履歴を削除」をタップしよう。

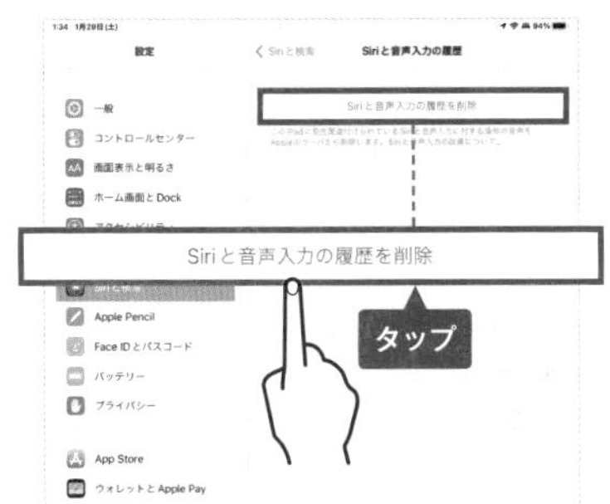

「設定」→「Siriと検索」→「Siriと音声入力の履歴」→「Siriと音声入力の履歴を削除」をタップすると、Siriや音声入力の履歴を今すぐ削除できる。

no.153 「このAppから学習」などを有効にしよう

Siriが各アプリの情報を利用できるようにする

「設定」画面を下にスクロールしてアプリを選択し、「Siriと検索」をタップすると、このアプリに対するSiriの動作を設定できる。「このAppから学習」をオンにしておき、「ホーム画面に表示」などのスイッチをオンにしておけば、Siriがアプリの使用状況を学習して、適切な操作を提案してくれるようになる。

「設定」でアプリを選択し、「Siriと検索」を開いて各スイッチをオンにしておけば、Siriがこのアプリの情報を利用できるようになる。

no.154 データ通信量を節約したい時に

モバイルデータ通信をオフにする

月末などでデータ通信量を節約したいときは、「モバイルデータ通信」をオフにしておけば、Wi-Fi接続のみでネットを利用できる。コントロールセンターからオフにすることも可能だ。YouTubeなど通信量の大きいアプリのみオフにしたいなら、アプリごとに個別に設定しよう（No163で解説）。

「設定」→「モバイルデータ通信」の「モバイルデータ通信」をオフ。またはコントロールセンターで「モバイルデータ通信」ボタンをタップしてオフ。

no.155 自動アップデートなどの通信を制限

省データモードを利用する

「省データモード」をオンにすると、自動アップデートや自動ダウンロードなどのバックグラウンド通信が制限され、モバイルデータ通信やWi-Fiの通信量を節約できる。モバイルデータ通信とWi-Fiそれぞれで設定が可能で、iPhoneとiPadをテザリング接続した時は自動的に省データモードがオンになる。

「設定」→「モバイルデータ通信」→「通信のオプション」、または「Wi-Fi」で接続中のネットワークの「i」をタップすると、「省データモード」をオンにできる。

no.156 音量ボタンの設定も確認

着信音と通知音の音量を調整する

着信音や通知音の音量は、「設定」→「サウンド」にある、「着信音と通知音」のスライダーで調節しよう。スライダーを一番左端まで動かせば消音になる。また、スライダーの下にある「ボタンで変更」をオンにすれば、本体側面にある音量ボタンを押して着信音と通知音の音量を変更できるようになる。

「設定」→「サウンド」のスライダーで着信音や通知音の音量を調整できる。音量を本体側面の音量ボタンでも操作したいなら、「ボタンで変更」のスイッチをオンにしておこう。

no.157 重要な設定について知らせてくれる

未設定項目の通知に対応する

初期設定でスキップした項目や、対処した方がよい重要な設定項目がある際は、「設定」の一番上にあるApple IDの部分の下に通知が表示される。例えば、初期設定でスキップした項目がある場合や2ファクタ認証（No059で解説）が未設定の場合、バックアップの作成がまだの場合などが該当する。この通知が表示されたらタップして、推奨される操作を実行しておこう。

設定

no. 158

好みの写真も設定できる

ホーム画面やロック画面の壁紙を変更する

ホーム画面とロック画面で異なる壁紙を設定できる

ホーム画面とロック画面の背景の壁紙は、「設定」→「壁紙」で自由に変更可能だ。「壁紙を選択」をタップし、iPadに内蔵されている壁紙や写真アプリのライブラリから、壁紙にしたい画像を選んでタップしよう。あとはプレビューを確認し、「ロック中の画面に設定」「ホーム画面に設定」「両方に設定」のいずれかをタップして設定完了。ホーム画面とロック画面で異なる壁紙を設定することもできる。ネットで配信されている壁紙を使いたいなら、No412で解説している手順で画像を保存して、ライブラリから選択しよう。

1 壁紙にしたい画像を選択する

「設定」→「壁紙」→「壁紙を選択」をタップ。iPad内蔵の壁紙データや写真アプリ内の写真から、壁紙にしたい画像を選んでタップする。画面上部の「ダイナミック」と「静止画」がiPad内蔵の壁紙だ。

2 壁紙を変更する画面を選択する

画像を選んだ次の画面で右下の「設定」をタップ。「ロック中の画面に設定」「ホーム画面に設定」「両方に設定」から選択しよう。下部中央のボタンで「視差効果」もオン／オフできる(No133でも解説)。

設定

no. 159

見た目も気分も一新しよう

ダークモード対応の壁紙を設定する

ダークモード(No032で解説)対応の壁紙を設定しておけば、ホーム画面やロック画面もダークモードに切り替わるようになる。あらかじめ、「設定」→「壁紙」→「壁紙を選択」→「静止画」で、ダークモード対応アイコンが付いた壁紙を選択しておこう。

1 ダークモード対応壁紙に変更する

「設定」→「壁紙」→「壁紙を選択」→「静止画」でダークモードアイコンの付いた壁紙を選択すれば、ダークモード時は専用の壁紙に切り替わる。

2 ダークモード非対応壁紙も暗くできる

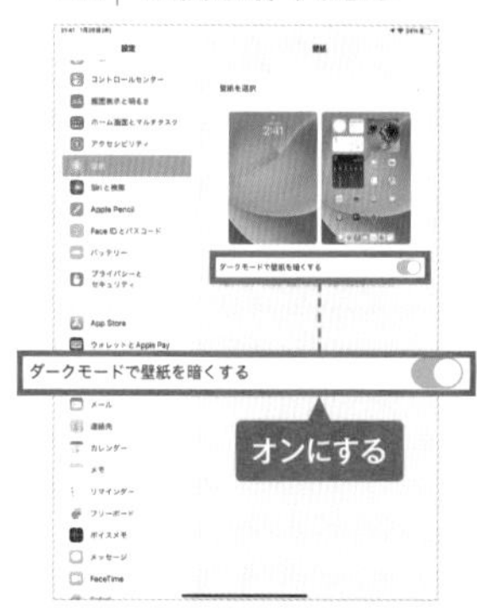

ダークモード非対応の壁紙でも、「設定」→「壁紙」→「ダークモードで壁紙を暗くする」をオンにしておけば、ダークモード中は若干暗く表示されるようになる。

no. 160

バッテリー消費の多いアプリを確認

バッテリーの使用状況を確認する

「設定」→「バッテリー」では、24時間以内もしくは過去10日間の、アプリのバッテリー消費率や使用時間、アプリの使用状況(画面上やバックグラウンド処理など)を確認できる。バックグラウンド処理によるバッテリー消費率が高いアプリは、設定でバックグラウンド更新をオフにしておこう。

バッテリーの使用率を確認する

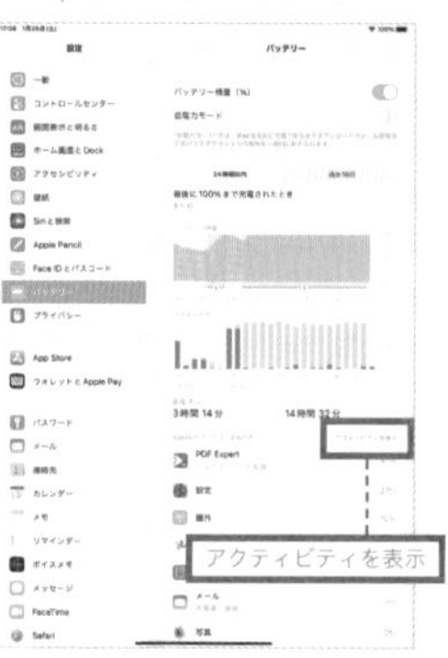

「設定」→「バッテリー」で、24時間もしくは10日以内の、アプリのバッテリー消費率を確認できる。「アクティビティを表示」でバックグラウンド処理時間なども確認できる。

バックグラウンド更新をオフにする

バックグラウンド処理によるバッテリー消費率が高いアプリは、設定の「一般」→「Appのバックグラウンド更新」でオフにしておけば、バッテリーを節約できる。

no. 161

バッテリーを長持ちさせる

低電力モードを利用する

バッテリーの残量が少なくなったら、低電力モードで消費電力量を抑えることができる。ただし、低電力モードにすると自動ロックまでの時間が30秒に固定される他、メールの自動取得回数が減ったりアプリのバックグラウンド更新が停止するなど、一部機能に制限がかかるので注意しよう。

1 低電力モードを有効にする

低電力モードを有効にするには、「設定」→「バッテリー」で「低電力モード」のスイッチをオンにする。外出先で充電できない時や災害時などに利用しよう。

2 バッテリーアイコンが黄色くなる

低電力モードを有効にすると、ステータスバーのバッテリーアイコンの残量が黄色く表示されるようになる。

no. 162

通信速度規制に備えてチェック

モバイルデータ通信の使用状況を確認する

Wi-Fi + Cellularモデルは、定額制プランで決められた容量や、段階制プランでも上限を超えると、通信速度が大幅に規制されてしまう。月初めに「設定」→「モバイルデータ通信」→「統計情報をリセット」をタップしておけば、「現在までの合計」欄で今月使ったモバイルデータ通信量が確認できるようになるので、使い過ぎないようこまめにチェックしておこう。なお、各キャリアのサポートページなら、当月や直近3日間のデータ利用量をより正確に確認できるので、こちらも定期的にチェックしておきたい。

毎月のモバイルデータ通信量を確認するには

月初めに「設定」→「モバイルデータ通信」→「統計情報をリセット」をタップしておけば、「現在までの合計」欄で今月使ったモバイルデータ通信量を確認できる。

no. 163

意図しない使いすぎを防ぐ

モバイルデータ通信をアプリによって制限する

Wi-Fiに接続していない状態で、うっかり動画をストリーミング再生したり、大きなサイズのデータを共有したりすると、意図せず余計なモバイルデータ通信量を消費してしまうことがある。通信量が増えがちなアプリは、モバイルデータ通信を使うかどうかを個別に設定しておこう。

1 アプリのデータ通信を禁止する

「設定」→「モバイルデータ通信」で、データ通信を禁止するアプリをオフにしよう。この画面では、以前にモバイルデータ通信を使ったアプリしか表示されない。

2 モバイルデータ通信では接続できない

Wi-Fiオフの状態でアプリを起動すると、このように警告メッセージが表示されネットに接続できなくなる。これで意図せずデータ通信を使うことを防げる。

no. 164

更新があると通知される

iPadOSをアップデートする

iPadの基本ソフト「iPadOS」は、アップデートによって新機能の追加や不具合の解消が行われる。「自動アップデート」(No165で解説)を設定しておけば自動で更新されるが、手動で行う場合は、「設定」→「一般」→「ソフトウェア・アップデート」→「今すぐインストール」(または「ダウンロードしてインストール」)をタップすれば、アップデートを実行できる。なお、5G対応のセルラーモデルならモバイル通信でもアップデートを行えるが、ファイルサイズが大きいので、なるべくWi-Fi接続でアップデートしよう。

アップデートの確認と手動インストール

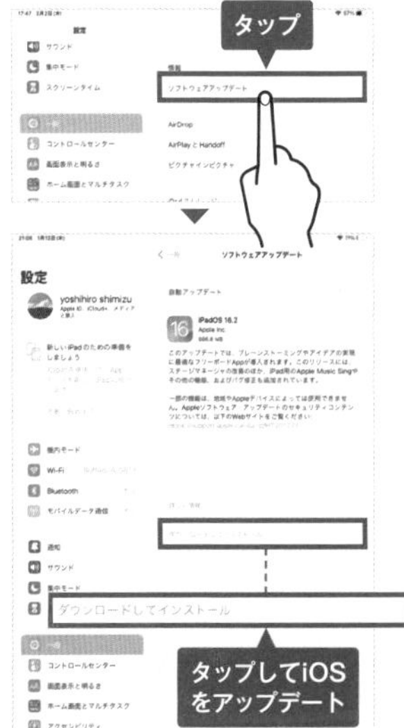

「設定」→「一般」→「ソフトウェア・アップデート」をタップすると、iPadOSのアップデートがあるか確認して、すぐに手動でインストールできる。

no.
165

夜間に自動で更新を済ませる

iPadOSの自動アップデート機能

iPadの基本ソフト「iPadOS」は、アップデートによって新機能の追加や不具合の解消が行われるので、早めに更新しておきたい。設定で「自動アップデート」をオンにしておけば、電源およびWi-Fi接続中の夜間に、自動で更新が済んで便利だ。自分のタイミングで手動更新したい場合はオフにしよう。

1 自動アップデートをタップ

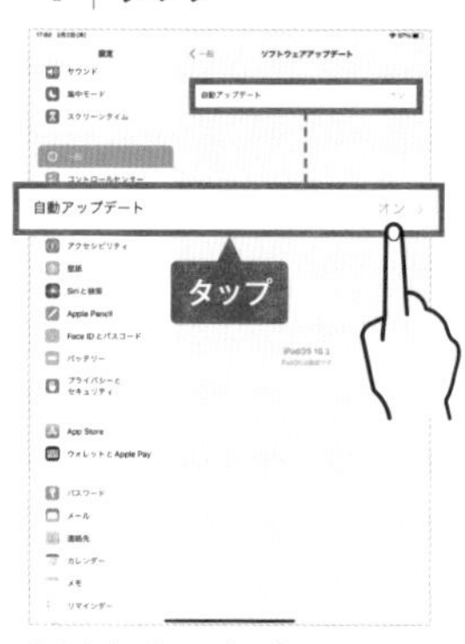

「設定」→「一般」→「ソフトウェア・アップデート」→「自動アップデート」をタップする。

2 スイッチをオンにしておく

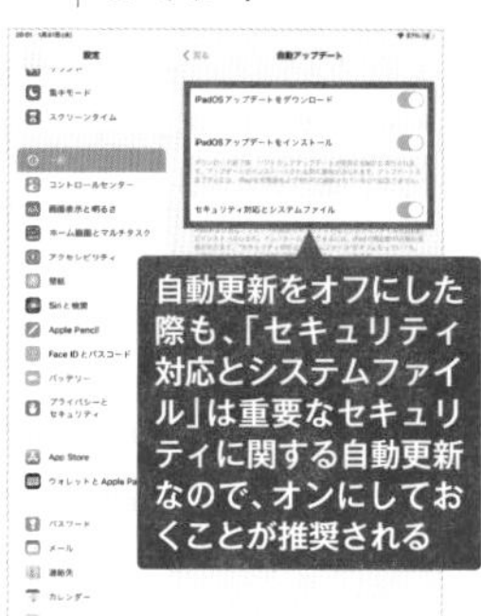

上の2つのスイッチをオンにしておけば、Wi-Fi接続中に更新ファイルを自動でダウンロードし、電源とWi-Fi接続中の夜間に自動でインストールしてくれる。

no.
166

アプリや機能ごとに利用許可を制限

子供に使わせる際に機能制限を施す

iPadを子供に使わせる場合などは、「コンテンツとプライバシーの制限」を活用しよう。特定のアプリの起動やインストールの禁止、アプリ内課金の禁止、アダルトサイト閲覧の禁止、連絡先やカレンダーの変更禁止など、さまざまな機能を制限できる。

1 機能制限を有効にする

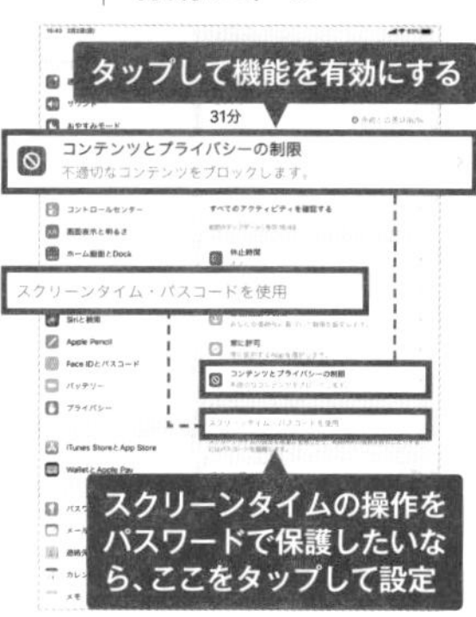

「設定」→「スクリーンタイム」→「コンテンツとプライバシーの制限」で、「コンテンツとプライバシーの制限」のスイッチをオンにすれば機能が有効になる。

2 制限したいアプリや機能を設定する

操作されたくないアプリや、機能、コンテンツの閲覧許可、プライバシー情報などがあれば、タップして「許可しない」に設定しよう。

設定

no.
167

空き容量を増やす方法も提示される

ストレージの使用状況を確認する

「iPadストレージ」で利用状況を確認し空き容量を確保

iPadの内蔵ストレージの使用状況は、「設定」→「一般」→「iPadストレージ」で確認しよう。アプリや写真などの使用割合をカラーバーで視覚的に確認できるほか、空き容量を増やすための方法が提示され、簡単に不要なデータを削除できる。使用頻度の低いアプリを書類とデータを残しつつ削除する「非使用のAppを取り除く」や、写真やビデオをクラウドへ保存する「iCloud写真」(No510でも解説)、サイズの大きいビデオを確認して削除できる「自分のビデオを再検討」などを必要に応じて実行しよう。

1 ストレージの使用状況を確認

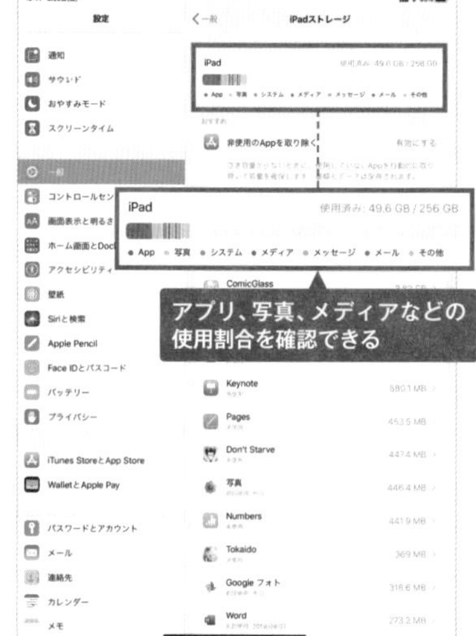

ストレージの利用状況は、「設定」→「一般」→「iPadストレージ」で確認しよう。アプリや写真の使用割合がカラーバーで表示されるので、容量を圧迫している原因がひと目で分かる。

2 非使用のアプリを自動的に削除する

この画面では、空き容量を増やすための方法も提案される。例えば「非使用のAppを取り除く」の「有効にする」をタップすると、iPadの空き容量が少ない時に、使っていないアプリを自動的に削除する。

no. 168
空き容量を効率的に増やせる
サイズを確認しながらアプリを削除する

「設定」→「一般」→「iPadストレージ」の画面を下にスクロールすると、容量の大きい順にインストール済みアプリが表示される。容量が大きく、あまり使っていない不要なアプリがあれば、「Appを取り除く」をタップしてアンインストールしておこう。ストレージの空き容量を増やせる。

1 不要なアプリをタップする

「設定」→「一般」→「iPadストレージ」では、ストレージの使用状況を確認できるほか、容量の大きい順にインストール済みアプリが一覧表示される。不要なものをタップ。

2 「Appを削除」で削除する

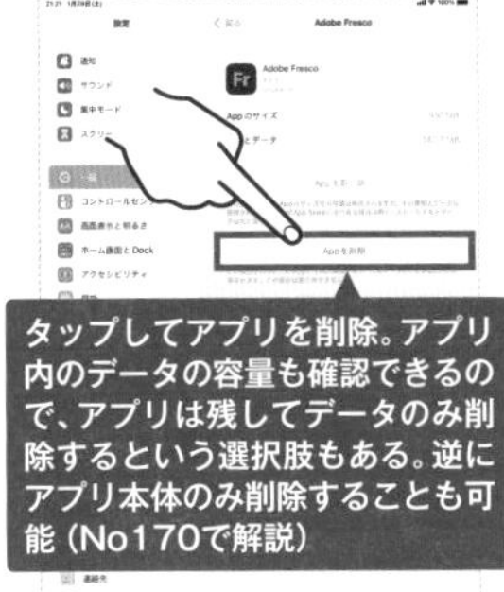

「Appを削除」をタップすると、アプリ本体およびアプリに保存されたデータがすべて削除され、ストレージの空き容量を増やすことができる。

no. 169
視聴済みの動画は消しておこう
ダウンロード済みのビデオを見直す

Netflixなどの動画配信アプリでダウンロードした映画やドラマは、視聴後も残したままにしてストレージ容量を圧迫しがちだ。「設定」→「一般」→「iPadストレージ」に「ダウンロード済みのビデオを見直す」項目が表示されたら、タップして視聴済みのエピソードを削除しておこう。

1 ダウンロード済みのビデオを見直す

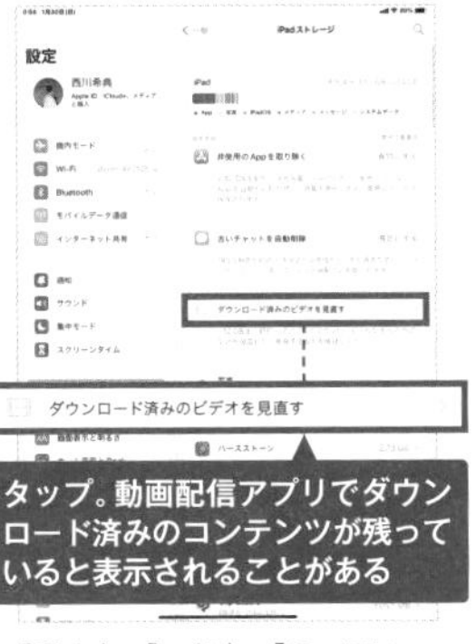

「設定」→「一般」→「iPadストレージ」に「ダウンロード済みのビデオを見直す」という項目が表示されていたら、これをタップする。

2 不要なエピソードを削除する

動画配信アプリごとに、ダウンロードした映画やドラマなどのコンテンツが一覧表示される。左にスワイプすると、エピソード単位で削除することができる。

no. 170
書類やデータを残して削除も可能
書類とデータを残したままアプリを削除

使わないアプリを削除したいが、そのアプリで作成、保存した書類やセーブデータを削除したくない時は、No165の手順で不要なアプリを選択し、「Appを取り除く」をタップしよう。書類とデータを残したまま、アプリ本体だけを削除できる。アプリを再インストールするとデータも復元される。

1 「Appを取り除く」で本体だけ削除

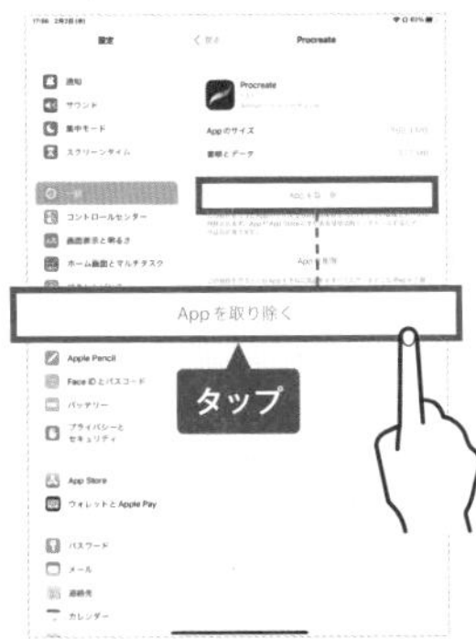

「設定」→「一般」→「iPadストレージ」で不要なアプリを選択したら、「Appを取り除く」をタップ。書類とデータは残したまま、アプリ本体のみを削除する。

2 取り除いたアプリの再インストール

アプリを取り除いてもアイコンはホーム画面に残り、名前の先頭にクラウドマークが付く。タップすると再インストールが開始され、アプリ内の書類とデータも復元される。

no. 171
身体の不自由なユーザーのために
視覚や聴覚のサポート機能を利用する

「設定」→「アクセシビリティ」では、視覚や聴覚が不自由なユーザーのために、さまざまなサポート機能が用意されている。中でも「AssistiveTouch」は、iPadのホームボタンや音量ボタンの効きが悪くなった時に、操作を代行できる便利な機能なので覚えておこう。

1 音声読み上げ機能「VoiceOver」

「VoiceOver」をオンにすると、画面上の項目が音声で読み上げられるようになる。読み上げ速度なども細かく調整できる。

2 ホームボタン代わりに「AssistiveTouch」

「タッチ」→「AssistiveTouch」をオンにすると、画面上に白い丸ボタンが表示され、タップするとホームボタンや音量ボタンの操作を行える。

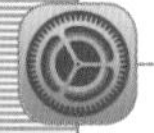

no. 172

毎日どれくらい使っているかひと目で分かる

スクリーンタイムでiPadの使用時間を確認する

使用時間や回数など詳細なレポートも確認できる

iPadを1日にどれくらい使っているか、ひと目で確認できる機能が「スクリーンタイム」だ。「設定」→「スクリーンタイム」で機能を有効にすれば、今日または過去7日間の、アプリ利用時間やWebサイトを見た時間、使った時間帯、端末を持ち上げた回数、通知された回数など、詳細なレポートを確認できる。また、iPadを使わない時間帯を設定したり、1日あたりのアプリの使用時間を制限して、使いすぎを防ぐことも可能だ(No173で解説)。iPadをダラダラと使って過ごさないように、生活習慣の見直しに役立てよう。

1 スクリーンタイムで使用時間を確認

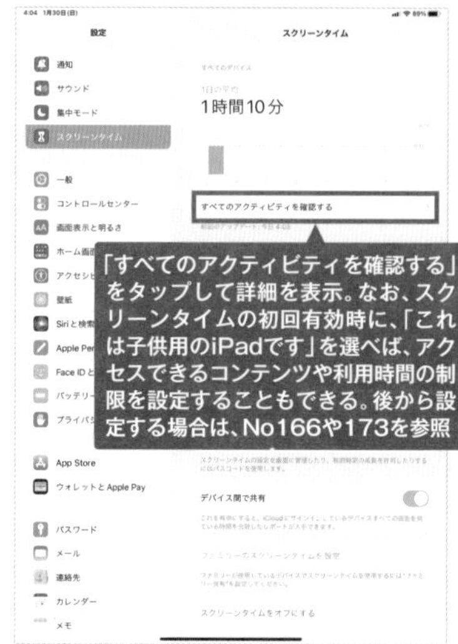

「設定」→「スクリーンタイム」を開くと、今週の使用状況がグラフで表示される。より詳細な情報を確認するには「すべてのアクティビティを確認する」をタップ。

2 より詳細な使用情報を確認する

使ったアプリや訪れたWebサイトごとの利用時間、持ち上げた回数、通知回数などより詳細な情報が表示される。また、グラフをスワイプして過去の使用時間も確認できる。

設定

no. 173

iPadの使いすぎを防ぐさまざまな機能

アプリや通信の使用時間を制限する

No172で解説したスクリーンタイムは、「休止時間」でアプリを操作できなくする時間帯を指定できるほか、「Appの使用時間の制限」で1日あたりのアプリの使用時間を制限したり、「通信／通話の制限」でFaceTimeやメッセージの通信／通話相手を制限する機能も備えている。iPadの使いすぎを防ぐために、これらの機能を適切に設定しておこう。

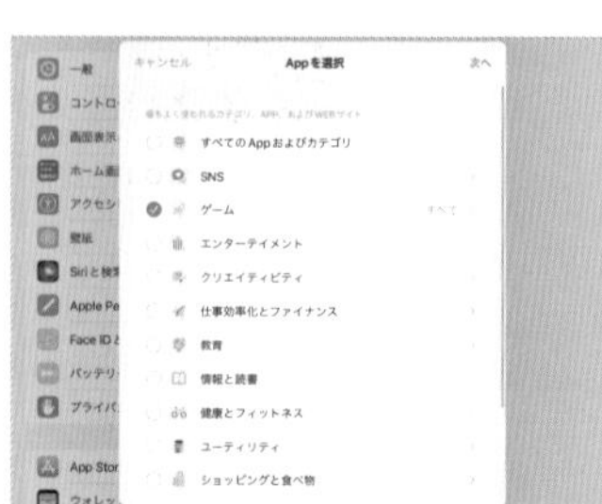

「App使用時間の制限」では、「SNS」や「ゲーム」などカテゴリ別に、1日あたりのアプリの使用時間を制限できる。制限は午前0時にリセットされる。

no. 174

Dock右端のアイコンを消す

DockのAppライブラリを非表示にする

iPadの画面下に表示される「Dock」には、よく使うアプリや最近使ったアプリが配置されるほか、Dockの右端にはAppライブラリ(No025で解説)を呼び出すためのアイコンが固定表示されている。このアイコンを特に使わないなら、非表示にすることも可能だ。「設定」→「ホーム画面とマルチタスク」→「AppライブラリをDockに表示」のスイッチをオフにしておこう。

「設定」→「ホーム画面とマルチタスク」→「AppライブラリをDockに表示」のスイッチをオフにすると、Dock右端のAppライブラリアイコンを非表示にできる。

no. 175

本名にしている人は注意しよう

iPadの表示名を変更する

iPadの名前を「(自分の名前)のiPad」にしている人は注意が必要だ。実はこのiPadの名前は、テザリング使用時やAirDropの検出時に表示されるため、近くにいる他人に自分の名前を知られてしまう可能性がある。特に女性の場合は、不適切な写真を送りつけられるAirDrop痴漢にあう危険も。本名を不特定の相手に知られたくなければ、設定でiPad名を変更しておこう。

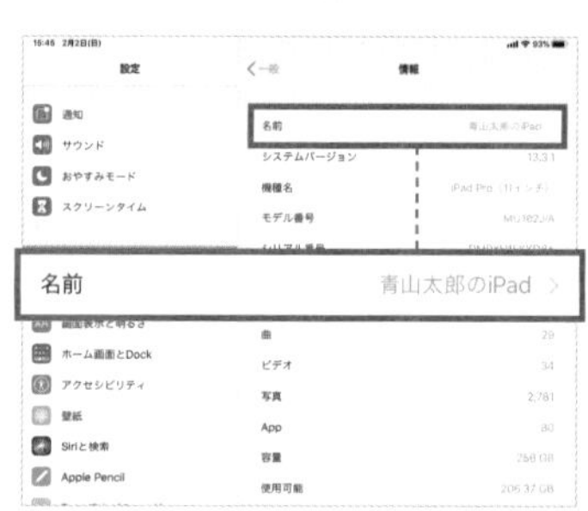

設定の「設定」→「一般」→「情報」→「名前」をタップすれば、iPadのデバイス名を変更することができる。

no.176 7段階で大きさを調整できる

表示する文字サイズを変更する

「設定」→「画面表示と明るさ」→「テキストサイズを変更」で、スライダを左右に動かすと、設定やメール、メッセージ、連絡先などの表示文字サイズを変更できる。文字が小さくて見にくいと思ったら大きく、画面内の情報量を増やしたいと思ったら小さくしよう。また、App Storeからインストールしたアプリでも、Dynamic Typeという機能をサポートしていれば、ここでの設定が反映される。

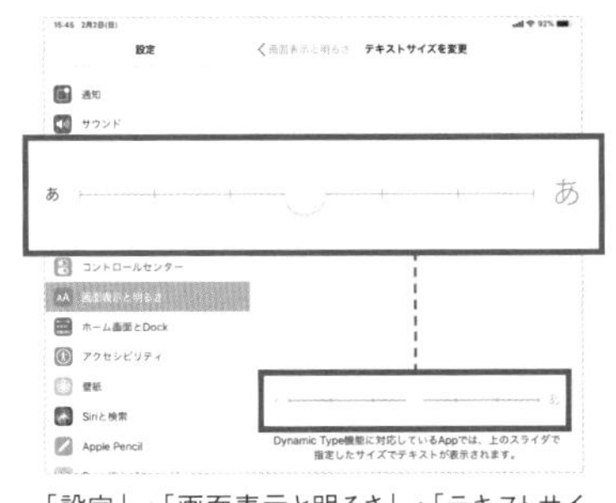

「設定」→「画面表示と明るさ」→「テキストサイズを変更」で、スライダを左右にドラッグすれば、各種アプリの文字サイズが変更される。

no.177 標準の文字が細くて見づらいなら

文字を太く表示する

文字が細くて見づらい時は、「設定」→「画面表示と明るさ」で「文字を太くする」をオンにしてみよう。iPadで表示される文字が太字になり、読みやすくなる。設定やウィジェット画面のほかに、連絡先、メール、カレンダーなどの標準アプリ、TwitterやFacebookといった一部の対応アプリも太字が反映されるが、一部の画面や非対応アプリの文字は太字にならないので要注意。

「設定」→「画面表示と明るさ」で「文字を太くする」をオンにすると、設定画面や一部の対応アプリが太字で表示される。

no.178 特定のアプリを見やすく調整できる

アプリごとに文字サイズなどを設定する

iPad全体で文字を大きくしたり太くできるだけでなく、アプリ単位で文字サイズや画面設定を個別に変更することも可能だ。「設定」→「アクセシビリティ」→「Appごとの設定」をタップし、「Appを追加」で変更したいアプリを追加したら、追加したアプリをタップ。文字の太さやサイズを変更できるほか、透明度を下げたりコントラストを上げることもできる。

「設定」→「アクセシビリティ」→「Appごとの設定」→「Appを追加」で変更したいアプリを追加。続けて追加したアプリをタップすると、文字のサイズや太さだけでなく、さまざまな設定を細かく変更できる。

no.179 アイコンを大きく見やすくする

ホーム画面のアプリを大きく表示する

iPadのホーム画面に配置されるアプリアイコンが小さくて見づらい場合は、アイコンサイズをもう少し大きくして見やすく変更することも可能だ。「設定」→「ホーム画面とDock」で「大きいAppアイコンを使用」をオンにしよう。なお、アプリを大きくしても1画面に表示できるアプリ数は変わらない。

1 大きいAppアイコンを使用をオンにする

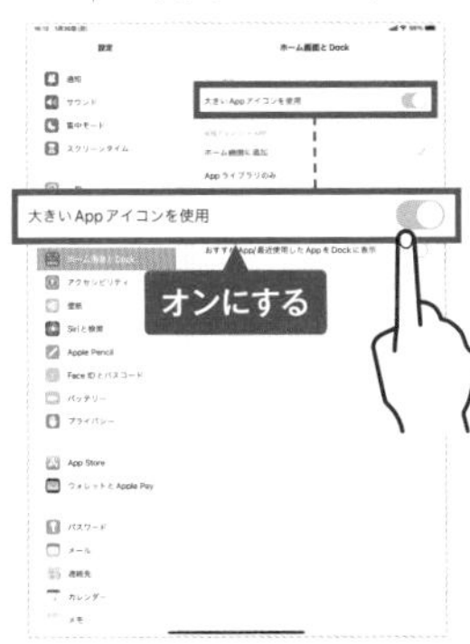

ホーム画面のアプリが小さくて見づらいと感じるなら、「設定」→「ホーム画面とマルチタスク」→「大きいAppアイコンを使用」をオンにしよう。

2 アプリが大きく表示される

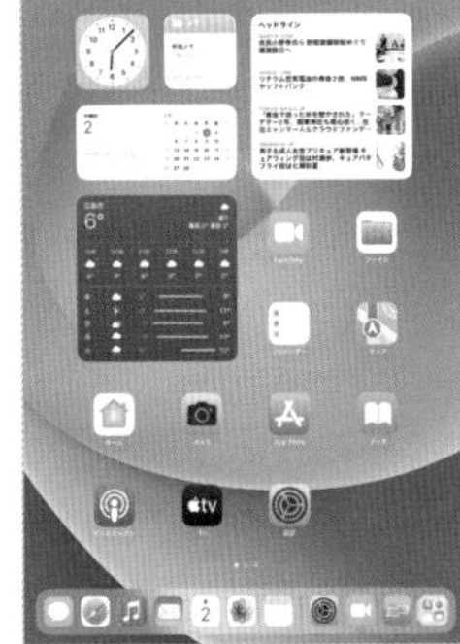

このように、ホーム画面に並ぶアプリがひと回り大きく表示される。なお、アプリを大きくしてもホーム画面に表示できるアプリの数は変わらない。

no.180 画面表示の詳細設定とズーム機能

画面表示をさらに見やすくカスタマイズ

「設定」→「アクセシビリティ」→「画面表示とテキストサイズ」では視覚サポート機能がまとめられており、色の反転やカラーフィルタの変更など、さまざまな調整を行える。また「アクセシビリティ」→「ズーム」では、あらゆる画面を拡大表示するズーム機能を有効にできる。

1 視覚サポート機能を有効にする

「画面表示とテキストサイズ」では、コントラストを上げたり色を反転させたりして、視力や色覚に問題のあるユーザーでも使いやすい画面表示にカスタマイズできる。

2 ズーム機能を有効にする

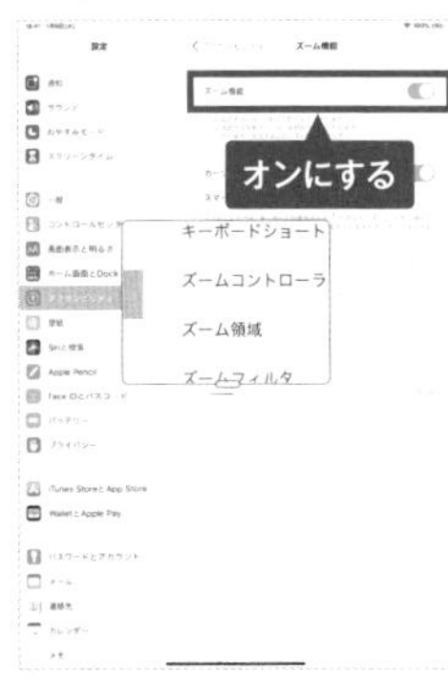

「ズーム機能」をオンにすれば、画面全体やサイズ調整可能なレンズを使って、通常は拡大できないホーム画面や設定アプリなども拡大表示できる。

no. 181

iPhoneやスマートフォンのテザリング機能を有効にしよう

iPhoneなどのモバイルデータ通信を使ってネット接続する

iPhoneとiPadのApple IDが同じなら接続も簡単

Wi-FiモデルのiPadを外出先でネット接続するには、通常ならWi-Fiスポットやモバイルルータが必要になるが、テザリングに対応したiPhoneやAndroidスマホを所持しているなら、それらのモバイル回線を経由して、iPadをネットに接続することが可能だ。基本的な接続手順は下段の通りで、iPhoneやスマートフォン側でテザリング機能をオンにし、iPad側のWi-Fi設定でiPhoneやスマートフォンを探して接続すればよい。iPhoneとiPadがそれぞれ同じApple IDでサインインしていれば、「Instant Hotspot」機能により、パスワード不要でさらに簡単にテザリング接続できる。

Instant Hotspot機能でiPhoneに接続する

1 同じApple IDを使いBluetoothをオン

iPhoneとiPadが同じApple IDでサインインしていれば、「Instant Hotspot」機能によって、iPad側から簡単にiPhoneのテザリング機能をオンにできる。両方のデバイスでBluetoothもオンにしておこう。

2 iPadのWi-Fi設定でiPhone名をタップ

iPadの「設定」→「Wi-Fi」でWi-Fiをオンにすると、「マイネットワーク」欄に、iPhoneの名前が表示される。これをタップすれば、iPhoneの回線を経由してiPadをネット接続することが可能だ。パスワード入力も不要。

Apple IDの異なるiPhoneやAndroidスマートフォンに接続する

iPhoneの場合

「設定」→「インターネット共有」→「ほかの人の接続を許可」をオンにし、「"Wi-Fi"のパスワード」でパスワードを設定しておく。あらかじめ入力されている文字列のままでも問題ない。

Androidの場合

例えば、Xperiaの場合、「設定」→「ネットワークとインターネット」→「テザリング」で「Wi-Fiテザリング」をオンに。また「Wi-Fiテザリング設定」→「Wi-Fiテザリング設定」で、SSIDとパスワードを設定する。

iPadのWi-Fi設定でiPhoneやスマートフォンを選択

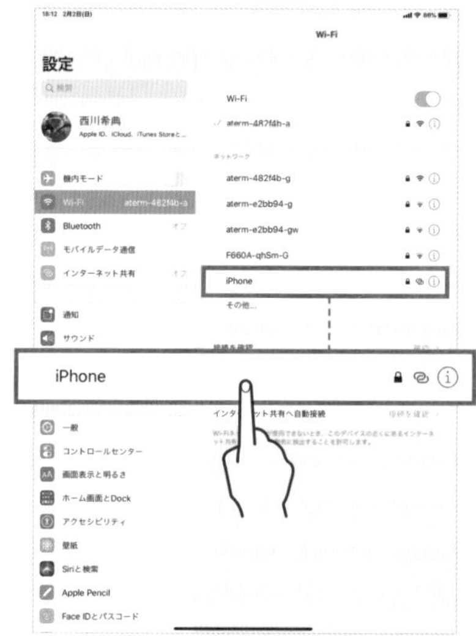

iPadの「設定」→「Wi-Fi」に表示されるiPhoneの名前や、Androidで設定したSSIDをタップする。続けてそれぞれの端末で設定したパスワードを入力し、「接続」をタップすればよい。

設定

no. 182

iPad側のテザリング機能を使う

iPadのモバイル回線で各種機器をネット接続

モバイルデータ通信が可能なWi-Fi+Cellularモデルの iPadで、テザリングオプションの契約も済ませていれば、No181で解説したのとは逆に、iPadをWi-Fiルータの親機代わりにして、iPhoneやスマートフォン、パソコンなどをネットに接続することも可能だ。設定方法はNo181と同様。

1 iPadでインターネット共有をオンにする

モバイルデータ通信が可能なiPadで、「設定」→「インターネット共有」→「ほかの人の接続を許可」をオンにし、「"Wi-Fi"のパスワード」でパスワードを設定する。

2 iPhoneやスマホでiPadの回線に接続

他のiPhoneやスマートフォン、パソコンでWi-Fi設定画面を開くと、ネットワーク一覧にiPadの名前があるはずだ。タップして接続すれば、iPadの回線経由でネットに接続できる。

no. 183

iPadでもApple Payを使ってみよう

ウォレットとApple Payを設定する

iPadにはウォレットアプリがないが、Touch IDまたはFace IDを搭載したモデルであれば、Apple Pay自体には対応している。ただし、iPhoneと違ってiPadでは交通機関や店舗では利用できない。iPadのApple Payで使えるのは、アプリ内やWeb上での支払いのみだ。

1 Apple Pay対応のカードを追加

「設定」→「ウォレットとApple Pay」で「カードを追加」をタップ。カメラでApple Pay対応のクレジットカードを読み取り、カードの登録を済ませておこう。

2 Web上での支払いなどに利用する

Apple Pay対応のアプリやWebサイトで、Apple Payボタンをタップすれば、登録したカードで支払いできる。iPadはSuicaや店舗での支払いには非対応だ。

no. 184

フォントアプリから書体を追加しよう

iPadで使えるフォントを追加、変更する

iPadでさまざまなフォントを使えるようになる

iPadでは、他社製のフォントアプリをインストールして、さまざまな書体を利用できるようになっている。ただし、設定画面などのシステムフォントは変更できない。インストールしたフォントを利用できるのは、PagesやKeynoteなどのカスタムフォントに対応したアプリだけだ。iPadにフォントを追加するなら「Adobe Creative Cloud」がおすすめ。日本語フォントを含めた、1,300種類のフォントを無料で追加できる。また、約200種類の日本語フォントをインストールできる「FontInstall.app」もある。

1 App Storeからフォントアプリを入手

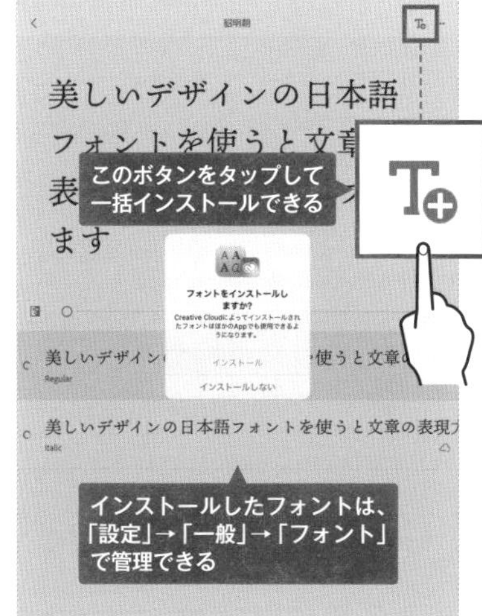

まずはApp Storeでフォントアプリを入手しよう。ここでは「Adobe Creative Cloud」アプリを使う。下部の「フォント」画面を開き、好きなフォントの「ファミリーを表示」をタップ。「+」ボタンで個別に追加できるほか、右上の追加ボタンでまとめてインストールできる。

2 対応アプリでフォントを変更する

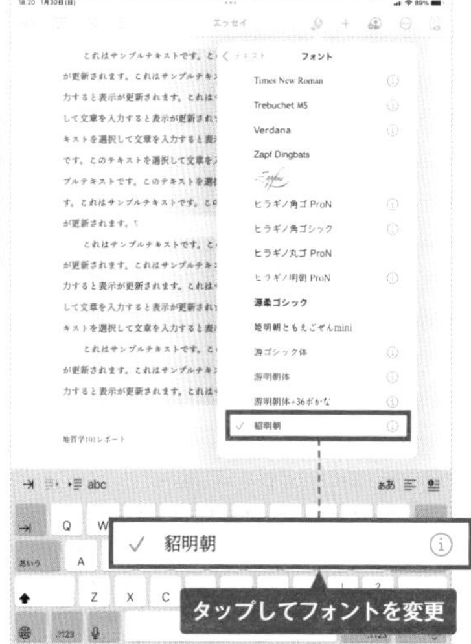

Pagesなどのアプリを起動し、刷毛ボタンをタップ。「フォント」をタップすると、先ほどインストールしたフォントがリスト一覧に表示されているはずだ。タップしてフォントを変更しよう。

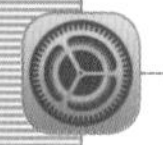

no. 185

シーン別に通知を制御する

集中モードを利用する

仕事中や睡眠中は通知や着信が自動でオフになる

仕事や勉強に集中している時にメールやSNSの通知が届くと気が散るし、睡眠中に通知音や着信音が鳴って起こされたくない。そんな時に設定しておきたいのが「集中モード」機能だ。「設定」→「集中モード」で、「おやすみモード」「仕事」「パーソナル」の集中モードを選択するか、「＋」ボタンで任意の集中モードを追加しよう。それぞれのシーンで自動的に通知をオフにするスケジュールを設定できるほか、表示するホーム画面を制限したり、特定の連絡先やアプリのみ通知を許可するといった細かなカスタマイズを行える。なお集中モードは、コントロールセンターからも手動でオン／オフを切り替えできる。

集中モードの設定画面と切り替え

1 集中モードの設定画面

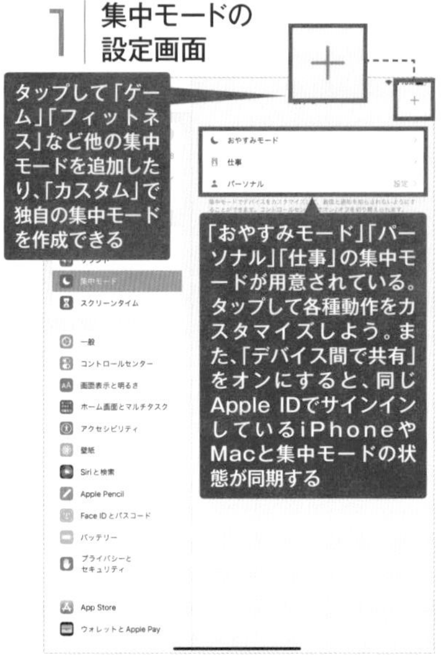

集中モードの設定は、「設定」→「集中モード」で行う。あらかじめ「おやすみモード」や「仕事」などの集中モードが用意されているので、タップして内容をカスタマイズしよう。「＋」をタップして他の集中モードも追加できる。

2 集中モードを手動で切り替える

コントロールセンターを開いて「集中モード」をタップすると、「おやすみモード」「仕事」などの集中モードが一覧表示される。これをタップすると、手動で集中モードのオン／オフを切り替えできる。

集中モードを設定する

スケジュールを追加する

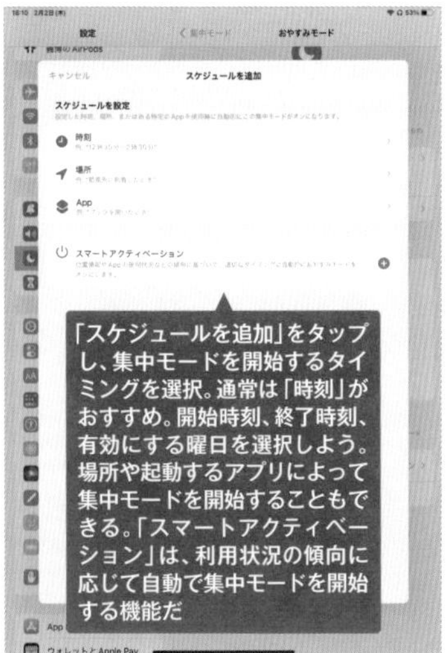

ここでは「おやすみモード」で設定方法を解説する。ほかの集中モードでも設定項目はだいたい共通している。「設定」→「集中モード」→「おやすみモード」を選択し、まずは「スケジュールを追加」をタップ。集中モードを開始するタイミングを設定しよう。

通知の許可を設定する

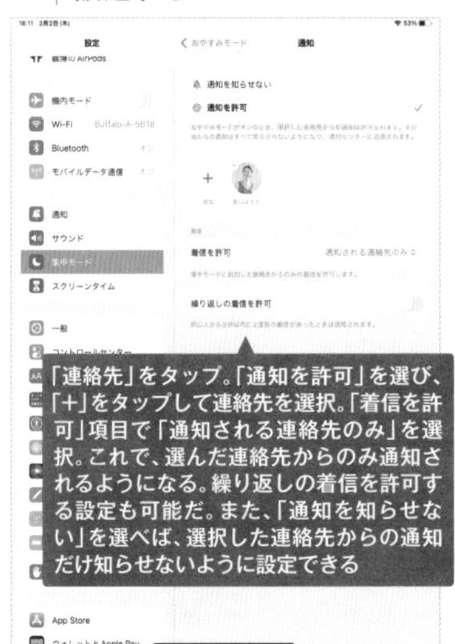

集中モードがオンの状態でも、例外的に通知を許可する連絡先やアプリを設定できる。一番上の「通知を許可」欄で「連絡先」と「App」をタップし、「＋」から通知を許可する対象を選択しよう。「オプション」で通知バッジの表示／非表示なども設定可能だ。

集中モード中の画面をカスタマイズ

「画面をカスタマイズ」欄の「選択」をタップすると、ホーム画面のページ選択画面が表示される。集中モードの有効中は、選択したホーム画面しか表示できなくなる。集中を妨げるゲームやSNSアプリを排除した画面を作成し、選択しよう。

no.186 アプリの表示項目を取捨選択する
集中モードフィルタを設定する

「集中モードフィルタ」を使えば、集中モード(No185で解説)でのアプリの表示項目を細かく選択できる。メールの受信トレイを仕事用のアカウントのみに限定したり、Safariの特定のタブグループだけ表示するといったことが可能。なお、集中モードフィルタはデバイス間で共有されない。

1 フィルタリングするアプリを選択する

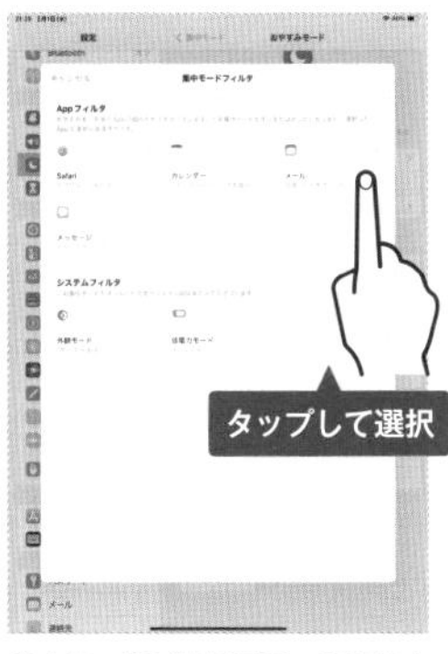

集中モードの設定画面一番下にある「集中モードフィルタ」欄で「フィルタを追加」をタップし、続けてアプリを選択する。

2 表示する項目を選択する

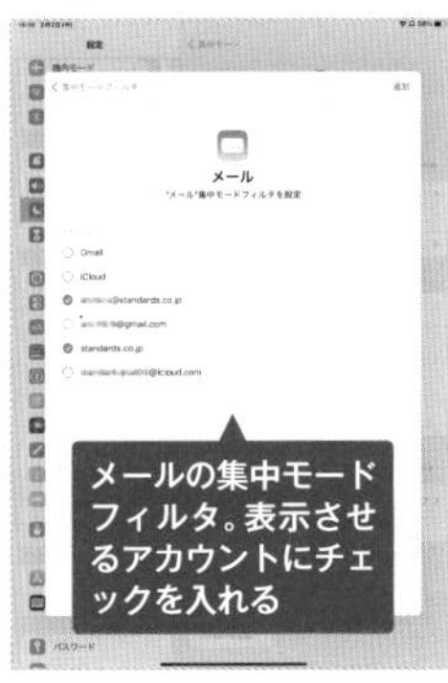

例えばメールの場合は、受信トレイで表示するアカウントを選択できる。「仕事」の集中モードでは仕事用アカウント、「パーソナル」では個人用アカウントのみといった設定が可能。

no.187 通知されないことを相手に知らせる
集中モードの状況を他のユーザーに知らせる

集中モードには、メッセージを送ってきた相手に「○○さんは、通知を受け取らないようにしています」と通知してくれる機能がある。通知を停止していることを知らせることで、余計なトラブルを防止できるのだ。メッセージ以外でも対応アプリであれば集中モード状況の共有を行える。

1 集中モード状況のスイッチをオンにする

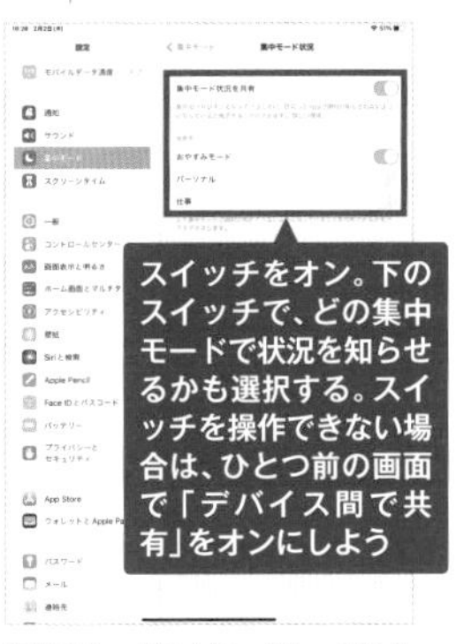

「設定」→「集中モード」→「集中モード状況」で「集中モード状況を共有」をオンにする。どの集中モードで状況を共有するかも、下のスイッチで選択できる。

2 相手に状況が通知される

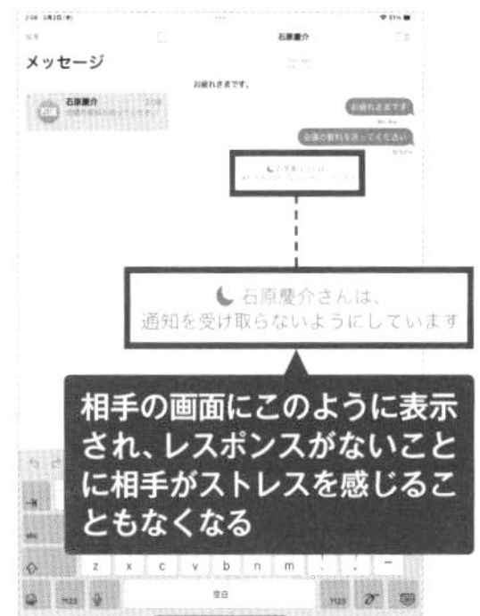

集中モード有効中に、通知を停止している相手がメッセージを送った場合、相手の画面にこのようなメッセージが表示される。

no.188 連絡先の「緊急時は鳴らす」をオン
特定の相手だけ集中モードを無効にする

集中モード中に特定の相手からの着信だけ通知を許可する設定はNo185でも解説したが、ここでは連絡先アプリでの設定方法を紹介する。連絡先アプリで「緊急時は鳴らす」を設定した連絡先からの着信は、集中モードの設定にかかわらず着信音が鳴るようになる。

1 連絡先アプリで連絡先の編集画面を開く

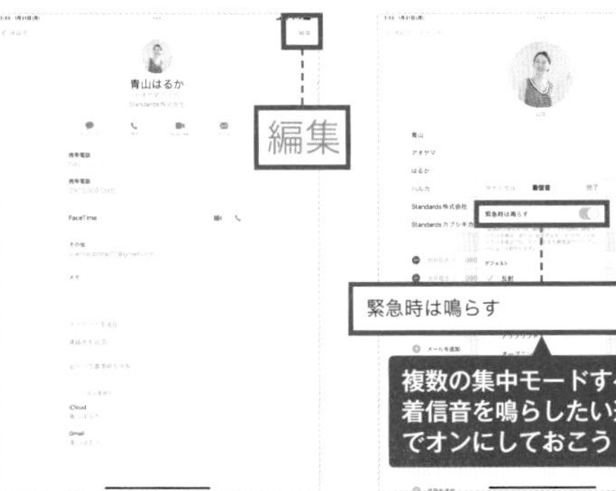

「連絡先」アプリで、集中モード中でも着信を許可したい相手の連絡先を開いたら、右上の「編集」をタップして編集モードにしよう。

2 着信音の「緊急時は鳴らす」をオンにする

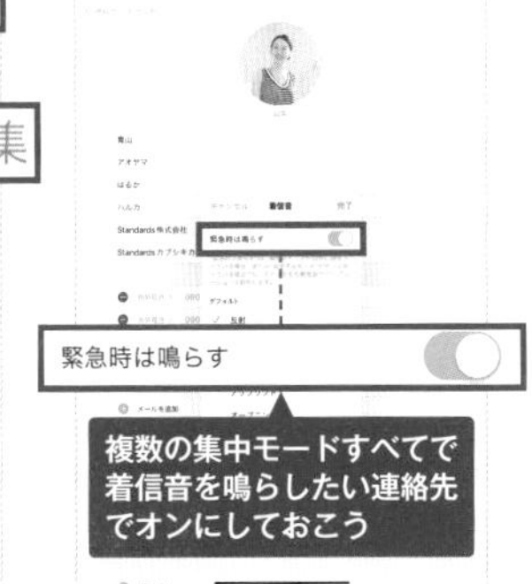

「着信音」をタップし、「緊急時は鳴らす」のスイッチをオンにしておけば、集中モード中であっても、この相手からの着信音やバイブレーションが動作する。

no.189 ユーザ名とパスワードを表示できる
iPadに保存されたパスワードを確認する

Safariで保存したWebサービスのログイン情報(No410で解説)や、アプリのログイン情報は、「設定」→「パスワード」をタップすると一覧表示される。Webサービス名をタップすると、それぞれのユーザ名とパスワードが表示されるほか、保存したくないログイン情報は削除も可能だ。

1 ログイン情報を一覧表示する

「設定」→「パスワード」をタップしFace IDなどで認証を済ませると、Safariやアプリで保存したログイン情報が一覧表示される。

2 パスワードを確認したり削除できる

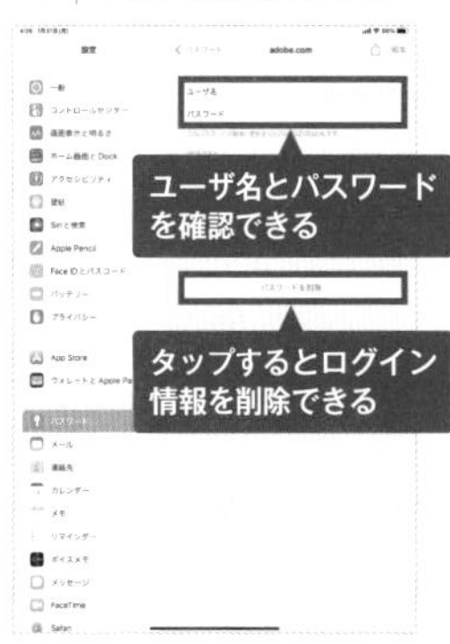

保存されたWebサービス名をタップすると、ユーザIDとパスワードが丸見えになるので注意しよう。保存しておきたくないログイン情報は、「パスワードを削除」で削除できる。

no. 190

危険なパスワードを変更しておこう

パスワードの脆弱性をチェックする

「設定」→「パスワード」では、パスワードの脆弱性もチェックできる。「セキュリティに関する勧告」をタップすると、漏洩の可能性があるパスワードや、複数のアカウントで使い回されているパスワードを指摘してくれるので、問題があるパスワードは変更しておこう。

1 セキュリティに関する勧告をタップ

Safariやアプリで保存したログイン情報のうち、脆弱性のあるパスワードを確認するには、「設定」→「パスワード」→「セキュリティに関する勧告」をタップしよう。

2 危険なパスワードを確認、変更する

複数のアカウントで使い回されているなど、問題のあるパスワードが一覧表示される。「Webサイトのパスワードを変更」をタップすると、設定画面が開いてパスワードを変更できる。

no. 191

プライバシーを情報の設定項目

位置情報やトラッキングを管理する

各種アプリやサービスは、ユーザーの位置情報や行動履歴、閲覧履歴を利用して機能を提供したり、より個人にマッチした広告を配信する仕組みがある。これらの個人情報は設定の各項目で管理することができる。過度に心配する必要はないが、気になるならチェックしておこう。

1 位置情報を管理する

「設定」→「プライバシーとセキュリティ」→「位置情報サービス」でアプリ名をタップ。位置情報の利用許可状況を確認できる。基本的には「このAppを使用中」を選べばよい。

2 トラッキングの設定を行う

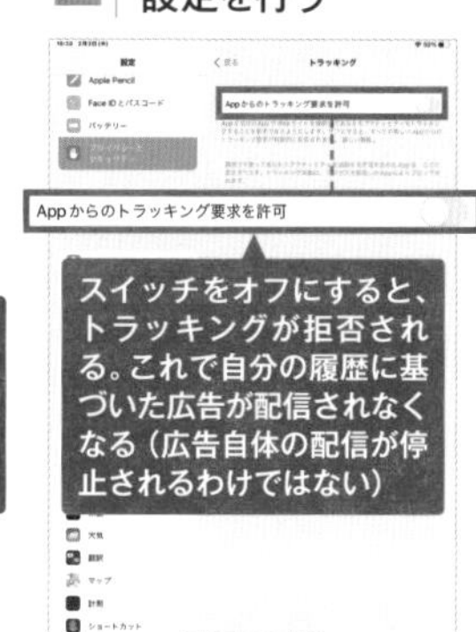

「設定」→「プライバシーとセキュリティ」→「トラッキング」→「Appからのトラッキング要求を許可」をオフにすると、行動履歴や各種閲覧履歴の収集を拒否できる。

設定

no. 192

キーボードやスピーカーを接続

Bluetoothで周辺機器をワイヤレス接続する

iPadと周辺機器をBluetoothでペアリングする

キーボードやスピーカー、ヘッドセットなど、Bluetooth対応機器をiPadにワイヤレス接続して利用するには、まず「設定」→「Bluetooth」をタップしBluetoothをオンにする。対応機器側の電源もオンにし待機状態にすると、iPadのBluetooth設定画面のデバイス欄に機器名が表示されるのでタップする。「接続済み」と表示されたらペアリング（iPadと対応機器が接続された状態）が完了だ。一度ペアリングすれば、以降はBluetoothをオンにすれば自動的に接続される。Bluetoothのオン／オフはコントロールセンターで行うとスムーズだ。

Bluetoothの設定画面でペアリングを行う

「設定」→「Bluetooth」でBluetoothをオンに。Bluetooth対応周辺機器の電源もオンにする（機器によってはペアリング待機状態にしておく）。Bluetooth設定画面のデバイス欄に表示される機器名をタップし、「接続済み」と表示されればペアリング完了だ。また、機器名右の「i」ボタンをタップし、続けて「このデバイスの登録を解除」をタップすればペアリングが解除される。

!! 使いこなしヒント

スピーカーを切り替えて利用する

コントロールセンターを開き、「ミュージック」欄をロングタップ。音声出力切り替えボタンをタップすると、接続中のBluetooth機器名が表示され、タップすることでiPad本体のスピーカーとBluetoothスピーカーを切り替えて音声を再生できる。

no. 193

擬似的に解像度を上げて作業スペースを広くする

画面の拡大表示でスペースを広く使う

マルチタスクで効果を発揮する表示機能

一部のiPad(iPad Airの第5世代以降、11インチiPad Proの全世代、12.9インチiPad Proの第5世代以降)で利用できるディスプレイの「拡大表示」。画面のピクセル密度を上げて、作業スペースを広く表示できる機能だ。「設定」→「画面表示と明るさ」→「拡大表示」で「スペースを拡大」を選択すれば、画面が拡大表示される。特にマルチタスク機能を利用する際は、画面の広さが活きてくる。ただし、文字が小さく表示されるので、必要に応じて「画面表示と明るさ」→「テキストサイズを変更」で調整しよう。

「スペースを拡大」を選択しステージマネージャを利用中の画面

スペースを拡大することで、ステージマネージャでウインドウを4つ均等に配置できるようになった。できるだけ画面内の情報量を上げて作業した際に利用しよう

no. 194

SIM PINでSIMカード自体をロック

万が一の際SIMが悪用されないようロックする

iPadの紛失時に怖いのはデータ流出だけではない。SIMカードを抜き取られて他の端末で使われ、高額請求を受けるといった被害もあるのだ。そこで、「SIM PIN」を設定してSIMカード自体にロックをかけよう。別の端末に挿入しても、PINコードを入力しないと通信ができなくなる。

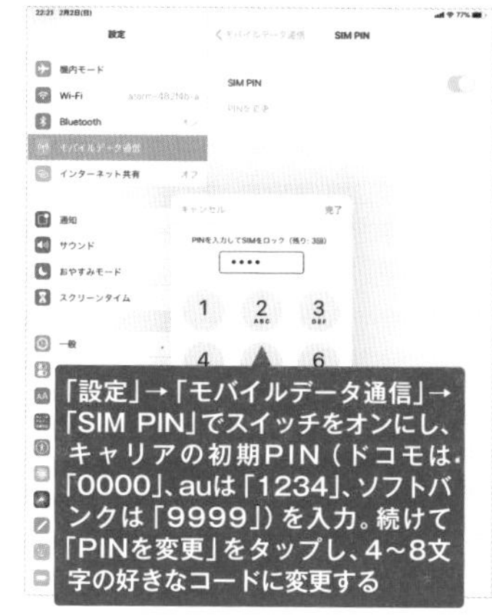

「設定」→「モバイルデータ通信」→「SIM PIN」でスイッチをオンにし、キャリアの初期PIN(ドコモは「0000」、auは「1234」、ソフトバンクは「9999」)を入力。続けて「PINを変更」をタップし、4~8文字の好きなコードに変更する

no. 195

少しでもデータ通信を節約したいならオフ

Wi-Fiアシストを設定する

iPadの標準機能「Wi-Fiアシスト」は、Wi-Fi接続が不安定な際、自動でモバイルデータ通信に切り替えて通信する機能だ。スムーズなインターネット接続には欠かせない便利な機能だが、少しでもモバイルデータ通信量を節約したい場合は、「設定」→「モバイルデータ通信」でオフにできる。

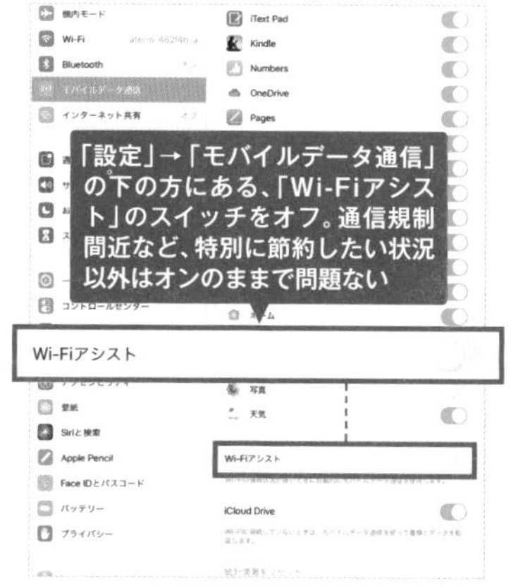

「設定」→「モバイルデータ通信」の下の方にある、「Wi-Fiアシスト」のスイッチをオフ。通信規制間近など、特別に節約したい状況以外はオンのままで問題ない

no. 196

ワンタップで標準状態に戻す

各種設定をリセットする

iPadではさまざまな設定を自分の使いやすいように変更できるが、表示やサウンド、各種動作などの変更箇所をまとめて標準状態に戻したい時は、「設定」→「一般」→「転送またはiPadをリセット」→「リセット」→「すべての設定をリセット」をタップすると、デフォルトの設定に戻せる。

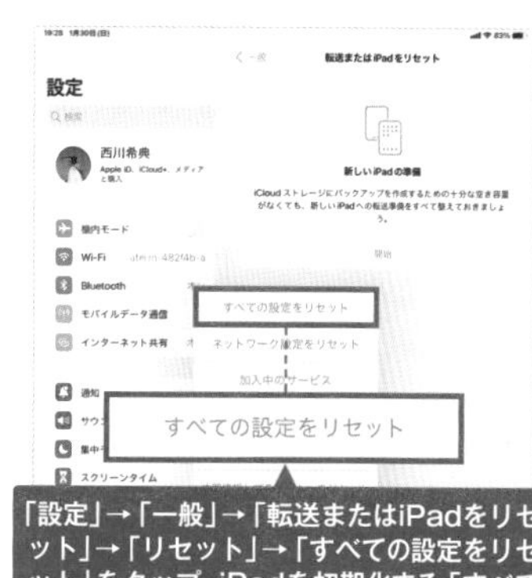

「設定」→「一般」→「転送またはiPadをリセット」→「リセット」→「すべての設定をリセット」をタップ。iPadを初期化する「すべてのコンテンツと設定を消去」と間違えないように注意しよう

no. 197

文字入力の基本を覚えておこう

日本語かなキーボードで文字を入力する

五十音順で表記された誰でも使いやすい日本語キーボード

iPadに搭載された「日本語かな」キーボードは、ひらがなが五十音順に割り当てられたキーボードだ。文字入力を行うには、文字入力可能な場所をタップしてから、キーボード上の各文字キーをタップしよう。すると、キー上に表示された文字がひらがなとして入力され、同時にキーボード上部に予測変換候補が一覧表示されていく。漢字などに変換したい場合は、候補のどれかをタップすれば変換が確定される。また、日本語以外にも英字や数字、記号なども入力可能だ。これらを入力したい場合は、キーボードの左端にある「あいう」「ABC」「☆123」といった文字種切り替えキーをタップして入力モードを切り替えよう。

キーボード入力の基本的な流れ

1 「日本語かな」キーボードで文字を入力する

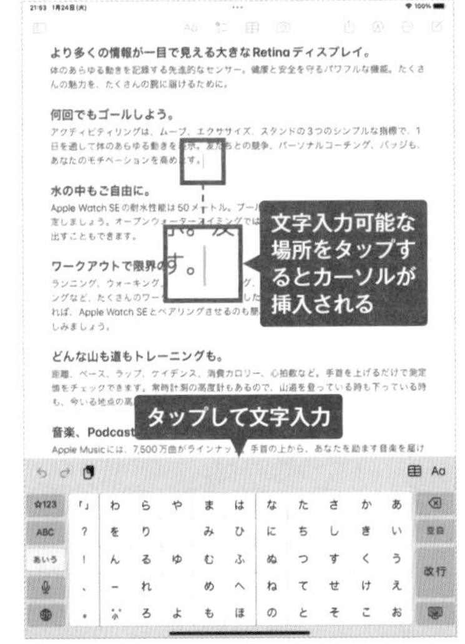

文字入力可能な場所をタップすると、文字挿入位置にカーソルが表示され、画面下にキーボードが表示される。キーボードの各文字キーをタップすれば、キー上に書かれている文字が入力される。

2 予測変換候補をタップして文字変換を確定させる

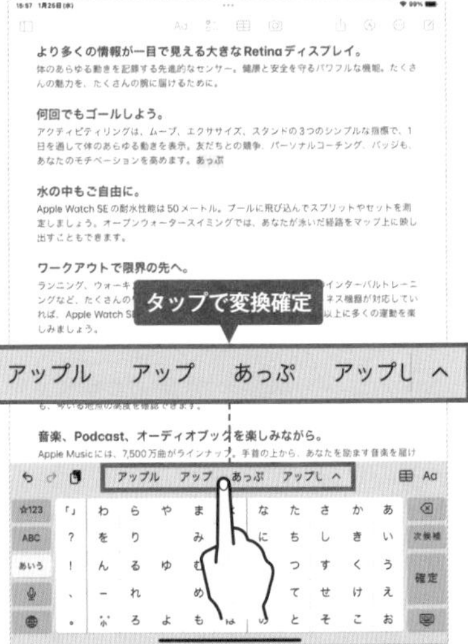

文字が入力されると、キーボード上部に予測変換の候補が一覧表示される。ここから好きな候補をタップして変換を確定しよう。なお、変換候補は左右にスワイプしてさらに表示させることも可能だ。

入力する文字種を切り替える

「日本語」、「英字」、「記号／数字」の3つの入力モードを切り替えよう

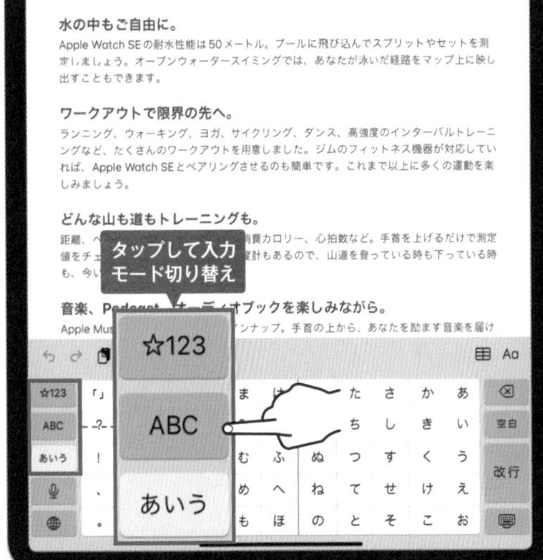

キーボードの左端にある「あいう」「ABC」「☆123」キーを押せば、それぞれに対応した入力モードに切り替わる。日本語を入力する場合は「あいう」キー、英字を入力したい場合は「ABC」キー、記号および数字を入力する場合は「☆123」キーをタップしよう。

日本語入力モード

あいう

「あいう」キー

「あいう」キーをタップすると、キー配列がひらがなの五十音順表示となり、日本語が入力できるようになる。

英字入力モード

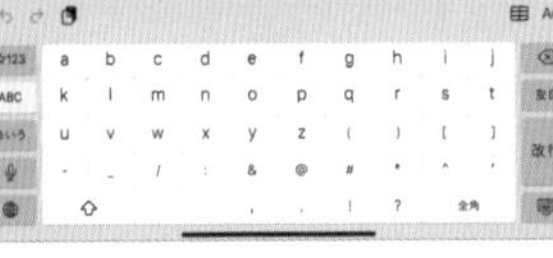

ABC

「ABC」キー

「ABC」キーをタップすると、キー配列がアルファベットのABC順表示となり、英字やよく使う記号などを入力可能だ。

記号／数字入力モード

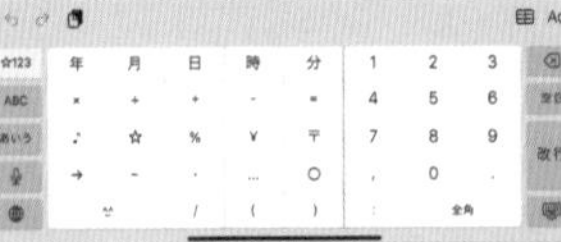

☆123

「☆123」キー

「☆123」キーをタップすると、キー配列が数字のテンキーと記号キーに変化し、数字や特殊な記号を入力できる。

文字入力

文字の削除や改行などを行う特殊キーについて

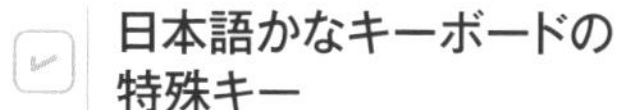

日本語かなキーボードの特殊キー

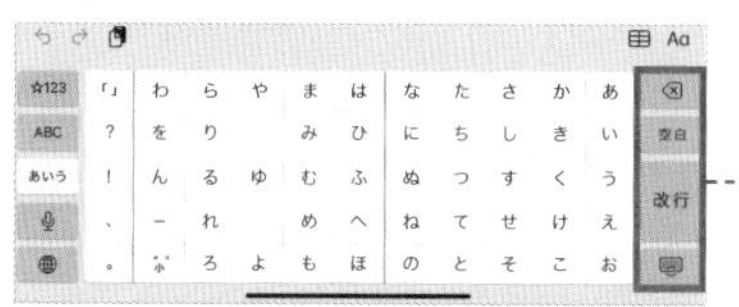

キーボード右端には、いくつかの特殊キーが並んでいる。ここから文字を削除したり、改行や空白を挿入したりが可能だ。なお、いくつかのキーは文字入力中や変換中に役割が変わるので覚えておこう。

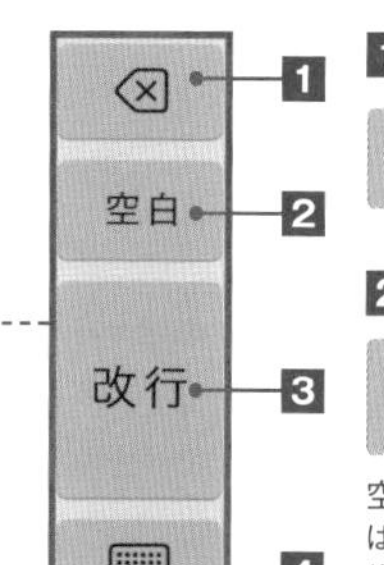

1 削除キー

カーソル位置より左側にある1文字を削除する。

2 空白／次候補キー

空白を入力する。文字の変換中は次候補キーに変わり、予測変換の次候補を選択する。

3 改行／確定キー

改行を入力する。文字の変換中は確定キーに変わり、現在選択している変換候補に確定する。

4 キーボード非表示キー

キーボードを画面から非表示にする。キーボードの裏に隠れてしまったボタンなどを押したい時に使う。

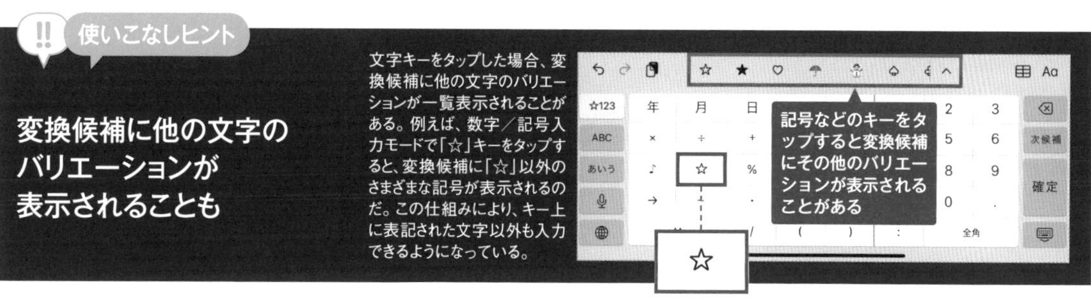

文字キーをタップした場合、変換候補に他の文字のバリエーションが一覧表示されることがある。例えば、数字／記号入力モードで「☆」キーをタップすると、変換候補に「☆」以外のさまざまな記号が表示されるのだ。この仕組みにより、キー上に表記された文字以外も入力できるようになっている。

濁音や句読点などの入力方法を覚えておこう

濁点／半濁点／小書き文字の入力

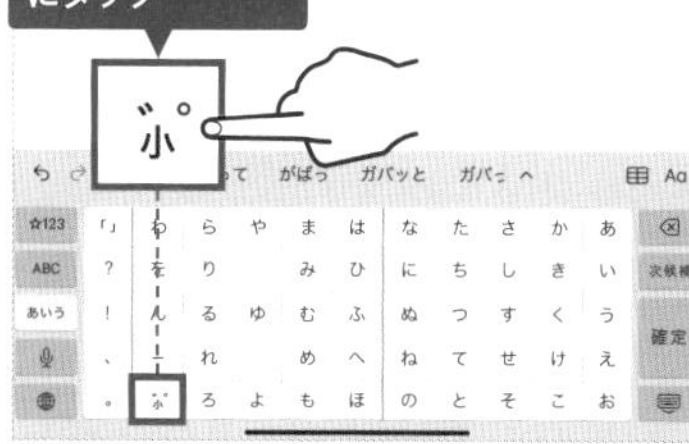

日本語入力モードでは、上で示したキーで文字に濁点や半濁点を付けたり、文字を小書き文字にしたりできる。例えば、「は」を入力した直後にこのキーを押すと「ば」になり、もう一度押すと「ぱ」になる。また、「つ」を入力した後に押せば「っ」になる。

句読点／感嘆・疑問符／括弧の入力

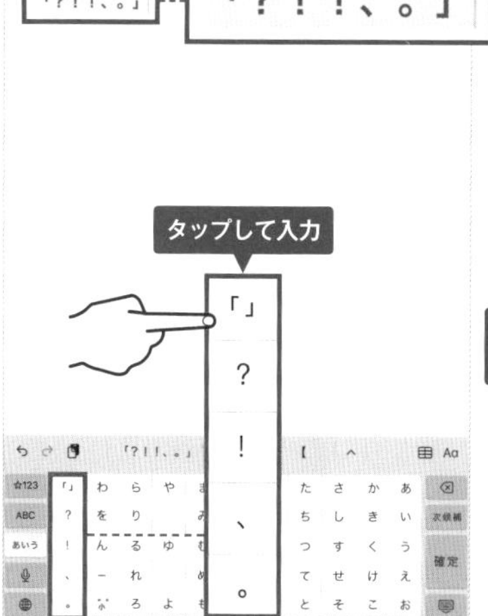

上で示したキーで、句読点や感嘆符、疑問符、括弧などを入力できる。なお、括弧のキーは一度タップすると左括弧、二度連続でタップすると右括弧の入力となる。また、括弧を入力すると予測変換に他の種類の括弧も表示される。

アルファベットの大文字入力

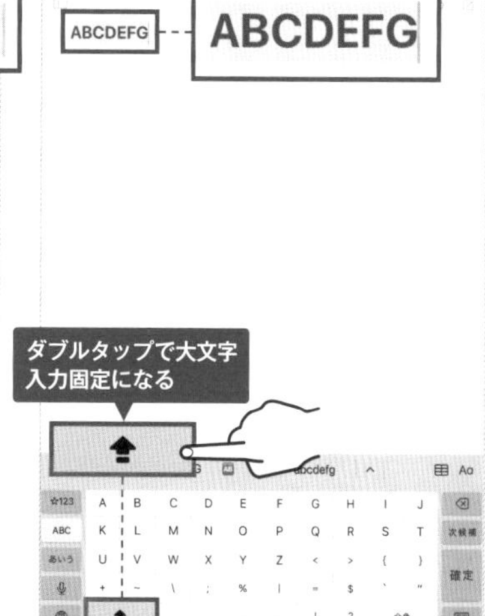

英字入力モードに切り替えた直後は、アルファベットの小文字入力となる。シフトキーをタップしてから文字キーを入力すれば、直後の1文字だけ大文字で入力が可能だ。また、シフトキーをダブルタップすると大文字入力が固定される。

ロングタップで濁音や半濁音などを入力

文字キーによっては、ロングタップすることで他の文字候補がいくつか表示される。各文字の濁音や半濁音、小書き文字といったバリエーションは、ここからもスムーズに入力が可能だ。

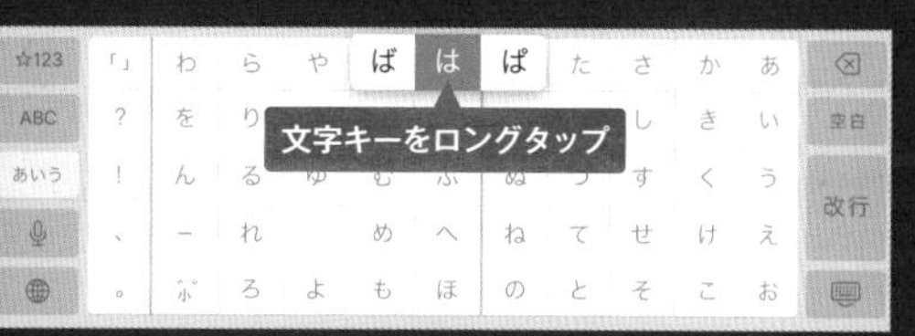

no. 198

よりスピーディに文字入力が行える

日本語ローマ字キーボードで文字を入力する

パソコンのキーボード風に文字を入力できる

「日本語ローマ字」キーボードは、パソコンのキーボードと同じような文字配列となっており、日本語をローマ字で入力していくことができる。例えば「おはよう」と入力したい場合は、「ohayou」とキーボード入力すればよい。ローマ字入力した文字は基本的にひらがなで入力され、文字種を切り替えれば英字や数字、記号なども入力可能だ。文字を入力すると、キーボード上部に変換候補が一覧表示される。ここから目的の単語を選んで変換を確定させていこう。なお、この「日本語ローマ字」キーボードを使いこなせれば、他の「日本語かな」や「英字」キーボードはほぼ必要なくなるので削除しても構わない（No199参照）。

キーボード入力の基本的な流れ

1 「日本語ローマ字」キーボードで文字を入力する

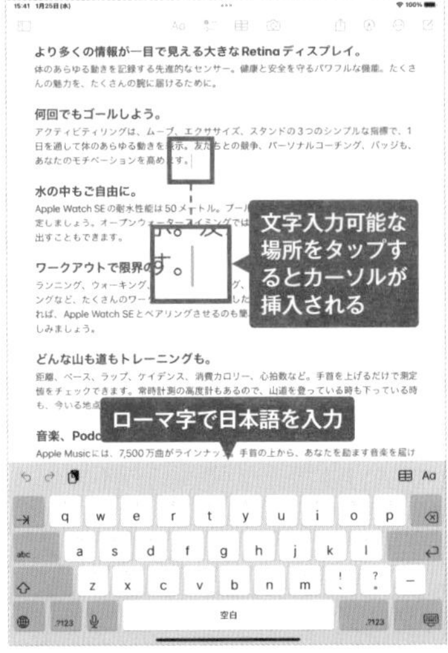

文字入力可能な場所をタップすると、文字挿入位置にカーソルが表示され、画面下にキーボードが表示される。日本語ローマ字入力の場合は、ローマ字をキー入力することで文字が入力される。

2 予測変換候補をタップして文字変換を確定させる

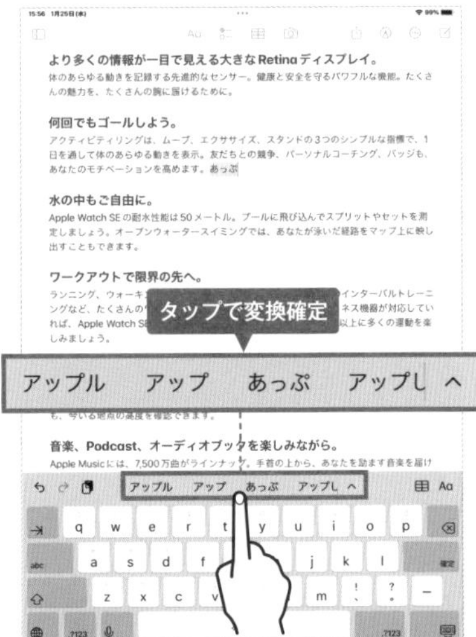

文字が入力されると、キーボード上部に予測変換の候補が一覧表示される。ここから好きな候補をタップして変換を確定しよう。なお、変換候補は左右にスワイプしてさらに表示させることも可能だ。

入力する文字種を切り替える

「日本語ローマ字／英字」、「記号／数字」の2つの入力モードを切り替えよう

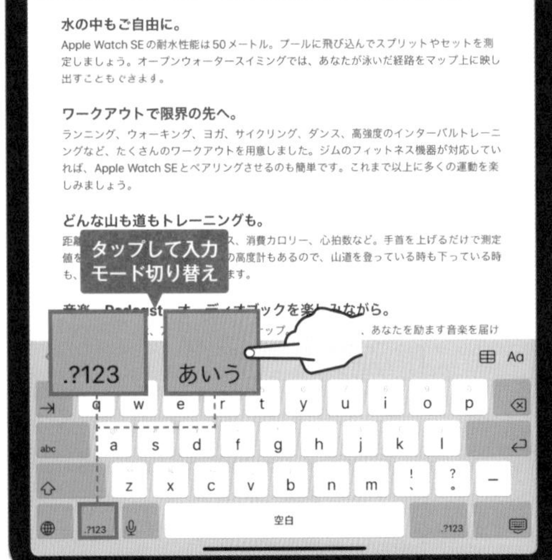

キーボード左下にある「あいう」もしくは「.?123」キーを押せば、それぞれに対応した入力モードに切り替わる。日本語および英字を入力する場合は「あいう」キー、記号および数字を入力する場合は「.?123」キーをタップすればいい。

日本語ローマ字／英字入力モード

あいう

「あいう」キー

ローマ字入力で日本語が入力できる。また、左側の「abc」キーで英字入力モードに切り替わる。

記号／数字入力モード

.?123

「.?123」キー

キー配列が変化し、数字や記号を入力できるようになる。「^_^」キーで顔文字の入力も可能だ。

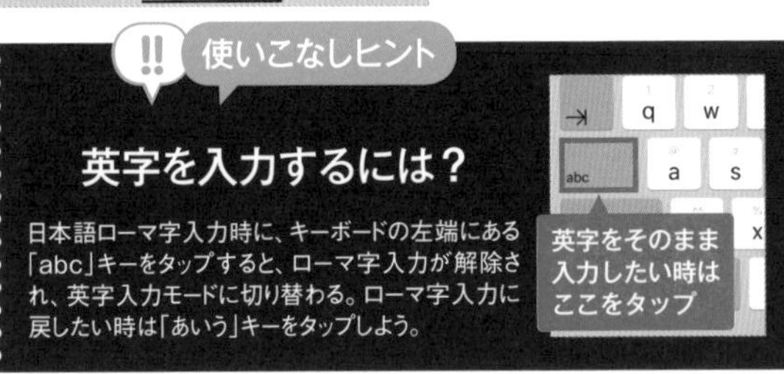

使いこなしヒント

英字を入力するには？

日本語ローマ字入力時に、キーボードの左端にある「abc」キーをタップすると、ローマ字入力が解除され、英字入力モードに切り替わる。ローマ字入力に戻したい時は「あいう」キーをタップしよう。

文字の削除や改行などを行う特殊キーについて

日本語ローマ字キーボードの特殊キー

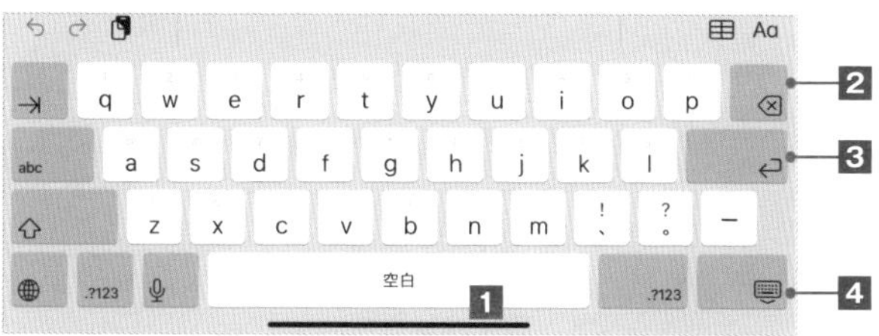

キーボードには、いくつかの特殊キーが並んでいる。ここから文字を削除したり、改行や空白を挿入したりが可能だ。なお、ここではiPad Proでのキー配列を示しているが、一部のiPadではキー配列が若干異なってくる。

1 空白／次候補キー

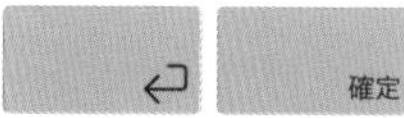

空白を入力する。文字の変換中は次候補キーに変わり、予測変換の次候補を選択する。

2 削除キー

カーソル位置より左側にある1文字を削除する。

3 改行／確定キー

空白を入力する。文字の変換中は次候補キーに変わり、予測変換の次候補を選択する。

4 キーボード非表示キー

キーボードを画面から非表示にする。キーボードの裏に隠れてしまったボタンなどを押したい時に使用する。

使いこなしヒント
シフトキーとその他記号キーについて

「abc」キーで英字入力モードに切り替え、シフトキー(上矢印のキー)をタップすると、直後に入力した1文字が大文字になる。ダブルタップするとシフトキーが固定され、大文字を連続して入力できる。また、「.?123」キーで数字／記号入力モードにすると、日本語ローマ字と英字入力モードで入力できるキーが異なるほか、シフトキーが「#+=」キーに変わり、これをタップするとさらに別の記号を入力できるようになる。

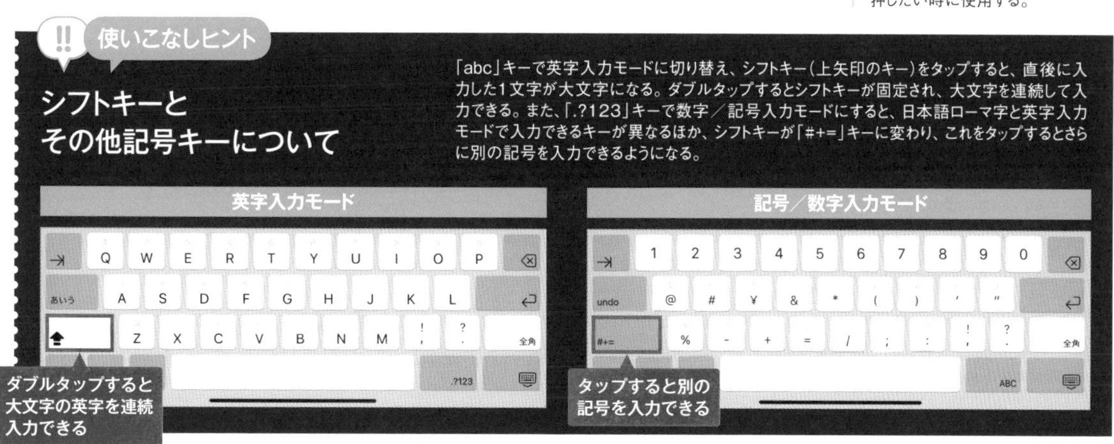

覚えておきたい日本語ローマ字キーボードの入力技

小さい「っ」などの小書き文字を入力する

小さい「ぁ」や「っ」などの小書き文字をローマ字入力するには、「LA」や「LTU」のように、小書き文字の前に「L」を入れてから入力する。なお、「だった」のような場合は「DATTA」といった入力でもOKだ。

数字や記号をフリック素早く入力する

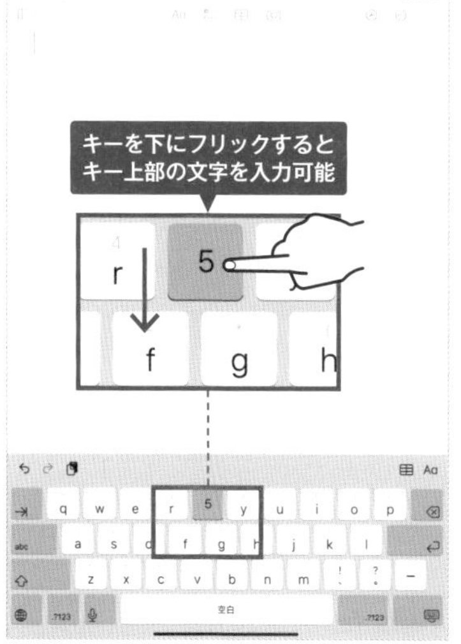

日本語ローマ字キーボードのキーには、小さく数字や記号が書かれているものがある。これらは、キーを下にフリックすることで入力が可能だ。いちいちモードを切り替えずに数字や記号が入力できるので便利。

キーのロングタップでさまざまな文字を入力できる

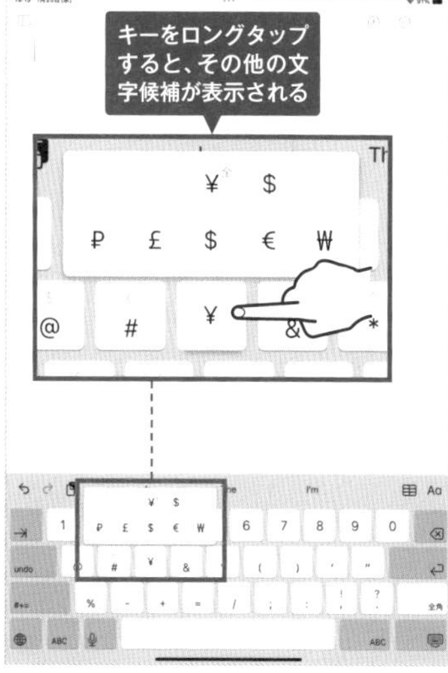

キーボードのキーをロングタップすると、キートップに表示された文字以外のバリエーション(類似する記号や全角文字など)が表示されることがある。これを利用すればスピーディに目的の文字が入力可能だ。

no. 199

必要なキーボードだけを追加しておこう

キーボードを追加、変更、削除する

文字入力に利用するキーボードの種類を設定しておこう

iPadには、日本語環境向けのキーボードとして「日本語-かな入力」、「日本語-ローマ字入力」、「英語（日本）」、「絵文字」の4種類が用意されている。これ以外にも各外国語向けのキーボードが多数用意されているが、標準状態ですべてのキーボードが使えるわけではない。使いたいキーボードがあるなら、あらかじめ「設定」アプリで追加しておこう。また、使わないキーボードがあれば、キーボードの編集画面から削除しておくといい。例えば、絵文字を一切使わないユーザーなら「絵文字」キーボードを削除してしまってもいい。キーボード数を少なくしておけば、キーボードの切り替え操作が少ないタップ数で済むようになり、文字入力がより快適になる。

新しいキーボードを追加する

1 「設定」アプリの「一般」から「キーボード」項目を開く

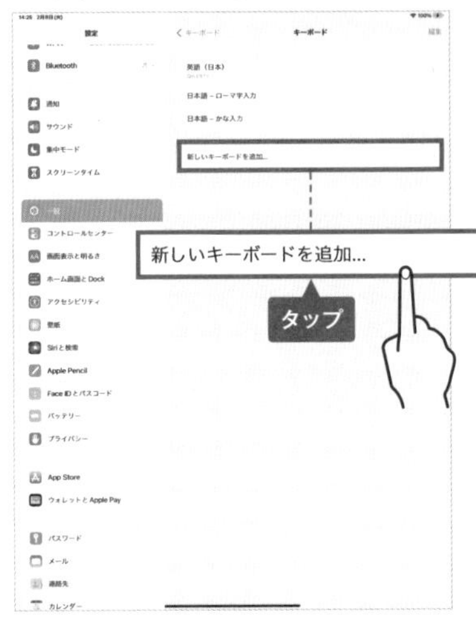

現在設定されているキーボードとは別に、新しいキーボードを追加したい場合は、「設定」→「一般」→「キーボード」→「キーボード」→「新しいキーボードを追加」をタップしよう。

2 キーボード名をタップして新しいキーボードを追加する

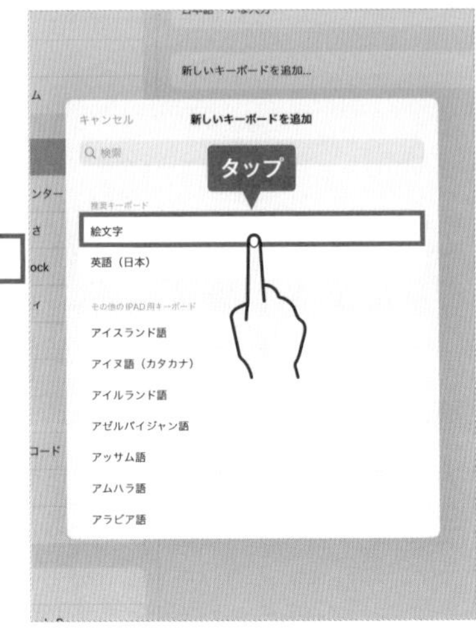

搭載されているキーボード一覧が表示されるので、使いたいキーボード名をタップしていけば追加完了だ。なお、日本語環境向けのキーボードは「推奨キーボード」として上部にまとまっている。

不必要なキーボードを削除する

1 キーボード設定の画面で「編集」ボタンをタップする

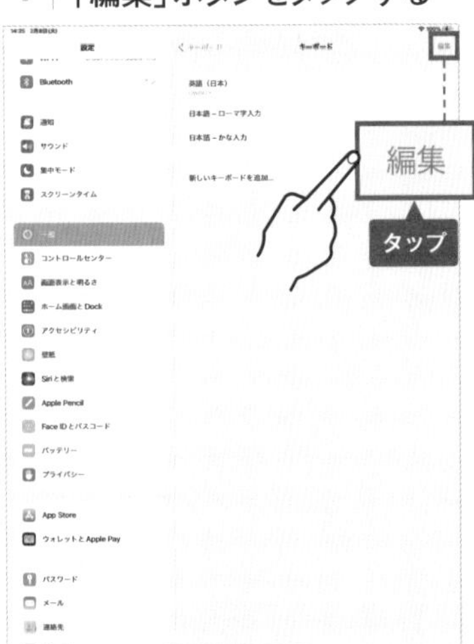

使わないキーボードを削除したい場合は、「設定」→「一般」→「キーボード」→「キーボード」をタップしていき、キーボード一覧画面右上にある「編集」をタップしよう。

2 「ー」ボタンをタップして使わないキーボードを削除する

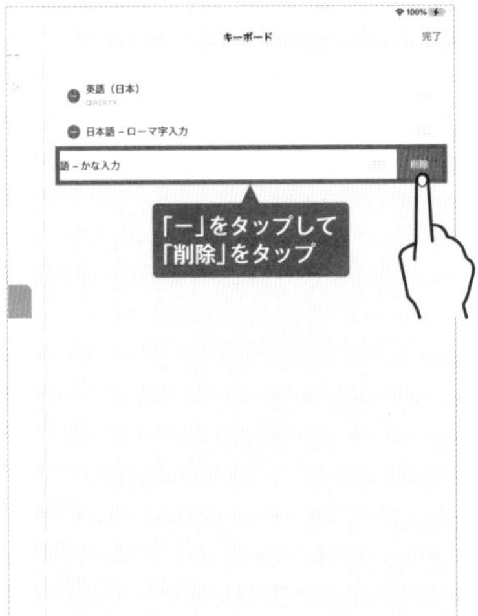

削除したいキーボードの「ー」ボタンをタップし、さらに「削除」をタップ。これでキーボードが削除される。なお、キーボードは一度削除してもあとで追加し直せるので安心してほしい。

使いこなしヒント

英語キーボードの配列を変更する

キーボード設定画面で「英語（日本）」をタップすると、キーボードの配列を変更することができる。基本的には標準設定のままで問題ないが、別の配列を試したい時は好きなキーボード配列に変更しておこう。

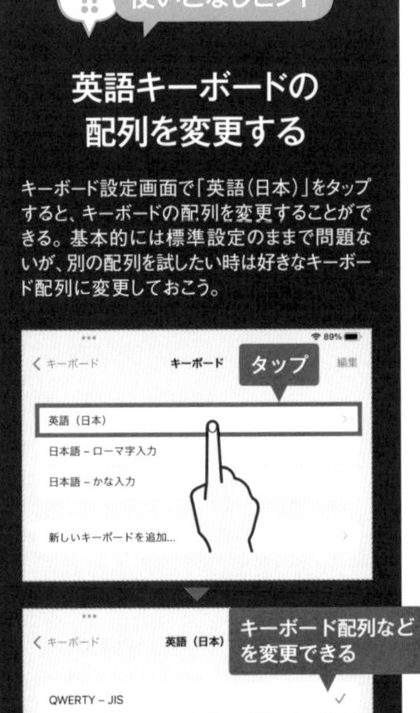

文字入力

no. 200 絵文字で文章を賑やかに

絵文字を利用する

絵文字キーボードを追加(No199を参照)した上で、地球儀キーをタップし、絵文字キーボードに切り替えよう。キーボード部を左右にスワイプすれば、さまざまな絵文字を選択できる。

no. 201 キーボード切り替えをスムーズに

キーボードの表示順を変更する

キーボードの種類を切り替えるには、地球儀キーをタップすればいい。この際の切り替え順は、設定で変更可能だ。よく使うキーボードは一番上に配置するなど、使いやすい順に並べよう。

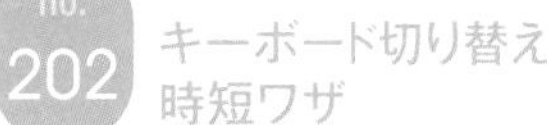

no. 202 キーボード切り替えの時短ワザ

キーボードを素早く切り替える

地球儀キー(絵文字キーの場合もある)をロングタップすると、現在追加しているキーボード名が一覧表示され、タップすることで、すぐにそのキーボードに切り替えできる。キーボードの数が多いと、いちいち地球儀キーをタップしてひとつずつキーボードを切り替えるのが面倒になりがちだ。ロングタップメニューから選んだほうが素早く切り替えできるので覚えておこう。

no. 203 ユーザ辞書に単語を登録しよう

よく使う言葉を登録しておき素早く入力する

1 設定で「ユーザ辞書」をタップする

よく使用する固有名詞やメールアドレス、住所などは、辞書登録しておけば予測変換から素早く入力することが可能だ。まず「設定」→「一般」→「キーボード」→「ユーザ辞書」をタップする。

2 右上にある「+」をタップして新規登録

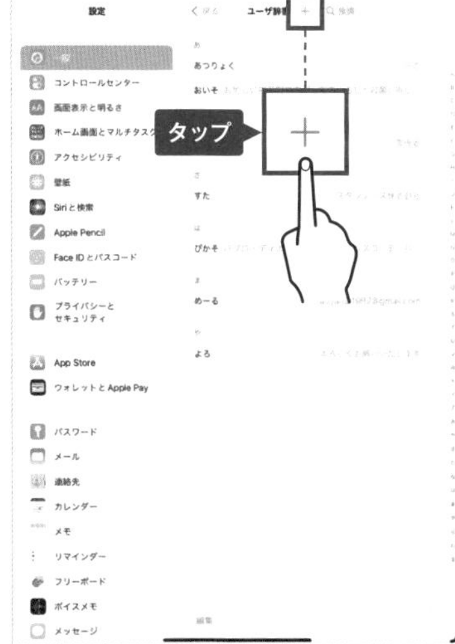

ユーザ辞書の登録画面が開くので、上部の「+」をタップしよう。またこの画面では、登録済みのユーザ辞書が一覧表示される。各単語を左にスワイプすれば削除、タップすれば内容の編集が可能だ。

3 「単語」と「よみ」を入力して保存する

「単語」と「よみ」を入力し「保存」で登録する。例えば「単語」にメールアドレス、「よみ」に「めーる」と入力しておけば、「めーる」と入力するだけで、メールアドレスが予測変換に表示されるようになる。

no.
204

主な編集メニューと操作を知っておこう

入力した文章を編集する

テキスト編集メニューを表示する

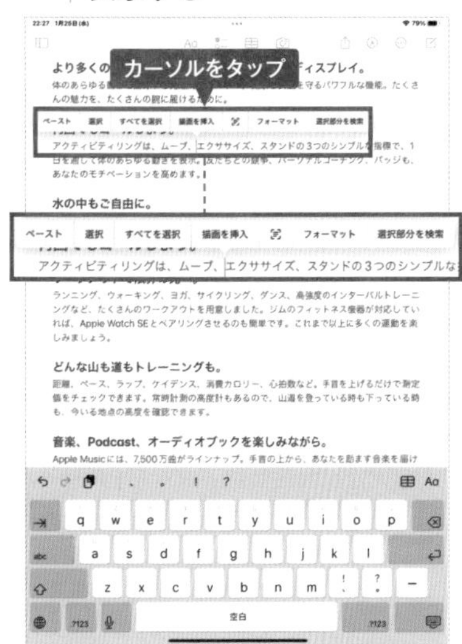

入力した文字をタップするとカーソルが挿入される。もう一度タップすると、カーソルの上部に編集メニューが表示されて、テキストの選択、ペースト、フォーマットの変更といった操作を行える。

テキストを範囲選択するには

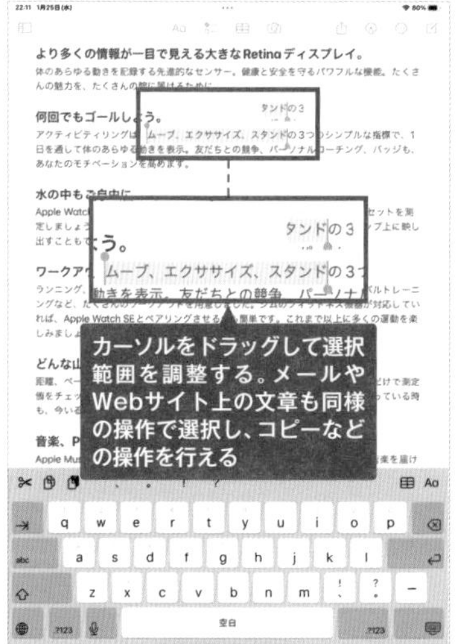

編集メニューで「選択」または「すべてを選択」をタップすれば、テキストを範囲選択できる。範囲選択のカーソルをドラッグして範囲を調整しよう。テキストをダブルタップして単語を範囲選択することもできる。

テキストを範囲選択した際のメニュー

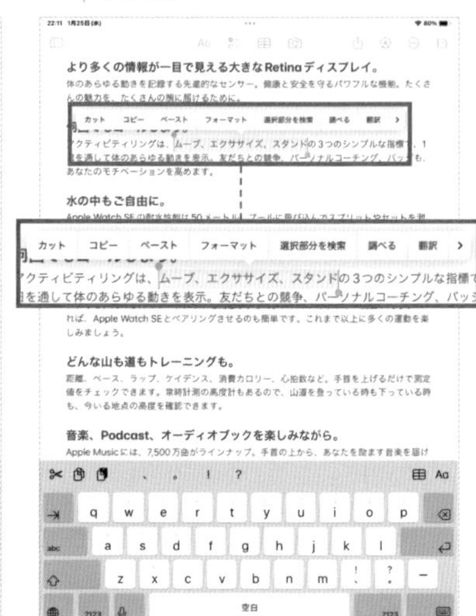

範囲選択すると編集メニューの内容が変わる。カットやコピーの他に、選択した単語をユーザ辞書に登録したり（No209で解説）、共有したりが可能だ。入力や編集を取り消す方法はNo230を参照。

no.
205

カット&ペーストが効率的に行える

テキストを選択してドラッグ&ドロップで編集する

メモアプリなどでは、範囲選択したテキスト部分をドラッグ&ドロップで別の場所に移動することができる。テキストの選択範囲をロングタップしてからドラッグ&ドロップしてみよう。

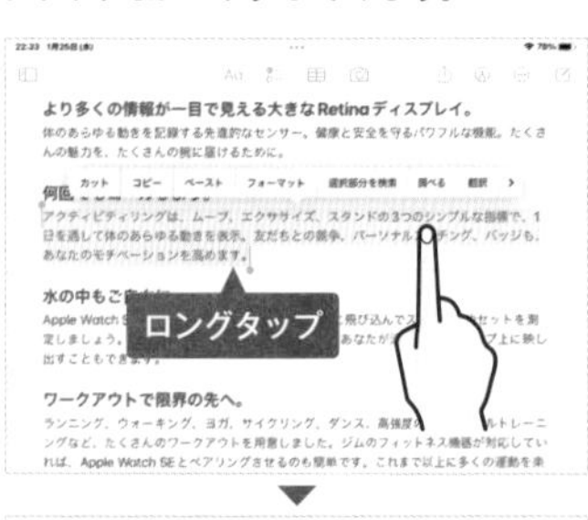

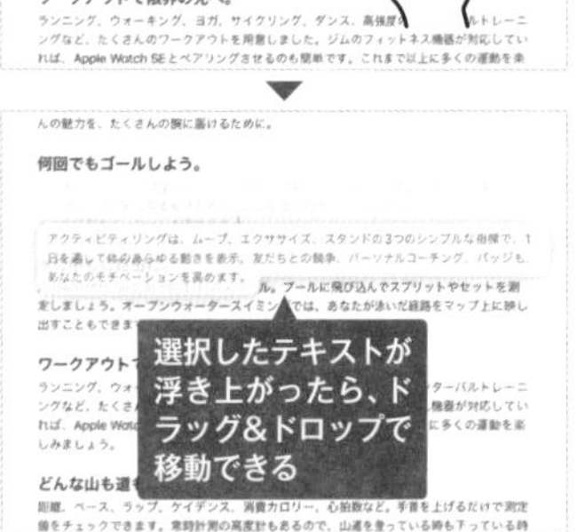

no.
206

変換ミスを後から簡単に修正できる

変換を確定した文章を再変換する

変換を確定した文字を選択状態にしてみよう。キーボードの上部分に変更候補一覧が表示され、再変換を行うことが可能だ。入力ミスをした場合でも、すぐに変換し直しができるので便利。

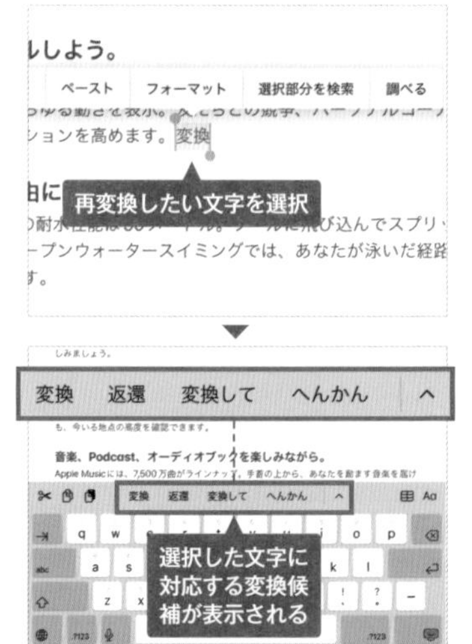

no.
207

iCloud Driveをオンにするだけ

iPhoneやMacとユーザ辞書を同期する

ユーザ辞書（No203を参照）に登録した辞書データは、iPhoneやMacとも簡単に同期することが可能だ。「設定」でApple ID名をタップしたら、「iCloud」を表示して「iCloud Drive」をオンにするだけでよい。同期前にそれぞれのデバイスで登録していた辞書データは、iCloud Driveをオンにして同期した時点で、自動的に結合される。

no. 208 「∧」をタップして候補一覧を開く

変換候補をまとめて表示する

キーボードの上部に、変換したい候補が表示されない場合は、変換候補右端の「∧」をタップしてみよう。変換候補の一覧が上に開き、より多くの候補をまとめて確認できるようになる。

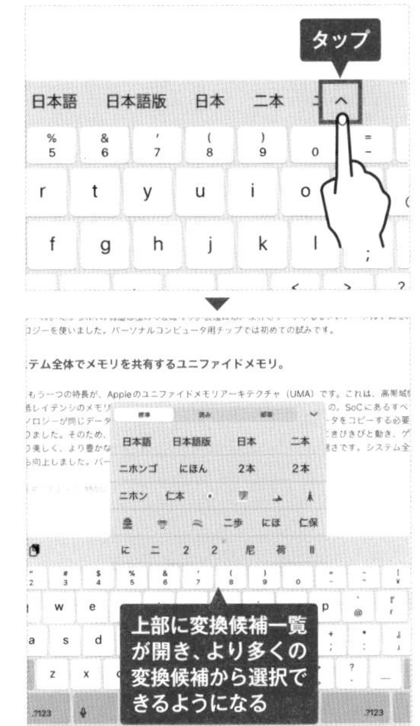

no. 209 Webサイトやメールから辞書登録

テキストを選択しユーザ辞書に登録する

Webサイトやメール内の単語や文章をユーザ辞書に登録したい場合は、テキストを選択状態にし、表示されるポップアップメニューから「ユーザ辞書」をタップすればよい。単語と読みが入力された状態で登録画面が開くので、「保存」をタップすれば登録できる。ただし、この方法だと半角文字は登録できないので注意。

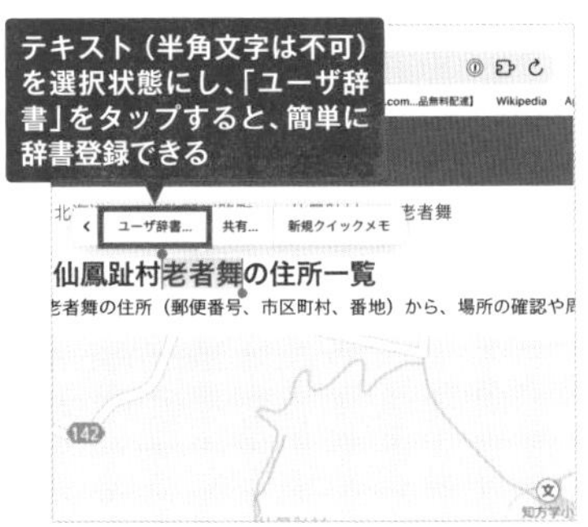

no. 210 よく使う機能を簡単に呼び出す

キーボードのショートカットバーを利用する

iPadのキーボード上部には、いくつかのボタンが並ぶショートカットバーが表示されている。ここから操作の取り消し・やり直し（No230）、コピー＆ペーストなど、よく使う機能を実行可能だ。

キーボード上部にボタンが並んでいる場所が「ショートカットバー」だ。左側には、「取り消し」「やり直し」「ペースト」のボタンが並ぶ。

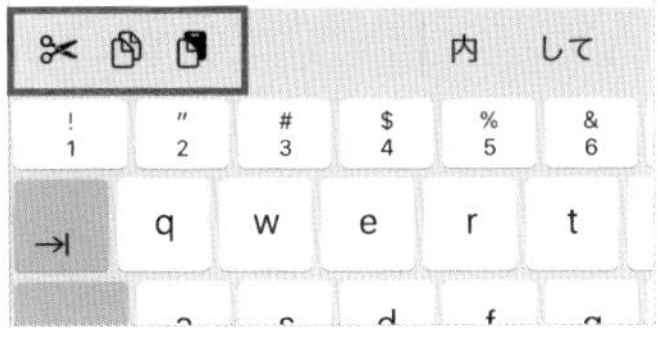

文字を選択中の場合、左側のショートカットボタンの内容が変化する。各ボタンの機能は、左端から「カット」「コピー」「ペースト」だ。

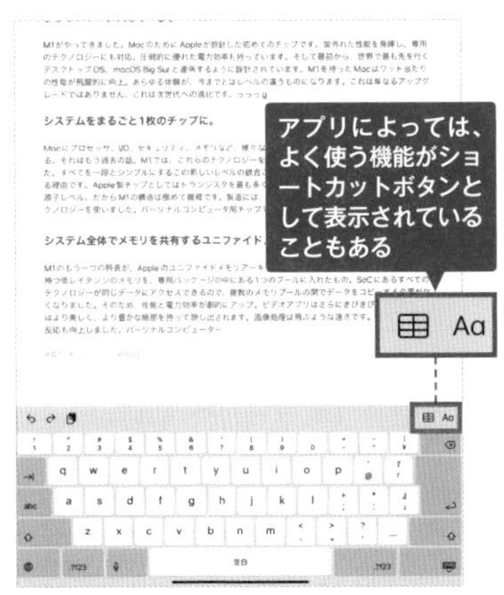

アプリによっては、ショートカットバー右側にもボタンが表示される。メモアプリの場合は、表や写真の挿入やテキスト設定などが可能だ。

no. 211 スマート全角スペースをオフにする

スペースを全角から半角に変更

iPadでは、「スマート全角スペース」という機能が搭載されており、文字入力時にスペースキーを押すと、全角スペースと半角スペースを自動で切り替えて入力してくれる。例えば、日本語を入力した直後なら全角スペース、英数字を入力した直後、または英語キーボードを選択している状態であれば半角スペースが入力されるのだ。なお、日本語入力時に常に半角スペースで入力したい場合は、「スマート全角スペース」をオフにしておこう。

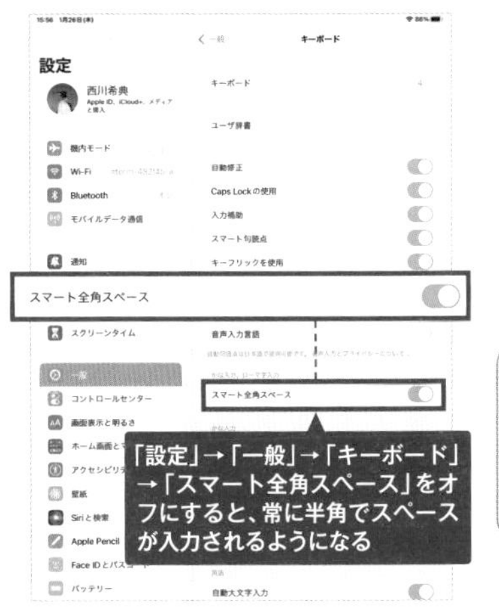

no. 212 直感的にカーソルを移動できる

カーソルをドラッグして動かす

文字入力中に表示されるカーソルを移動したい場合は、カーソルをそのままドラッグすればいい。移動したい位置に動かしてから指を離そう。

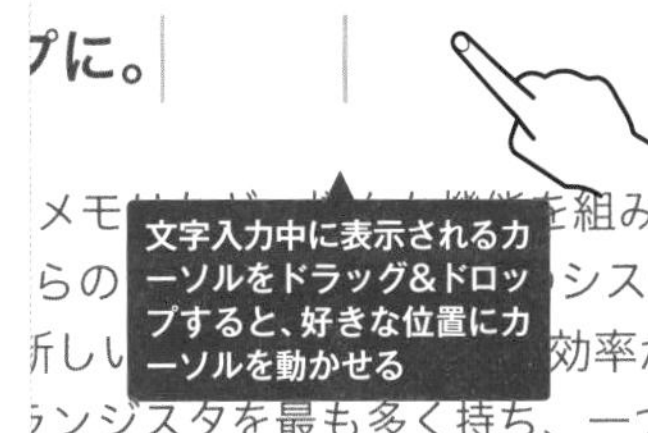

no.
213
範囲選択がタップ操作だけで可能

2回&3回タップで文章を選択する

メモアプリなどのテキストを編集できるアプリでは、文字のある場所を2〜3回連続でタップすることで、単語や段落全体を範囲選択することが可能だ。テキストを素早く範囲選択したい場合に使ってみよう。ただし、本機能はアプリ側の対応が必要なので、アプリによっては使えないことがある。

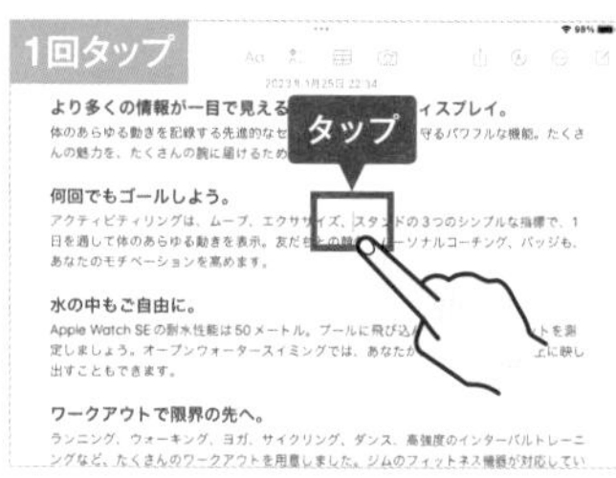

テキストのある場所を1回タップすると、タップした場所の付近にカーソルが挿入される。単語をタップした場合は、単語の途中ではなく前後にカーソルが挿入されるようになっている。

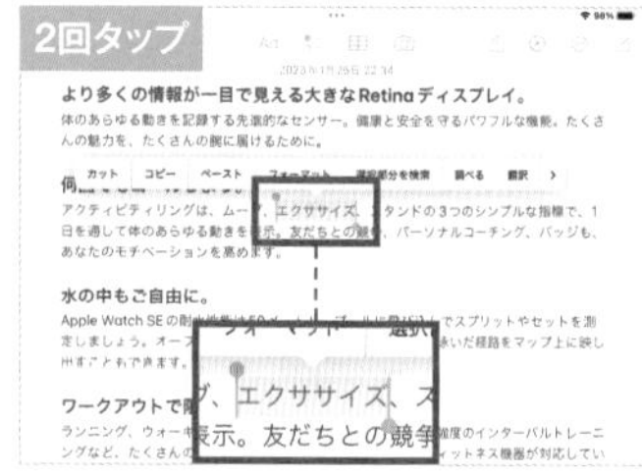

テキストのある場所を2回連続でタップすると、その場所の単語や文節が範囲選択される。

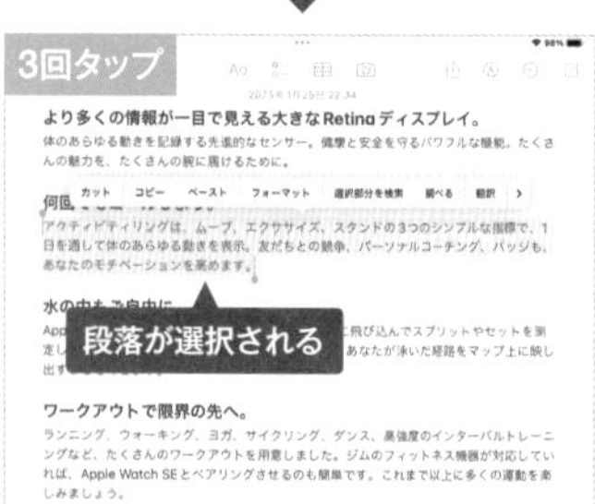

テキストのある場所を3回連続でタップすると、その場所の段落全体が範囲選択される。

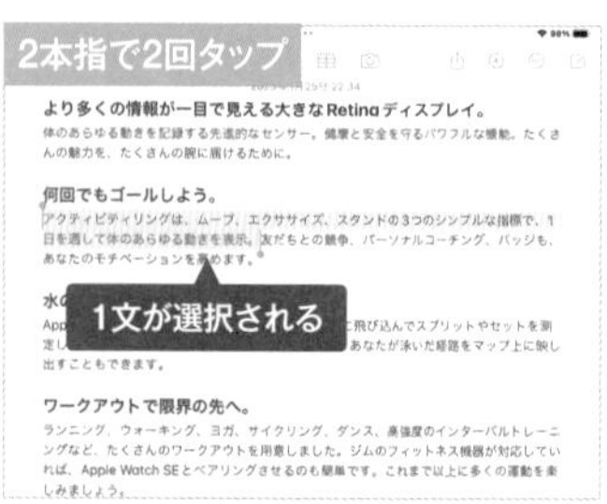

テキストのある場所を2本指で2回タップすると、カーソルがある位置の1文が選択される。

no.
214
長い文章で変換の区切り位置を調節する

長文の途中で一度変換させる

長文の入力中に変換させる場合、変換の区切りがおかしくなってうまく変換できないことがある。そんな場合は、変換中のテキスト自体をタップしてカーソルを挿入してみよう。その場所が変換の区切り位置となり、予測変換候補から変換することができる。

no.
215
iPhoneと同じキーボードを使う

フローティングキーボードを利用する

キーボード上をピンチインするか、右下のキーボードボタンをロングタップして「フローティング」をタップすると、iPhoneと同じサイズのフローティングキーボードに切り替わる。下部のバーをドラッグすればキーボードを好きな場所に移動できる。キーボード上をピンチアウトすれば、元のフルサイズのキーボードに戻る。

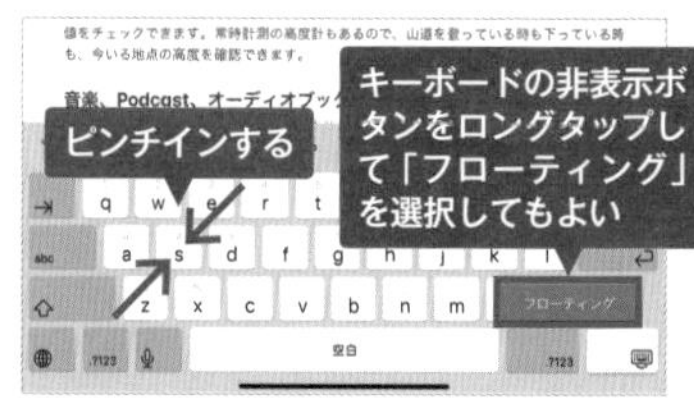

キーボード上をピンチインするか、またはキーボードの非表示ボタンをロングタップして「フローティング」を選択しよう。

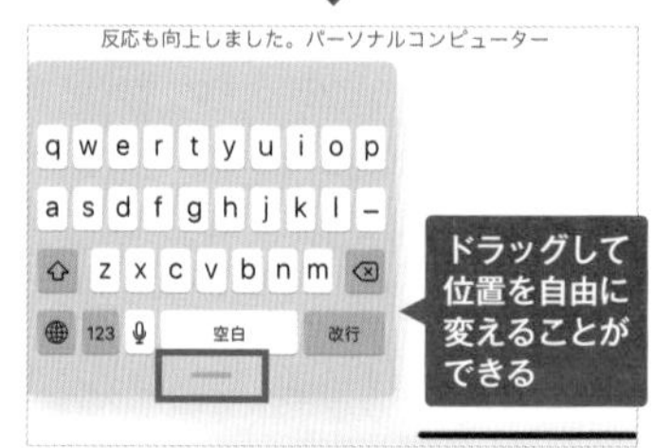

フローティングキーボードが表示される。見た目はiPhoneのキーボードと同じだ。片手で文字入力をしたい時に使ってみよう。

no.
216
iPhoneと同じフリック入力を使う

フローティングキーボードでフリック入力を利用する

フローティングキーボード利用時に、キーボードを「日本語かな」に切り替えると、iPhoneと同じように片手でのフリック入力が行える。普段からフリック入力に慣れている人は、こちらの方が素早く文字入力できるはずだ。

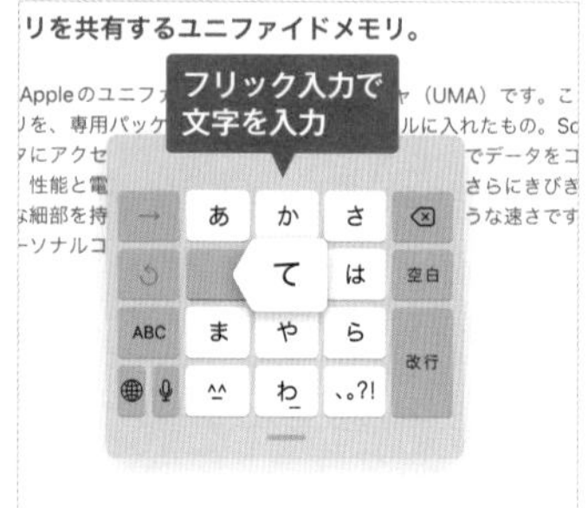

No215で解説したフローティングキーボードで「日本語かな」キーボードに切り替えれば、iPhoneと同じフリック入力が可能になる。

no.
217
英語キーボードだけで使える特殊機能

なぞり入力を利用する

フローティングキーボード利用時に英語(English)キーボードに切り替えると、キーボード上をなぞって英単語を入力できる「QuickPath」機能が使える。例えば「Check」だったら、各文字のキーを順番にスワイプしながらなぞるだけで入力が可能だ。

No215で解説したフローティングキーボードで「英語(English)」キーボードに切り替えると、キーボード上を指でなぞって英単語の入力が可能だ。例えば、「Check」を入力しようと思った場合は、「C」→「H」→「E」→「C」→「K」と指をスワイプするだけで入力できる。いちいちキーをタップするより素早く入力が可能だ。

no. 218

App Storeからキーボードアプリを入手しよう

他社製キーボードを設定して利用する

標準キーボード以外の他社製キーボードアプリを使ってみよう

iPadOSでは、サードパーティ製のキーボードアプリも利用することができる。ただし、通常のアプリと異なり、インストールするだけでは使えないので注意が必要だ。まずはApp Storeで各種キーボードアプリをインストールしたら、「設定」からキーボードを追加しておこう。あとは、キーボード上の地球儀キーをタップすれば、各種キーボードの切り替えが行える。なお、キーボードアプリによっては、全機能を利用するために「フルアクセス」を許可しておく必要もある。色々なサードパーティ製キーボードを試してみよう。

1 App Storeでキーボードアプリを入手する

まずはApp Storeから他社製キーボードアプリを探してインストールしておこう。ここではGoogle製のキーボードアプリ「Gboard」を試してみる。他にも色々とあるので探してみるといい。

2 他社製キーボードを追加する

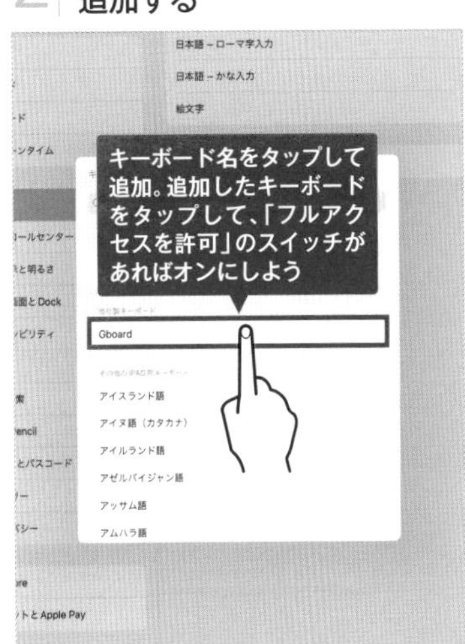

「設定」→「一般」→「キーボード」→「キーボード」→「新しいキーボードを追加」をタップ。インストールした他社製キーボード名をタップして追加しておこう。これでキーボードの導入が完了だ。

no. 219

両手持ちで文字入力する際に便利

キーボードを左右に分割する

iPad mini 第5世代以降、iPad 第5〜第9世代、iPad Air 第3世代、9.7インチiPad Pro、10.5インチiPad Proのキーボードは、左右2つに分割表示できる。分割したい場合は、キーボード右下にある「キーボード非表示」キーをロングタップして「分割」を選ぼう。元に戻す場合は、キーボード非表示キーをロングタップ→「固定して分割解除」を選ぶ。

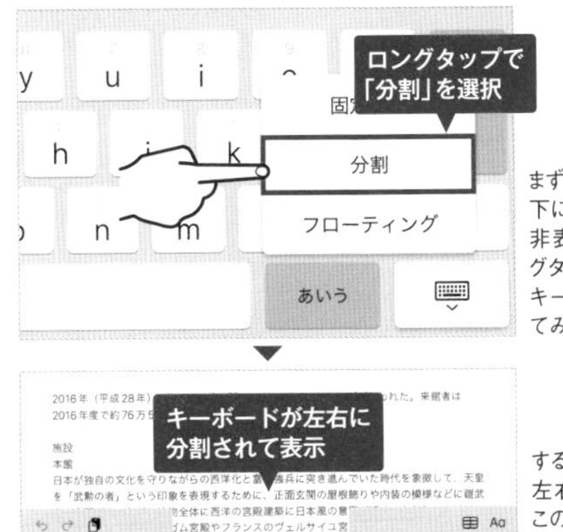

まずは、キーボード右下にある「キーボード非表示キー」をロングタップ。「分割」でキーボードを分割してみよう。

すると、キーボードが左右に分割される。この状態だと、両手持ちでの入力がやりやすくなるのだ。なお、この機能は一部のモデルでしか利用できない。

no. 220

分割したキーボードの位置を変える

キーボードの位置を調整する

キーボードを分割した場合、キーボードの上下位置を自由に変更可能だ。分割キーボード使用時に、キーボードの右下にある「キーボード非表示」キーを上下にドラッグしてみよう。キーボードが移動するので、入力しやすい位置に調節すればいい。

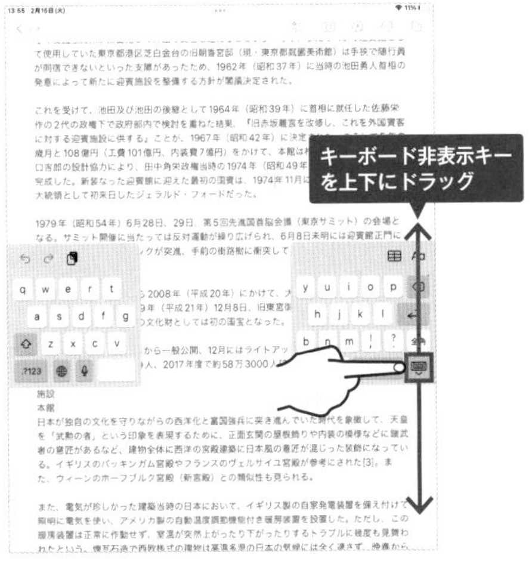

キーボード分割時、右下にある「キーボード非表示」キーを上下にドラッグすると、分割キーボードが移動する。なお、キーボードを分割していない時でも、「キーボード非表示」キーをロングタップ→「固定解除」を選択しておけば、同じようにキーボードの位置を調節可能だ。

no. 221 キーボードを隠して全画面表示に

キーボードが邪魔な際は非表示にする

キーボードで入力している際に、一時的にキーボードを隠したい場合は、キーボード右下のキーをタップしてみよう。キーボードが画面から消え、画面を広く使うことができる。

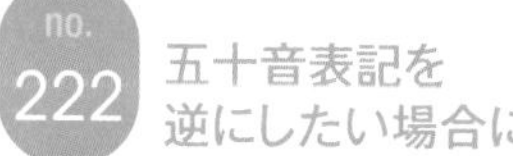

日本語かなキーボードの配列を変更する

日本語かなキーボードでは、五十音の並び順を左右どちらかに変更できる。「設定」→「一般」→「キーボード」→「あ行が左」をオンにした場合、左側に「あ行」が並ぶように設定可能だ。

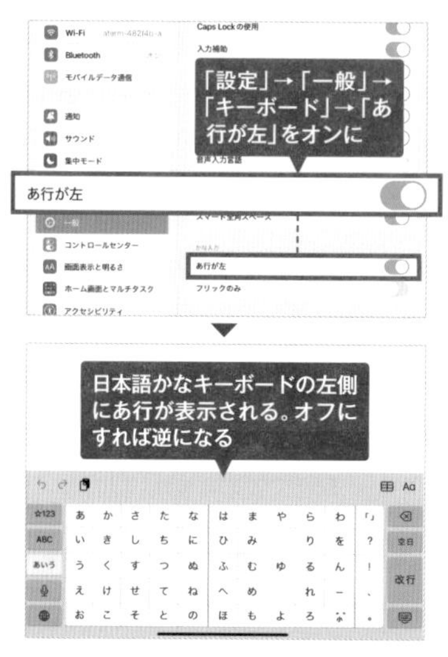

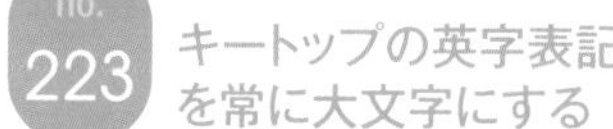

小文字キーの表示をオフにする

キーボードの各キーに表示されている英字は、小文字入力時に小文字で、大文字入力時に大文字で表記される。キー上の表記を常に大文字にしておきたい場合は、以下の設定を変更しよう。

文字入力

no. 224 フリック入力でスピーディに文字入力

キーボードを分割してフリック入力を利用する

「日本語かな」キーボードに切り替えた状態でキーボードを分割してみよう。画面右にフリック入力に対応したテンキーが表示される。画面左には変換候補などが表示されるので、右手で入力しつつ、左手で変換を確定することが可能だ。

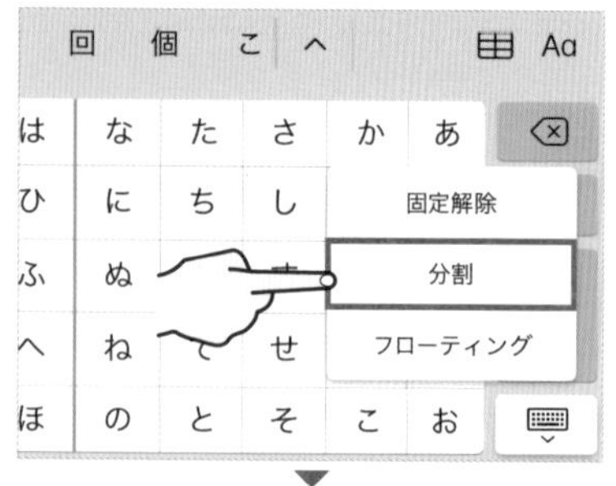

「日本語かな」キーボードに切り替えて、キーボード右下の「キーボード非表示キー」をロングタップ。「分割」でキーボードを分割してみよう。なお、キーボードの分割は、一部のモデル(No219で解説)でのみ利用できる。

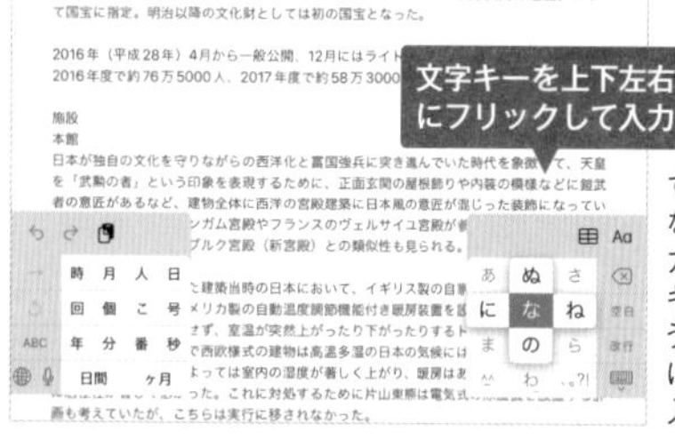

すると、iPhoneでおなじみのフリック入力に対応したテンキーが表示されるようになる。上下左右にフリックして文字を入力していこう。

no. 225 知っていると便利な機能

かな入力の逆順キーを使用する

「日本語かな」キーボードでテンキー表示にした場合、「逆順キー」が使えるようになる。この逆順キーは、テンキー入力時に逆順で文字を変化させたい時に使うキーだ。文字キーを押し過ぎた場合に前の文字に戻すことができる。

「日本語かな」のテンキーは、携帯電話での文字入力のように、文字キーを複数回タップすることでも文字を入力できる。この時、文字を入力した直後に逆順キーを押すと、通常とは逆の順番で文字が入力されるようになる。言葉で説明してもわかりにくいので詳しくは右図で解説しておこう。

「あ」キーを押した時に通常の順番

通常「あ」キーを複数回タップしていくと、上のように文字が変化していく。「あいうえお」順の次に小書き文字が入力されるのだ。

逆順キーを押した時の順番

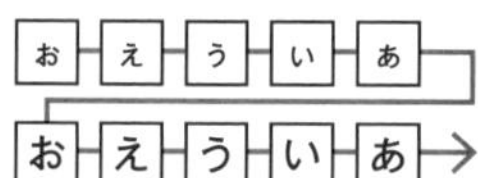

逆順キーを押すと、逆の順番で文字が変化していく。文字キーを押し過ぎた時など、文字を前に戻したい場合に使うといいだろう。

no. 226 フリック入力のみを使う人に

入力方法をフリックに固定する

キーボード分割表示またはフローティング表示時の「日本語かな」キーボードで、フリック入力のみ使うという人にオススメの設定を紹介しておこう。「設定」→「一般」→「キーボード」を表示すると、「フリックのみ」という項目があるので有効にする。これにより、テンキーがフリック入力に特化され、携帯電話のようにキーを複数回タップする入力方法が排除されるのだ。その影響により、キーを連続してタップするとその文字が連続入力できるようになる。

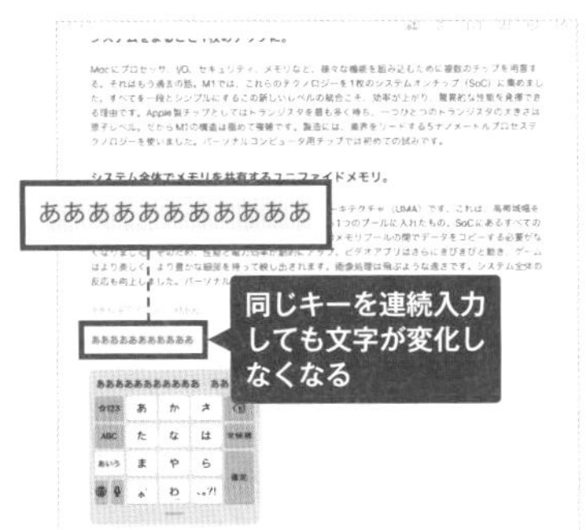

キーボード設定の「フリックのみ」を有効にすると、「日本語かな」キーボードの分割またはフローティング表示がフリック入力に特化される。例えば「あ」キーを連続入力すると「あああ」と文字が入力されるようになるのだ。

no. 227 スピーディに同じ文字を入力

日本語かなキーボードで同じ文字を連続入力する

「日本語かな」キーボードの分割表示時に「あああ」や「AAA」など、同じ文字を連続して入力する際は、文字送りキーを利用してみよう。なお、テンキーでフリック入力のみを使う場合は、No226の設定を行うと文字送りキーの必要がなくなる。

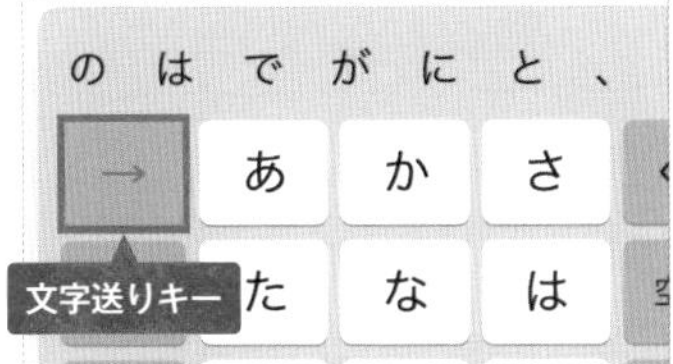

テンキー表示時に「あああ」と連続入力したい場合、「あ」キーを4回押してもダメ。「あ」キーを押したあとにすぐ文字送りキーをタップし、再度「あ」キーを押そう。このように同じ文字を連続入力したい場合は、文字送りキーが役立つ。

no. 228 地球儀キーから設定を表示する

キーボード設定をすぐに呼び出す

キーボード設定を行う場合、「設定」→「一般」→「キーボード」の画面で設定を行う。しかし、この方法だと画面にたどり着くまでが少し面倒だ。そんな時は以下の方法を試してみよう。すぐにキーボード設定画面を表示できる。

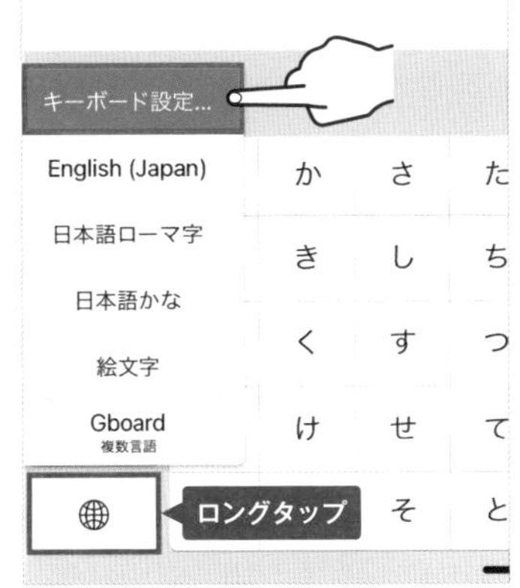

キーボードの地球儀キー(もしくは絵文字キー)をロングタップして、「キーボード設定」をタップ。これだけで「設定」アプリのキーボード設定が画面が表示される。

no. 229 メールやSNSで大活躍

顔文字を入力する

各日本語用のキーボードには、顔文字専用のキーが搭載されている。これをタップすれば、あらかじめ登録されている顔文字が変換候補として表示されるので利用しよう。

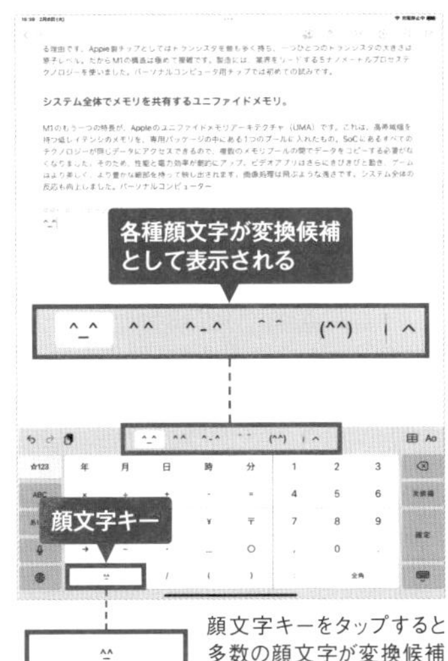

顔文字キーをタップすると多数の顔文字が変換候補として表示される。

no. 230 「取り消す」ボタンを使おう

直前に入力した文章を取り消す

キーボードで入力した文字や編集内容を、取り消しまたはやり直したい時、iPhoneであれば、本体を振って「取り消す」メニューを表示させる、「シェイクで取り消し」機能が便利だ。これはiPadも同じで、本体を振れば「取り消す」メニューが表示され、直前に行った操作を取り消したり、やり直したりができる。ただ、iPadは大きさも重量もあるので、本体を振る行為はうっかり落としてしまいそうで危険。そこで、iPadでの取り消し操作は、キーボードの上部にあるショートカットバーの一番左端にある「取り消し」ボタンを利用しよう。また、その隣にある「やり直し」ボタンを押せば、取り消した状態を元に戻すことが可能だ。

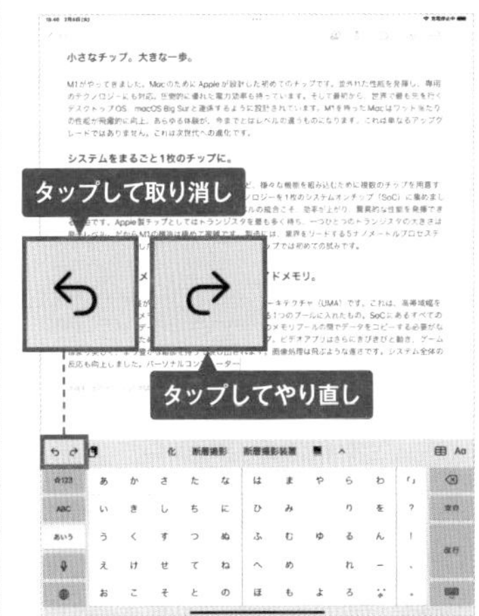

キーボードの上部にあるショートカットバーの左端には、取り消しボタンとやり直しボタンがある。ここをタップすれば、文字入力の取り消しややり直しをスピーディに行える。

「シェイクで取り消し」をオフ

本体を振って取り消す機能を使わないなら、「設定」→「アクセシビリティ」→「タッチ」→「シェイクで取り消し」をオフにしておこう。

no. 231

取り消しやり直しがジェスチャ操作で行える

文字入力で3本指ジェスチャを使う

1 キーボードの上で3本指で左右スワイプする

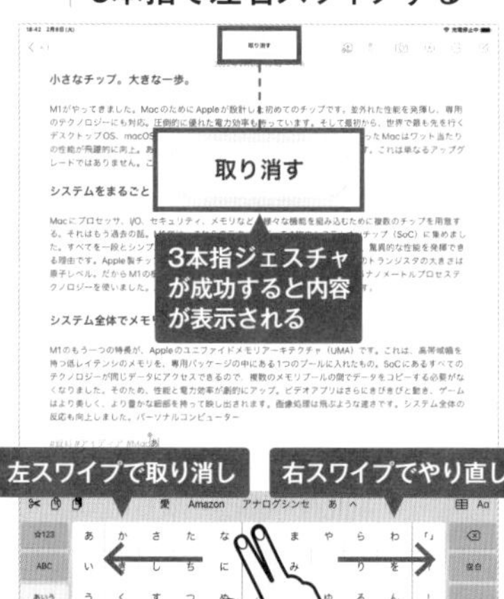

キーボードの上を3本指で左にスワイプしてみよう。直前の操作を取り消すことが可能だ。同じように3本指で右にスワイプするとやり直しができる。素早く取り消しやり直しを行いたい時に便利。

2 キーボードの上で3本指をピンチインする

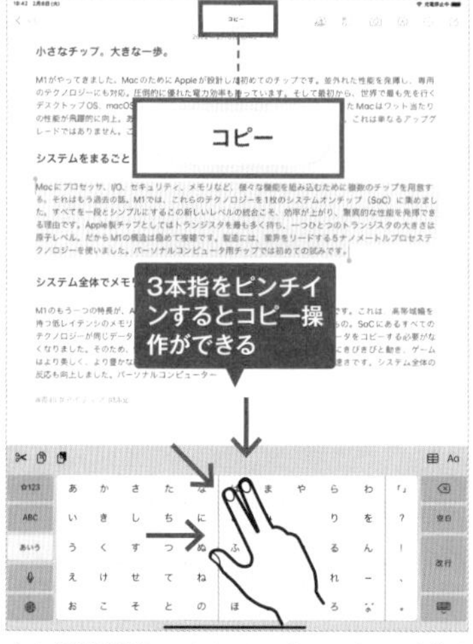

文字を選択状態にしたら、キーボードの上に3本指を乗せてピンチイン操作をしてみよう。すると、選択状態のものがコピーされるのだ。また、2回連続でピンチインすれば、カット操作になる。

3 キーボードの上で3本指をピンチアウトする

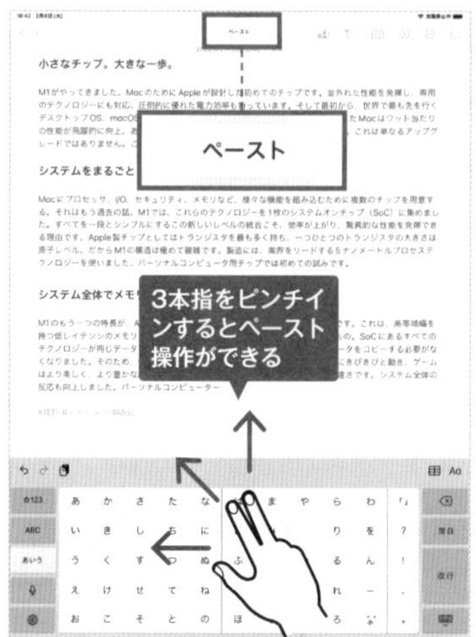

コピーもしくはカットした直後に、キーボードの上に3本指を乗せてピンチアウト操作をしてみよう。するとペーストが実行され、カーソル位置に先ほどコピーもしくはカットした内容が貼り付けられる。

no. 232

ノートパソコンのトラックパッド風にカーソルを操作してみよう

カーソル移動や文章選択をスムーズに行う

意外と便利なトラックパッドモードを使いこなしてみよう

iPadのキーボードには、「トラックパッドモード」という機能が搭載されている。まずは、片手の2本指でキーボードに触れたまま動かしてみよう。キーボード上の文字表示が消えていれば、トラックパッドモードに切り替わったことを示している。あとは、キーボードの上で指を上下左右にドラッグしてみれば、カーソルを自由に移動可能だ。また、トラックパッドモードに切り替えた直後にしばらく指を動かさずにいると範囲選択もできる。なお、スペースキーを1本指でロングタップすることでも、カーソル移動を行える。

キーボード上を片手の2本指で触れて動かす

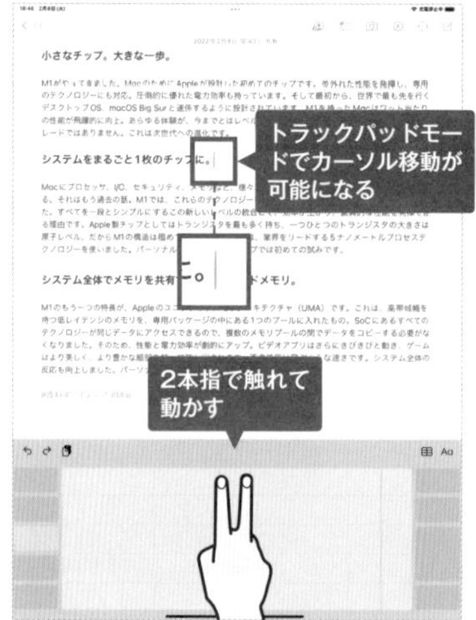

キーボードを片手の2本指で触れると、キーボードがトラックパッドモードになる。そのまま指を上下左右に動かすと、ノートパソコンのトラックパッドのようにカーソルを自由に動かすことが可能だ。

範囲選択も2本指で可能だ

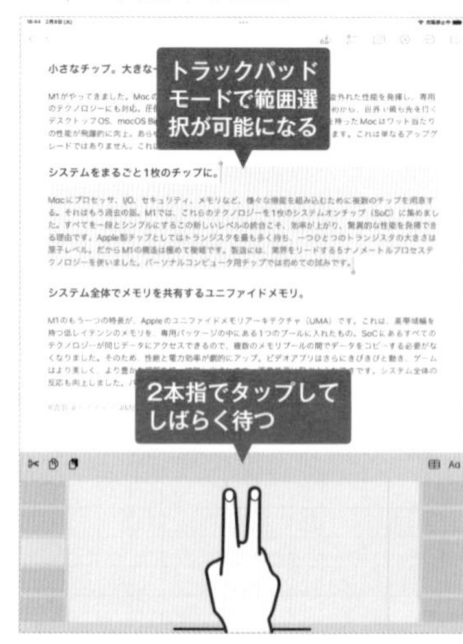

2本指でトラックパッドモードにしたら、すぐに指を動かさずにしばらくそのままの状態にしておこう。するとカーソルの形が変わり範囲選択が可能になる。トラックパッド操作で範囲選択をスピーディに行おう。

no.233 優れた認識率で音声入力可能

音声で文字を入力する

iPadでは、音声で文字入力する機能が搭載されている。本機能を利用するには、各種キーボード上に配置されている音声入力キーをタップしよう。あとはiPadに向かって話しかけていけば文字が自動入力される。終了するには音声入力キーをもう一度タップすればいい。

音声入力キーをタップする

キーボードのマイクボタンをタップすると、音声入力が可能になる。表示されない場合は、「設定」→「一般」→「キーボード」で「音声入力」がオンになっているか確認しよう。なお、音声入力中でもキーボードを使って入力できる。また、句読点や疑問符は自動で入力されるが、下でまとめている通り音声でも入力が可能だ。

句読点や改行などの音声入力方法

入力文字	音声入力
「	かぎかっこ
」	かぎかっことじる
(	かっこ
)	かっことじる
、	てん
。	まる
!	びっくりまーく
?	はてなまーく
・	なかぐろ
…	さんてんりーだー
●	くろまる
○	しろまる
■	くろしかく
□	しかく
@	あっとまーく
改行	かいぎょう
スペース	たぶきー

句読点や記号などを音声で入力する際は、その文字を読み上げれば入力できる。例えば、「君の瞳に、乾杯!」という文章なら、「君の瞳に　てん　乾杯　びっくりまーく」と話せばいい。

no.234 辞書機能を利用しよう

iPadOS標準の辞書で言葉の意味を調べる

iPadOSには、辞書機能が搭載されており、選択した単語の意味などをすぐに調べることができる。初期状態では、「スーパー大辞林」、「ウィズダム英和辞典／和英辞典」、「Apple用語辞典」の辞書データが導入されている。その他の言語の辞書データも別途ダウンロードすることで導入が可能だ。

単語を選択して「調べる」をタップ

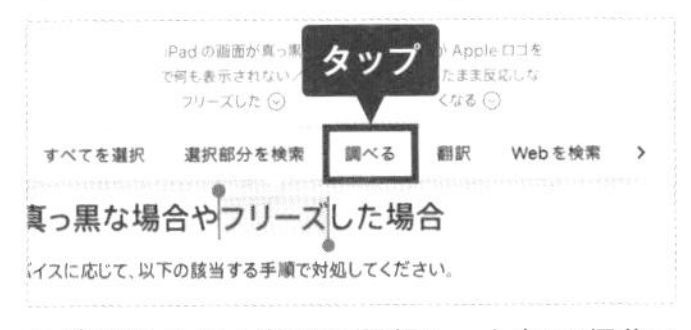

まずは調べたい単語を選択し、上部の編集メニューから「調べる」をタップ。

内蔵辞書の解説などが表示される

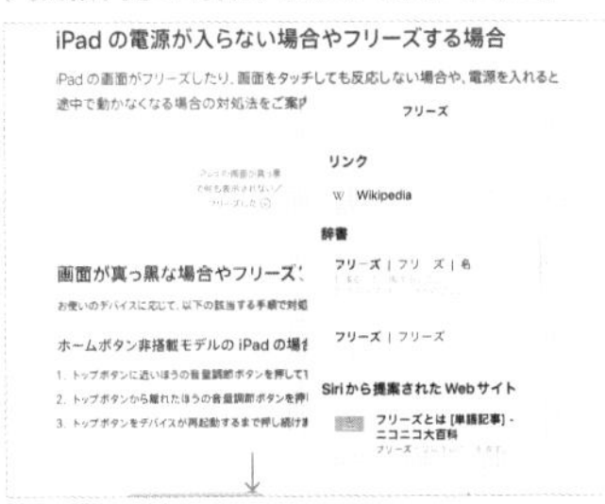

内蔵辞書で選択した単語の解説を確認できる他、WikipediaやWebサイトなど、Siriによって提案された候補も表示される。また「Webを検索」をタップすれば、SafariでGoogle検索が可能だ。

その他の内蔵辞書を追加する

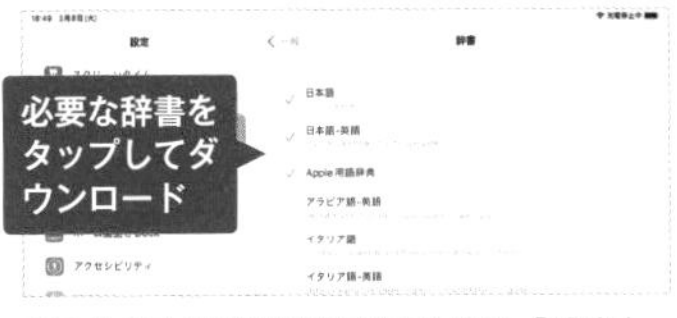

その他の内蔵辞書を追加するには、「設定」→「一般」→「辞書」をタップ。さまざまな言語の辞書を無料で入手できる。

Siriからの提案を非表示にする

「調べる」で表示されるSiriからの提案が不要なら、「設定」→「Siriと検索」→「"調べる"に表示」をオフにしておこう。

no.235 英数字の全角半角を変更する

全角で英数字を入力する

iPadOSでは、各キーボードで英数字を入力した場合、半角文字で入力されるようになっている。これを全角文字にしたい場合は変換候補から全角のものを選べばいい。その他にも、文字キーをロングタップしたり、「全角」キーを利用したりなど、さまざまな方法で全角文字を入力することができる。

文字変換で半角と全角を切り替え

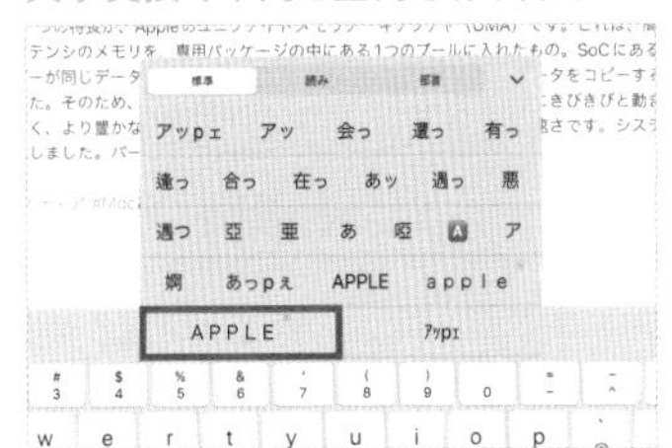

「日本語ローマ字」キーボードで全角英数字を入力したい場合は、一度英数字を入力してから変換候補で全角文字を選択しなおせばいい。

ロングタップでも全角文字を入力できる

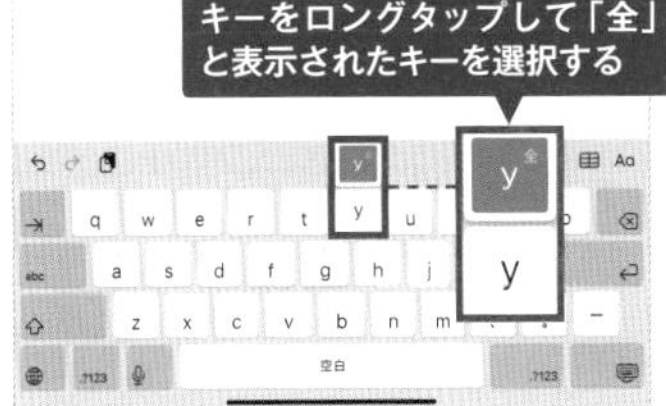

また、キーをロングタップすることで全角文字を入力できる場合もあるので覚えておこう。

英字入力モードの「全角」キーを利用する

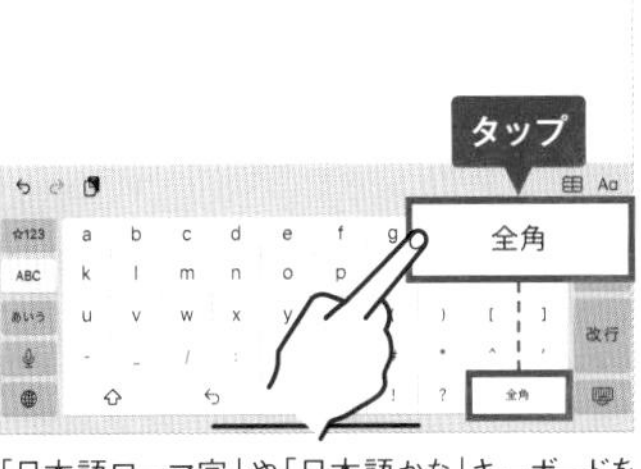

「日本語ローマ字」や「日本語かな」キーボードを英字入力モードに切り替えると、「全角」キーが表示される。これをタップすると、以降入力する文字がすべて全角になる。

no.236 連続で大文字を入力したい時は

すべて大文字で英語を入力する

「英語(日本)」キーボードでは、シフトキー(上矢印キー)を一度タップすると、次に入力した英字のみ大文字で入力することができる。大文字で続けて入力したい場合は、シフトキーをダブルタップしよう。シフトキーがオンのまま固定され、常に大文字で英字入力するようになる。もう一度シフトキーをタップすれば解除され、元のオフの状態に戻る。なお、シフトキーを固定するには、設定で「Caps Lockの使用」がオンになっている必要がある。

「Caps Lockの使用」を有効にする

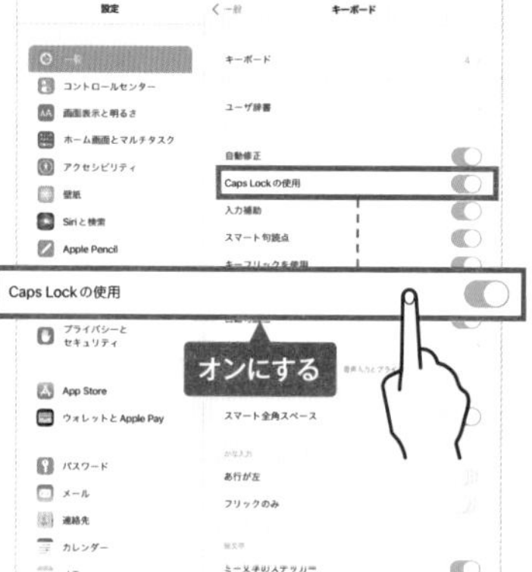

まずは「設定」→「一般」→「キーボード」で「Caps Lockの使用」を有効にする。

シフトキーをダブルタップする

あとはキーボードのシフトキーをダブルタップすれば、連続して大文字が入力可能だ。解除するにはもう一度シフトキーをタップすればいい。

no.237 便利だけど意外と邪魔?

文頭の自動大文字処理をオフにする

iPadの英語キーボードでは、文頭に入力したアルファベットが自動的に大文字になる仕様となっている。英語を頻繁に入力する人なら便利だが、日本語中心のユーザーは逆に使いづらい時もあるだろう。これを解除したい場合は、キーボード設定で「自動大文字入力」を無効にしておけばいい。

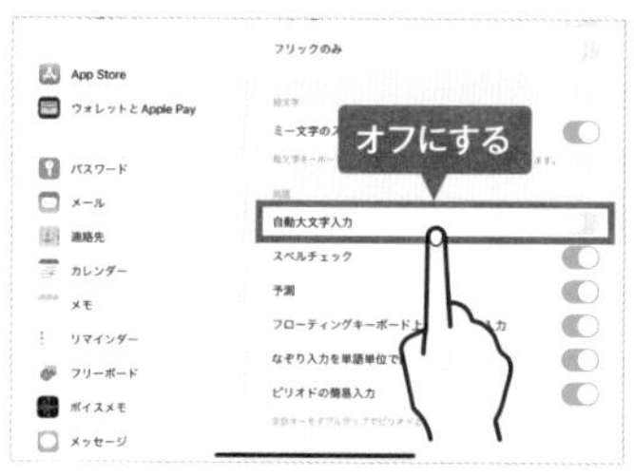

「設定」→「一般」→「キーボード」にある「自動大文字入力」を無効にする。これで文頭のアルファベットが自動で大文字にならなくなる。

no.238 過去の変換履歴を削除したい

キーボードの変換学習をリセットする

文字入力中に変換した語句は、端末内に変換学習の履歴として保存され、再度同じ語句を入力した際に予測変換候補としてすぐ表示されるようになる。そのためiPadを誰かに貸した場合、他人に見られたくない言葉などが予測変換として表示されてしまうことがあるのだ。変換学習の履歴を削除したいなら、以下の方法でリセットしよう。ただし、過去の変換学習履歴もすべて消えるので注意が必要だ。

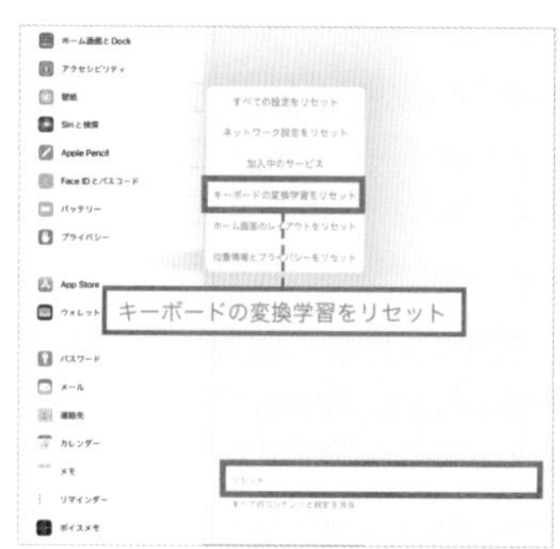

まずは「設定」→「一般」→「転送またはiPadをリセット」→「リセット」をタップ。「キーボードの変換学習をリセット」で過去の変換学習履歴をすべて消すことができる。ちなみに、過去に間違って変換した言葉がいつまでも予測変換に表示されてしまう場合にも、このリセット方法が有効だ。

no.239 カチカチ音を鳴らしたくないなら

キーボードのクリック音をオン／オフする

iPadのキーボードでは、各キーをタップするとクリック音が鳴るようになっている。小さな音だが、周囲が静かな状況だと気になる場合もあるだろう。このクリック音を消すには消音モードにするのが一番手軽だが、通常モードでこの音だけを消したいという人は、サウンド設定の「キーボードのクリック」を無効にしておこう。

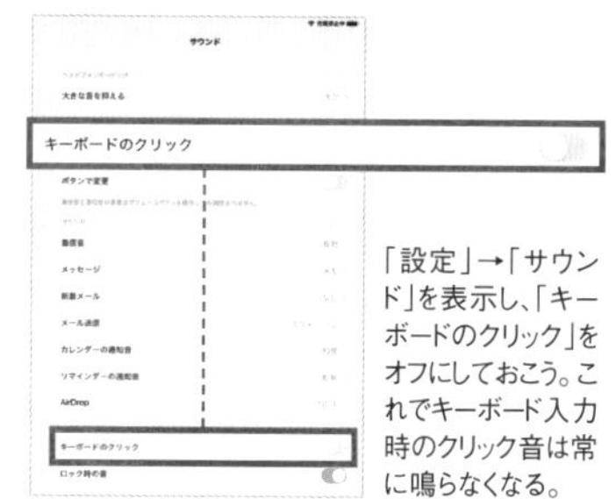

「設定」→「サウンド」を表示し、「キーボードのクリック」をオフにしておこう。これでキーボード入力時のクリック音は常に鳴らなくなる。

no.240 外部キーボードを使う場合の設定

ハードウェアキーボードの設定を行う

iPadでは、Bluetooth接続の外部キーボードを利用することが可能だ。この時、「設定」→「アクセシビリティ」→「キーボード」にあるハードウェアキーボードの項目で、いくつかの設定変更が行える。「キーのリピート」や「複合キー」、「スローキー」などの設定を行って使いやすい状態にしておこう。

外部キーボード利用時の設定を行うには、「設定」→「アクセシビリティ」→「キーボード」を表示しよう。「キーのリピート」では、キーを押し続けた時のリピート間隔を設定できる。「複合キー」では、CommandキーやOptionキーなどの修飾キーを押したままの状態にする機能が設定可能だ。「スローキー」では、キーを入力してから認識するまでの時間を調整できる。

no. 241

表でのセル移動などに使える

タブキーの使い方を覚える

キーボードにはタブキーも搭載されている。タブキーを使えば、テキストの頭位置をタブで揃えたり、表の編集中に次のセルに移動したりなどの操作が手軽に行える。パソコンのキーボードにあるタブキーと同じように使ってみよう。

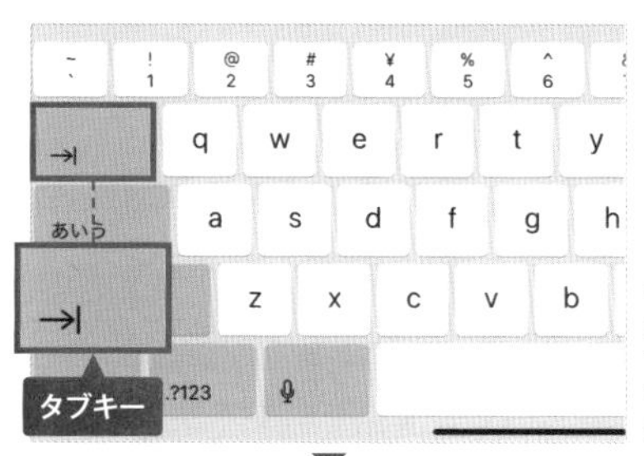

キーボードの左側にタブキーが用意されている。これをタップすればタブが入力可能だ。

出発時に買うもの
オリーブオイル カットフルーツ 肉
サラダ オイルサーディン 水
ジュース

001 002
003 004

文字入力や表作成中にタブキーが使える

タブキーを使えば、テキストの頭位置をタブで揃えることができる。また、表内でタブキーを押せば、次のセルにカーソルを動かすことも可能だ。

no. 242

住所や日付を素早く入力する

文字入力の変換技を覚えておこう

予測変換を使えば、住所や日時などを素早く入力できる。例えば、郵便番号をハイフンなしで入力すれば、該当する住所に変換可能だ。また、「ことし」を変換すれば今年の西暦に、「きょう」を変換すれば今日の日付に変換できる。

日本語キーボードで郵便番号をハイフンなしで入力すると、変換候補に住所が表示されるのだ。

覚えておいたほうがいい変換技

変換技	概要
時間	「1234」と入力すれば「12時34分」や「12:34」に変換できる
日付	「24」と入力すれば「2月4日」や「2/4」に変換できる
西暦・年号	「ことし」「きょねん」「らいねん」「さらいねん」と入力すれば対応する西暦・年号に変換できる
今日、昨日など	「きょう」「きのう」「あした」「あさって」「おととい」と入力すれば対応する日付に変換できる
括弧	「かっこ」と入力すれば色々な括弧に変換できる

no. 243

Apple製の外部キーボードを使ってみよう

Smart Keyboardを利用する

iPadで快適に文章を入力できる最強の外部キーボード

iPadでテキストを快適に入力したいなら、Appleが発売している外部キーボードを別途購入するといい。トラックパッド付きの「Magic Keyboard」と「Magic Keyboard Folio」、iPadの全面カバーとしても使える「Smart Keyboard Folio」、旧機種に対応したシンプルな「Smart Keyboard」がラインナップされている。マグネット方式で脱着でき、ペアリングなどの設定なしですぐに使うことが可能だ。なお、「Magic Keyboard」のトラックパッドを使えば、iPadをノートパソコン感覚で使えるようになる。価格も高いが、本格的な作業を行いたいならオススメだ。

Magic Keyboard
44,800円（税込）から

対応機種
iPad Air（第4世代以降）／12.9インチiPad Pro（第3世代以降）／11インチiPad Pro

Magic Keyboard Folio
38,800円（税込）から

対応機種
iPad（第10世代）

Smart Keyboard Folio
27,800円（税込）から

対応機種
iPad Air（第4世代以降）／12.9インチiPad Pro（第3世代以降）／11インチiPad Pro

Smart Keyboard
24,800円（税込）から

対応機種
iPad（第7~9世代）／iPad Pro（10.5インチ）／iPad Air（第3世代）

no. 244

さまざまな操作をショートカットで快適に実行

Smart Keyboardの便利なショートカット集

コピー&ペーストや取り消し操作もショートカットで操作できる

Smart KeyboardやMagic Keyboardなどを利用している場合、各種キーボードショートカットを利用することができる。例えば、「🌐(地球儀キー)+H」を押せば、どんな状況でもホーム画面に戻ることが可能だ。主なキーボードショートカットは以下のようなものがある。システムやマルチタスクの操作、各アプリのよく使う機能などにショートカットがあるので覚えておこう。

キーボードショートカットを調べる方法

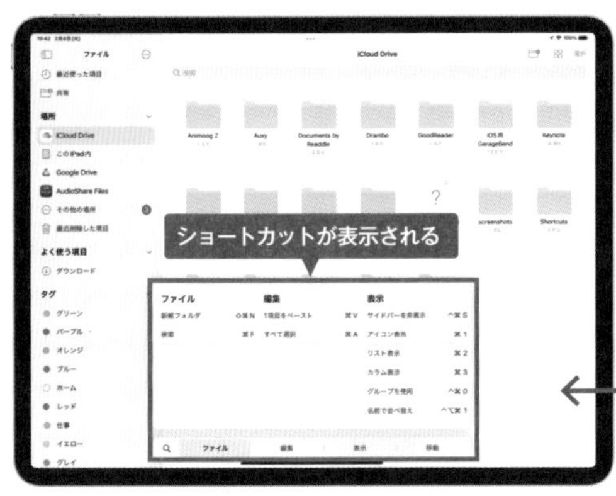

Smart Keyboardなどを接続した状態で、キーボードのcommandキーまたは🌐キーを長押ししてみよう(🌐キー+MでもOK)。画面中央に現在の画面やアプリに応じたキーボードショートカットが表示される。

代表的なキーボードショートカットを覚えておこう

システム関連のショートカット

ショートカット	概要
🌐+H	ホーム画面に移動
command+スペース	検索
command+Tab	Appを切り替える
🌐+A	Dockを表示
shift+🌐+A	Appライブラリを表示
🌐+Q	クイックメモ
🌐+S	Siri
🌐+C	コントロールセンター
🌐+N	通知センター
🌐+M	キーボードショートカットを表示

マルチタスク関連のショートカット

ショートカット	概要
🌐+↑	Appスイッチャー
🌐+↓	すべてのウインドウを表示
🌐+←	前のApp
🌐+→	次のApp
control+🌐+←	ウインドウを左側にタイル表示
control+🌐+→	ウインドウを右側にタイル表示
🌐+¥	Split Overを表示

ステージマネージャ関連のショートカット

ショートカット	概要
🌐+F	フルスクリーン
control+🌐+↑	別のウインドウを追加
command+M	ウィンドウを削除
🌐+@	ステージにある次のウインドウ
command+@	次のAppウインドウ

各アプリで共通のショートカット

ショートカット	概要
command+N	新規作成
command+F	検索
control+command+S	サイドバーを表示

テキスト入力時などの共通ショートカット

ショートカット	概要
command+C	コピー
command+X	切り取り
command+V	貼り付け
command+Z	取り消し
command+A	すべてを選択

メモでの主なショートカット

ショートカット	概要
command+B	ボールド
command+I	イタリック
command+U	アンダーライン
shift+command+T	タイトル
shift+command+H	見出し
shift+command+B	本文
shift+command+L	チェックリスト

Safariでの主なショートカット

ショートカット	概要
command+F	ページを検索
command+G	次を検索
shift+command+G	前を検索
control+TAB	次のタブを表示
shift+control+TAB	前のタブを表示

no. 245

iCloudを使って同期しよう

iPhoneや別のiPadから連絡先データを取り込む

iPhoneやiPadの連絡先データは、iCloudを利用すれば簡単に同期が可能だ。まずは同期元のiPhoneやiPadでiCloudの「連絡先」をオンにしておこう。同期先の端末でも同じようにiCloudの「連絡先」をオンにすれば、自動で連絡先が同期される。複数のiOS端末を持っている人は設定しておこう。

1 iCloudの連絡先をオンにする

まずは同期元の端末で「設定」→Apple ID名→「iCloud」→「すべてを表示」をタップし、「連絡先」をオンにしよう。同期先の端末でも同様に「連絡先」をオンにしておく。

2 すでに連絡先がある場合は結合する

連絡先の同期をオンにした時、すでにiPad内に連絡先が登録されている場合は、上のメッセージが表示される。「結合」をタップしてiCloudの連絡先と結合しよう。

no. 246

「iOSに移行」アプリで簡単転送!

Android端末から連絡先を取り込む

Android端末の連絡先をiPadに移行するには、Apple公式のAndroidアプリ「iOSに移行」を使うのが手軽だ。移行作業は、まずiPadを初期化する必要がある。また、No250で解説しているように、Googleアカウントと同期する方法もある。状況に応じた方法を選択しよう。

1 工場出荷時の状態にリセットする

まずは「設定」→「一般」→「リセット」→「すべてのコンテンツと設定を消去」を実行してiPadを初期化。端末内のデータが必要なら事前にバックアップしておくこと。

2 初期設定画面で移行作業を行う

iPadの初期設定を進め、Appとデータの画面で「Androidからデータを移行」をタップ。iPadで表示される番号をAndroid側の「iOSに移行」アプリに入力して作業を進めよう。

連絡先

no. 247

連絡先アプリの基本的な使い方を覚えておこう

新規連絡先を登録する

ラベルやフィールドなどの項目も自由に編集できる

iPadで連絡先を管理するには、連絡先アプリを利用する。新規連絡先を追加したい場合は、まずサイドバーを表示し、連絡先一覧の画面上部にある「+」ボタンをタップして項目を入力していこう。ふりがなも登録しておけば、連絡先一覧で五十音順にソートされるようになる。既存の連絡先を編集したい場合は、連絡先の詳細を開いて右上の「編集」をタップ。電話やメールアドレスは、「自宅」「iPhone」といったラベルをタップすれば、他のラベルに変更できる。また各項目の「+」ボタンをタップすると、複数の電話番号やメールアドレスを追加可能だ。

1 連絡先アプリで新規連絡先を登録する

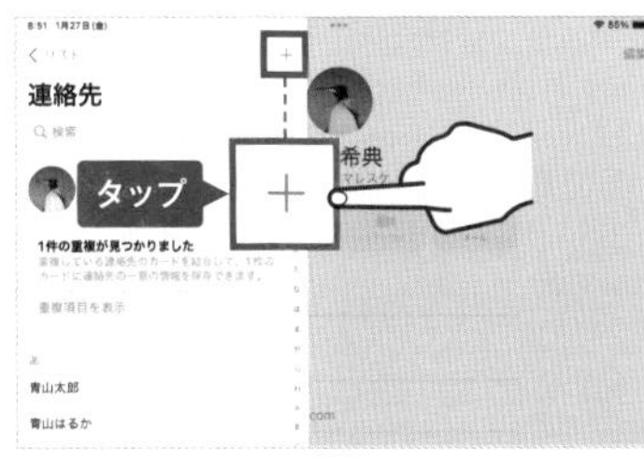

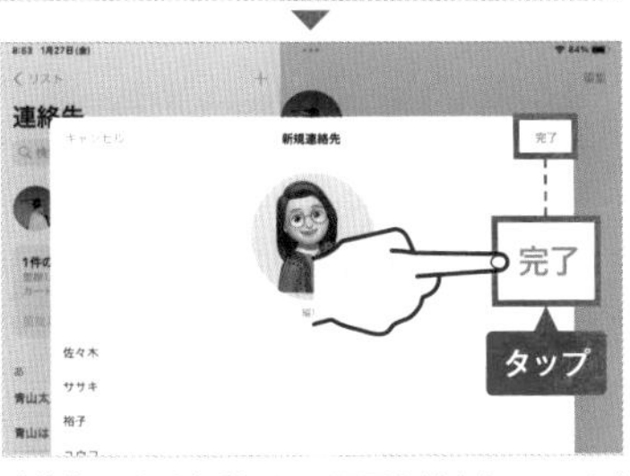

連絡先アプリを起動したら、画面左端を右にスワイプしてサイドバーを表示。連絡先一覧の右上にある「+」ボタンをタップしよう。新規連絡先の作成画面が開くので、名前、ふりがな、電話番号や住所などを入力する。入力が終わったら右上の「完了」で登録完了だ。

2 登録してある連絡先を編集する

サイドバーから登録した連絡先名をタップすれば、その連絡先の詳細が表示される。連絡先の内容を変更するには右上の「編集」をタップすればいい。なお、詳細画面のFaceTimeボタンやメールアドレスなどをタップすれば、すぐ通話やメッセージの送信が可能だ。

no.
248
iCloudの連絡先も消えるので注意
連絡先を削除する

不要な連絡先を削除するには、連絡先アプリを起動してサイドバーから削除したい連絡先を開き、右上の「編集」をタップ。一番下までスクロールして、「連絡先を削除」をタップすればよい。iCloudの連絡先と同期している場合、iCloud側の連絡先も削除されるので注意しよう。削除した連絡先を復元したい場合はNo253を参照。

1 連絡先の編集画面を開く

2 「連絡先を削除」をタップして削除する

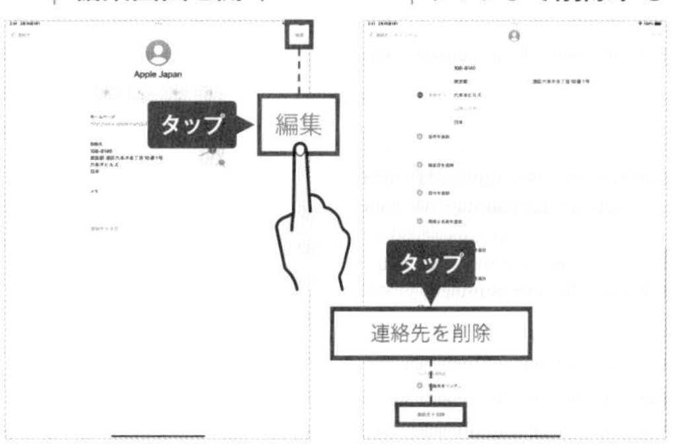

まずは連絡先アプリのサイドバーから削除したい連絡先を選択。連絡先が表示されたら右上の「編集」をタップして編集モードにしよう。

一番下までスクロールし、「連絡先を削除」→「連絡先を削除」をタップ。すると、この連絡先が削除され、同期しているiCloudの連絡先からも削除される。

no.
249
旧姓やニックネームも追加できる
連絡先の登録項目を追加する

連絡先アプリの編集画面では、電話番号や住所、誕生日といった、よく使われる入力項目があらかじめ用意されている。それ以外の項目をさらに追加したい場合は、下の方にある「フィールドを追加」をタップしてみよう。敬称、姓名の発音、ミドルネーム、旧姓、ニックネーム、役職、部署といった項目を新しく追加することが可能だ。

1 編集画面で「フィールドを追加」をタップ

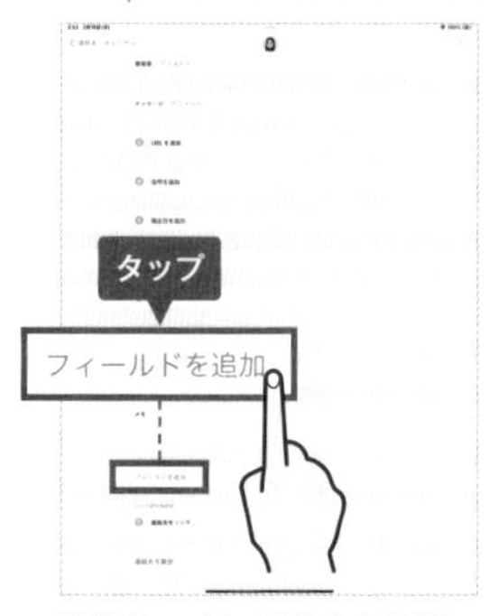

連絡先アプリで連絡先を選択し、右上の「編集」をタップして編集モードにしたら、下の方にある「フィールドを追加」をタップする。

2 追加したい項目をタップする

敬称、姓名の発音、ミドルネーム、旧姓、ニックネーム、役職、部署といった項目が表示される。連絡先に追加したい項目をタップしよう。

連絡先

no.
250
保存先をGoogleに変更する
Googleと連絡先を同期する

Androidスマホを使っているなら、連絡先はiCloudではなくGoogleアカウントで管理したほうが便利だ。まずは「設定」→「連絡先」→「アカウントを追加」→「Google」でGoogleアカウントを追加しておこう。Googleアカウントの「連絡先」をオンにすれば、Googleの連絡先を同期できる。

1 Googleアカウントを追加して連絡先をオン

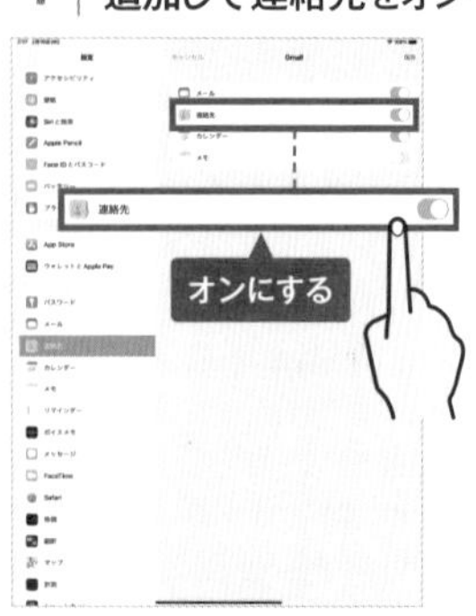

「設定」→「連絡先」→「アカウントを追加」で、「Google」をタップして、Googleアカウントを追加。「連絡先」をオンにすれば同期される。

2 新規連絡先の保存先を「Gmail」に変更

また「設定」→「連絡先」→「デフォルトアカウント」で「Gmail」にチェックしておこう。iPadで作成した連絡先が、Googleアカウントに保存されるようになる。

no.
251
AirDropやメールで送信できる
連絡先を他のユーザーへ送信する

連絡先データを相手に送信するには、相手がiPhoneやiPadであれば「AirDrop」(No112で解説)機能で交換できる。AirDrop非対応のスマホなどと交換する場合は、メールやメッセージで送ろう。または、QRコード作成アプリで連絡先のQRコードを作成して読み取ってもらってもよい。

1 「連絡先を送信」をタップする

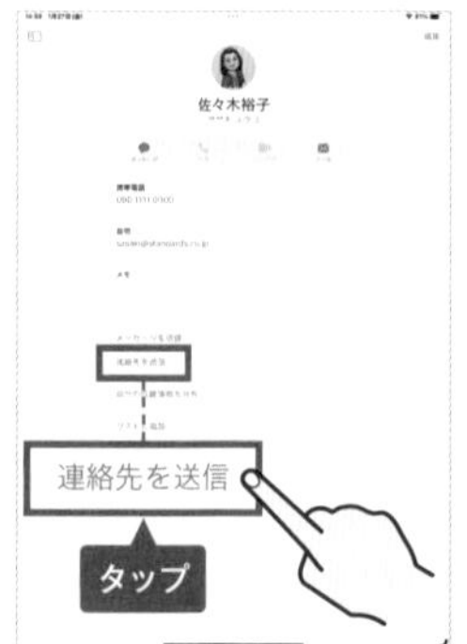

まずは、連絡先アプリで送信したい連絡先の詳細画面を表示する。次に、画面の下の方にある「連絡先を送信」をタップしよう。

2 送信方法を選択する

AirDrop、もしくはメッセージやメールなどから送信方法を選択する。メッセージやメール送信の場合は、連絡先のvcfファイルが添付された状態で送信される。

no. 252

重複は自動で検出される

重複した連絡先を結合する

連絡先アプリに「重複が見つかりました」と表示されたら、「重複項目を表示」をタップしよう。重複が検出された連絡先が表示されるので、内容を確認して「結合」をタップすると、ひとつの連絡先にまとめられる。重複として検出されていない連絡先も、手動で結合が可能だ。

重複が検出された連絡先を結合する

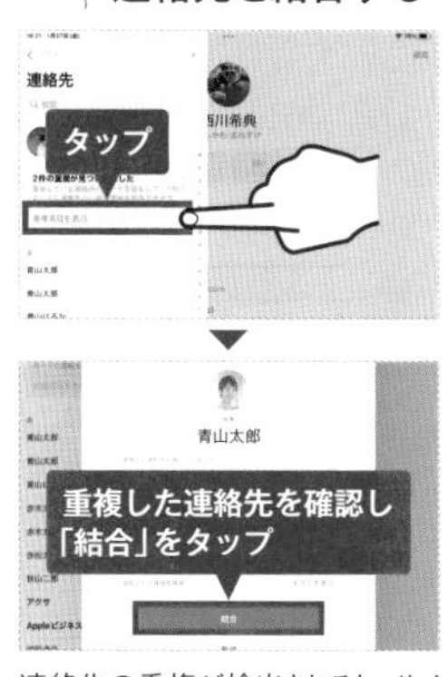

連絡先の重複が検出されると、サイドバーで警告が表示される。「重複項目を表示」をタップして重複した連絡先を確認し、「結合」をタップするとひとつの連絡先にまとめられる。

重複した連絡先を手動で結合する

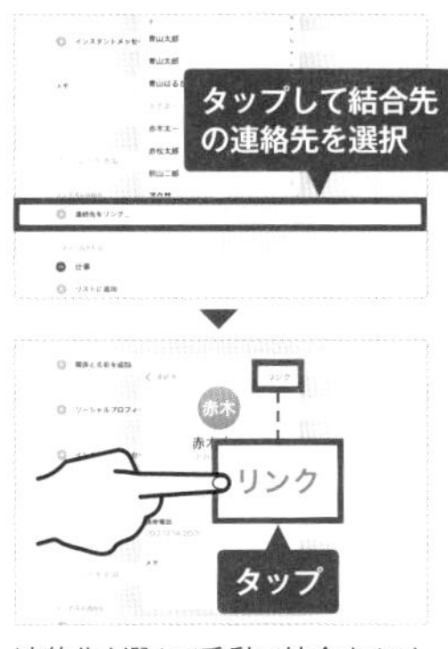

連絡先を選んで手動で結合することも可能だ。一方の連絡先を開いて「編集」→「連絡先をリンク」をタップし、結合したい連絡先を選択。右上の「リンク」をタップすればよい。

no. 253

連絡先はiCloud.comで復元できる

誤って削除した連絡先を復元する

iPadでiCloudの連絡先を誤って削除してしまうと、即座に同期され他のiOSデバイスなどからも消えてしまうが、実はiCloud.comで復元することが可能だ。SafariでiCloud.com(https://www.icloud.com/)にアクセスし、Apple IDでサインイン。下の方にスクロールして「データの復旧」→「連絡先を復元」から復元したいデータを選べばよい。

1 iCloud.comでデータの復旧をタップ

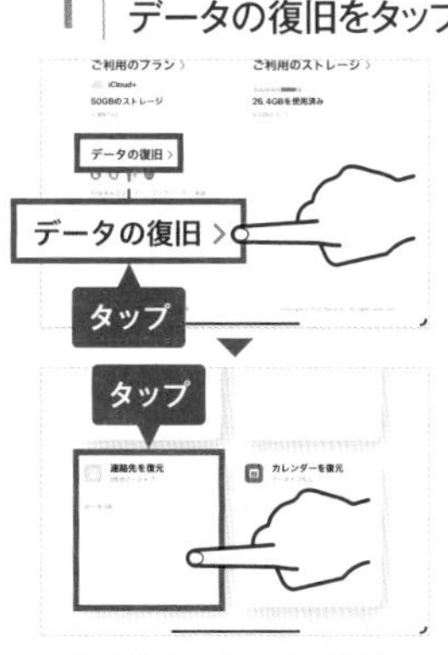

SafariでiCloud.comにアクセスし、Apple IDでサインインしたら、下の方にある「データの復旧」をタップ。続けて「連絡先を復元」をタップする。

2 復元したい日時の「復元」をタップ

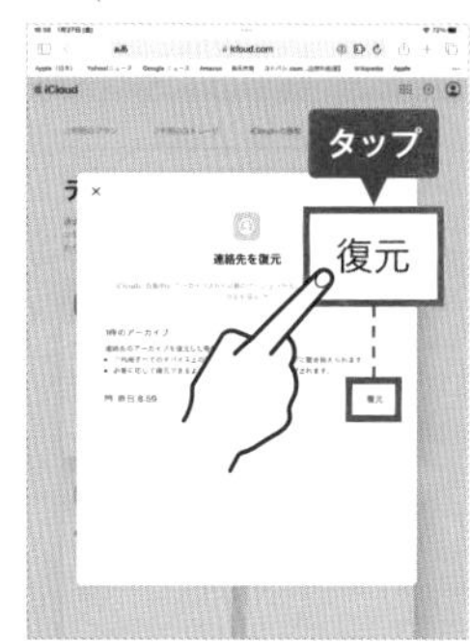

連絡先を復元可能なアーカイブが一覧表示されるので、復元したい日時を選んで「復元」をタップしよう。その時点の連絡先に復元され、削除した連絡先も元通りに戻る。

no. 254

索引をタップでその行に移動

連絡先を素早くスクロールする

連絡先アプリの左欄には、50音/アルファベット順の索引が用意されており、タップすれば素早くその行に移動できる。ただし、連絡先名にふりがなが入力されていないと索引に反映されないので、あらかじめ連絡先にはふりがなを入力しておこう。ふりがななしの連絡先は、索引の一番下「#」行から探すか、または上部の検索欄でキーワード検索すればヒットする。

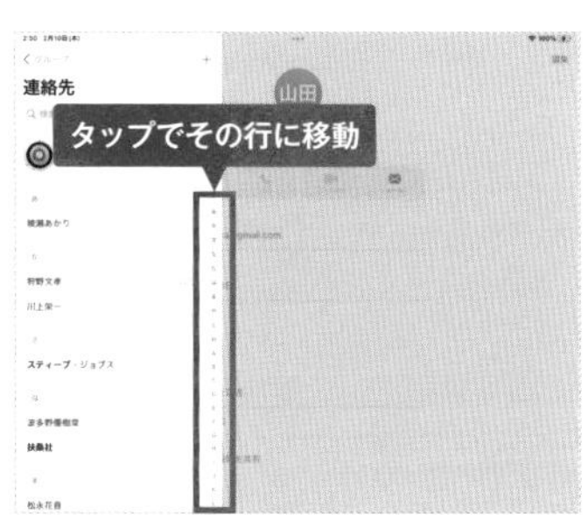

連絡先一覧の右端に表示されている、50音/アルファベット順の索引をタップすれば、その行の連絡先に移動できる。

no. 255

連絡先アプリで個別に変更しよう

連絡先ごとに着信音を設定する

相手によって着信音や通知音を変えたい場合は、連絡先アプリで変更したい相手を選んで「編集」をタップしよう。「着信音」でFaceTime通話の着信音、「メッセージ」でメッセージの通知音を変更できる。着信/通知音は最初からいくつか内蔵されているほか、iTunes Storeから購入したり、自分で好きな曲の着信音ファイルを作成してiTunesで転送することも可能だ。

連絡先アプリで変更したい相手を選び、「編集」をタップ。「着信音」でFaceTime通話の着信音、「メッセージ」でメッセージの通知音を変更できる。

no. 256

新たな連絡先をSiriが自動で判断してくれる

メール本文から未登録の連絡先や予定を検出する

「設定」の「連絡先」→「Siriと検索」にある「連絡先の提案を表示」と、「カレンダー」→「Siriと検索」にある「Appに表示」をオンにしておけば、メール内容から判断された未登録の連絡先やイベントが候補として検出され、通知として表示されるようになる。これをタップすれば、素早く連絡先アプリやカレンダーアプリに連絡先やイベントを登録することが可能だ。

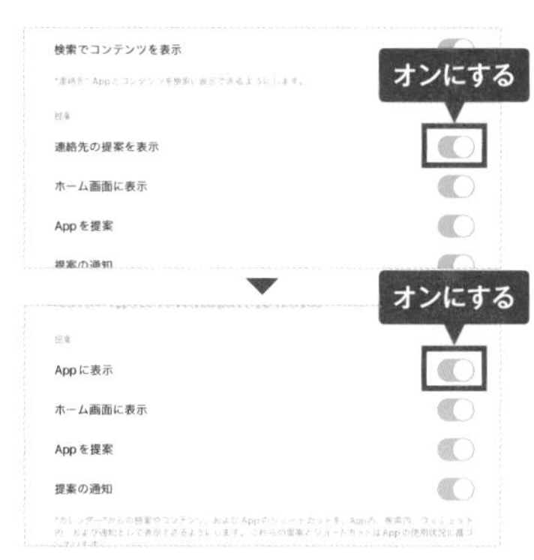

no. 257

連絡先をカテゴリ別のリストで整理

リスト機能で連絡先をグループ分けする

仕事や友人などのリストで分類して連絡先を整理しよう

連絡先の数が多いと目的の連絡先を探し出すのも一苦労だ。リスト機能を活用して連絡先をグループ分けし、しっかり整理しておこう。リスト内の連絡先を宛先に、メールで一斉送信することもできる(No295で解説)ので、仕事相手やサークル仲間の連絡先などをリストにまとめておくと便利だ。なお、リストは連絡先アプリのリスト一覧画面から作成できるが、iCloud.com の「連絡先」→「+」→「新規グループ」でも作成できる。大量の連絡先をリストに振り分けるなら、パソコンのWebブラウザで作業したほうが早い(No258で解説)。

1 「リストを追加」をタップ

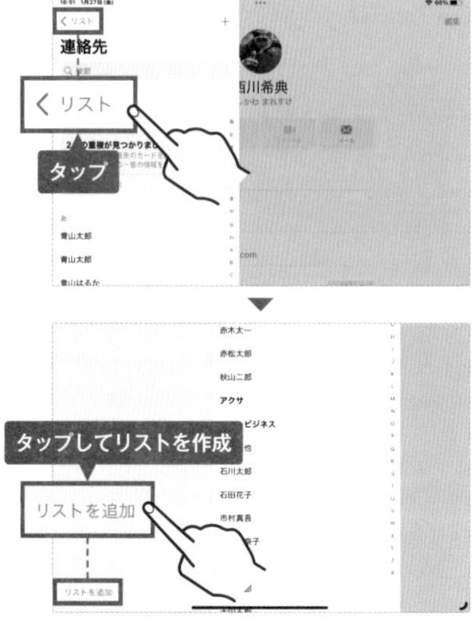

連絡先アプリの左上のボタンで連絡先一覧を開き、さらに「リスト」をタップするとリスト一覧が開く。左下の「リストを追加」から「仕事」や「友人」といったリストを作成しよう。

2 リストに連絡先を追加する

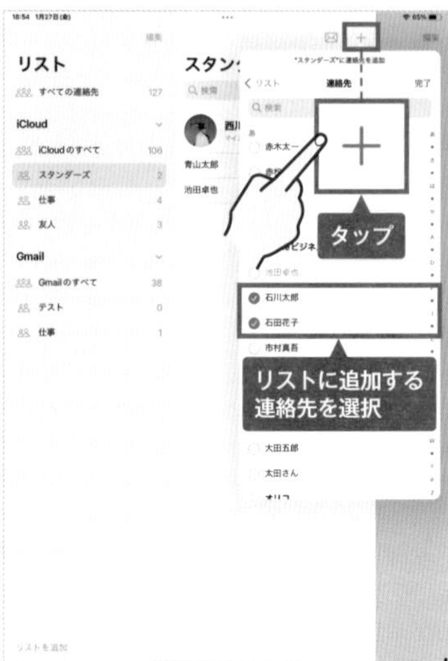

作成したリストをタップして開き、右上の「+」ボタンをタップ。このリストに振り分けたい連絡先にチェックを入れて、右上の「完了」ボタンをタップすれば追加できる。

連絡先

no. 258

ブラウザでiCloud.comにアクセスしよう

パソコンを使って連絡先を登録、編集する

複数の連絡先の追加や削除を素早く行える

No245で解説したように、iPadの「設定」→Apple ID名→「iCloud」→「すべてを表示」→「連絡先」をオンにしておけば、連絡先がiCloudで同期されるようになる。この場合、iCloud.com (https://www.icloud.com/)でも連絡先データの閲覧、編集が可能だ。新規に多数の連絡先を入力したいときは、パソコンのWebブラウザで効率的に作業するのがオススメ。ちなみに、連絡先を削除したい場合、連絡先アプリだとひとつずつ編集画面を開いて個別に削除する必要があるが、iCloud.com上なら複数の連絡先を選択してまとめて削除できる。

1 パソコンのブラウザでiCloud.comにアクセス

パソコンのWebブラウザでiCloud.comにアクセスし、iPadと同じApple IDでサインイン。アプリ一覧から「連絡先」をクリックすると、連絡先が一覧表示される。連絡先の新規作成や編集内容などは、すぐにiPadの連絡先にも反映される。

2 複数の連絡先をまとめて削除する

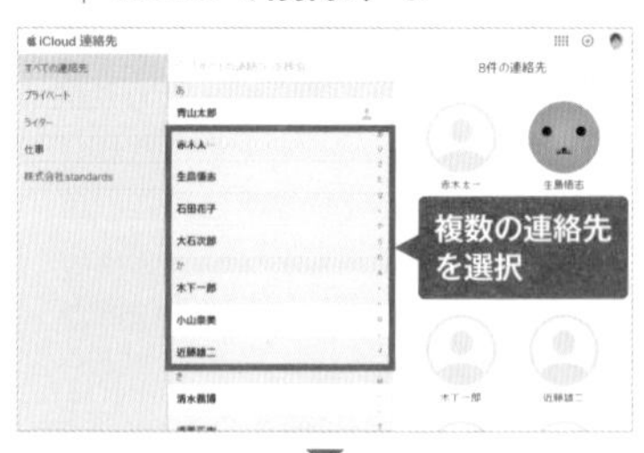

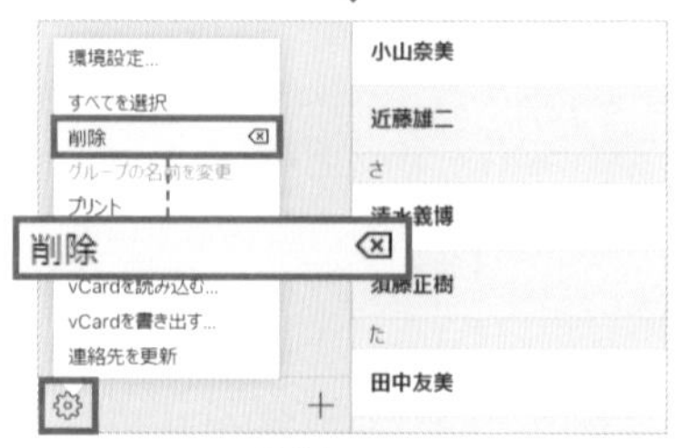

iCloud.comの連絡先画面では、ShiftやCtrl(macOSではcommand)キーを使って連絡先を複数選択し、左下の歯車ボタンから「削除」を選ぶか、Back Space(macOSではdelete)キーを押すことで、連絡先をまとめて削除できる。

no. 259

標準で利用できる無料通話アプリ

FaceTimeで音声通話、ビデオ通話を利用する

Wi-Fiでもモバイル回線でもどちらでも通話できる

iPadには、ネット回線を通じて無料でビデオ通話や音声通話ができる、「FaceTime」アプリが標準で用意されている。Appleデバイス同士での通話はもちろん、一部の機能が制限されるがWindowsやAndroidユーザーともWebブラウザ経由で通話できるので(No272で解説)、オンラインミーティングなどに活用しよう。映像や音声も高品質で、他の無料通話アプリ以上の快適さを体験できる。もちろん、Wi-Fi+Cellularモデルなら、モバイルデータ通信を使って外出先でも通話が可能だ。なお、Appleデバイス同士で通話する際の宛先は、Apple IDのアドレスや、iPhoneの電話番号、またはApple IDと関連付けたメールアドレスになる。

FaceTimeの設定を行っておこう

1 発着信用のアドレスを確認する

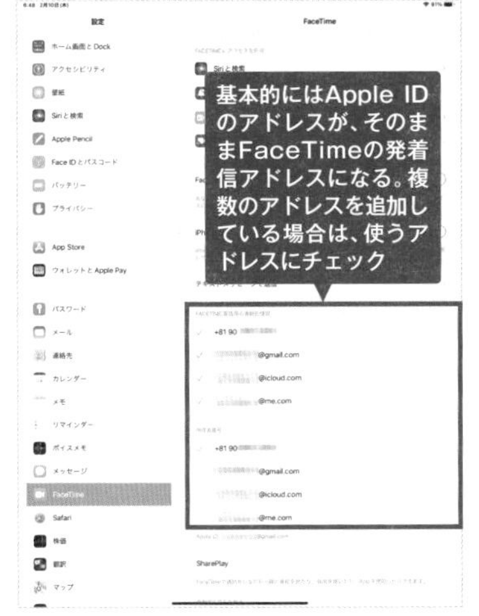

「設定」→「FaceTime」をタップ。Apple IDでサインインしており、「FaceTime」のスイッチがオンなら、FaceTimeを利用できる。「FACETIME着信用の連絡先情報」でFaceTime着信用、「発信者番号」で発信用のアドレスを確認しよう。

2 他の発着信アドレスを追加する

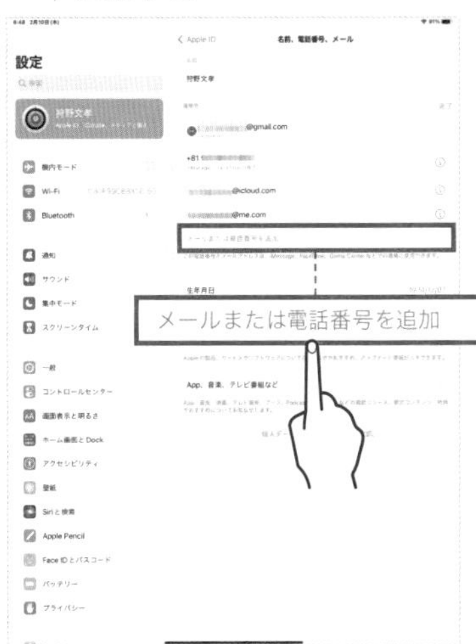

Apple ID以外の発着信アドレスを追加するには、「設定」からApple ID名を開き、「名前、電話番号、メール」→「編集」をタップ。「メールまたは電話番号を追加」をタップすれば、FaceTimeやiMessageで使えるアドレスを追加できる。

使いこなしヒント

FaceTimeの通話履歴から発信する方法

一度通話した相手は、FaceTimeアプリの最初の画面で履歴が表示される。履歴をタップすれば、前回と同じ通話方法で発信が可能だ。発信方法を変えたい場合は、「i」ボタンをタップして詳細を表示し、FaceTimeの各種ボタンをタップしよう。

FaceTimeでビデオ／音声通話を行う

1 FaceTimeを発信する

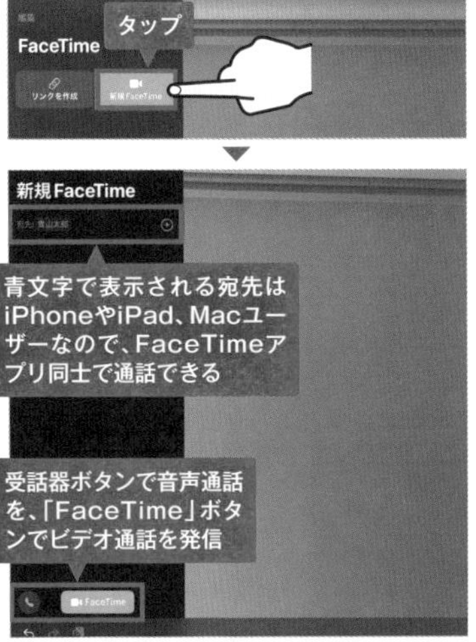

FaceTimeアプリを起動し、Appleデバイス同士で通話する場合は「新規FaceTime」をタップして宛先を入力する。青文字で表示される宛先なら相手もAppleデバイスだ。受話器ボタンで音声通話を、「FaceTime」ボタンでビデオ通話を発信できる。

2 FaceTimeビデオの通話中の操作

ビデオ通話中は右下に自分の映像がタイル表示される。画面内を一度タップすると、画面左下に通話相手の名前や、スピーカー、ミュート、カメラオフ、画面共有、通話終了ボタンが表示される。

no. 260

FaceTimeの着信を使いこなす

通話中にかかってきた着信に応答する

FaceTime通話での着信があると画面上部にバナーが表示されるので、緑色の応答ボタンをタップすると応答できる。もし、FaceTimeの通話中に別の相手から着信があった場合は、新たな着信を「拒否」して今の通話を続けるか、今の通話を「終了して応答」するかを選ぶことができる。

1 通常の着信に応答する場合

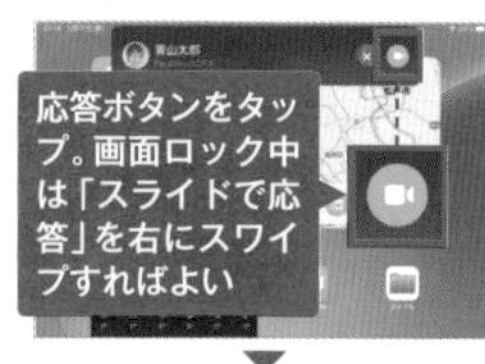

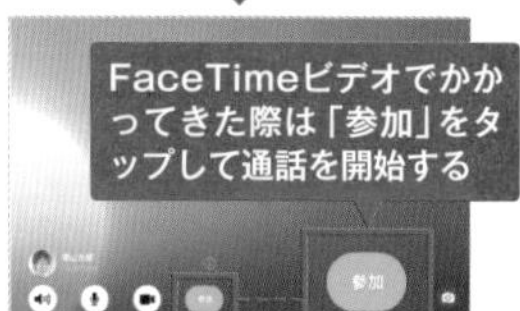

FaceTimeの着信があると上部にバナーが表示されるので、緑色の応答ボタンをタップ。FaceTimeビデオの着信時はさらに「参加」をタップすると応答できる。

2 通話中の着信に応答する場合

通話中に別の着信があった場合、上のような着信画面が表示される。「拒否」で着信を拒否し、「終了して応答」で今の通話を終了して着信に応答することが可能だ。

no. 261

FaceTimeとメッセージを拒否

FaceTimeの着信拒否を設定する

FaceTimeで特定の相手からの着信を拒否したい場合は、FaceTimeアプリの通話履歴から「i」をタップして連絡先の詳細を開き、下の方にある「この発信者を着信拒否」をタップすればよい。なお、この着信拒否設定は「設定」→「FaceTime」→「着信拒否した連絡先」でも管理可能だ。

1 拒否したい相手の連絡先詳細を開く

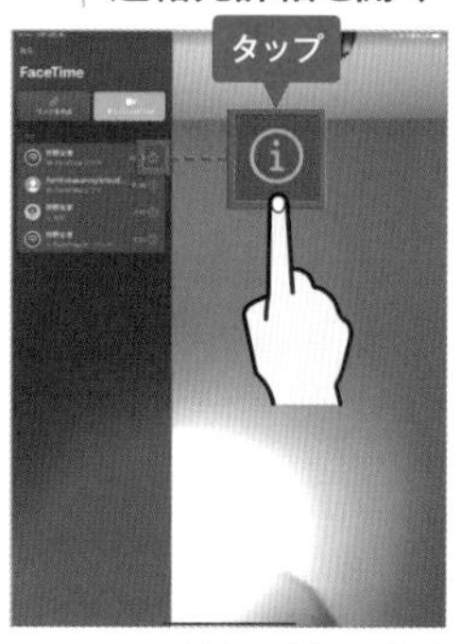

FaceTimeで過去に着信した相手は着信拒否することができる。まずはFaceTimeアプリを起動し、通話履歴から拒否したい相手の「i」ボタンをタップしよう。

2 「この発信者を着信拒否」で拒否する

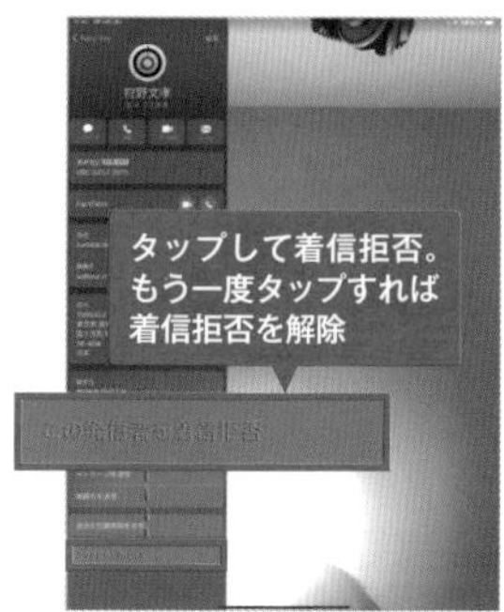

下の方にある「この発信者を着信拒否」→「連絡先を着信拒否」をタップ。着信拒否した相手は、「設定」→「FaceTime」→「着信拒否した連絡先」で管理できる。

no. 262

定型メッセージで応答できる

FaceTimeに応答できない際はメッセージで返信する

FaceTimeの着信中にすぐ応答できない時は、着信画面の「メッセージを送信」をタップしよう。「現在電話に出られません。」といった定型文があらかじめ用意されており、タップするだけでメッセージで送信できる。「カスタム」をタップすれば任意のメッセージを送ることも可能だ。

1 FaceTimeの通知をタップする

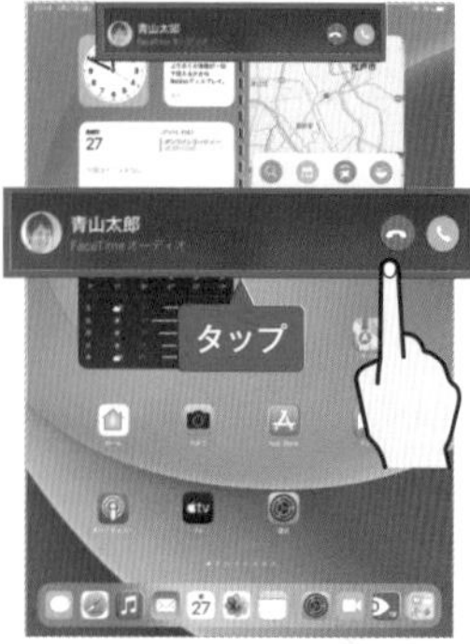

FaceTimeの着信中は、画面上部にバナーが表示される。着信に応答できないことをメッセージで伝えたい場合は、このバナー表示部分をタップしよう。

2 「メッセージを送信」で定型文を送信

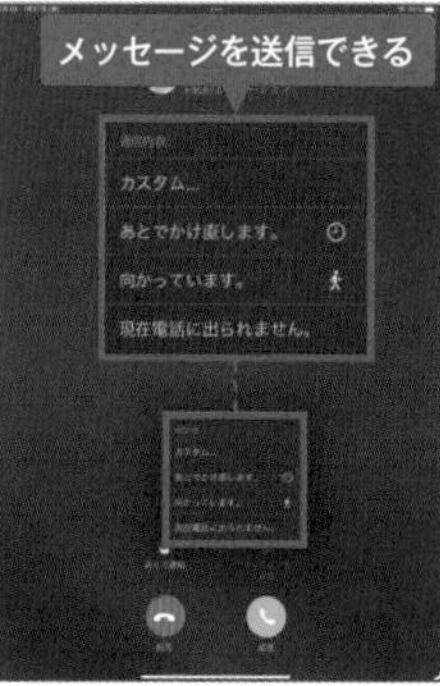

全画面で着信画面が表示されるので、「メッセージを送信」をタップ。あらかじめ用意された定型文をタップすればすぐに送信される。定型文は編集も可能だ(No263で解説)。

no. 263

設定で好きな定型文に変更できる

「メッセージを送信」の定型文を編集する

No262で解説したように、FaceTimeの着信中に「メッセージを送信」をタップすれば、定型文でメッセージを送信できる。この定型文は自分で好きな内容に変更することも可能だ。「設定」→「FaceTime」→「テキストメッセージで返信」をタップし、デフォルトの定型文を書き換えよう。

1 「テキストメッセージで返信」をタップ

FaceTimeの「メッセージを送信」で送信できる定型文を編集するには、まず「設定」→「FaceTime」→「テキストメッセージで返信」をタップ。

2 不要な定型文の内容を書き換える

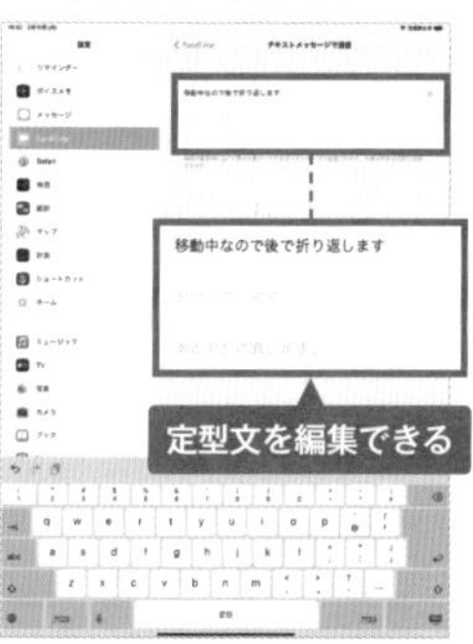

デフォルトの定型文から不要なものを選び、好きなメッセージに書き換えよう。書き換えたテキストが「メッセージを送信」の定型文として表示されるようになる。

no.264

あとで通知するようリマインダー登録

応答できない際は「あとで通知」を利用する

FaceTime通話に今は応答できないが、あとで忘れずに折り返しかけ直したいときは、着信画面で「あとで通知」をタップしよう。「ここを出るとき」や「1時間後」に通知するよう、リマインダーに登録した上で応答を拒否できる。通知するタイミングはリマインダーアプリで編集可能だ。

1 「あとで通知」をタップする

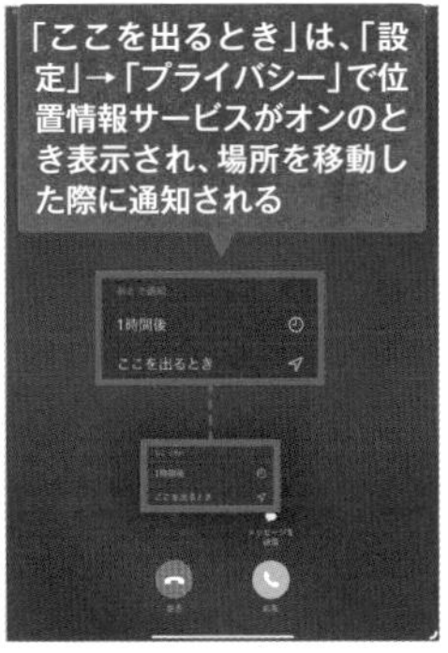

FaceTimeの着信画面で「あとで通知」をタップすると、「ここを出るとき」や「1時間後」に通知するよう、リマインダーに登録した上で応答を拒否できる。

2 リマインダーアプリで確認する

「リマインダー」アプリを起動すると、「あとで通知」で登録したタスクが作成されているはずだ。タスクを選択して「i」ボタンで詳細を開けば、場所や日時を変更できる。

no.265

自分の映像に特殊効果を付ける

FaceTimeの画面にエフェクトを加える

2018年モデル以降のiPad Proをはじめとする一部機種では、FaceTimeのビデオ通話中にカメラエフェクトが利用可能だ。自分のタイル(映像枠内)にあるエフェクトボタンをタップしてみよう。ミー文字、フィルタ、テキスト、図形などのボタンからエフェクトを適用することができる。

1 自分の映像にある左下ボタンをタップ

FaceTimeのビデオ通話中に画面をタップし、自分の映像をタップ。自分の映像部分の左下にあるボタンをタップしよう。すると、各エフェクト用のボタンが表示される。

2 エフェクトが適用される

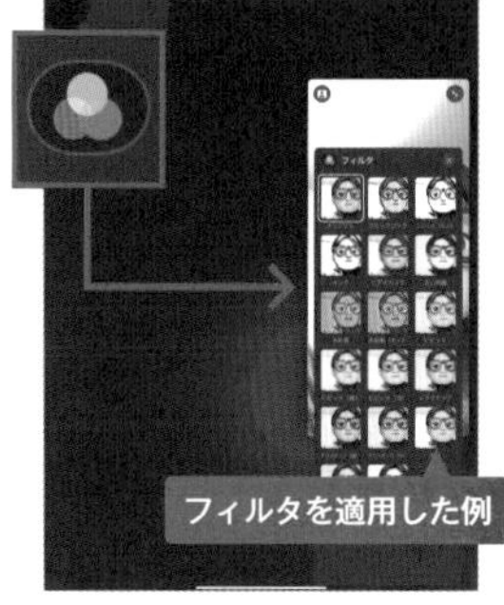

ミー文字、フィルタ、テキストなどの各エフェクトのボタンをタップして効果を適用してみよう。これで自分側の映像にエフェクトが適用される。

no.266

自分の顔にピントを合わせられる

ビデオ通話中の背景をぼかす

被写界深度コントロールがサポートされている一部のiPadでは、ビデオ通話時にポートレートモードが使える。カメラアプリのときと同じように、背景を自動的にぼかして自分にピントを合わせることが可能だ。ビデオ通話時にあまりくっきりと背景を映したくない、といったときに使ってみよう。

ビデオ通話中に自分のタイル(自分の映像)をタップしたら、タイル左上のボタンをタップ。ポートレートモードに切り替わり、背景がぼけるようになる。

no.267

一時的に自分の声を消音したいときは

スピーカーやミュートを利用する

FaceTimeの通話中に表示できるFaceTimeコントロールには、いくつかのボタンがある。スピーカーボタンでは、現在音声を出力しているデバイスを確認可能だ。また、マイクボタンでは、こちらの音声を一時的にミュートして相手側に聞こえないようにできる。再びタップすれば元に戻すことが可能だ。

マイクボタンをタップすれば、こちらの音声がミュートになる。スピーカーボタンを押すと、現在音声出力しているデバイスが表示される。

no.268

自分の顔を映したくないときに

カメラを一時的にオフにする

ビデオ通話時に、FaceTimeのメニューにあるカメラボタンをタップすると、自分側の映像をオフにすることが可能だ。再びカメラボタンを押せばカメラがオンになる。一時的に自分の顔を映したくないときなどに使ってみよう。なお、カメラをオフにしても音声はそのまま相手に伝わっている。

ビデオ通話中にFaceTimeコントロールにあるカメラボタンをタップすると、こちらの映像だけがオフになり、音声だけで通話することができる。

no. 269

顔を隠したい時にも使える

FaceTimeでミー文字やステッカーを使う

FaceTimeのエフェクトは、ミー文字にも対応している。顔認識技術により、口の動きや表情、顔の向きに応じてミー文字も変化するので、顔を隠しながら自然な会話が可能だ。ただし、状況によってはミー文字が外れてしまうので、完全に顔を隠せるわけではない。また、ステッカーがあらかじめ導入されていれば、顔の周りに貼り付けることもできる。

1 ミー文字やステッカーを適用

FaceTimeのカメラエフェクトからミー文字やステッカーを適用した例。ステッカーは顔に貼り付いたような形で位置が動き、大きさや角度なども変えられる。

2 発信時にあらかじめミー文字を使う

こちらから発信する場合、発信画面で相手が出るまでにエフェクトを適用しておけば、最初からミー文字を使うことができる。顔を隠したいときに便利。

no. 270

グループFaceTimeを利用する

複数人で同時通話を行う

FaceTimeでは、複数人での通話を同時に行える「グループFaceTime」が利用可能だ。FaceTimeを起動して「新しいFaceTime」をタップしたら、宛先欄の「＋」ボタンで通話相手を複数追加してから発信してみよう。なお、通話中に左下のメニューから通話相手の名前をタップし、開いたメニューの「参加者を追加」から別の参加者を追加することもできる。

1 複数の参加者を追加して通話開始

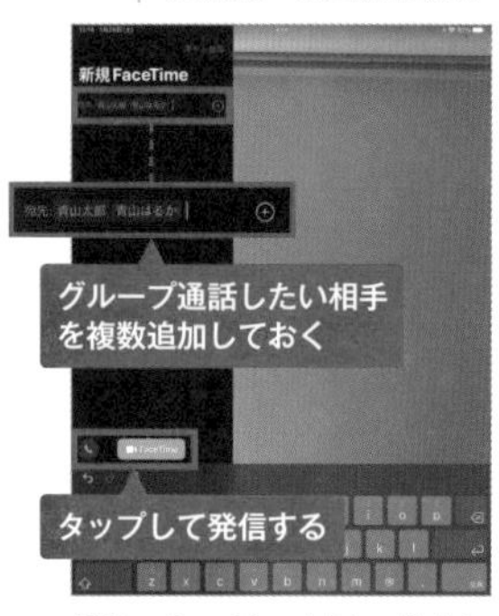

「新しいFaceTime」をタップしたら、宛先の「＋」ボタンをタップして、グループ通話に誘う相手を複数人追加しておく。画面下の通話ボタンをタップして発信しよう。

2 グループ通話が開始される

グループ通話中には、相手の画面が複数表示され、状況に応じて大きさや位置が可変する。ビデオ通話だけでなく、オーディオのみのグループ通話も可能だ。

no. 271

FaceTime中にURLや写真を送信

通話中にメッセージをやり取りする

FaceTimeの通話中に、WebサイトのURLや写真などを相手に送りたくなった場合は、FaceTimeからメッセージアプリを起動しよう。FaceTimeの画面がピクチャ・イン・ピクチャ機能で小さくなり（No277で解説）、メッセージアプリが起動。通話しながらメッセージをやり取りすることが可能だ。

1 FaceTime通話中にメッセージをタップ

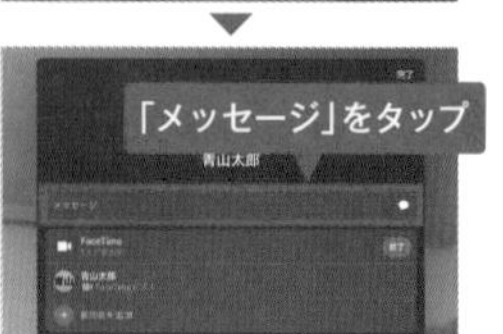

FaceTimeで通話中に相手にメッセージを送りたい時は、左下のメニューから通話相手の名前をタップし、開いたメニューから「メッセージ」をタップすればよい。

2 メッセージアプリが起動する

FaceTimeの画面がフローティング状態になり、通話を維持しながら、メッセージアプリが起動する。フローティング画面はドラッグで位置を変更することが可能だ。

no. 272

リンクを作成して通話に招待する

AndroidやWindowsとも通話する

FaceTimeの「リンクを作成」機能を使うと、FaceTime通話用のリンクが発行される。このリンクをメールやメッセージなどで相手に伝えておけば、誰でもFaceTimeの通話に参加が可能だ。Apple製端末やApple IDをもっていない人でもWebブラウザさえあれば通話できるので、AndroidやWindowsユーザーを通話に誘いたいときにも使える。

1 リンクを作成をタップする

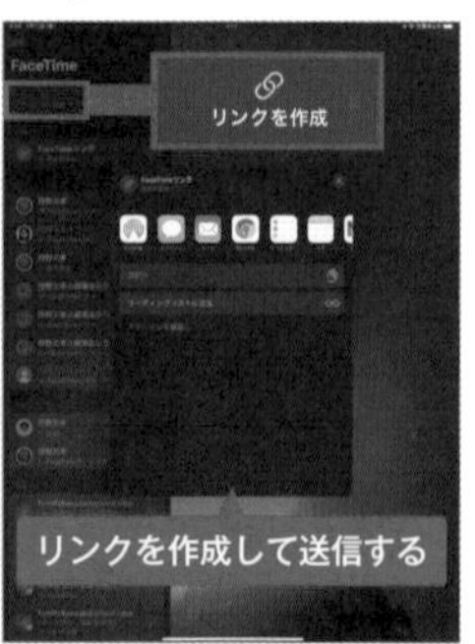

FaceTimeを起動して「リンクを作成」をタップ。招待したい相手にリンクを伝えておこう。なお、このリンクを複数人に伝えておけば、グループ通話への招待も可能だ。

2 相手側はブラウザで通話できる

リンクを受け取った相手側は、WebブラウザでFaceTimeの通話が行える。通話開始前に自分の名前を入れて「続ける」をタップして、通話に参加してみよう。

no. 273

FaceTime中にSharePlay機能を使おう

動画や音楽を一緒に楽しみながら通話する

Apple TVやApple Musicを同時に視聴できる

FaceTimeには、通話中の相手と会話しながら、同じ動画や音楽を再生できるSharePlay機能が搭載されている。再生タイミングは全員同期されるので、同時に同じ瞬間を見たり聞いたりしながら、感想を言い合えるのが特徴だ。友だちや家族でウォッチパーティーをしたいときに使ってみよう。なお、SharePlayはApple TVやApple Musicなどの対応アプリのみで利用できる。また、再生するコンテンツによっては、参加者全員がサブスクリプションへの登録、または再生する項目を購入している必要がある。全員参加できるかを事前に確認しておこう。

1 対応アプリでSharePlayを選択

ミュージック(Apple Musicの登録が必要)の場合は、アルバムなどを開き「…」→「SharePlay」をタップ。宛先を入力し、メッセージを送信するかFaceTimeで発信すると、Apple Musicの曲を相手と同時に楽しめる。

2 SharePlayを終了する

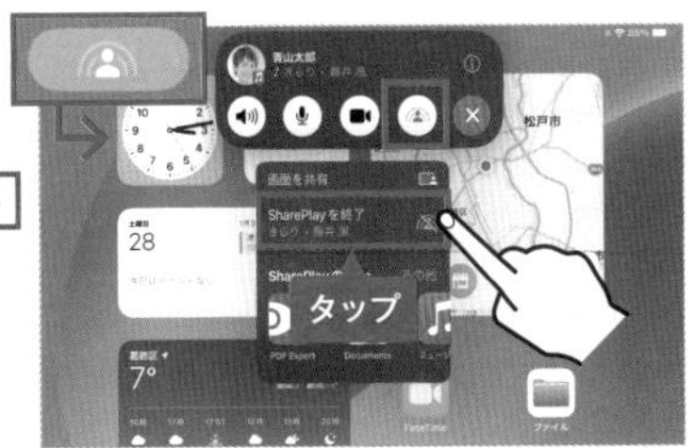

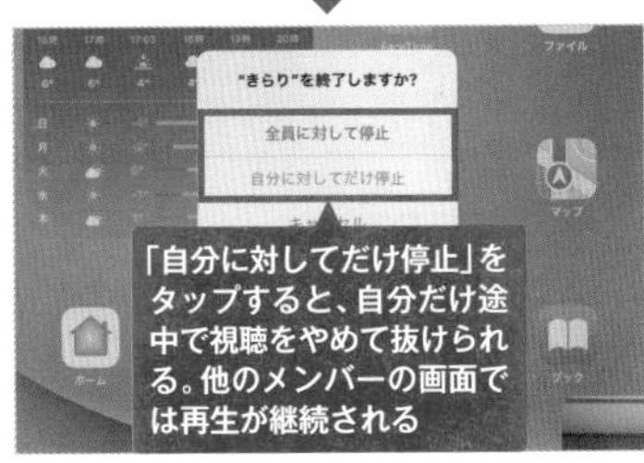

ステータスバーの緑色のアイコンをタップするとメニューが表示される。SharePlayを終了したい時は、SharePlayボタンをタップし、続けて「SharePlayを終了」をタップ。全員に対して再生を停止するか、自分だけ停止するかを選択できる。

no. 274

オンラインミーティングに欠かせない画面共有機能を使う

書類やアプリの操作画面を共有する

自分の画面を相手に見せたり、相手の画面を見ることもできる

FaceTimeでは、通話中に自分の画面を相手に見せたり、相手の画面を自分に見せてもらうことができる。オンラインミーティングで資料を見ながら議論したり、友だちと同じ地図を見ながら旅行の計画を立てる際などに活用しよう。FaceTimeビデオだけでなく、FaceTimeオーディオの通話中に画面を共有することも可能だ。画面を共有する側は、まず共有したい画面やアプリを表示しておき、ステータスバーの緑色のボタンをタップ。表示されたメニューから「画面を共有」をタップすると、カウントダウン後に自分の画面が相手に表示されるようになる。

1 自分の画面を相手に共有する

FaceTimeビデオやオーディオの通話中に共有したい画面を表示し、ステータスバーの緑色のボタンをタップ。表示されたメニューで画面共有ボタンをタップして「画面を共有」をタップすると、自分の画面が相手に表示される。

2 相手から画面を共有された場合

FaceTime通話中に相手から画面を共有されると、このように、相手が表示中の画面が自分の画面に表示されるようになる。打ち合わせの資料を見せたり、旅行のルートを一緒に確認する場合などに利用しよう。

no. 275 通話中のノイズを抑えたいときなどに便利

マイクモードを変更する

FaceTime起動中にコントロールセンターを開き、「マイクモード」をタップすると、マイクモードを変更することができる。「通常」は一般的な通話用のモード、「声を分離」は周辺のノイズを抑えて声だけを拾うモード、「ワイドスペクトル」は、周りの環境音や音楽などを聞かせたいときに使うモードとなる。

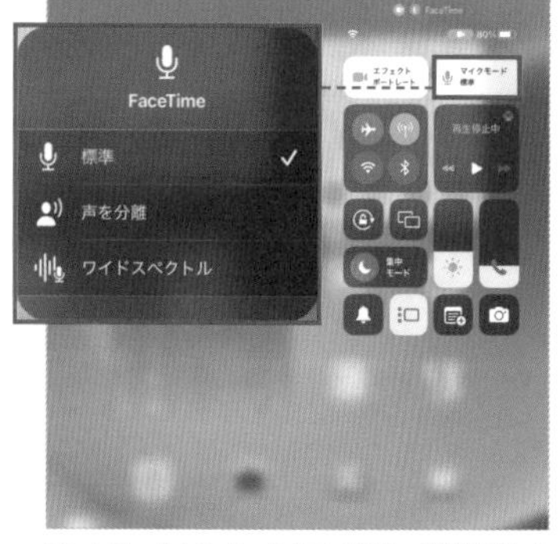

コントロールセンターからマイクモードを選択しよう。なお、この機能はFaceTime以外のLINEやZOOMなどの通話系アプリでも利用可能だ。

no. 276 ボタンを押すだけで消音される

FaceTimeの着信音を即座に消す

会議中や電車内など、応答できない状況でFaceTimeの着信音が鳴ってしまった場合は、慌てずに電源／スリープボタン、または音量ボタンの上下どちらかを押そう。即座に着信音を消すことができる。ただし、この状態では着信自体を拒否したわけではなく、まだ相手からの着信が続いている。「メッセージを送信」（No262で解説）や「あとで通知」（No264で解説）で応答を拒否するか、または電源／スリープボタンを2回押せばすぐに応答を拒否できる。

no. 277 ホームボタンを押して画面を小型化

ビデオ通話を行いながら他のアプリを利用

FaceTimeのビデオ通話中にホーム画面に戻ると、FaceTimeの画面が小型化し、通話を継続しながらWeb閲覧やメール確認ができる（ピクチャ・イン・ピクチャ機能）。小型化した画面は自由に移動や拡大縮小ができるほか、画面をタップすれば元のFaceTime画面に戻ることが可能だ。

ビデオ通話中にホーム画面に戻ると、FaceTime画面が小さくフローティング状態で表示される。ドラッグで移動したり、ピンチイン／アウトで自由なサイズに変更可能だ。画面自体をタップすれば、元のFaceTime通話画面に戻る。

no. 278 FaceTime通話中の映像を保存

相手端末のカメラでLive Photosを撮影

FaceTimeの通話中に、画面右のシャッターボタンをタップすると、前後1.5秒の映像を記録するLive Photosを撮影できる。相手の映像を保存したいときに使ってみよう。なお、シャッターをタップした際は、相手側の画面にも「FaceTime写真を撮影しました」とメッセージが表示される。

FaceTimesでLive Photosを撮影したいのであれば、「設定」→「FaceTime」を開き、「FaceTime Live Photos」をオンにしておこう。

no. 279 誰が発言しているかをわかりやすくする

グループ通話中に話している人を大きく表示

FaceTimeを使った複数人のグループ通話では、話している人のタイル（通話相手の画面）が自動的に大きくなる。これにより誰が話しているかがわかりやすくなるのだ。この機能は、「設定」→「FaceTime」→「発言中」で設定可能だ。オンになっていれば機能が有効になっているので確認しよう。

「設定」→「FaceTime」の「発言中」をオンにしておくと、FaceTimeのグループ通話中に話している人のタイルが自動的に大きくなる。

no. 280 メッセージの連絡先から発信する

メッセージの相手にFaceTimeを発信

メッセージアプリで過去にやり取りしている相手とFaceTimeで通話を開始したい場合は、メッセージを開いて画面上部の名前をタップ。「発信」か「ビデオ」をタップすれば、FaceTimeの通話を発信できる。複数人でグループテキストメッセージをしていた場合は、グループ通話で発信が可能だ。

メッセージを開き、画面上部の相手の名前をタップ。ここから「発信」か「ビデオ」をタップすれば、FaceTime通話が発信できる。

no. 281

「メール」アプリで複数アカウントをまとめて管理しよう

自宅や会社のメールアドレスをiPadに設定する

自宅や会社のメールアカウントは「その他」から追加

iPadに標準搭載されている「メール」アプリは、自宅で使う個人用のプロバイダメールや会社のメール、Gmail（No282で解説）やiCloudメール（No283で解説）といったWebメール、通信会社のキャリアメールなど、複数のアカウントを登録して、まとめて管理できる便利なアプリだ。まずは、自宅や会社のメールアカウントを追加する手順を覚えておこう。「設定」→「メール」→「アカウント」→「アカウントを追加」→「その他」→「メールアカウントを追加」から登録を行う。サーバ情報は手動で入力する必要があるので、プロバイダや会社から指定されている、POP3サーバやSMTPサーバのホスト名やパスワードを準備しておこう。

メールアプリに自宅や会社のアカウントを登録しよう

1 「アカウントを追加」をタップする

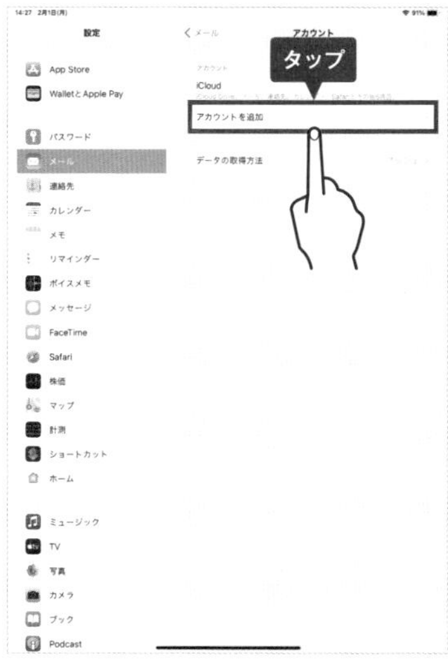

「設定」→「メール」→「アカウント」をタップすると、iPadに追加済みのメールアカウントが一覧表示される。新しくアカウントを追加するには、「アカウントを追加」をタップする。

2 「その他」からメールアカウントを追加

自宅のプロバイダメールや、会社のメールアカウントを追加する場合は、一番下の「その他」をタップする。続けて「メールアカウントを追加」をタップしよう。

3 メールアカウント情報を入力する

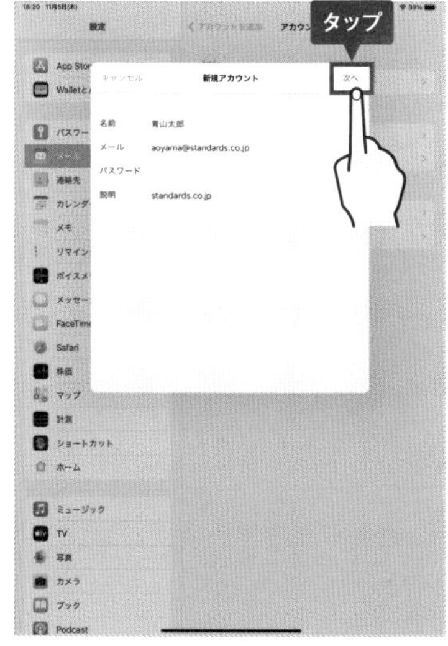

新規アカウントの登録画面になる。メールアプリで受信したいアカウントの名前やメールアドレス、パスワードを入力したら、右上の「次へ」をタップ。

4 POPに変更してサーバ情報を入力

多くの場合、プロバイダや会社のメールはPOPサーバで受信するので、上部のタブを「POP」に切り替える（IMAP対応のメールサーバであれば「IMAP」で設定）。プロバイダや会社から指定されたPOP3サーバとSMTPサーバのホスト名やユーザ名、パスワードを入力していき、「保存」をタップ。

5 メールアカウントの追加を確認

サーバとの通信が確認されると、元の「メール」→「アカウント」画面に戻る。「アカウント」欄に、先ほど追加したメールアカウントが表示されていることを確認しよう。

no. 282

Googleアカウントでログインするだけ

GmailをiPadに設定する

Gmailアカウントはほぼ自動的に設定できる

GmailのアドレスをiPadで利用する方法は非常に簡単。自宅や会社メールを設定する場合と同じく、「設定」→「メール」→「アカウント」→「アカウントを追加」をタップして開いたら、「Google」をタップしよう。あとはGoogleアカウントでログインするだけ。メールだけでなく、Googleアカウントの連絡先やカレンダーとも同期することが可能だ。ただしGmailをメールアプリで利用する場合、新着メールはリアルタイムで通知されず、一定間隔またはメールアプリを起動した時点で受信する。

「Google」でアカウントを追加する

「設定」→「パスワードとアカウント」→「メール」→「アカウント」→「アカウントを追加」→「Google」をタップし、Googleのアカウントとパスワードを入力。「メール」のスイッチがオンになっていることを確認して「保存」をタップするとアカウントが追加される。

使いこなしヒント

Gmailをプッシュ通知で受信したいなら公式アプリを使おう

Gmailをメールアプリで受信すると、一定時間ごとかメールアプリの起動時に新着メールをチェックする「フェッチ」しか設定できない（iPadが充電中でWi-Fiに接続中の場合のみ、リアルタイムで通知してくれる）。タイムラグが気になるなら、プッシュ通知に対応した「Gmail」公式アプリを使おう。

no. 283

メールアプリでリアルタイム受信

iCloudメールを作成してiPadで利用する

iCloudメールは、Apple IDでサインインするだけで利用できるメールサービス。iPhoneとiPadなど、複数のiOS端末で同じメールボックスを同期して利用することも簡単だ。標準メールアプリで新着メールをリアルタイムに受信できるプッシュ方式にも対応している。

1 iCloudメールを有効にする

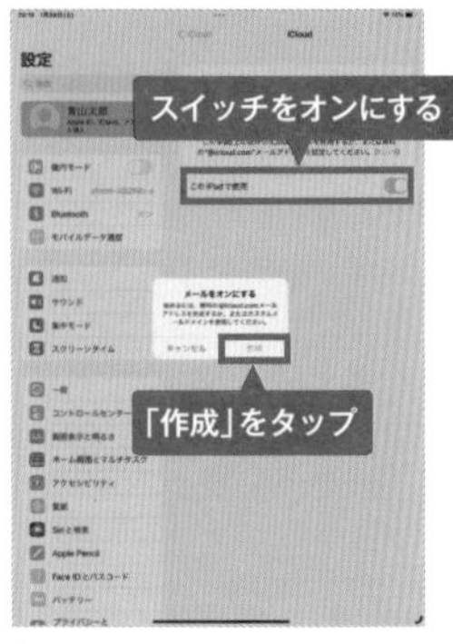

「設定」の一番上にあるApple ID名をタップし、続けて「iCloud」→「iCloudメール」をタップ。「このiPadで使用」のスイッチをオンにして「作成」をタップしよう。

2 メールアドレスを作成する

「（好きな文字列）@icloud.com」がiCloudメールアドレスになる。一度作成したiCloudメールのアドレスは変更できないので注意しよう。

no. 284

受信をやめたい場合は

メールアカウントを停止、削除する

追加したアカウントのメールを、一時的に受信したくない場合は、「設定」→「メール」→「アカウント」でアカウント名をタップし、プロバイダメールの場合は「アカウント」を、GmailやiCloudなら「メール」のスイッチをオフにすればよい。受信を再開したい場合は、スイッチをオンにするだけだ。

1 アカウントを一時的に停止

一時的に受信を止めたい場合は、停止したいアカウント名をタップし、「アカウント」（GmailやiCloudの場合は「メール」）をオフにすればよい。

2 アカウントを削除する

このアカウントをiPadで使わないなら、「アカウントを削除」をタップすれば削除できる。削除したアカウントを再度使いたい場合は、改めて追加し直す必要がある。

no. 285

メールアプリの基本操作を知ろう

新規メールを送信する

1 新規メールを作成して送信する

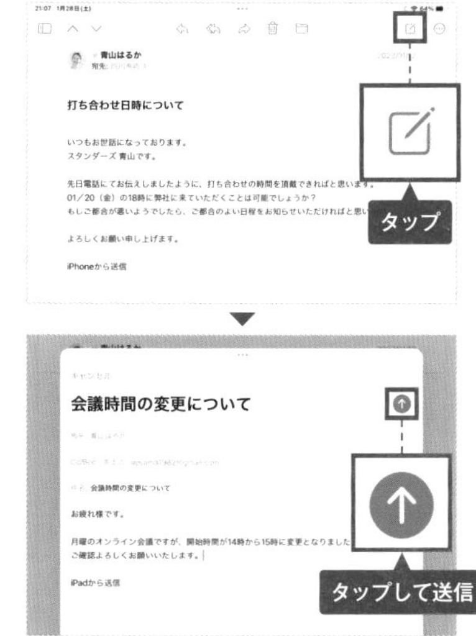

右上のボタンをタップすると、新規メール作成画面が開く。宛先は「+」をタップして連絡先から選ぶか、名前やアドレスの一部を入力すれば候補から選択できる。右上の矢印ボタンをタップして送信する。

2 複数の相手に同じメールを送信するには

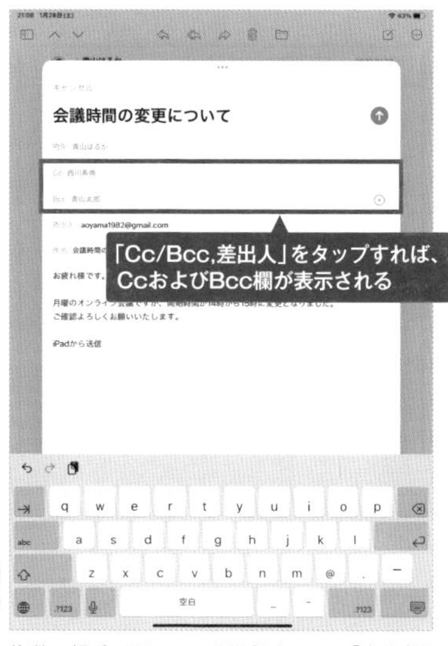

複数の相手に同じメールを送信するには、「宛先」欄のアドレスをリターンキーで確定させ、別の宛先を追加すればよい。また「Cc/Bcc、差出人」欄をタップすると、「Cc」「Bcc」に宛先を入力できる。

使いこなしヒント

差出人アカウントを変更するには

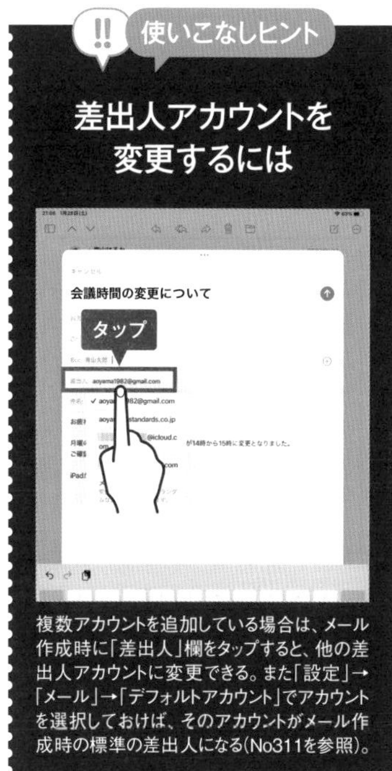

複数アカウントを追加している場合は、メール作成時に「差出人」欄をタップすると、他の差出人アカウントに変更できる。また「設定」→「メール」→「デフォルトアカウント」でアカウントを選択しておけば、そのアカウントがメール作成時の標準の差出人になる(No311を参照)。

no. 286

複数メールの同時作成も可能

新規作成を保留してその他のメール操作を行う

マルチタスクボタンを下にスワイプ

メールの作成途中にメールボックスを確認したり、他のメールをチェックしたくなったら、メール作成ウインドウの上部にあるマルチタスクボタン(「…」ボタン)を下にスワイプしよう。ステージマネージャがオフの時はシェルフ(No078で解説)に格納されるので、「…」ボタンをタップしてシェルフを表示すれば作成中のメールを再度開くことが可能だ。ステージマネージャがオンの時は最近使ったApp(No083で解説)に移動するので、左欄の最近使ったAppから作成中のメールをタップすればウインドウを切り替えて再度開くことができる。

ステージマネージャがオフの時

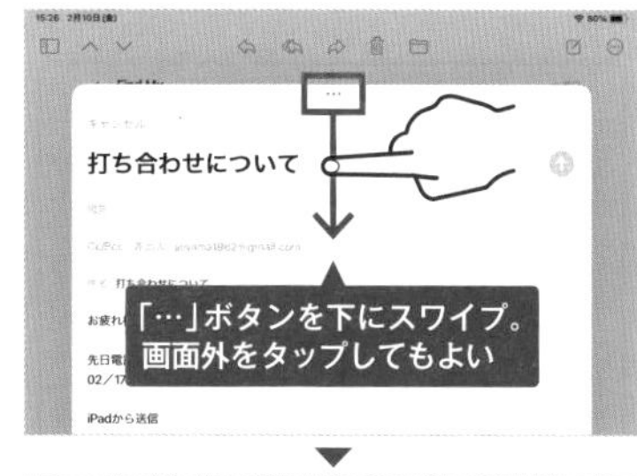

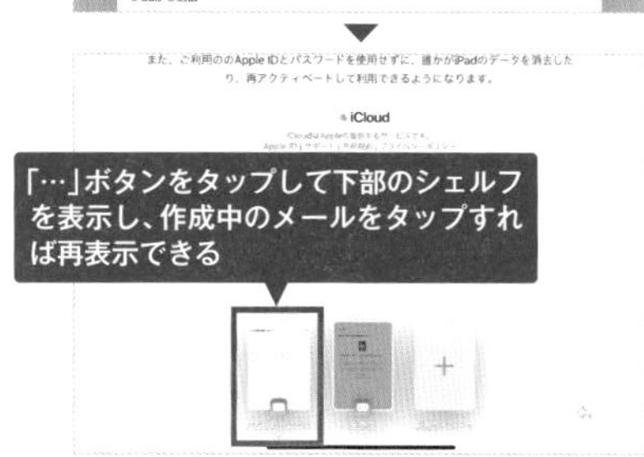

ステージマネージャがオフの時は、メール作成画面上部の「…」ボタンを下にスワイプすると、作成中のメールが下部のシェルフに格納される。

ステージマネージャがオンの時

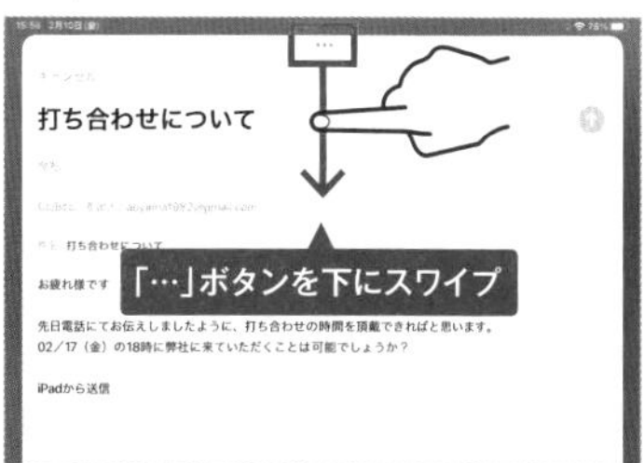

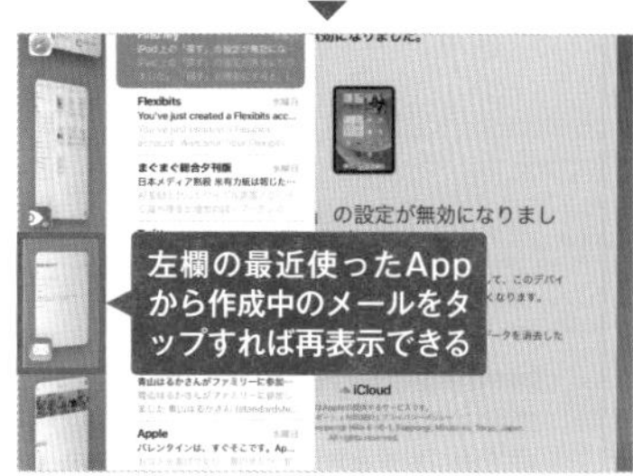

ステージマネージャがオンの時は、メール作成画面上部の「…」ボタンを下にスワイプすると、作成中のメールが左欄の最近使ったAppに移動する。

no. 287 複数メールをまとめて削除できる

メールを削除する

受信トレイに溜まったメールは個別にゴミ箱に移動して削除できるだけでなく、メール一覧で「編集」をタップすれば、複数メールを選択して削除したり、すべてのメールを選んで一括削除することも可能だ。

1 メールを個別にゴミ箱に入れる

メールを個別に削除する場合は、削除したいメールを開いて、上部のゴミ箱ボタンをタップ。

2 複数のメールをまとめてゴミ箱に入れる

画面を左から右にスワイプしてメール一覧を開き、上部の「編集」をタップ。削除したいメールを複数選択して下部の「ゴミ箱」をタップすれば、選択したメールをまとめてゴミ箱に移動できる。

3 すべてのメールをゴミ箱に入れる

メール一覧を開いて上部の「編集」をタップし、続けて上部の「すべてを選択」をタップすれば、すべてのメールが選択状態になる。この状態で下部の「ゴミ箱」をタップすれば、すべてのメールを一括削除できる。

no. 288 ゴミ箱内のメールは復元できる

ゴミ箱に入れたメールを受信トレイに戻す

ゴミ箱に入れたメールは、左欄でメールボックスを開き、各アカウントの「ゴミ箱」フォルダを開けば確認できる。「編集」でメールを選択し、「移動」→「受信トレイ」を選択すれば、受信トレイに戻せる。

1 ゴミ箱のメールを選択して「移動」をタップ

メールボックスで各アカウントのゴミ箱フォルダを開き、「編集」で受信トレイに戻したいメールを選択。「移動」をタップしよう。

2 「受信」をタップして受信トレイに戻す

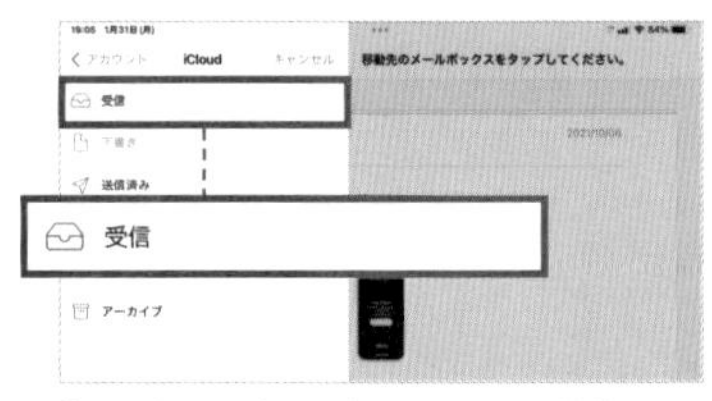

「受信」をタップすれば、選択したゴミ箱内のメールが受信トレイに移動する。別アカウントのメールボックスへ移動させることもできる。

no. 289 「返信」「全員に返信」をタップする

受信したメールに返信する

返信したいメールを開き、右下にある矢印ボタンをタップすれば、返信メニューが開く。「返信」をタップで差出人にのみ返信、「全員に返信」で宛先に含まれているすべての連絡先宛に返信できる。

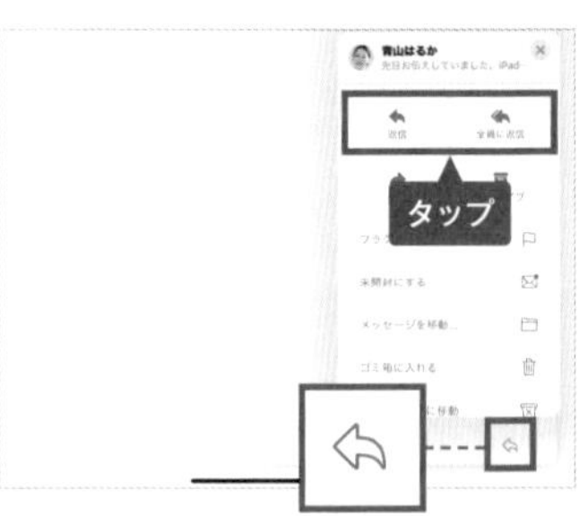

no. 290 「転送」をタップする

受信したメールを転送する

転送したいメールを開き、右下にある矢印ボタンをタップ。「転送」をタップすれば、元のメールを引用した状態で転送メール作成画面が開き、他の宛先にメールの内容を転送することができる。

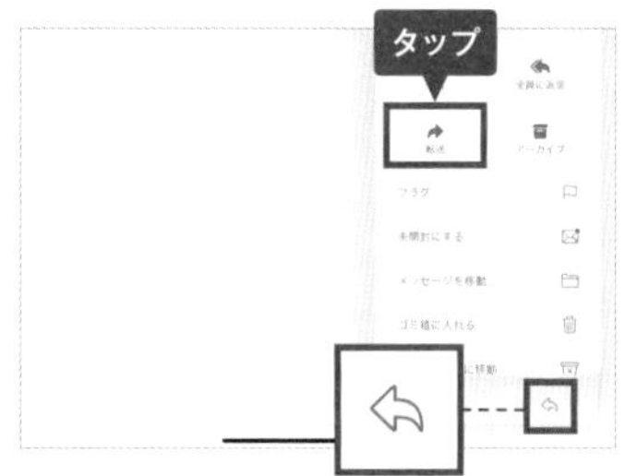

no. 291 元のメール内容を分かりやすくする

メールの返信／転送時に引用マークを付ける

「設定」→「メール」→「引用のマークを増やす」をオンにすると、返信メールや転送メール作成時に、元のメールの内容が分かりやすくなるように、文章の前に縦ラインが入り、文字色も変わって表示される。オフにすると、元の文章は返信テキストと同じ黒文字で引用される。

1 引用のマークを増やす

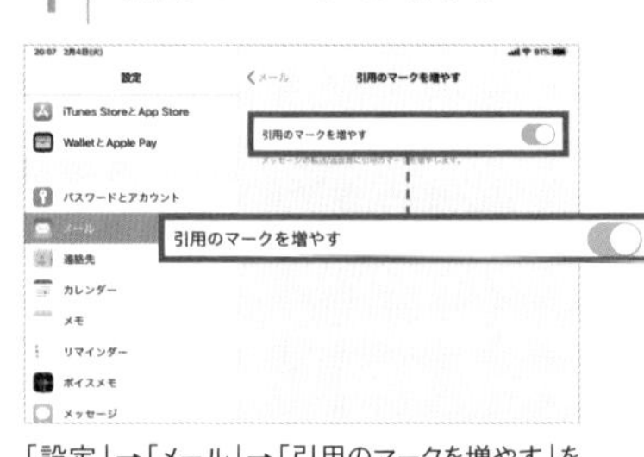

「設定」→「メール」→「引用のマークを増やす」をタップし、スイッチをオンにする。

2 返信や転送メールに引用マークが付く

返信／転送メール作成時は、引用テキストの前に縦ラインが入って文字色も変わり、元のメールの内容が分かりやすく表示される。

no. 292

送信取り消しボタンを一定時間表示する

メールの送信を取り消す

「設定」→「メール」→「送信を取り消すまでの時間」を設定しておくと、メール送信後もしばらくは送信を取り消せる。メールの送信ボタンをタップした際に、メール一覧の下部に「送信を取り消す」ボタンが設定した時間の間表示されるので、これをタップすれば送信がキャンセルされる。

1 送信を取り消すまでの時間を設定

「設定」→「メール」→「送信を取り消すまでの時間」をタップすると、送信を取り消せる時間を、オフ（取り消しを行わない）／10秒／20秒／30秒から選択できる。

2 送信を取り消すボタンをタップ

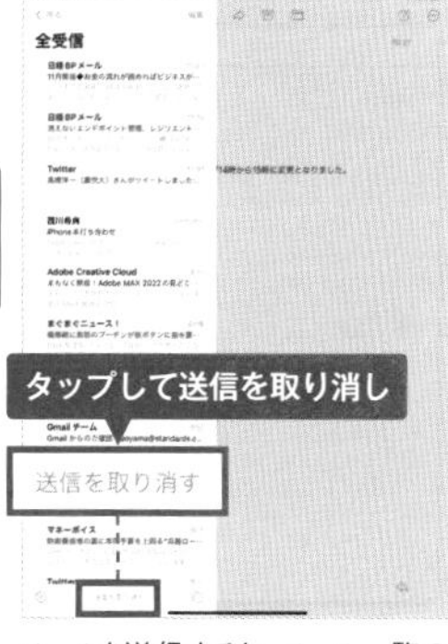

メールを送信すると、メール一覧の下部に「送信を取り消す」ボタンが設定した時間まで表示される。これをタップすると送信を取り消せる。

no. 293

必要なタイミングでメールを送信できる

指定した日時にメールを送信する

期日が近づいたイベントの確認メールを前日に送ったり、深夜に作成したメールを翌朝になってから送りたい時に便利なのが、メールアプリの予約送信機能だ。メールを作成したら、送信ボタンをロングタップしてみよう。表示されるメニューでこのメールを送信する日時を指定できる。

1 送信ボタンをロングタップ

送信ボタンをロングタップすると、「今夜21:00に送信」「明日8:00に送信」などの送信タイミングを選択できる。自分で指定する場合は「あとで送信」をタップ。

2 あとで送信する日時を自分で指定する

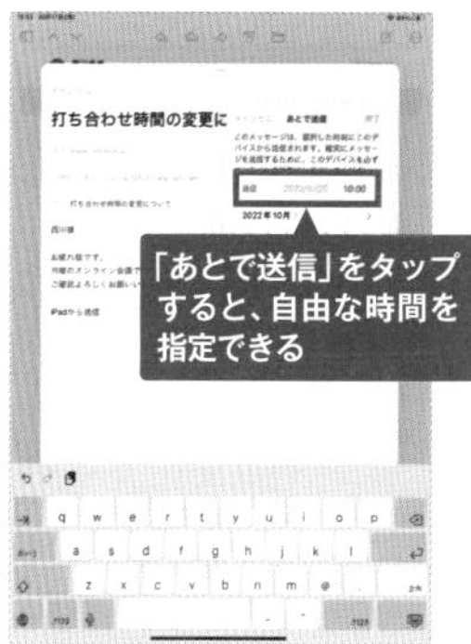

「あとで送信」では日時を自由に指定できる。「完了」をタップすると、このメールは「あとで送信」メールボックスに保存され、指定した日時に送信される。

no. 294

指定した日時に一番上に表示される

あらめて確認したいメールをリマインドする

新着メールを今すぐ読んだり返信する時間がないときは、あとで忘れず確認できるようにリマインダーを設定しておこう。メールを左から右にスワイプして「リマインダー」をタップし、日時を選択しておくと、指定した日時に改めて受信メールの一番上に再表示されて通知も届く。

1 リマインダーをタップする

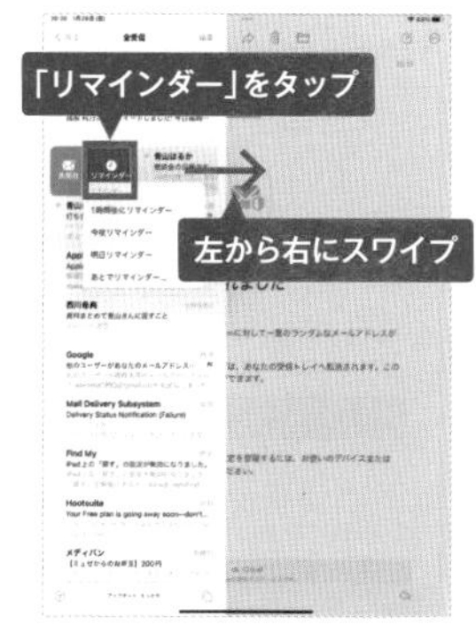

メールを左から右にスワイプして「リマインダー」をタップすると、「1時間後にリマインダー」「明日リマインダー」など、あとで読みたいタイミングを選択できる。

2 あとで読みたい日時を自分で指定する

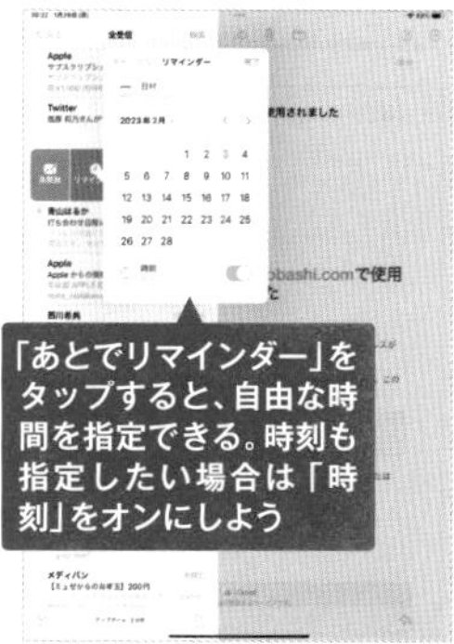

「あとでリマインダー」では日時を自由に指定できる。指定した日時になると、「リマインダー」ラベルが付いた状態で受信メールの一番上に表示され、通知も届く。

no. 295

まずは連絡先リストを作成しよう

連絡先のグループにメールを一斉送信する

連絡先アプリでリストを作成して連絡先を追加しておけば（No257で解説）、リスト内のすべての連絡先に対して、メールを一斉送信できるようになる。仕事先やサークルのメンバー、イベントの関係者など、複数の人に同じ文面のメールを送りたい時に活用しよう。

1 リストを開いてメールボタンをタップ

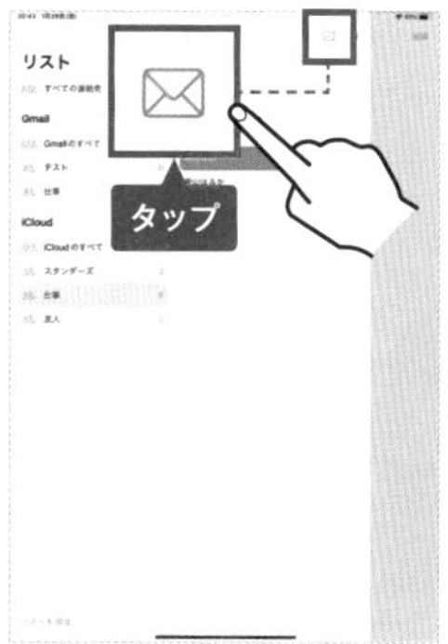

連絡先アプリでリストを開いて、上部にあるメールボタンをタップする。または、メール作成画面の宛先にリスト名を入力してもよい。

2 リスト内のすべての宛先に一斉送信できる

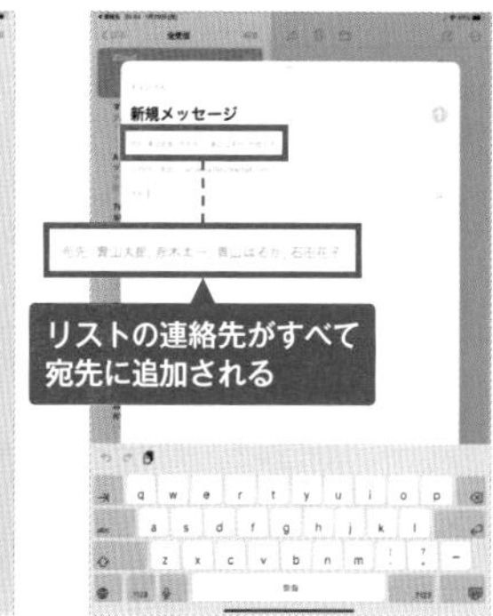

リスト内の連絡先が全員宛先に追加された状態で、新規メールの作成画面が開く。あとはメールを作成して送信ボタンをタップすれば一斉送信ができる。

no.296 ミュート機能を利用しよう
頻繁に届くメールスレッドの通知をオフにする

やり取りが頻繁に行われるメールスレッド(No328で解説)の宛先に自分が含まれていると、通知が大量に届いて邪魔になる。そんな時は「ミュート」を設定しておこう。そのスレッドの受信通知がオフになる。またミュートにしたスレッドを、自動でアーカイブ/削除する設定も可能だ。

1 メールスレッドのミュートをオン

メールスレッドを開いて、右下にある矢印ボタンをタップ。開いたメニューで「ミュート」をタップしておけば、このスレッドの通知がオフになる。

2 ミュートしたスレッドの操作を設定

「設定」→「メール」→「ミュートしたスレッドの操作」をタップすると、スレッドの新着メールを自動的に開封済みにするか、アーカイブ/削除するかを選択できる。

no.297 iCloud Driveからも貼付可能
メールに写真などのデータを添付する

メール作成画面で本文内のカーソルをタップし、ポップアップ表示されたメニューの「写真またはビデオを挿入」をタップすれば、写真アプリから写真やビデオを添付できる。また「ファイルを添付」をタップすれば、iCloud DriveやDropbox、Googleドライブなどからファイルを添付可能だ。

1 本文内をダブルタップする

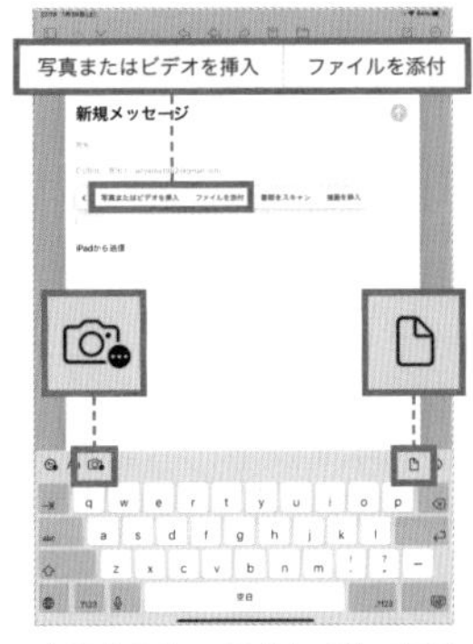

本文内のカーソルをタップし、表示されたメニューの「写真またはビデオを挿入」か「ファイルを添付」をタップ。また、キーボードに備わるボタンでも同じ操作を行える。

2 添付する写真やファイルを選択

「写真またはビデオを挿入」は写真アプリから、「ファイルを添付」はiCloud Driveなどから添付ファイルを選択できる。

no.298 手書きのスケッチを手軽に送信
メールに描画を添付する

メールの作成画面では、写真や添付ファイルとは別に、手書きのスケッチを挿入することができる。文字だけでは伝えにくいとき、ちょっとした手書きの図やイラストを添えてメールすることができる。なお、挿入された描画は、PNG形式の画像ファイルとして添付される。

1 本文内をダブルタップ

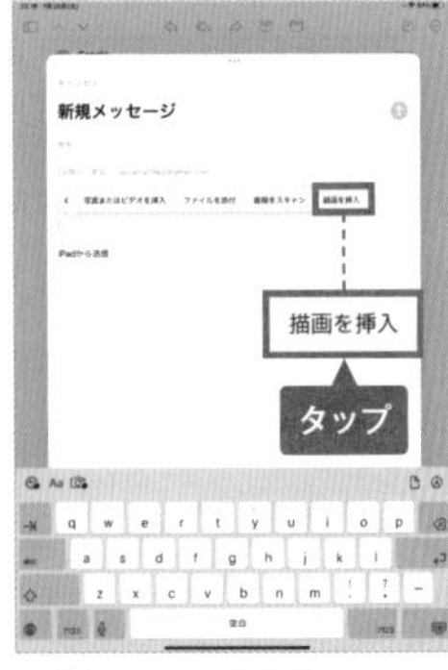

作成中のメール本文内のカーソルをタップし、表示されたメニューの「描画を挿入」をタップ。すぐにスケッチ機能が起動する。

2 ツールを選んで描画を作成

ツールを選んでイラストなどを手書きしよう。画面右下の「+」で、テキストや図形を挿入可能。書き終わったら、画面左上の「完了」→「描画を挿入」をタップする。

no.299 フォントやカラーも変更できる
メールの文字を装飾する

メール本文の文字は、装飾を施すことも可能だ。装飾したい文字や文章を選択したら、キーボード上部の「Aa」ボタンをタップしよう。フォントや文字サイズを変更できるほか、太字、斜体、下線、取り消し線、文字色や配置の変更、箇条書き、インデントなどの書式設定を行える。

1 文章を選択し「Aa」をタップ

装飾したい文章を選択し、キーボード上部の「Aa」ボタンをタップすると書式設定メニューが表示される。各項目をタップして文章の見た目を整えよう。

2 装飾を選んで適用する

このように、太字や下線を適用したり、フォントや文字サイズやカラーを変更できる。ただし、受信環境によっては再現されない書式もあるので気を付けよう。

no. 300

最大5GBまで送信可能

サイズの大きいファイルをMail Dropで送信

メールに添付できるファイルのサイズは、サービスやキャリアによって最大2MBや10MBと決まっているが、メールアプリの「Mail Drop」機能を使えば最大5GBのファイルを受け渡し可能。添付ファイルは一時的にiCloudに保存され、相手には30日間ダウンロード可能なリンクが送信される。

1 大容量のファイルをメールに添付

メール送信時、添付ファイルが大きすぎる場合は警告されるので「Mail Dropを使用」をタップしよう。100MB以上のファイルはWi-Fi接続でないと送信できない。

2 リンクからダウンロードする

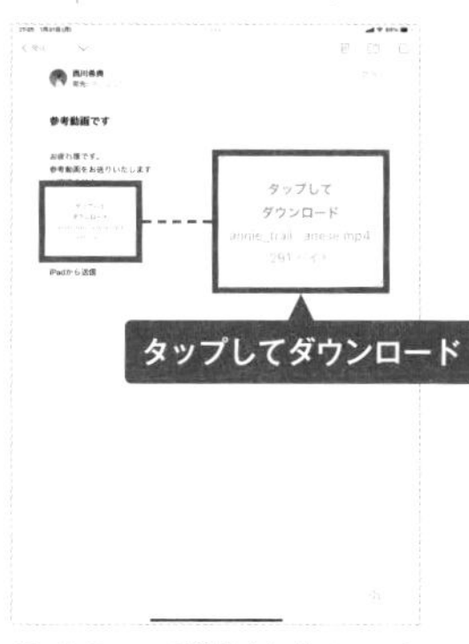

Mail Dropで送信されたメールの「タップしてダウンロード」や「Click to Download」をタップしてダウンロード。30日以内ならいつでもダウンロードできる。

no. 301

未開封やフラグ、ゴミ箱移動が可能

メールを左右にスワイプして各種操作を行う

メール一覧画面では、メールを左右にスワイプすることでさまざまな操作が可能だ。メールを左から右にスワイプすると、メールを開封したり未開封に戻せるほか、リマインダーも設定できる(No294で解説)。右から左にスワイプすると、ゴミ箱やフラグ、その他のメニューが表示される。

1 右スワイプで表示されるメニュー

メールを左から右端までスワイプすると、メールの開封または未開封が可能。半分程度で止めると「開封(または未開封)」「リマインダー」メニューが表示される。

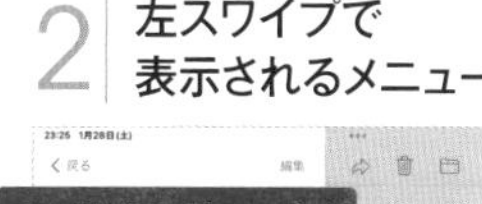

2 左スワイプで表示されるメニュー

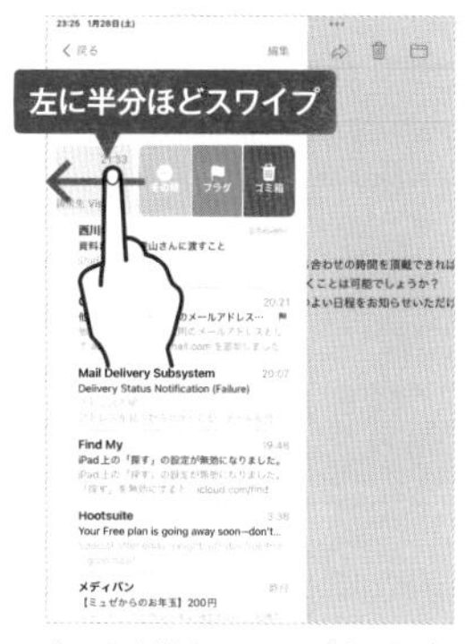

右から左端までスワイプするとゴミ箱へ移動。半分程度で止めると「その他」「フラグ」「ゴミ箱」が表示される。「その他」はメールの返信ボタンとほぼ同じメニュー。

no. 302

スワイプ操作のメニューを変更

メールのスワイプオプションを設定する

No301で紹介したメールのスワイプ操作で表示されるオプションメニューは、「設定」→「メール」にある「スワイプオプション」で変更することが可能だ。ただし、適用できるのは「開封済みにする」「フラグ」「メッセージを移動」「アーカイブ」など一部操作に限られる。

1 「スワイプオプション」をタップ

「設定」→「メール」にある「スワイプオプション」をタップし、「左にスワイプ」または「右にスワイプ」をタップする。

2 スワイプ操作時のメニューを変更

メールを左右にスワイプした際の表示メニューを、なし、開封済みにする、フラグ、メッセージを移動、アーカイブなどに変更できる。

no. 303

Bccに自分のアドレスを自動追加

送信メールを常に自分宛にも送信する

「設定」→「メール」で「常にBccに自分を追加」をオンにしておくと、メール作成時のBcc欄に自分のアドレスが自動で追加され、送信したメールが常に自分宛てにも届くようになる。POPで設定したメールアカウントの送信メールを、他の端末でも確認したい場合に役立つ。

1 「常にBccに自分を追加」をオンにする

「設定」→「メール」画面を開き、下の方にある「作成」欄の「常にBccに自分を追加」をオンにしておく。

2 Bccに差出人アドレスが自動追加される

メール作成時の「Bcc」欄に、差出人と同じメールアドレスが自動で追加され、送ったメールが自分にも届くようになる。

メール

no. 304

末開封メールをすばやく抽出

フィルタ機能で目当てのメールのみ表示する

メール一覧画面では、左下に用意されているフィルタボタンをタップするだけで、未開封メールのみを抽出して素早く確認することができる。抽出するフィルタの条件は変更可能で、適用するアカウントを選択できるほか、フラグ付きや自分宛て、添付ファイル付きなどを設定できる。

1 フィルタボタンをタップする

2 フィルタの条件を変更する

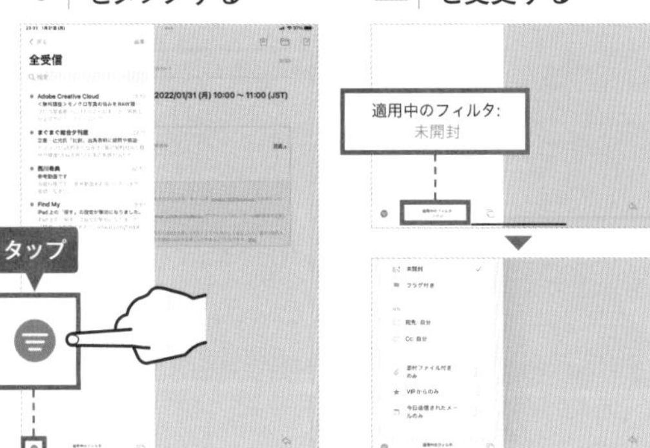

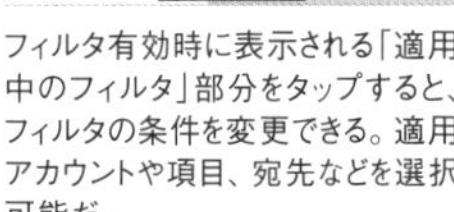

メール一覧の左下にあるフィルタボタンをタップしてみよう。デフォルトでは未開封のメールのみに絞り込んで一覧表示してくれる。

フィルタ有効時に表示される「適用中のフィルタ」部分をタップすると、フィルタの条件を変更できる。適用アカウントや項目、宛先などを選択可能だ。

no. 305

重要度に合わせて設定しよう

アカウントごとに通知の設定を変更する

メールの通知設定は、メールアカウントごとに個別に設定することが可能だ。「設定」→「通知」→「メール」→「通知をカスタマイズ」でアカウントを選択し、重要度の低いアカウントは通知をオフにしてバッジのみにしたり、重要なアカウントはサウンドを変更するなど工夫しよう。

1 通知を変更するアカウントを選択

2 アカウントごとに通知設定を施す

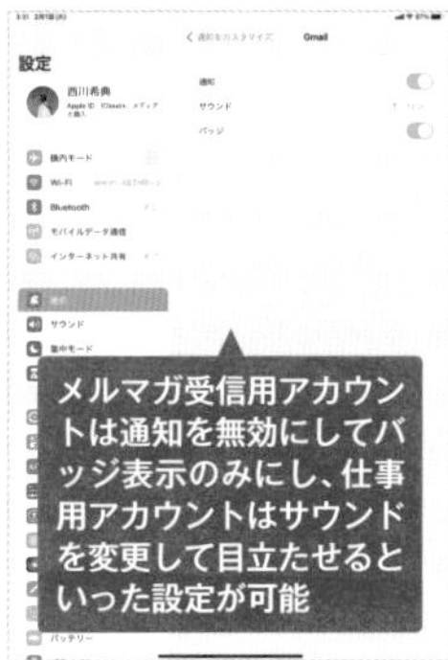

メールアカウントごとに個別に通知設定を施すには、「設定」→「通知」→「メール」で「通知をカスタマイズ」でアカウントを選択してタップする。

アカウントごとにサウンドの種類やバッジの有無を変更できる。「通知」をオフにすると、このアカウントへの新着メールは通知されない。

メール

no. 306

メールを開かずに操作できる

通知表示からメールの開封や削除を行う

「設定」→「通知」→「メール」で通知を許可し、「バナー」にチェックしていると、新着メールが届いた際に画面上部のバナーで通知される。このバナーを下にドラッグすれば、メールを開かずに、すぐにゴミ箱に移動したり、開封済みにすることが可能だ。

1 通知バナーを下にドラッグする

2 メールアプリを開かずに処理する

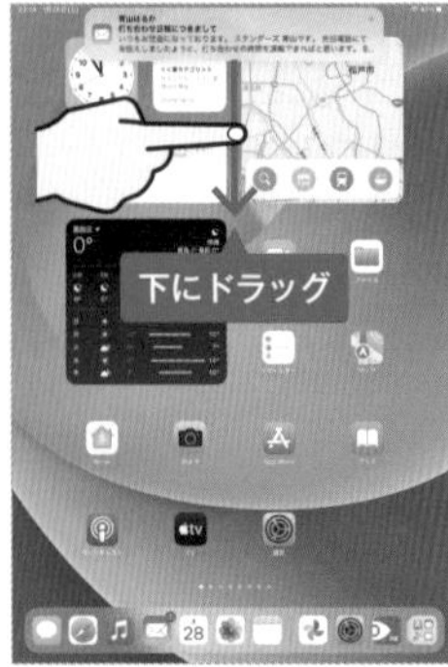

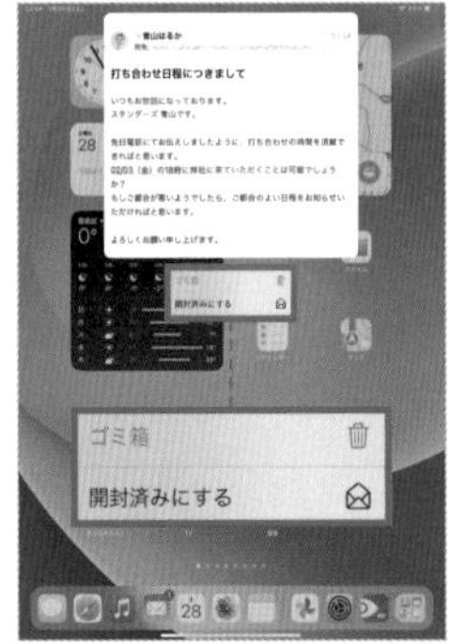

メールの通知を許可し、通知設定で「バナー」を有効にしていると、画面上部のバナーで新着メールが通知される。このバナーを下にドラッグしてみよう。

メールのプレビューの下に、「ゴミ箱」や「開封済みにする」メニューが表示され、メールアプリを開かず、ゴミ箱への移動や開封処理を行える。

no. 307

追加候補やリンクから登録

メールの内容から連絡先や予定を登録する

メールアプリでは、メール本文内に記載された電話番号や日時が自動で検出され、画面上部に表示される。「追加」ボタンで電話番号を連絡先に追加したり、カレンダーに予定を登録することが可能だ。または、本文内のリンクをロングタップして連絡先やカレンダーに追加することもできる。

1 メール上部の候補から追加する

2 本文のリンクメニューから追加する

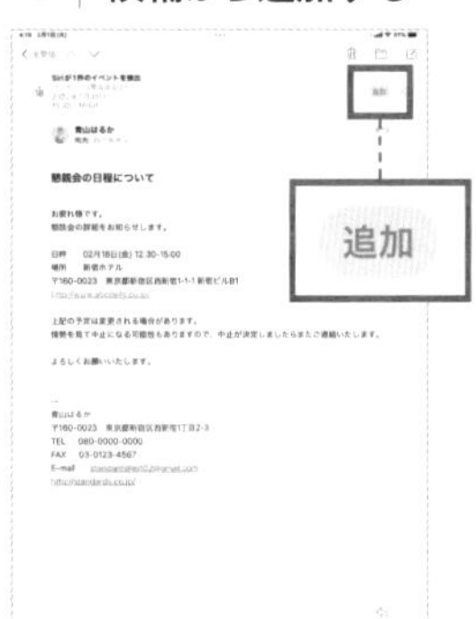

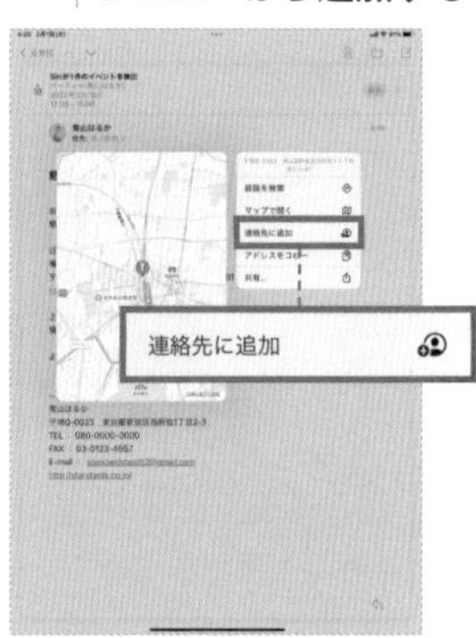

メール本文に記載された日時や署名を認識すると、上部に追加候補メニューが表示される。「追加」ボタンをタップするだけで、連絡先やカレンダーに追加できる。

メール本文の日時や電話番号はリンク表示になるので、これをロングタップすれば、「イベントを作成」「連絡先に追加」などのメニューが表示される。

no. 308
タップするだけでプレビュー表示
メールの添付ファイルを開く

オフィス文書やPDF、写真などのファイルが添付されたメールの本文の「タップしてダウンロード」をタップすると、添付ファイルをダウンロードできる。オフィス文書やPDFは、表示されるファイル名をタップしてプレビュー表示。写真は、ファイル名をタップすれば本文内に表示される。

1 添付ファイルをプレビューする

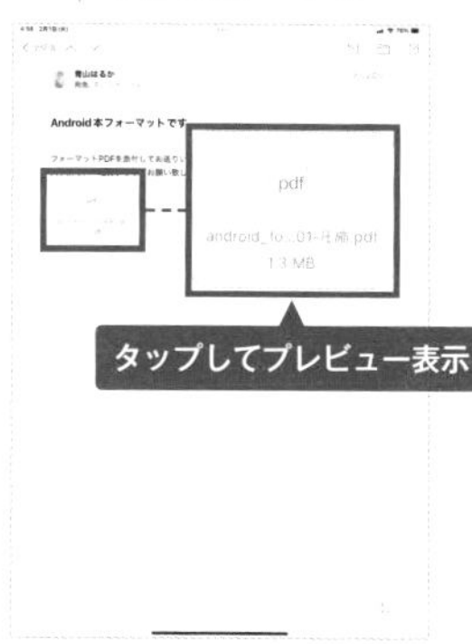

本文中のファイル名をタップしてプレビュー表示。プレビュー画面の共有ボタンから、ファイルを別アプリで開いたり、マークアップ機能(No309で解説)を利用できる。

2 添付ファイルが写真の場合は

写真が添付されている場合は、ダウンロードすると本文内にそのまま表示される(自動的に表示されることもある)。ロングタップして各種操作を行おう。

no. 309
「マークアップ」機能で手書き入力
添付の写真やPDFに指示を書き込んで返信

メールアプリでは、添付された写真やPDFファイルに注釈などを書き込んで、そのまま返信することができる。まず添付ファイルをダウンロードし、プレビューを開いたら、画面右上のマークアップボタンをタップしよう。Apple Pencilがあれば、書き込みもよりスムーズに行える。

1 マークアップを起動する

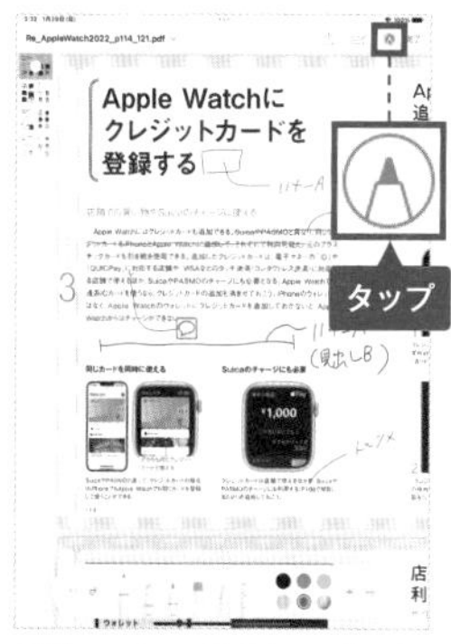

添付ファイルや写真をタップしプレビューを開いたら、画面右上のマークアップボタンをタップ。手書きで注釈などを書き込める、マークアップ画面になる。

2 注釈を書き込み返信する

マークアップツールでペンやハイライトを選んで、PDFや写真上に指示などを書き込もう。上部のテキスト入力ボタンでテキスト入力も可能だ。最後に「完了」をタップする。

no. 310
アカウント別の署名も可能
メールに署名を付ける

「設定」→「メール」→「署名」をタップして署名を入力しておけば、メール入力時に自動的に自分の名前や電話番号が記入されるようになる。全アカウント共通で使う署名を設定しておくか、またはアカウントごとに個別に署名を設定することも可能だ。

共通の署名を入力する

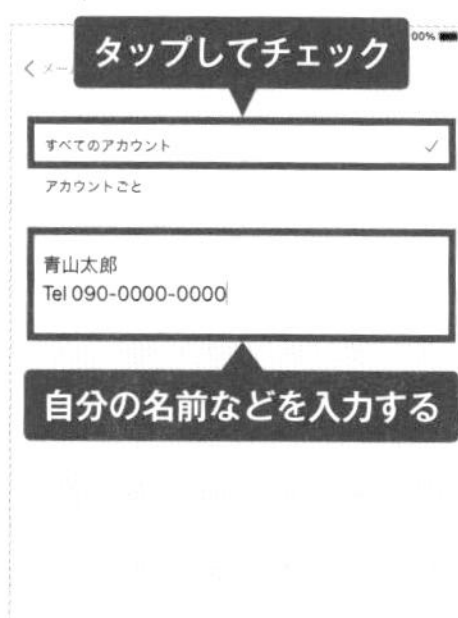

「設定」→「メール」→「署名」をタップして「すべてのアカウント」にチェックすると、全アカウント共通で使う署名を入力できる。標準では「iPadから送信」と入力されている。

アカウント別の署名を入力する

メールアカウントによって署名を使い分けたい場合は、「アカウントごと」にチェックしよう。アカウントごとの署名欄が表示され、個別に設定できる。

no. 311
一番良く使うアドレスを設定しておこう
デフォルトの差出人アドレスを設定する

複数のメールアカウントを使っていると、受信したメールに返信する際は、相手がメールの宛先として設定したアドレスが返信メールの差出人アドレスに設定される。ただし新規メールを作成したり、「写真」など他のアプリからメールを作成する場合は、「設定」→「メール」→「デフォルトアカウント」で選択されたアカウントが標準の差出人として選択されるので注意しよう。最もよく利用する、メインのアドレスを設定しておくとよい。

送信時のデフォルトアカウントにチェック

「設定」→「メール」→「デフォルトアカウント」をタップし、標準の差出人にしたいアカウントにチェックを入れておこう。

no. 312 「キャンセル」で保存できる

すぐに送信しないメールは下書き保存する

作成中のメールをすぐに送信しないなら、左上の「キャンセル」をタップして「下書きを保存」をタップすれば、下書きとして保存しておける。保存した下書きは、新規メール作成ボタンのロングタップで呼び出せる。

1 作成中のメールを下書き保存する

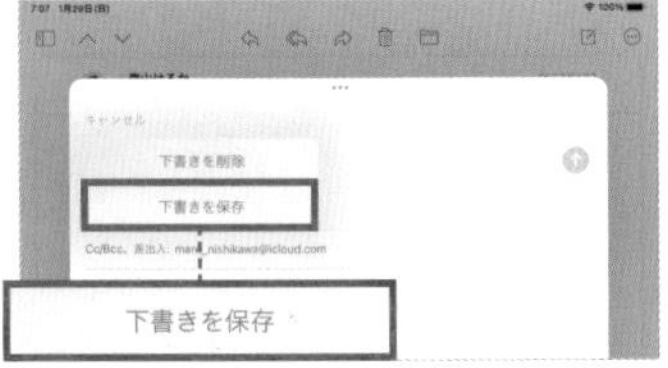

作成中のメールを下書き保存したい場合は、左上の「キャンセル」をタップし、続けて「下書きを保存」をタップすればよい。

2 下書き保存したメールを呼び出す

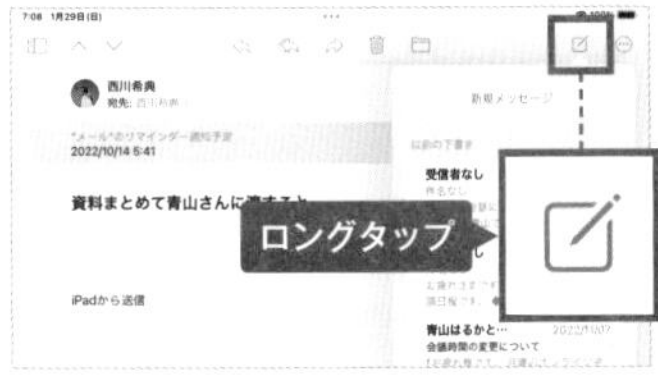

新規メール作成ボタンをロングタップすれば、下書き保存したメールが一覧表示される。下書きをタップして開けば再編集して送信できる。

no. 313 全メールを手軽に検索できる

メールをキーワードで検索する

左欄の最上部にある検索欄で、メールをキーワード検索できる。現在表示中のメールボックスだけでなく、すべてのメールボックスから検索可能だ。

no. 314 フラグを付けて管理しよう

重要なメールに印を付ける

重要なメールには、右下の矢印ボタンから「フラグ」をタップして、フラグを付けておこう。フラグを付けたメールには、メール一覧や宛先の横に旗のマークが表示されるようになる。またメールボックス一覧にある「フラグ付き」フォルダを開くと、フラグを付けた重要なメールのみを閲覧できる。

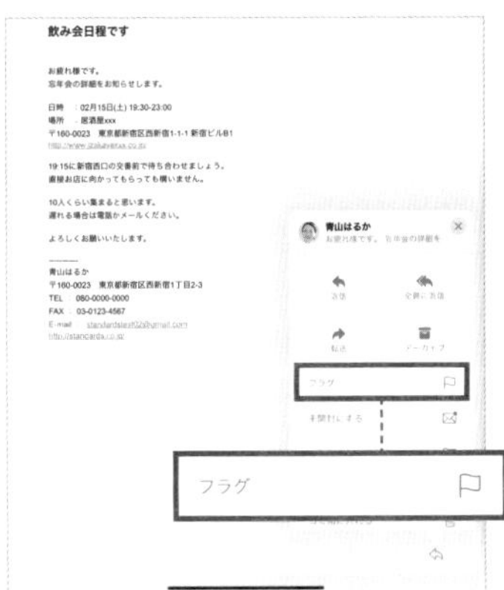

no. 315 7色を使い分けて整理できる

フラグの色を変える、外す

No314の「フラグ」を付ける際は、旗マークのカラーを変更することもできる。右下の矢印ボタンのメニューから「フラグ」をタップした時点で、その下に7色のカラーメニューが表示されるはずだ。好きな色のフラグを付けて、重要なメールを色分けしておこう。なお、一度付けたフラグを外すには、カラーメニューにある、斜線の入ったフラグをタップすればよい。

no. 316 ワンタップでまとめて開封

すべての未開封メールをまとめて開封済みにする

メールは一通一通個別に開いて開封済みにしなくても、左欄上部の「編集」→「すべてを選択」をタップし、続けて下部の「マーク」→「開封済みにする」をタップするだけで、すべての未読メールをまとめて既読にできる。未読メール数の表示が邪魔ならこの方法で消そう。

no. 317 未開封状態にも戻せる

一度開いたメールを未開封にする

開封済みのメールを未開封に戻したい場合は、左欄上部の「編集」をタップし、未開封にしたいメールにチェックする。続けて下部の「マーク」をタップし、「未開封にする」をタップすれば、選択したメールが未開封に戻る。メールを選択せずに、「すべてを選択」→「マーク」→「未開封にする」で全メールを未開封に戻すこともできる。

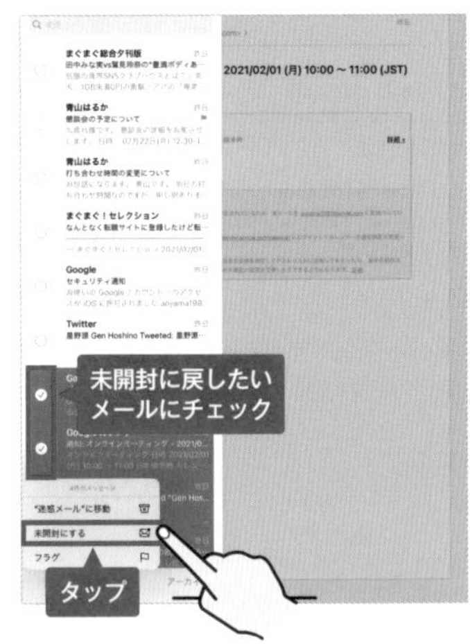

no. 318

メールボックスを使いやすくする

メールボックスの表示や順番を整理、変更する

メールアプリのメールボックス一覧には、「全受信」や「フラグ付き」といった、複数アカウントのメールをまとめて表示できるメールボックスが用意されている。このメールボックス一覧に表示する項目や並び順は、上部の「編集」ボタンをタップして変更することが可能だ。

1 メールボックスの編集ボタンをタップ

画面左上のボタンをタップしてサイドメニューを開いていき、メールボックス一覧を開いたら、上部の「編集」ボタンをタップする。

2 表示する項目や順番を変更する

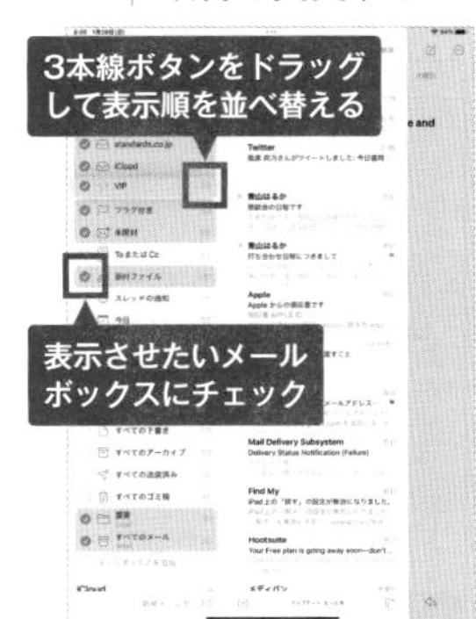

メールボックス一覧に表示させたい項目にチェックしておこう。また右端にある三本線ボタンをドラッグして、表示順を変更することもできる。

no. 319

素早く選択するテクニック

複数のメールを選択する

複数のメールを選択してまとめて操作するには、メール一覧の「編集」をタップし、操作したいメールにチェックしていけばよい。また、メール一覧画面で2本指を使って上下にスワイプするだけで、複数メールを素早く選択できる。一度指を離して、別のメールから選択し続けることも可能だ。

1 複数のメールを編集ボタンで選択

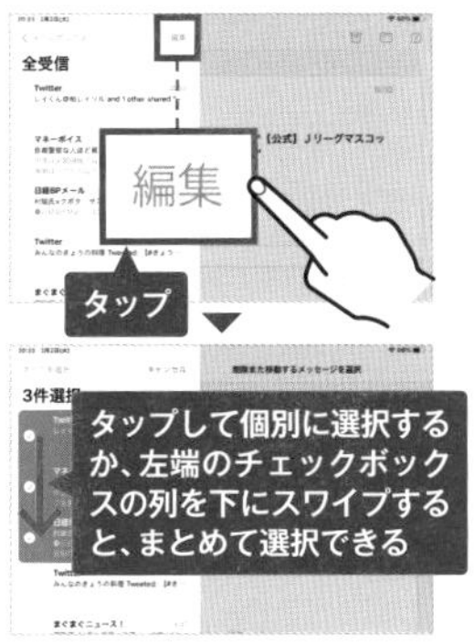

メール一覧上部の「編集」ボタンで、複数メールを選択可能になる。左端のチェックボックスの列を下にスワイプすると、まとめて素早く選択できる。

2 複数のメールを2本指で素早く選択

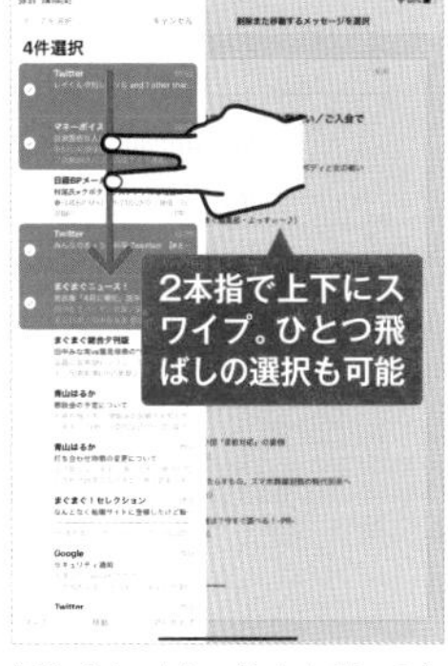

編集ボタンをタップしなくても、2本指で上下にスワイプするだけで、素早く選択したり解除することが可能だ。

no. 320

各アカウントのメールボックスで確認

アカウントごとの送信済みメールやゴミ箱を確認する

メールボックス一覧画面では、よく使うメールボックスの下に、各アカウントのメールボックスが表示されている。アカウントごとの送信済みメールやゴミ箱に入れたメールを確認したい場合は、それぞれの「送信済み」「ゴミ箱」フォルダをタップして開けばよい。

1 アカウントごとのフォルダを開く

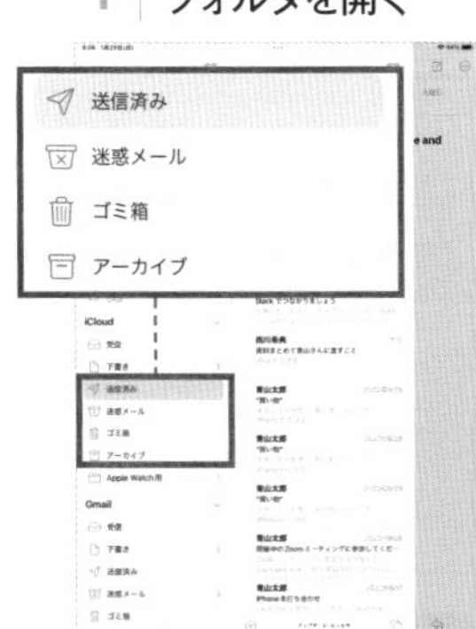

アカウント一覧画面で、各アカウントごとの「送信済み」や「ゴミ箱」フォルダをタップ。それぞれの送信済みメールやゴミ箱に入れたメールを確認できる。

2 よく使うメールボックスに追加

「編集」→「メールボックスを追加」をタップすれば、指定したアカウントの送信済みやゴミ箱フォルダを、よく使うメールボックスに表示することもできる。

no. 321

「すべての送信済み」を追加しよう

複数アカウントの送信済みメールもまとめてチェック

送信済みメールは、No320で解説した通りアカウントごとの「送信済み」を開いて確認しなければならない。そこで、メールボックス一覧の「編集」をタップし、「すべての送信済み」にチェックしておこう。すべてのアカウントの送信済みメールを、まとめて確認できるようになる。

1 「すべての送信済み」にチェック

メールボックス一覧の上部「編集」をタップし、よく使うメールボックスの「すべての送信済み」にチェックを入れたら、「完了」をタップしよう。

2 送信済みメールをまとめて確認

よく使うメールボックスに「すべての送信済み」が表示されるようになった。これをタップすれば、すべてのアカウントの送信済みメールをまとめて確認できる。

no. 322
各アカウントに追加できる
メールボックスを新たに追加する

1 「新規メールボックス」をタップ

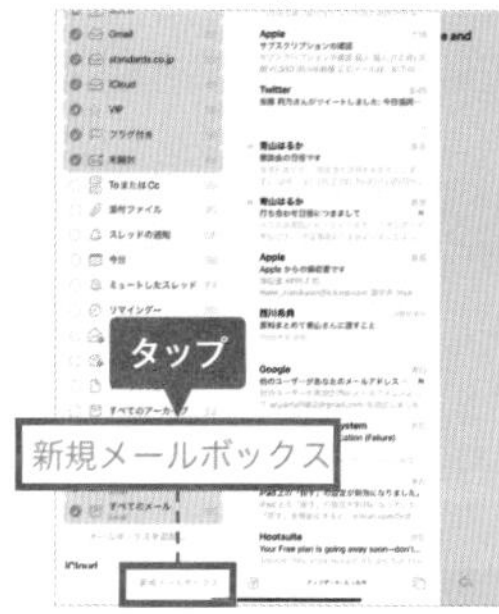

メールボックス一覧画面で、上部の「編集」をタップし、続けてメールボックス欄の一番下に表示される「新規メールボックス」をタップしよう。

2 新しいメールボックスを作成する

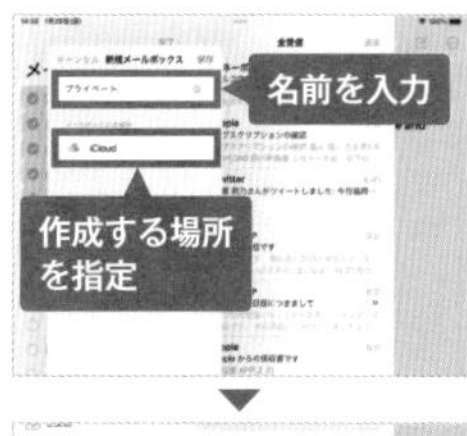

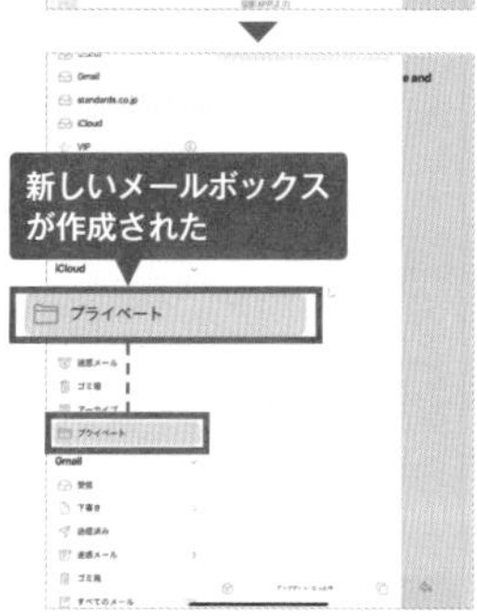

「名前」にメールボックス名を入力し、「メールボックスの場所」で新規メールボックスを作成するアカウントやメールボックスを選択したら、「保存」で作成できる。

no. 323
他のアカウントにもコピーできる
メールを別のメールボックスに移動する

No322で作成したメールボックスにメールを移動するには、メールを開いて上部のフォルダボタンをタップし、移動先のメールボックスを選択すればよい。他のアカウントのフォルダやラベルにコピーしたり、ゴミ箱内のメールを受信トレイに戻す（No288で解説）といったことも可能だ。

1 フォルダボタンをタップする

他のフォルダやラベルにメールを移動するには、まず移動したいメールを開き、上部メニューのフォルダボタンをタップする。

2 移動先のメールボックスを選択

メールボックス一覧が表示されるので、移動したいメールボックスをタップ。左上の「アカウント」から、他のアカウントのフォルダにコピーすることも可能だ。

no. 324
「未開封」フォルダを表示させる
未開封のメールだけをまとめて表示する

未読メールのみをすばやくチェックしたい場合は、「未開封」メールボックスを追加しておこう。メールボックスの一覧画面で、上部「編集」をタップ→「未開封」にチェックすればよい。No304で解説している通り、フィルタ機能を使って未開封メールのみ抽出する方法もある。

1 「未開封」メールボックスを追加

メールボックス一覧の上部「編集」をタップし、よく使うメールボックスの「未開封」にチェックを入れたら、上部の「完了」をタップしよう。

2 未開封メールをまとめて確認

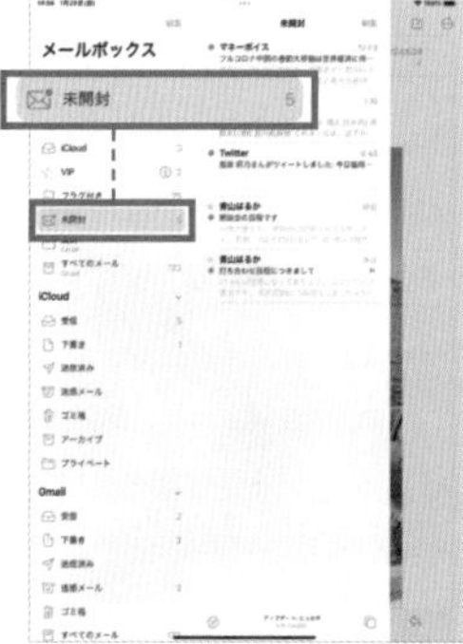

よく使うメールボックスに「未開封」が表示されるようになった。これをタップすれば、すべてのアカウントの未読メールのみが一覧表示される。

no. 325
連絡先をVIPに追加
重要な相手のメールをVIPフォルダに振り分ける

メールの差出人や宛先をタップして「VIPに追加」をタップすると、その相手からのメールは、メールボックスの「VIP」フォルダに振り分けられるようになる。重要な相手からのメールを見逃さないように活用しよう。なおVIPに登録した連絡先を確認したい場合は、メールボックス一覧で、VIPフォルダの「i」ボタンをタップ。VIPリストに登録したユーザーが一覧表示され確認できるほか、ユーザーを追加・削除したり、VIPからのメールの通知方法も変更できる（No326で解説）。

VIPへの追加とVIPリストの確認

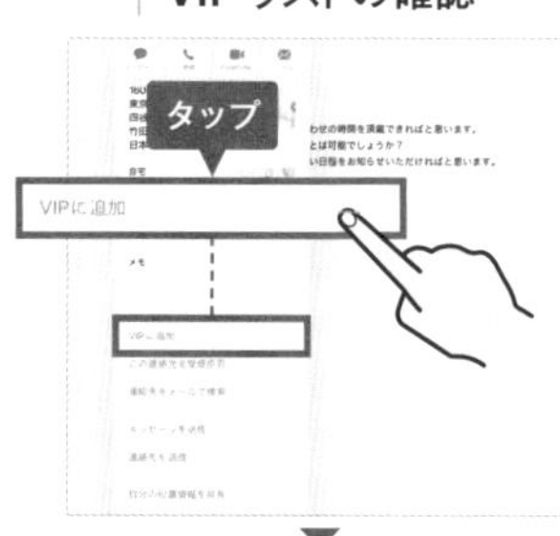

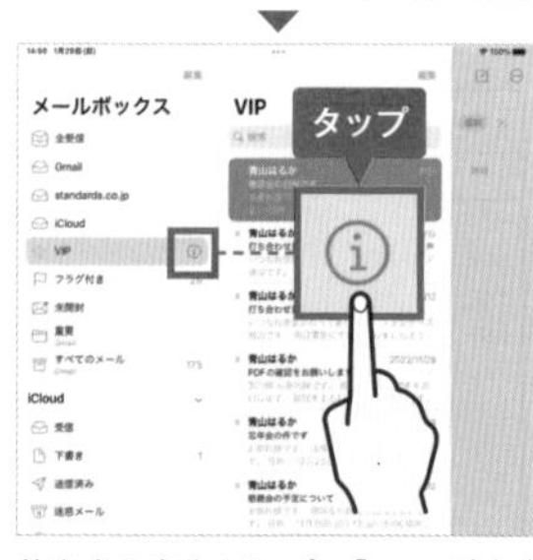

差出人や宛先をタップ→「VIPに追加」で、その連絡先をVIPに追加できる。VIPに登録した連絡先は、VIPフォルダの「i」ボタンをタップすれば確認できる。

no. 326 重要なメールのみ通知させる

VIPメールの通知を設定する

「設定」→「通知」→「メール」→「通知をカスタマイズ」の「VIP」をタップすると、VIPに追加(No325で解説)した相手からのメールの通知設定を変更できる。各アカウントの通知はオフにしてバッジのみにし、「VIP」だけ通知をオンにしてサウンドを設定しておけば、重要なメールの見落としを防げる。

「設定」→「通知」→「メール」→「通知をカスタマイズ」→「VIP」で、VIPからのメールの通知をオン/オフしたり、サウンドの種類やバッジの有無を変更できる。

no. 327 メール内容の一部を表示

メールのプレビュー行数を変更する

メールアプリで受信メールの一覧を表示する際、送信者名やタイトルの他に、メール内容を一部表示(プレビュー)してくれる。デフォルトではプレビュー表示が2行となっているが、この行数は設定アプリの「メール」→「プレビュー」で、「なし」から最大5行まで変更することが可能だ。

「設定」→「メール」→「プレビュー」をタップすると、メールのプレビュー行数を変更できる。「なし」から最大5行まで表示させることが可能だ。

no. 328 着信順に表示したい場合は

メールのスレッド表示を有効にする

「設定」→「メール」→「スレッドにまとめる」がオンだと、同じトピックについてやり取りした一連のメールをまとめて表示、確認できる。便利だが、複数回やり取りしたメールが1つの件名でまとめて表示されてしまうので、新着順に1通ずつメールを表示したい場合は、スイッチをオフにしよう。

「スレッドにまとめる」がオンだと、一連のやり取りのメールが受信ボックスでひとつのスレッドにまとまり、「>」マークが表示される。

no. 329 表示方法を細かく指定

スレッドの詳細設定を行う

「設定」→「メール」では、スレッド(No328で解説)の表示設定も可能だ。「開封メッセージを閉じる」は開封したメッセージをスレッド上でコンパクトに表示。「最新のメッセージを一番上へ」はスレッド内で新しい順に表示。「スレッドを全部そろえる」は送信メールも含めてスレッド表示する。

「設定」→「メール」→「スレッドにまとめる」の下にある3つのスイッチで、スレッドの表示方法を変更できる。自分で見やすいように設定しておこう。

no. 330 指定相手からのメールをブロック

メールの受信拒否を設定する

差出人名をタップして連絡先の詳細を開き、「この連絡先を受信拒否」→「この連絡先を受信拒否」をタップしておけば、この相手からのメールを受信拒否できる。また「設定」→「メール」→「受信拒否差出人オプション」で、「ゴミ箱へ入れる」を選択すれば、受信してすぐに削除されるようになる。

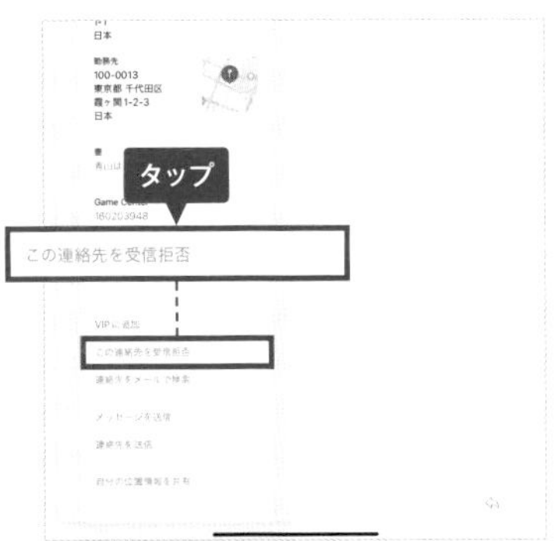

差出人名をタップして、「この連絡先を受信拒否」をタップすればこの相手からのメール受信を拒否できる。「この連絡先の受信拒否を解除」で解除できる。

no. 331 新着メールの取得タイミングを設定

メールの受信間隔を変更する

メールアプリでは、iCloudメールなら新着メールが即時通知される「プッシュ」方式で受信できるが、その他のメールは定期的にサーバへ問い合わせて受信する「フェッチ」方式での受信となる。ただし、「設定」→「メール」→「アカウント」→「データの取得方法」で、「フェッチ」欄を「自動」にチェックしておけば、iPadを充電中かつWi-Fiに接続中の場合のみ、プッシュ未対応のメールでもほぼリアルタイムで受信できる。

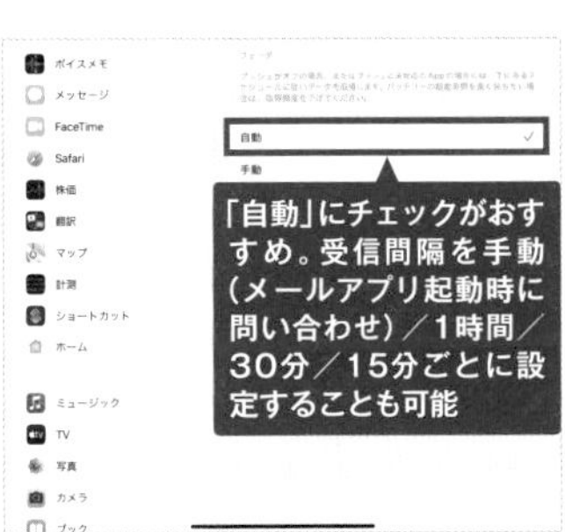

no. 332 重要な相手は通知音を変えよう

アカウントごとに個別のサウンドを設定する

「設定」→「メール」→「通知」（または「設定」→「通知」→「メール」）の、「通知をカスタマイズ」でアカウントを選択すると、「サウンド」欄でアカウントごとに通知音を変更できる。「なし」で無音に設定することも可能だ。なお、「設定」→「サウンド」ではメールの送信音も変更できる（No130で解説）。

「通知をカスタマイズ」でアカウントを選択すると、「サウンド」でアカウントごとに好きな通知音を設定できる。

no. 333 うっかり削除を防止する

メール削除前に確認するようにする

通常はメールのゴミ箱ボタンをタップすると、すぐにそのメールはゴミ箱に移動されるが、「設定」→「メール」にある「削除前に確認」のスイッチをオンにしておけば、ゴミ箱ボタンをタップした際に、すぐゴミ箱に移動せず確認メッセージが表示されるようになる。

「設定」→「メール」→「削除前に確認」をオンにすると、メールのゴミ箱やアーカイブボタンをタップした際に、確認メッセージが表示される。

no. 334 独自のメールアドレスを作成

カスタムメールドメインを利用する

iCloudのストレージ容量を有料で追加すると、「iCloud+」にアップグレードされ、「カスタムメールドメイン」を利用可能になる。iCloudメールアドレスの「@icloud.com」部分を、独自のドメイン名に変更できる機能で、最大5つのドメインでメールを送受信でき、ドメイン1つにつき最大3つのメールアドレスを使える。

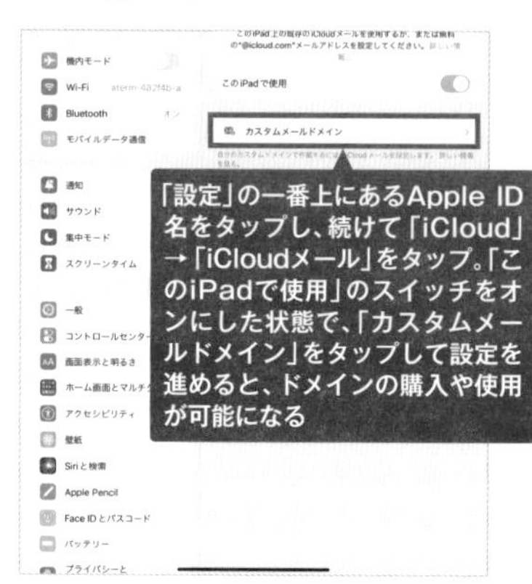

メール

no. 335 「iCloud+」にアップグレードすれば使える

アドレス非公開でメールを送受信する

iCloud+で利用できる使い捨てアドレス機能

iCloudのストレージ容量を有料で追加して「iCloud+」にアップグレードすると、「カスタムメールドメイン」（No334で解説）の他に「メールを非公開」も利用できるようになる。Webサービスやメルマガに登録する際に、ランダムな使い捨てのメールアドレスを作成できる機能で、作成したアドレスに届くメールは、自動的にApple IDに関連付けられたメールアドレスに転送される。作成したアドレスの管理や、転送先アドレスの変更は、「設定」一番上のApple IDを開いて「iCloud」→「メールを非公開」で行える。

1 Safariで「メールを非公開」をタップ

Safariでメールの入力欄をタップした際に、キーボード上部の「メールを非公開」をタップすると、ランダムなメールアドレスが生成される。作成したアドレス宛に届いたメールは、自動的にApple IDに設定した本来のメールアドレスに届く。標準メールアプリで返信すると、差出人アドレスも作成したアドレスに変更される。

2 作成したアドレスを管理する

作成したアドレスは、「設定」で一番上のApple IDを開き、「iCloud」→「メールを非公開」で確認できる。メールアドレスをロングタップするとコピーできるほか、アドレスの追加や削除、転送先の変更も可能だ。

no. 336

iPadではiMessage専用アプリ

メッセージアプリの使い方

iPhoneやMacとチャットのようにやりとりできる

「メッセージ」は、やり取りが会話形式で表示されるLINEのようなアプリだ。iPhoneでは「SMS」「MMS」「iMessage」の3種類のサービスを自動で切り替えて利用できるアプリなのだが、iPadではWi-Fi ＋ CellularモデルでもSMSとMMSを利用できず、iMessageのみの対応となる（iPhoneがあればSMSやMMSを転送してiPadで送受信することもできる）。iMessageは、機能を有効にしたiOSおよびiPadOSデバイスまたはMac相手にしかメッセージをやり取りできないという制限があるが、サービス自体は無料で利用でき、写真やビデオも特に制限なく添付できる（ただし容量が大きいファイルは圧縮される）ので、iPhoneユーザーなどと連絡を取ることがあれば活用しよう。

メッセージアプリの使い方と注意点

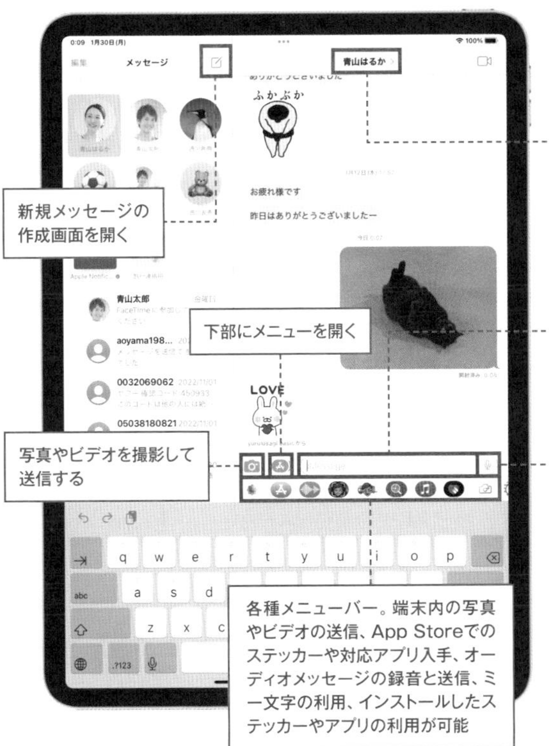

iPadで送信できるのはiMessageアドレスのみ

iPhoneならSMSやMMSでAndroidともやり取りできるが、iPadで送信できるのはiMessageのみ。iMessage機能を有効にしているiPhoneやiPad、Macとしかメッセージをやりとりできない点に注意しよう。

メッセージのやりとりは吹き出しで表示される

メッセージで送信した内容は、チャットのように吹き出しで表示される。吹き出しをダブルタップすると、そのメッセージに対して「ハート」や「笑」などの小さなアイコンですばやくリアクションできる（Tapback機能、No357を参照）。

メッセージの詳細画面でできること

上部ユーザー名をタップすると詳細画面が開く。写真などの添付ファイルが一覧表示され、ロングタップで選択して保存や削除ができるほか、「現在地を送信」「位置情報を共有」で現在地の共有（No371、372を参照）も可能だ。

no. 337

無料で使えるメッセージサービス

iMessageを使えるように設定する

メッセージアプリを使って、iPhone／iPadなどのデバイスやMacを相手にメッセージをやり取りできるサービスが「iMessage」だ。利用するには、設定で「メッセージ」をタップして開き、Apple IDでサインインすればよい。送受信アドレスも自由に追加・変更できる（No338で解説）。

1 Apple IDでサインインする

iMessageの利用にはApple IDが必要だ。「設定」→「メッセージ」でApple IDを入力し、サインインを済ませよう。

2 iMessageが有効になった

iMessageが有効になった。一時的に利用しない場合は、「iMessage」のスイッチをオフにすればよい。送受信アドレスの確認と変更はNo338を参照。

no. 338

複数のアドレスを追加できる

iMessageの着信用アドレスを変更する

「iMessage」で宛先にできるのは、iPhoneの電話番号かApple ID、そしてApple IDに関連付けられた送受信メールアドレスのみ。AndroidスマートフォンやWindowsには送信できない。この送受信アドレスは、Apple IDに関連付けることで好きなアドレスを追加できる。

1 送受信アドレスを確認・選択する

メッセージの送受信アドレスは、「設定」→「メッセージ」→「送受信」で確、変更できる。送受信に使いたいものだけチェックしておこう。

2 他の送受信アドレスを追加する

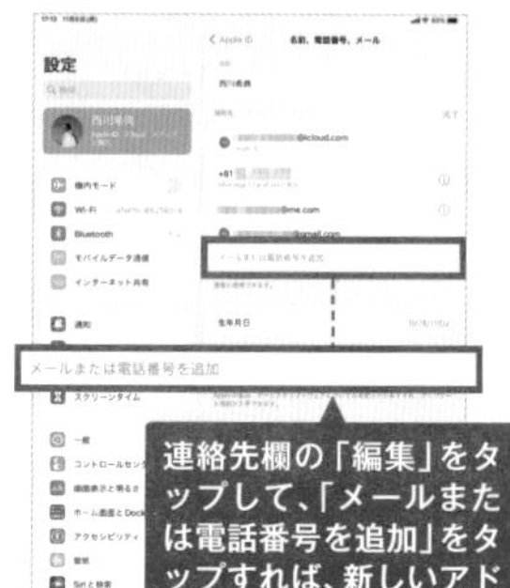

Apple ID以外の送受信アドレスは、「設定」上部のApple IDを開き、「名前、電話番号、メール」→「編集」をタップして追加する。

no. 339

iMessageアドレスは青文字

iMessageの送受信可能な相手の確認方法

宛先に名前や電話番号、アドレスを入力すると、その宛先がiMessage着信用として設定されているかを問い合わせ、iMessageで送信可能な相手であれば青文字で表示される。その他のアドレスは赤文字になり、iPadからはメッセージを送信できないので注意しよう。

青く表示された宛先には送信可能

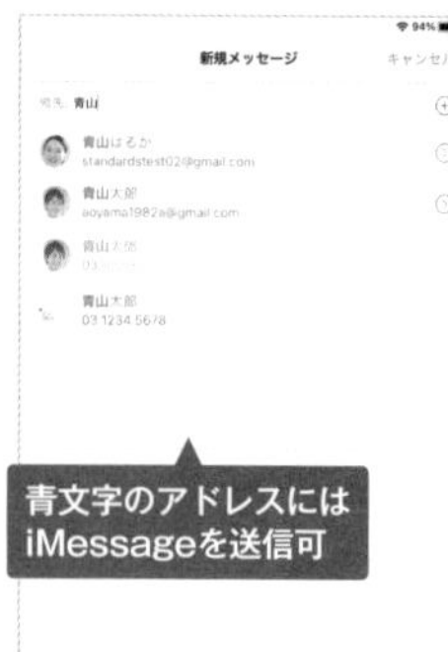

iMessageの着信用として確認された電話番号やメールアドレスは、青文字で表示される。この宛先にはメッセージを送信できる。

赤く表示された宛先には送信不可

iMessage着信用以外のアドレスや電話番号を入力すると、宛先が赤文字になる。送信をタップしてもこの宛先には送信されず、未配信となる。

no. 340

新規iMessageを作成

メッセージを送信する

左欄上部にある新規メッセージ作成ボタンをタップすると、右欄に新規iMessageの作成画面が開く。上部の宛先欄で、No339の通りiMessageに対応した青文字の宛先を入力したら、下部のメッセージ入力欄にメッセージを入力、「送信」をタップすれば送信できる。

新規メッセージ作成アイコンをタップ

メッセージアプリを起動したら、まず左欄右上の新規メッセージ作成ボタンをタップしよう。右欄に新規メッセージの作成画面が開く。

メッセージを入力して「送信」をタップ

宛先欄にiMessageのアドレスを入力し、下部のメッセージ入力欄にメッセージを入力。送信欄右端の「↑」をタップすれば送信できる。

no. 341

15分以内なら内容の編集が可能

送信したメッセージを編集する

メッセージを送信して15分以内であれば、あとから内容を編集して修正することが可能だ。ただし、編集が可能なのはiMessageのみで、iPhone経由でやりとりしたSMSやMMSは非対応。相手側に届く編集後のメッセージには「編集済み」ボタンが表示され、編集前の履歴も確認できる。

1 ロングタップして編集をタップ

メッセージを送信して15分以内なら、メッセージをロングタップして「編集」をタップすることで、メッセージ内容を書き換えることが可能だ。

2 編集前の内容も確認できる

相手には編集後のメッセージが表示されるが、「編集済み」ボタンをタップすることで、編集前のメッセージも確認できるようになっている。

no. 342

2分以内なら送信取り消しが可能

メッセージの送信を取り消す

メッセージを送信して2分以内なら、メッセージの送信取り消しが可能だ。ただし、取り消しが可能なのはiMessageのみで、iPhone経由でやりとりしたSMSやMMSは非対応。また、相手がiOS 15.6、iPadOS 15.6、macOS 12以前だと、送信を取り消しても相手に届いたメッセージは消えない。

1 ロングタップして送信を取り消す

メッセージを送信して2分以内なら、メッセージをロングタップして「送信を取り消す」をタップすることで、送信を取り消すことが可能だ。

2 相手に届いていたメッセージが消える

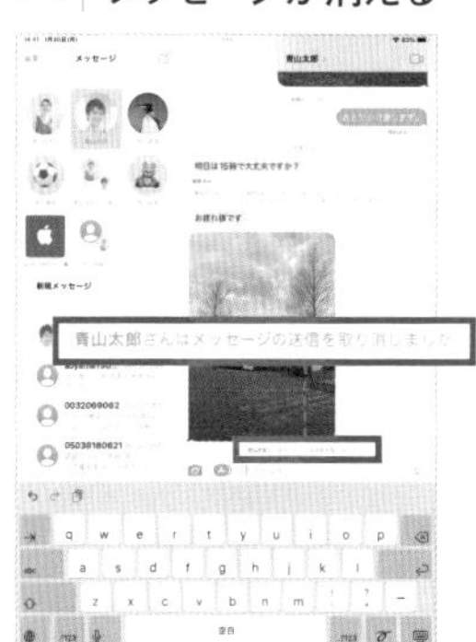

相手に届いていたメッセージが消え、「送信を取り消しました」と表示される。ただし、相手側のOSが古いとメッセージが消えず残ったままになるので注意しよう。

no. 343

既読メッセージを未読に戻す

メッセージを未開封にする

受信して一度開いたメッセージも、あとから未開封に戻すことができる。メッセージ一覧画面で未開封に戻したいメッセージを左から右にフリックするか、メッセージをロングタップして「未開封にする」をタップすればよい。未開封のメッセージは名前の前に青丸が表示される。

1 メッセージを未開封に戻す

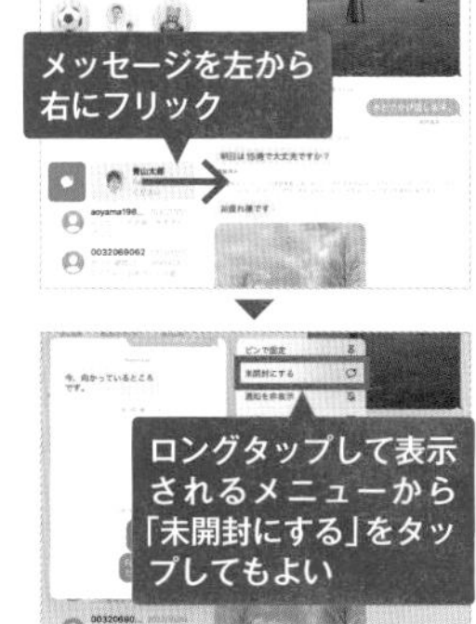

メッセージ一覧のメッセージを左から右にフリックするか、ロングタップして開いたメニューから「未開封にする」をタップすると、未開封に戻る。

2 未開封メッセージをまとめて確認

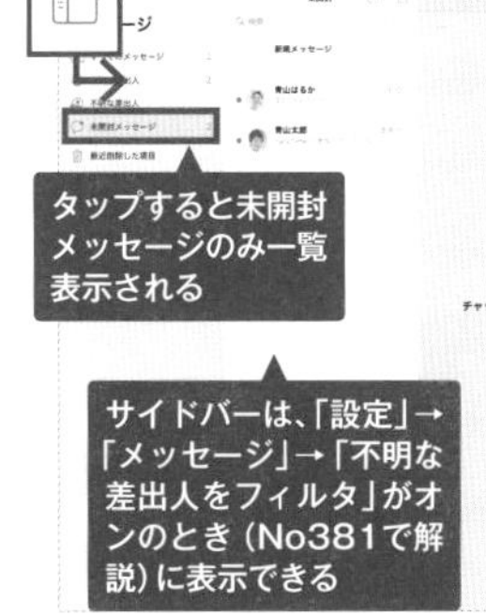

メッセージ一覧の左上のボタンをタップしてサイドバーを開くと、「未開封メッセージ」で未開封のメッセージをまとめて確認できる。

no. 344

30日以内なら復元できる

削除したメッセージを復元する

メッセージを誤って削除しても、削除してから30日以内であれば復元することが可能だ。画面左上の「編集」→「最近削除した項目を表示」をタップするか、編集ボタンがない場合は左上のボタンでサイドバーを開いて、「最近削除した項目」リストから復元しよう。

1 最近削除した項目を表示する

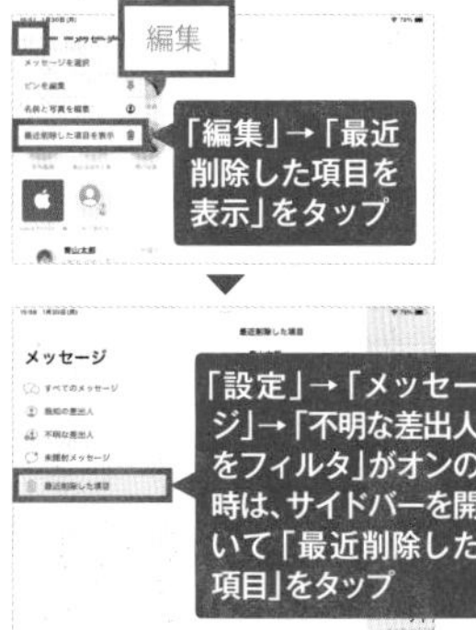

画面左上の「編集」→「最近削除した項目を表示」をタップするか、編集ボタンがない時はサイドバーを開いて「最近削除した項目」をタップする。

2 メッセージを選択して復元する

削除してから30日以内であればメッセージが残っている。復元したいメッセージを選択し、右下の「復元」をタップするとこのメッセージを復元できる。

no. 345

音声で手軽にやりとり

オーディオメッセージを送信する

メッセージアプリでは、オーディオメッセージの送信も非常に簡単だ。メッセージ入力欄の下にあるメニューバーから、オーディオ録音ボタンをタップすると、録音の開始と送信を行える。送信したオーディオメッセージは、メッセージアプリ内で直接再生できる。

1 オーディオメッセージを録音、送信する

タップすると録音を開始し、もう一度タップで停止。再生して内容を確認してから送信できる。ロングタップするとすぐに録音が開始され、指を離すだけで自動的に送信される

オーディオ録音ボタンをタップすると、オーディオメッセージの録音画面になる。マイクボタンをタップするか、ロングタップして音声でメッセージを送ろう。

2 オーディオメッセージを再生する

メッセージ内の再生ボタンをタップすれば音声を再生できる。また、メッセージ下部の「保存」をタップして保存すれば、再生後も自動消去されない（No370を参照）。

no. 346

カメラで撮影することもできる

メッセージで写真やビデオを送信する

メッセージ入力欄左のカメラボタンをタップすると、写真やビデオを撮影して送信できる。またメッセージ入力欄下部のメニューから写真ボタンをタップすれば、端末内やクラウド上の写真やビデオを選択して送信できる。複数を選択してまとめて送信することも可能だ。

1 写真やビデオを送信する

下部メニューバーの写真ボタンをタップすると、端末内の写真やビデオを選択して送信できる。またカメラボタンをタップすれば、写真やビデオを撮影して送信できる。

2 写真やビデオを確認、保存する

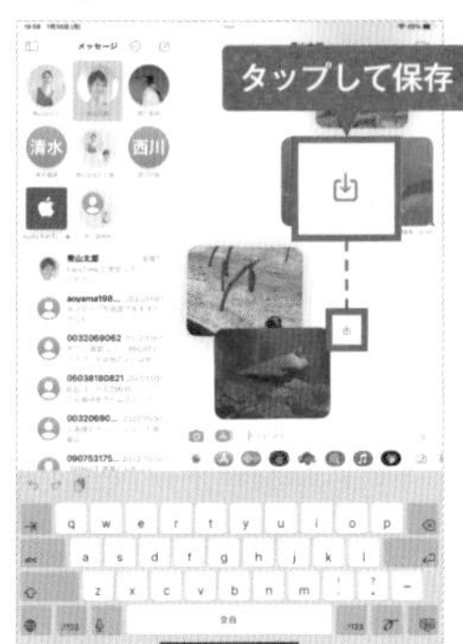

受信した写真やビデオはタップすると全画面表示になり、ビデオの場合は早送りや巻き戻しも可能だ。また右に表示される保存ボタンで写真アプリに保存できる。

no. 347

フィルタなども適用できる

写真を編集して送信する

メッセージで写真を送信する（No346で解説）際は、サムネイルをタップして「編集」をタップすることで、写真に簡単な編集を加えることができる。写真編集メニューの機能と操作はNo493で詳しく解説するが、画質補正や切り抜き、フィルタの適用など、一通りの操作が可能だ。

1 プレビュー画面で「編集」をタップする

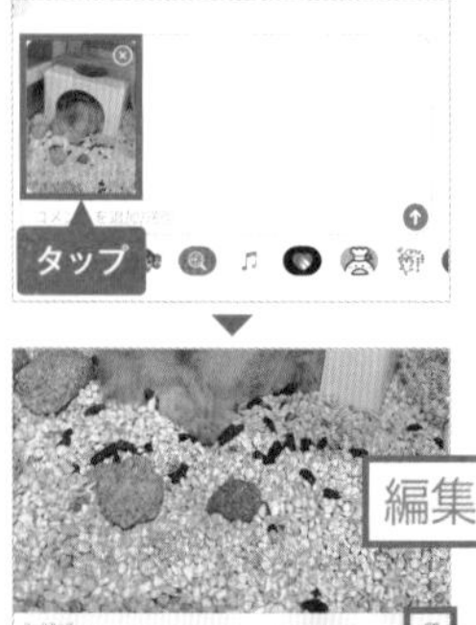

メッセージアプリで送信する写真を選択したら、入力欄のサムネイルをタップ。プレビューが表示されるので、右下の「編集」をタップしよう。

2 写真に自動補正などの編集を加える

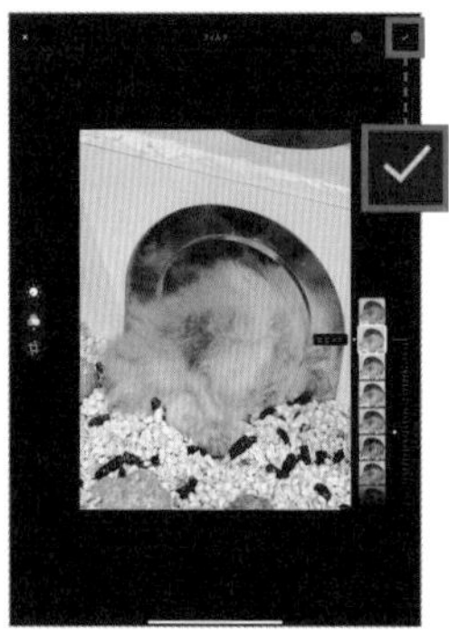

自動補正や傾き補正、切り抜き、フィルタなどの編集メニューが用意されている。右上のチェックをタップすれば、編集を適用して元のプレビュー画面に戻る。

no. 348

マークアップ機能を使おう

写真に手書きの文字や指示を加えて送信する

メッセージで写真を送信する（No346で解説）際は、サムネイルをタップした後「マークアップ」をタップすることで、写真に手書き文字やテキストを書き込んで送信できる。ツールバーでペンの種類やカラーを変更できるほか、テキストや署名の入力、図形や矢印の挿入、拡大鏡も利用できる。

1 「マークアップ」をタップする

メッセージアプリで送信する写真を選択したら、入力欄のサムネイルをタップ。プレビューが表示されるので、左下の「マークアップ」をタップしよう。

2 写真に書き込んで保存する

表示されるマークアップツールバーでペンの種類やカラーを選択し、画像に手書きしよう。右上の「保存」をタップすると元のプレビュー画面に戻って送信できる。

no.
349

メッセージ表示時に特殊効果を付ける

メッセージに動きやエフェクトを加えて送信する

1 メッセージを入力し送信ボタンをロングタップ

iMessageでは、吹き出しや背景にさまざまな特殊効果を追加する、メッセージエフェクトを利用できる。まずメッセージを入力したら、送信ボタン(「↑」ボタン)をロングタップしてみよう。

2 「吹き出し」エフェクトで送信する

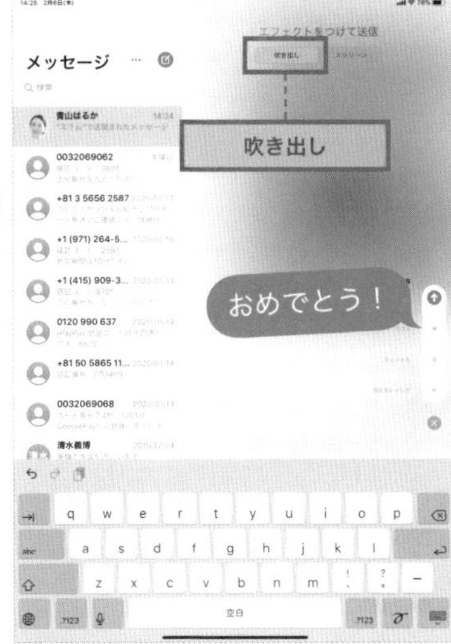

上部「吹き出し」タブでは、最初に大きく表示される「スラム」や、吹き出しや画像をタップするまで表示されない「見えないインク」など、吹き出しに効果を加えるエフェクトを選択して送信できる。

3 「スクリーン」エフェクトで送信する

上部「スクリーン」タブに切り替えると、背景に風船や紙吹雪をアニメーション表示させるなど、派手なエフェクトを追加できる。エフェクトの種類は画面を左右にスワイプすれば切り替えできる。

no.
350

吹き出しにドラッグして配置することも可能

ステッカーでキャラクターやイラストを送信する

1 あらかじめステッカーを入手しておく

iMessageでは、専用のイラストやアニメーションを「ステッカー」として送信できる。LINEの「スタンプ」とほぼ同じ機能だ。No358の手順に従い、App Storeから好きなステッカーを入手しておこう。

2 ステッカーを選択して送信する

入力欄下のメニューバーを左にスワイプすると、入手したステッカーや対応アプリが表示される。送信したいステッカーを選択し、送信(「↑」)ボタンで送信しよう。

3 好きな場所にステッカーを配置する

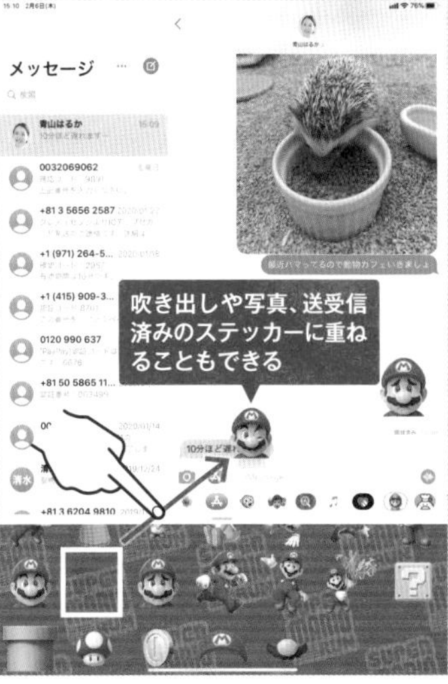

ステッカーをタップしたまま吹き出しにドラッグすれば、その吹き出しに対するアクションとしてステッカーを送信できる。ステッカーから指を離して配置した時点で自動送信される。

no. 351

スケッチやジェスチャーで送信しよう

アニメーションのメッセージを送信

入力欄下のメニューバーにあるハートボタンをタップすると、「Digital Touch」の入力モードになる。手書きしたスケッチをそのままアニメーションで送信できるほか、画面を2本指で押し続けるとハートの鼓動になるなど、さまざまなジェスチャーでアニメーションを送信できる。

1 Digital Touchの入力画面を開く

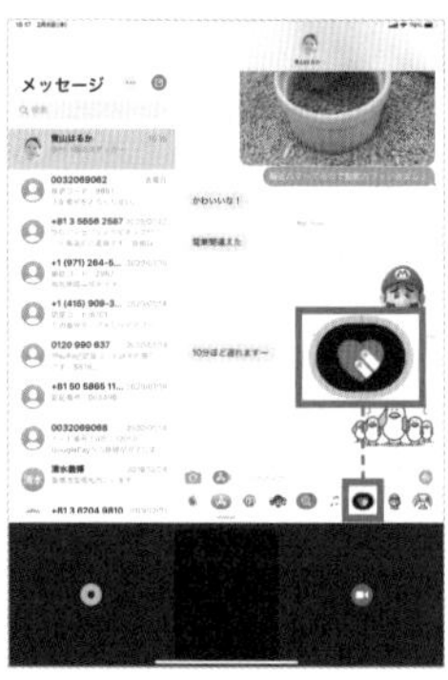

入力欄左にあるAppボタンをタップし、下部メニューのハートボタンをタップすると、「Digital Touch」の入力モードになる。

2 スケッチした内容をアニメーションで送信

左の丸ボタンでカラーを変更し、中央の入力欄に手書きでスケッチを入力して送信ボタンをタップすると、筆跡通りに再生されるアニメーションを送信できる。

no. 352

長文をまとめて絵文字に

入力したメッセージを後から絵文字に変換

「メッセージ」アプリでは普通に絵文字キーボードや変換候補から絵文字を入力するほかに、いったん文章を最後まで入力して一気に絵文字変換できることも覚えておこう。文章を入力した後、キーボードを「絵文字」に切り替えると、絵文字変換可能な語句がオレンジ色で表示される。

1 文章入力後に絵文字キーボードに切り替え

メッセージ入力欄に文章を入力した後に、絵文字キーボードに切り替えると、絵文字変換可能な語句がオレンジで表示される。

2 絵文字に変換可能な語句をタップ

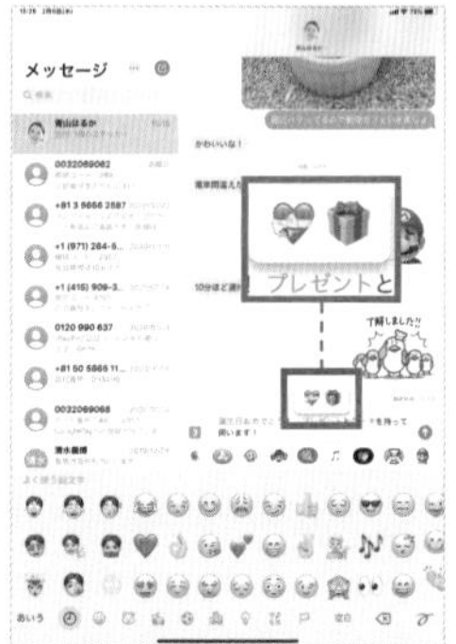

オレンジの語句をタップし、絵文字を選択しよう。もちろん、絵文字が不要な語句はそのままにしておいてよい。再度タップして文字に戻すこともできる。

no. 353

顔の動きに合わせて表情が動く

ミー文字を利用する

Face IDを搭載したiPad Proのメッセージアプリでは、自分の顔の動きに合わせて表情が動くキャラクターを音声と一緒に送信できる、「ミー文字」を利用できる。下部メニューバーのミー文字ボタンをタップし、キャラクターを選択して録画しよう。ウインクや舌を出す表情も再現できる。

1 ミー文字を選んで録画する

メッセージ入力欄下のメニューバーでミー文字ボタンをタップし、キャラクターを選択。カメラに自分の顔を向けて、赤い丸ボタンをタップすれば録画開始。

2 録画したミー文字を送信する

メッセージを喋りながら表情を変えれば、自動的にミー文字の表情も変わる。録画終了したら、青い矢印ボタンで相手に送信しよう。

no. 354

自分そっくりのキャラを作ろう

新しいミー文字を作成する

Face IDを搭載したiPad Proのメッセージアプリでは、ミー文字（No353で解説）機能のひとつとして、自分でパーツを自由に組み合わせたキャラクターも作成できる。肌、ヘアスタイル、顔の形など豊富なパーツが用意されているので、自分そっくりの分身キャラに仕上げよう。

1 「新しいミー文字」をタップする

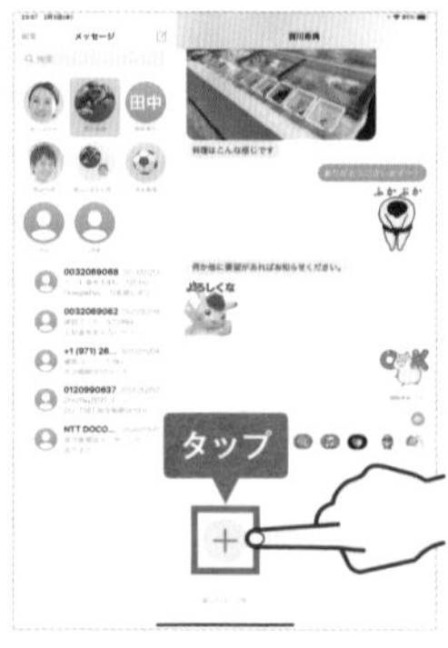

メッセージ入力欄下のメニューバーでミー文字ボタンをタップし、一番左の「＋」（新しいミー文字）ボタンをタップしよう。

2 顔のパーツを選択していく

肌やヘアスタイルなど豊富なパーツを組み合わせて、自分そっくりの分身キャラを作成しよう。作成したミー文字は、他のキャラクターと同様に利用できる。

no.355 手書きキーで入力切り替え

手書き文字を送信する

キーボードの右下の手書きキーをタップすると手書き入力モードになる。手書き文字を入力し、右上の「完了」をタップするとメッセージ入力欄に表示されるので、送信ボタンをタップしよう。相手には書いた筆跡通りのアニメーションとして送信される。

メッセージ入力欄をタップすると、キーボードの右下に手書きキーが追加されているので、これをタップ。

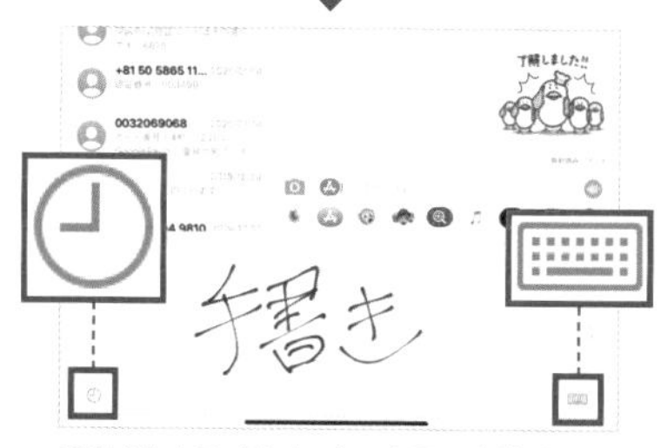

手書き入力モードになった。左下の時計ボタンで履歴を表示でき、右下のキーボードボタンでキーボードに戻る。

no.356 「イメージ」画面で選択できる

GIF画像を送信する

メッセージ入力欄左のAppボタンをタップし、下部メニューから「イメージ」ボタンをタップすると、GIF画像が一覧表示されタップして送信できる。「イメージを検索」欄でキーワード検索も可能だ。

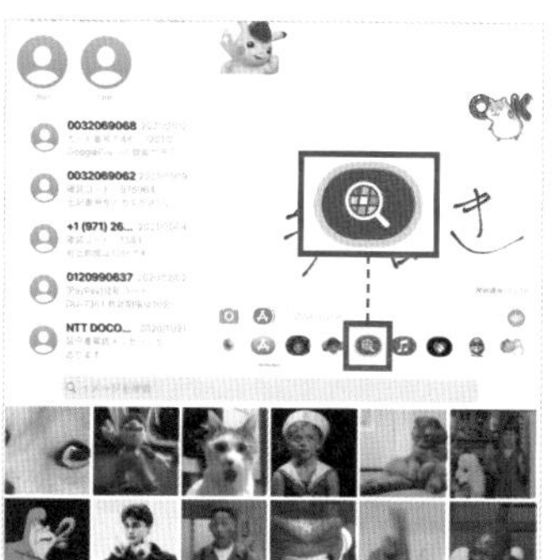

no.357 吹き出しをダブルタップ

Tapbackで素早くリアクションする

相手のメッセージに「ハート」や「いいね」などで手軽に反応したい場合は、吹き出しや写真をダブルタップして、メッセージ上部に表示されるTapbackメニューから選択しよう。吹き出しに対してボタンでリアクションできる。

吹き出しをダブルタップすると、吹き出しの上にTapbackメニューが表示されるので、ボタンを選んでタップ。

no.358 iMessage用アプリを探そう

ステッカーや対応アプリをApp Storeから入手する

ステッカー（No350で解説）や、iMessage対応アプリ（No361で解説）を入手するには、メッセージアプリ内のメニューからApp Storeにアクセスすればよい。iMessage専用のApp Storeページが表示され、ステッカーやアプリを入手・購入できる。

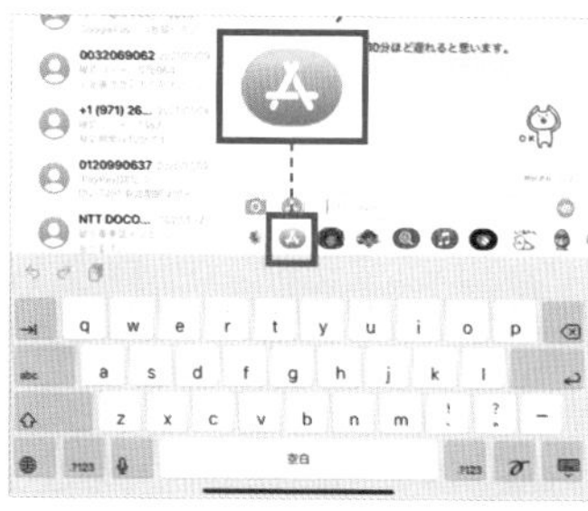

メッセージ入力欄左のAppボタンをタップし、下部に開いたメニューからAppボタンをタップしよう。

iMessage向けのApp Storeページが表示され、アプリやステッカーを入手、購入できる。

no.359 吹き出しをロングタップ

メッセージの内容をコピーする

メッセージの内容をコピーしたい場合は、吹き出しをロングタップし、下部に表示されるメニューから「コピー」をタップすればよい。テキストだけでなく、画像や手書き文字などをコピーすることもできる。

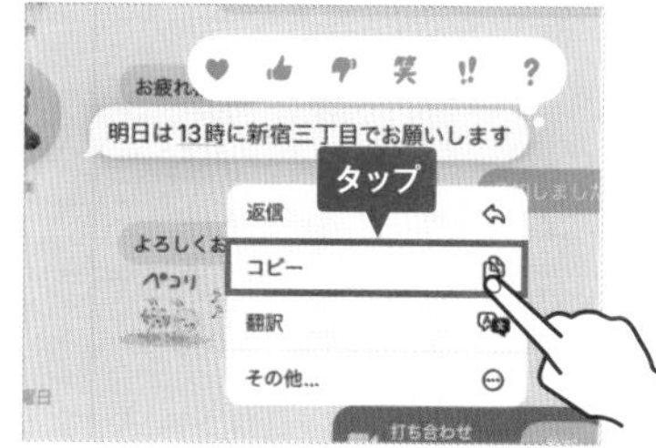

メッセージのロングタップメニューから「コピー」をタップ。コピーしたメッセージは、入力欄をロングタップして「ペースト」で貼り付けできる。

no.360 個別の開封済み操作も可能

メッセージをまとめて開封済みにする

メッセージ一覧の上部で「編集」（または「…」）→「メッセージを選択」をタップし、「すべて開封済みにする」をタップすると、未読のメッセージスレッドがすべて開封済みになる。スレッドにチェックして「開封済み」で個別に開封済みにすることも可能だ。

メッセージ一覧の上部にある「編集」（または「…」）→「メッセージを選択」をタップ。

左下に表示される「すべて開封済みにする」をタップすれば、すべてのスレッドを開封済みにできる。

no. 361

iMessage対応アプリで連携させよう

対応アプリの情報をメッセージで送信する

メッセージアプリ内でさまざまなアプリと連携

No358の通り、メッセージアプリでApp Storeにアクセスすると、iMessage対応アプリを入手したり購入できる。ダウンロードしたアプリはメッセージアプリのメニューバーに表示され、iMessage上で起動、連携することが可能だ。例えば「YouTube」なら、最近再生した動画や検索した動画を相手に送って手軽に共有できる。また、「Pocket」で保存した記事を送信したり、「乗換案内」で最後に検索した経路の画面メモを送信するといった操作も可能だ。他にも連携可能なアプリは多いのでチェックしてみよう。

1 iMessage対応アプリをインストール

メッセージアプリからApp Storeにアクセスし(No358を参照)、iMessage対応アプリをインストールしよう。アプリはメッセージ入力欄下のメニューバーから起動できる。

2 iMessage対応アプリを利用する

「乗換案内」アプリなら、最後に検索した経路が表示され、相手にメッセージとして送信できる。他に普段よく使っているアプリも、iMessageに対応していないか確認しておこう。

no. 362

共有されたコンテンツを各アプリで表示

「あなたと共有」機能を利用する

メッセージアプリでURLや写真、音楽などを受け取ると、「あなたと共有」機能により、対応アプリの決まった場所に自動で振り分けられる。たとえば過去に共有されたURLは、メッセージアプリで検索しなくても、Safariのスタートページにある「あなたと共有」欄で素早く探し出せる。

1 「あなたと共有」を有効にする

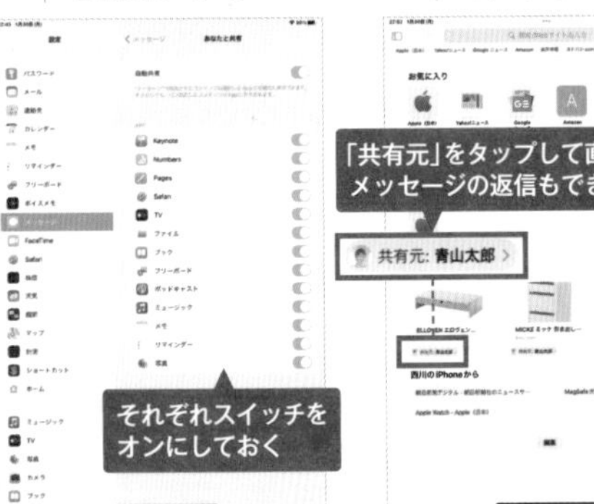

「設定」→「メッセージ」→「あなたと共有」→「自動共有」のオンを確認。その下で、「あなたと共有」機能を利用するアプリのスイッチもそれぞれオンにしておく。

2 「あなたと共有」で表示する

たとえばメッセージアプリで送られてきたURLは、Safariのスタートページにある「あなたと共有」欄でまとめて確認できる。この画面から返信も可能。

no. 363

左欄上部の検索欄を使おう

メッセージの内容を検索する

メッセージを検索したい場合は、左欄上部の検索欄をタップしよう。よく使う連絡先や、やり取りした写真、位置情報などを探し出せるほか、過去のメッセージ内容をキーワードで全文検索できる。検索結果のスレッドをタップすると、キーワードを含むメッセージ画面が表示される。

1 検索欄にキーワードを入力して検索

左欄上部の検索欄をタップすると、やり取りしたすべての写真などを素早く探せる。またキーワードを入力すればメッセージを全文検索できる。

2 検索結果をタップして表示

検索結果のスレッドをタップすると、そのメッセージの画面が表示される。過去のやり取りを確認するのに、いちいち上までスクロールするより手っ取り早い。

no. 364

個別またはまとめて削除

メッセージのやり取りを削除する

不要なメッセージは、吹き出しのロングタップメニューから個別に削除できる。ただし、自分のメッセージアプリ上の表示が消えるだけで、相手のメッセージからも削除されるわけではない。左欄のスレッドを左にスワイプしてゴミ箱ボタンをタップすれば、スレッドごと削除できる。

メッセージを個別に削除する

削除したいメッセージをロングタップし「その他」をタップする。吹き出しにチェックが入っているのを確認してゴミ箱をタップ。続けて「メッセージを削除」で削除できる。

メッセージをスレッドごと削除する

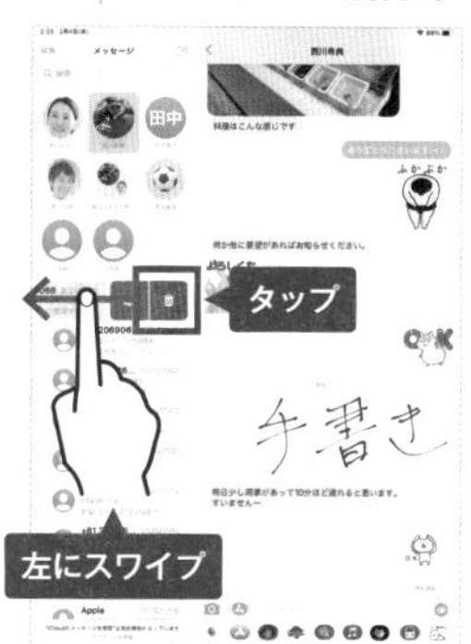

左欄で削除したいスレッドを左にスワイプしてゴミ箱ボタンをタップするか、「編集」(または「…」)→「メッセージを選択」でスレッドを選択して、右下の「削除」をタップする。

no. 365

メンバーの追加や削除も可能

グループメッセージを利用する

2人以上の宛先を入力してメッセージを送ると、自動的にグループメッセージ画面になり、参加メンバーのメッセージのやり取りが同じ画面に表示されるようになる。上部ユーザー名をタップすれば、グループに名前を付けられるほか、あとからメンバーを追加/削除することも可能だ。

1 グループ名を付ける

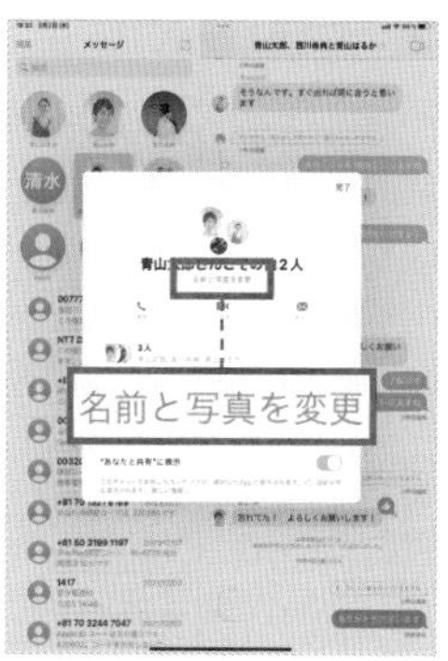

複数の宛先を入力してメッセージを送れば、グループメッセージになる。また上部のユーザー名をタップして「名前と写真を変更」をタップすると、グループ名を付けられる。

2 メンバーを追加または削除する

参加メンバー一覧をタップして表示される「連絡先を追加」をタップすると、後からグループにメンバーを追加できる。名前を左にスワイプして「削除」でメンバーから外せる。

no. 366

返信の対象を分かりやすくしよう

グループで特定の相手やメッセージに返信する

グループメッセージで同時に会話していると、誰がどの件について話しているか分かりづらい。特定のメッセージに返信したい時はインライン返信機能を使おう。また特定の相手に話しかけるにはメンション機能を使う。それぞれ、どの話題や誰に対しての返信か分かりやすくなる。

1 特定のメッセージに返信する

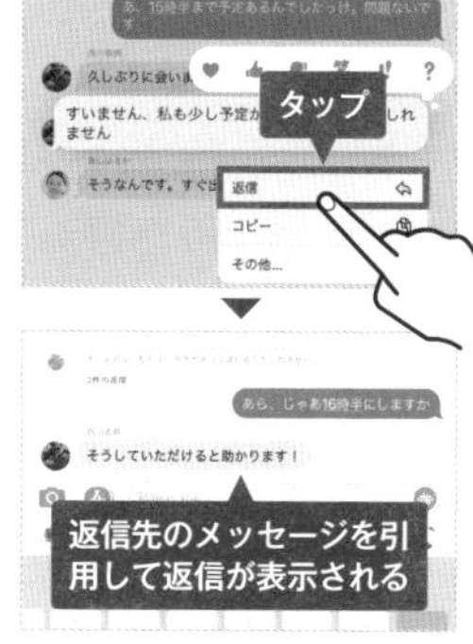

メッセージをロングタップして「返信」をタップすると、元のメッセージと返信メッセージがまとめて表示されるようになり、どの話題についての会話か分かりやすい。

2 特定の相手に話しかける

特定の相手に話しかけるには、入力欄に相手の名前を入力してタップ。ポップアップ表示された相手の名前をタップし、続けてメッセージを入力すればよい。

no. 367

最大9人まで固定できる

よくやり取りする相手を一番上に固定する

メッセージでよくやり取りする特定の相手やグループは、見やすいようにリスト上部にピン固定できる。最大9人(グループ)までの配置が可能だ。ピン固定した相手からメッセージが届くと、アイコンの上にフキダシのように表示され、メッセージの内容がひと目で分かるようになる。

1 「ピンで固定」をタップする

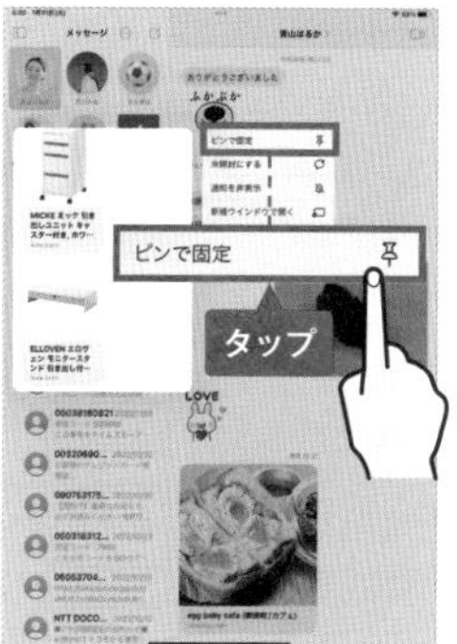

よくやり取りする相手やグループをロングタップし、開いたメニューから「ピンで固定」をタップすると、リスト上部にアイコンで固定表示される。

2 リスト上部に固定して配置される

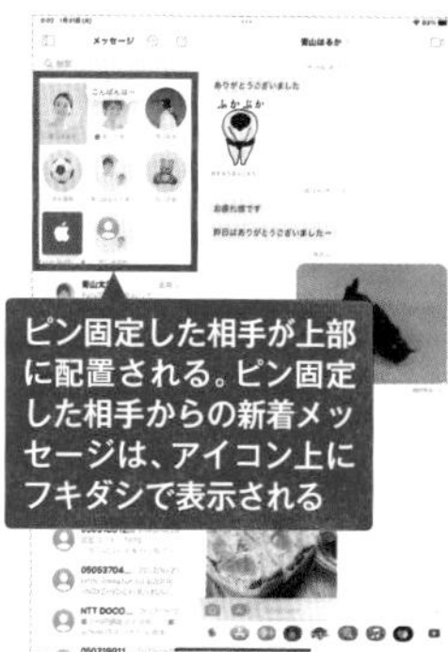

リスト上部に最大9人(グループ)までピン固定できる。アイコンをロングタップして「ピン固定を解除」をタップすると、固定表示が解除される。

no. 368 メッセージ画面を左にスワイプ

メッセージの詳細な送受信時刻を確認する

メッセージアプリで、同じ相手と短時間に連続してやりとりすると、最初のメッセージの上にのみ送受信時刻が表示され、そのあとのメッセージには時刻が表示されない。これを確認するには、画面を左にスワイプしてみよう。それぞれの吹き出しの横に送受信時刻が表示されるはずだ。

メッセージ画面を左にスワイプすると、各メッセージの右に送受信時刻が表示される。

no. 369 件名付きでメッセージを作成

メッセージの件名欄を表示する

メッセージの画面は、デフォルトだと本文のやり取りのみが表示されるが、実は件名を付けて送信することもできる。「設定」→「メッセージ」で「件名欄を表示」をオンにすれば、メッセージ作成時に件名の入力欄が表示されるはずだ。件名欄に入力した文字は太字で表示される。

「設定」→「メッセージ」で「件名欄を表示」をオンにすると、メッセージ入力欄の上に「件名」欄が追加される。

no. 370 音声の自動消去設定も

メッセージの保存期間を設定する

設定の「メッセージ」→「メッセージの保存期間」で、メッセージの保存期間を「30日間」「1年間」「無制限」に変更できる。また、オーディオメッセージはデフォルトだと送信または再生して2分後に消去されるが、「有効期限」をタップすれば消去しないよう設定を変更できる。

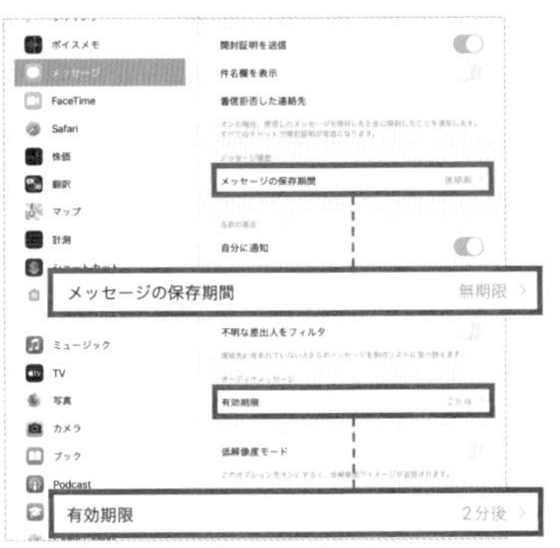

設定の「メッセージ」→「メッセージの保存期間」でメッセージの保存期間を、「有効期限」でオーディオメッセージの保存期間を変更できる。

メッセージ

no. 371 待ち合わせにも便利

メッセージで現在地を知らせる

上部のユーザー名をタップして詳細画面を開き、「現在地を送信」をタップすれば、自分の現在地をマップで相手に知らせることができる。あらかじめ「設定」→「プライバシーとセキュリティ」→「位置情報サービス」をオンにしておき、メッセージの位置情報利用も許可しておこう。

1 「現在地を送信」をタップする

あらかじめ設定の位置情報サービスをオンにした上で、メッセージ画面上部のユーザー名をタップ。詳細画面で「現在地を送信」をタップしよう。

2 現在地のマップが送信される

現在地のマップが送信され、簡単に自分の居場所を伝えることができる。送信したマップはタップすれば、マップアプリで開いたり経路検索を行える。

no. 372 共有期間も設定できる

他のユーザーと位置情報を共有する

上部のユーザー名をタップして「位置情報を共有」をタップすれば、自分の位置情報を相手と共有できる。共有期間は1時間／明け方まで／無制限から選択。あらかじめ「設定」→「プライバシーとセキュリティ」→「位置情報サービス」→「位置情報を共有」→「位置情報を共有」をオンにしておこう。

1 「位置情報を共有」をタップ

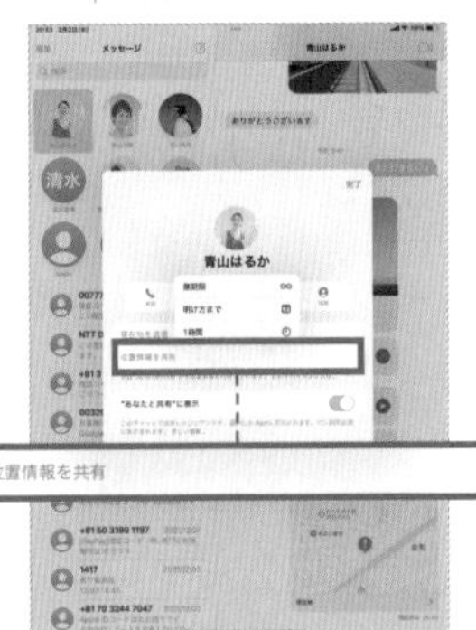

上部のユーザー名をタップして「位置情報を共有」をタップ。共有期間を1時間／明け方まで／無制限から選択すれば、自分の位置情報を相手と共有できる。

2 相手が位置情報を共有した場合

相手が「位置情報を共有」で共有を開始した場合は、このように詳細画面にマップが追加され、相手の現在地を確認することができる。

no. 373

アプリを起動せずにすばやく返信

通知表示から メッセージの返信を行う

新着メッセージがバナーで通知されたら、下にドラッグしてみよう。メッセージ画面が開き、キーボード上部にメッセージ入力欄も表示される。アプリを起動しなくても、そのまま返信が可能だ。ロック画面や通知センターでは、通知をロングタップするとメッセージ画面が開いて返信できる。

新着メッセージのバナー通知から返信

バナー通知の場合は、バナーを下にドラッグすれば、メッセージ画面とメッセージ入力欄が表示され、アプリを起動しなくてもそのまま返信できる。

ロック画面や通知センターから返信

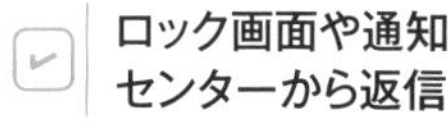

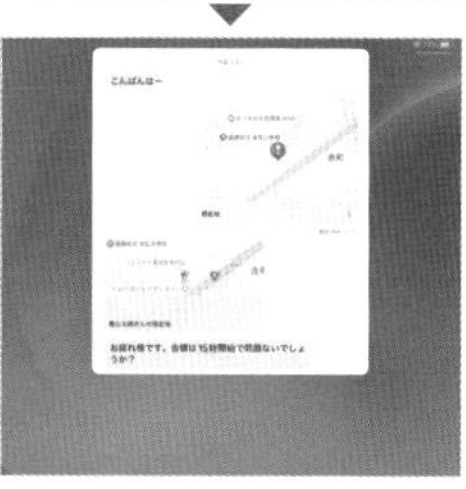

ロック画面や通知センターの場合は、通知をロングタップすれば、同様にメッセージ画面とメッセージ入力欄が表示されて直接返信できる。

no. 374

相手に既読通知を送る

メッセージの 開封証明を送信する

「設定」→「メッセージ」→「開封証明を送信」をオンにすると、LINEの既読表示のようにメッセージを読んだかどうかを相手に伝えることができる。メッセージが読まれると、送信メッセージの吹き出し下の「配信済み」が「開封済み」に変わり、既読を確認できる。

「開封証明を送信」をオンにする

「設定」→「メッセージ」→「開封証明を送信」をオンにしておくと、受信したメッセージを閲覧した際に、相手に開封通知するようになる。

相手の「開封証明を送信」がオンの場合

相手の「開封証明を送信」がオンであれば、相手がメッセージを読んだ時点で、送信メッセージの下部の表示が「配信済み」から「開封済み」に変わる。

no. 375

ユーザー名をタップして確認しよう

送受信した写真やリンクをまとめて見る

上部ユーザー名をタップして、「写真」や「リンク」の「すべて表示」をタップすると、この相手と過去にやり取りした写真やビデオ、リンクが一覧表示される。写真やビデオは、選択して端末内に保存することも可能だ。なお左上の検索欄をタップすると、すべてのメッセージから送受信した写真やリンクを探し出せる（No363で解説）。

上部ユーザー名をタップして、「写真」や「リンク」の「すべて表示」をタップ。

no. 376

自分宛てのメッセージを通知させる

「自分に通知」機能を利用する

大人数で頻繁にメッセージをやり取りするようなグループでは、通知を非表示（No379で解説）にしておきたいが、自分宛てのメッセージを見逃すのは困る。そんな時は「設定」→「メッセージ」→「自分に通知」をオンにしておこう。グループの通知を非表示にしていても、自分を名指ししたメッセージ（No366で解説）だけは通知してくれるようになる。

オンにしておくと、通知が非表示の時でも自分を指名したメッセージは通知を受け取れる。

no. 377

メッセージ一覧をスッキリした表示に

連絡先の写真を表示させない

メッセージ一覧には、相手の名前の左側に連絡先の写真が表示されるが、相手が写真を設定していないと、単にデフォルトのアイコンが並ぶだけだ。表示が邪魔なら、「設定」→「メッセージ」→「連絡先の写真を表示」のスイッチをオフにしておこう。なお、リスト上部にピン固定した場合（No367で解説）は、その連絡先の写真やデフォルトのアイコンが表示される。

オフにすると、メッセージ一覧の写真やデフォルトのアイコンが消えてスッキリした表示になる。

no. 378 画像などの転送も可能

メッセージを転送する

メッセージの吹き出しをロングタップし、「その他」をタップ。転送したいメッセージにチェックして右下の転送ボタンをタップすれば、そのメッセージが入力された状態で新規メッセージが開き、宛先を選んで転送できる。スタンプなどは転送できないが、画像や送信された現在地の転送も可能だ。

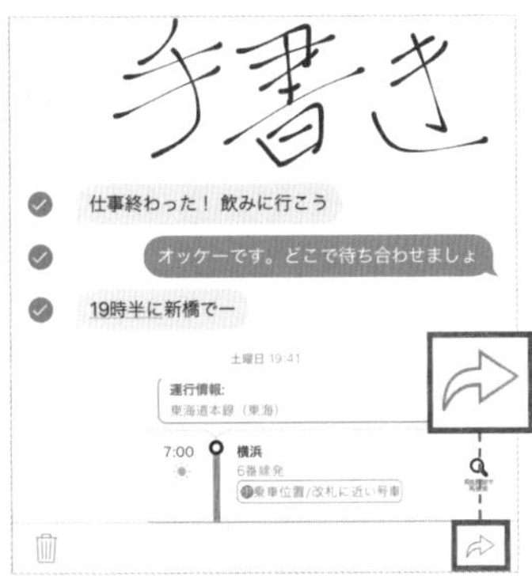

吹き出しのロングタップメニューから「その他」をタップして、転送したいメッセージにチェック。右下の転送ボタンをタップすれば転送できる。

no. 379 通知を非表示に設定しておこう

特定の相手のメッセージだけを通知しない

着信拒否にするような相手ではないが、頻繁にメッセージが送られてきて通知がわずらわしい、といった場合は、その相手のメッセージスレッドを左にスワイプし、ベルボタンをタップしておこう。これで、この相手からのメッセージのみ、通知なしでメッセージを受信できるようになる。通知はされないが、バッジは表示されるため、新着メッセージがあることは確認できる。

メッセージのスレッドを左にスワイプしてベルボタンをタップすれば、通知が表示されず通知音も鳴らない。メッセージ画面でユーザー名をタップして、「通知を非表示」をオンにしてもよい。

no. 380 FaceTimeの着信もまとめて拒否

メッセージの着信拒否を設定する

メッセージアプリでユーザー名をタップして、続けて「情報」をタップ。「この発信者を着信拒否」→「連絡先を着信拒否」をタップすれば、相手からのメッセージだけでなく、FaceTime通話も着信しなくなる。

1 着信拒否したい相手の名前をタップ

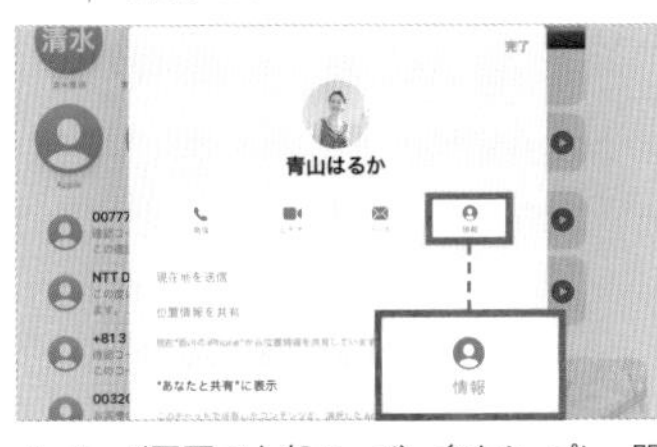

メッセージ画面で上部ユーザー名をタップし、開いた画面で「情報」をタップする。

2 「この発信者を着信拒否」をタップする

「この発信者を着信拒否」→「連絡先を着信拒否」をタップすれば、メッセージとFaceTimeを着信拒否できる。もう一度タップすれば解除される。

no. 381 連絡先以外からのメッセージをフィルタ

不明な相手からのメッセージを振り分ける

「設定」→「メッセージ」で「不明な差出人をフィルタ」をオンにしておくと、連絡先に登録されている相手以外からのメッセージは、サイドバーの「不明な差出人」リストに自動で振り分けてくれる。

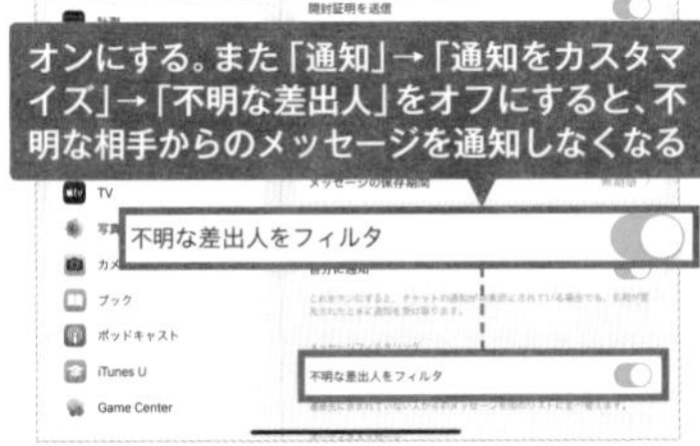

「設定」→「メッセージ」で「不明な差出人をフィルタ」をオン。連絡先以外からのメッセージは、自動で「不明な差出人」リストに振り分けられる。

no. 382 2分おきに繰り返し通知する

メッセージの通知を繰り返す

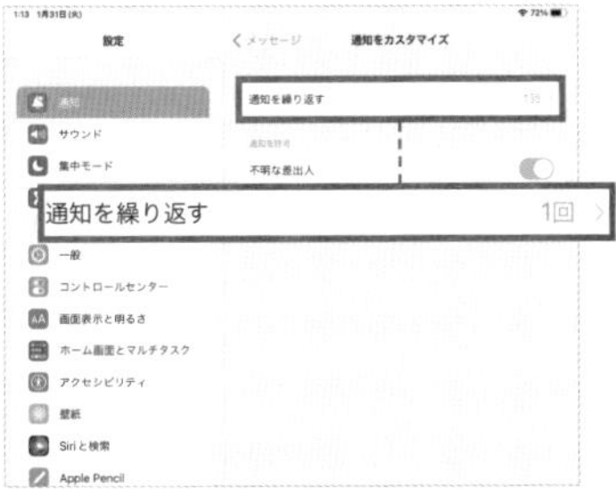

「設定」→「通知」→「メッセージ」→「通知をカスタマイズ」→「通知を繰り返す」で、メッセージの新着通知を2分おきに1～10回繰り返すよう設定できる。また、「なし」を選べば繰り返し通知を無効にできる。

no. 383 データ通信量を節約できる

メッセージの添付画像を低解像度にする

「設定」→「メッセージ」→「低解像度モード」をオンにしておくと、メッセージで送信する画像が低解像度になり、通信量を節約できる。

no. 384 ホーム画面のバッジ表示が邪魔なら

メール／メッセージのバッジを非表示にする

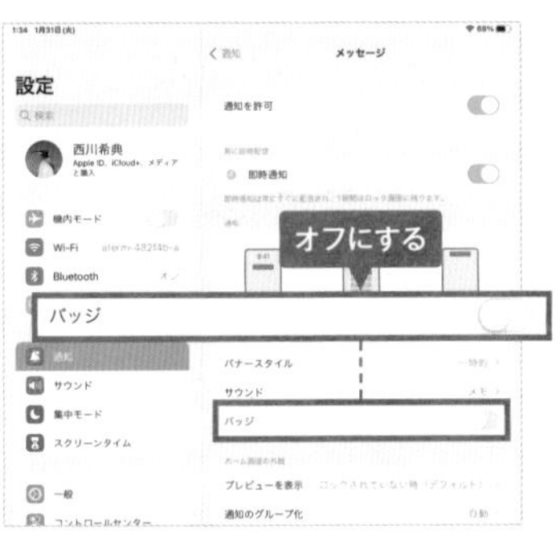

「設定」→「通知」→「メール」（または「メッセージ」）で、「バッジ」をオフにしておけば、未読メール数を示すアイコンのバッジが非表示になる。

no.385 Safariでキーワード検索を行う

iPad標準のWebブラウザで検索してみよう

アドレス欄にキーワードを入力して検索しよう

iPadでWebサイトを見るための標準Webブラウザが「Safari」だ。初期状態では、ホーム画面の一番下にあるDock欄にアプリが配置されている。タップしてアプリを起動したら、まず上部のアドレス欄をタップしよう。このアドレス欄はURL入力だけでなく、キーワード検索欄も兼ねた「スマート検索フィールド」となっている。調べたいキーワードを入力すれば、Googleの検索結果が表示されるので、検索結果のリンクをタップして目的のページを表示しよう。画面が小さくて見づらい場合は、ピンチアウトで拡大表示が可能だ。

1 Safariを起動してキーワードやURLを入力する

まずはSafariを起動しよう。上部の検索欄は「スマート検索フィールド」と呼ばれ、URL入力欄と検索欄が統合されている。調べたいキーワードを入力してリターンキーをタップするか、またはキーワード候補から選んでタップしよう。音声入力による検索も可能だ。

2 Googleの検索結果が表示される

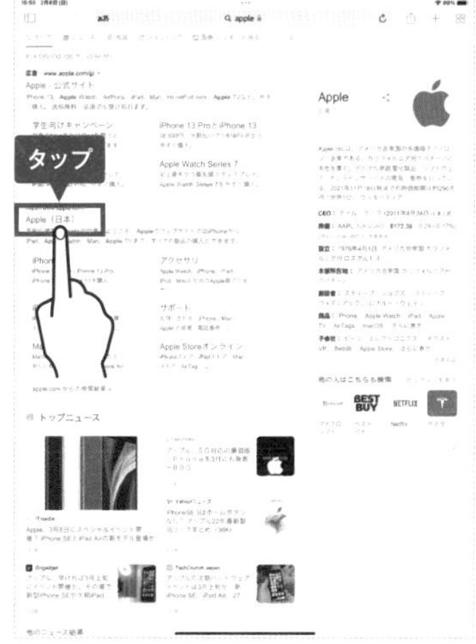

Googleの検索結果から目当てのサイトを選択してタップすれば、そのページが表示される。なお、検索欄にURLを入力した場合は、アドレスに問題なければ直接サイトを開くことができる。

no.386 Webサイトのリンクを操作する

リンクのロングタップ操作を覚えよう

SafariでWebページ上のリンクを開くには、リンク部分をタップすればいい。すると、現在開いているタブでリンク先のページが表示される。また、リンクをロングタップすると、「開く」や「新規タブで開く」(No402で解説している設定によっては「バックグラウンドで開く」になる)、「リーディングリストに追加」などのメニューが表示され、各種操作が可能だ。

1 リンクをロングタップする

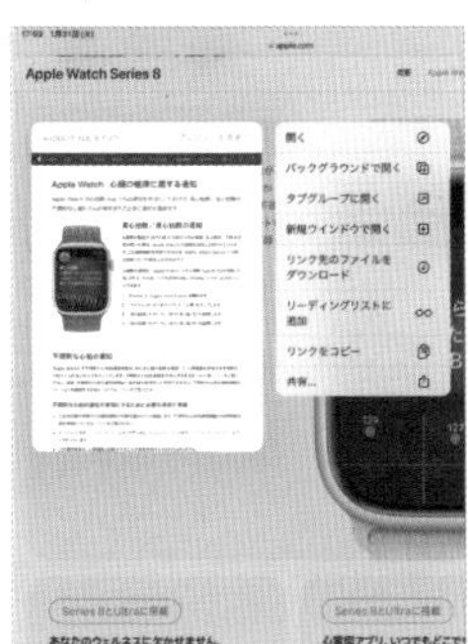

ページ内のリンクをロングタップすると、リンク先のページがプレビュー表示される。さらに、「開く」や「リンクをコピー」、「共有」などのメニューが表示される。

2 リンクを共有することもできる

表示されたメニューから「共有」を選択すれば、さらに共有メニューが表示される。リンク先のアドレスをAirDropやメッセージ、メールなどで送信可能だ。

no.387 新規タブでサイトを開く

複数サイトの表示をタブで切り替え

Safariの右上にある「+」をタップすると、今見ているサイトのタブを残したまま、新しいタブを開ける。リンク先を新しいタブで開きたい場合は、リンクをロングタップして「新規タブで開く」をタップしよう。タブ一覧画面を表示すれば、現在開いているすべてのタブの画面を確認可能だ。

1 「+」をタップして新しいタブを開く

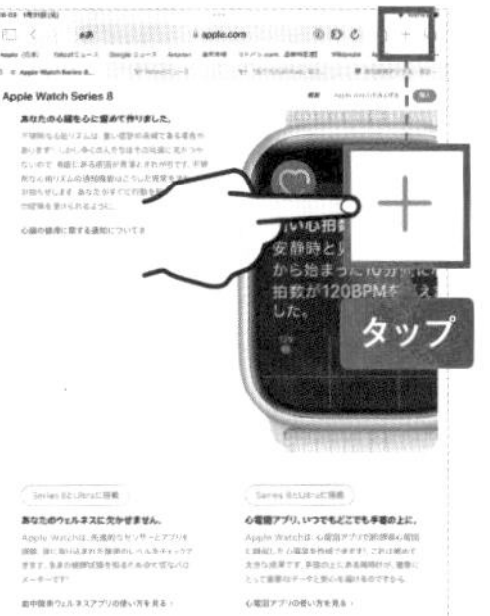

右上の「+」をタップすると新しいタブが開く。または、リンクをロングタップして「新規タブで開く(バックグラウンドで開く)」を選んでも、新規タブでそのページを開くことができる。

2 開いているタブ一覧を表示する

右上のタブボタンをタップすると、今開いているタブの画面が一覧表示される。タブを切り替えるには各画面をタップすればいい。「×」ボタンでタブを閉じることも可能だ。

no. 388

リンク先を別のタブで素早く開く方法

2本指でリンクをタップし新規タブで開く

Safariでwebページを閲覧している際に、リンク先を別のタブで開きたいと思う機会は多い。しかし、いちいちロングタップして「新規タブで開く」を選ぶのは面倒だ。そこで覚えておきたいのが、「リンクを2本指でタップする」技。これだけでリンク先のページを新規タブで開くことができる。

1 リンクを2本指でタップする

SafariでWebページを表示し、別タブで開きたいリンクがあったら、リンク部分を2本指でタップしてみよう。

2 リンク先のページが新規タブで開く

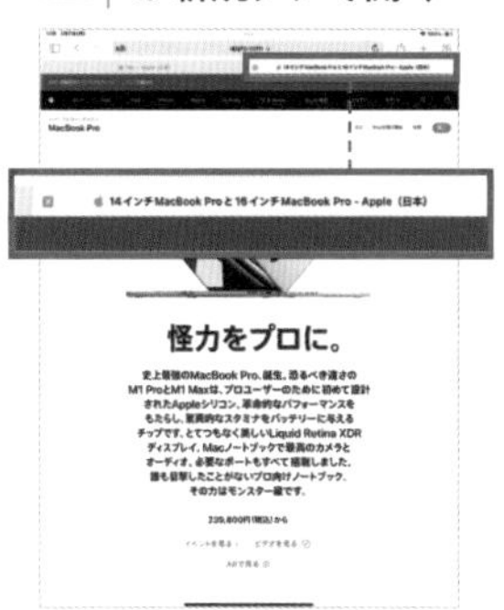

すると、今表示しているタブの隣に新しいタブが作成され、リンク先のページが表示される。No402の設定で、新規タブをバックグラウンドで開くことも可能だ。

no. 389

タブボタンをロングタップしてみよう

開いているすべてのタブをまとめて閉じる

Safariではタブを無制限に開くことができるが、あまりタブを開きすぎると目的のタブが探しにくくなる。定期的に不要なタブは閉じるようにしよう。とはいえ、たくさんタブを開いているときは1個1個タブを閉じていくのが面倒。そんな時は、以下の方法ですべてのタブをまとめて閉じてしまおう。

1 タブボタンをロングタップ

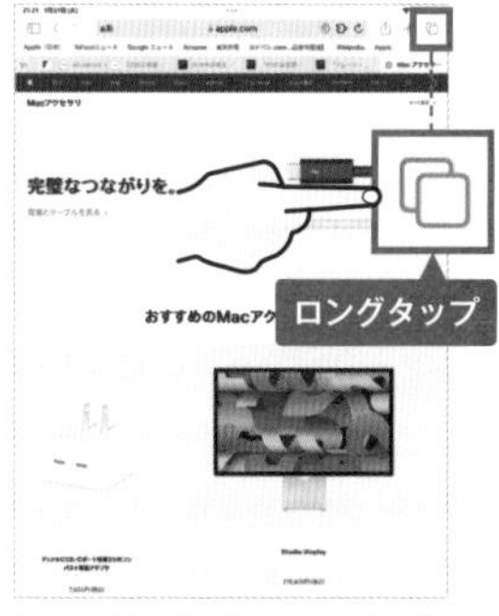

Safariをしばらく使っていると、複数のタブを開きすぎてしまいがちだ。今開いているすべてのタブを一気に閉じたいのであれば、右上のタブボタンをロングタップしてみよう。

2 タブをすべて閉じよう

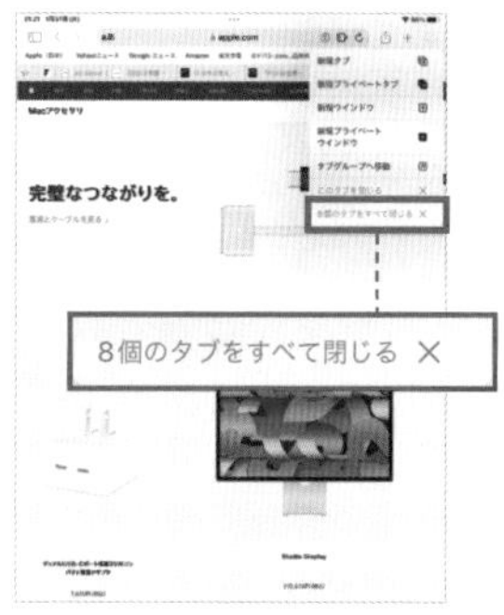

「○個のタブをすべて閉じる」というメニューが表示されるので、これをタップ。さらに確認表示がされるので「～をすべて閉じる」をタップしよう。これですべてのタブが閉じる。

Safari

no. 390

タブをドラッグすればOK

タブを並べ替える

タブバーの並び順を変更したい場合は、タブをタップしたまま左右にドラッグするだけで入れ替えができる。タブバーをコンパクトに表示している場合(No419で解説)も同様だ。または、右上のタブボタンからタブ一覧を開き、移動したいタブをロングタップして好きな位置にドラッグしてもよい。

1 タブをドラッグして並べ替える

タブバーにある各タブをロングタップし、そのまま左右にドラッグすることで、他のタブと場所を入れ替えることができる。

2 タブ一覧画面でドラッグ

または、タブボタンをタップしてタブ一覧画面を開き、移動したいタブをロングタップ。そのまま好きな位置にドラッグすれば並べ替えができる。

no. 391

各種機能を素早く切り替えできる

Safariのサイドバーを利用する

Safariの画面左上にあるボタンを押すと、サイドバーが表示される。ここでは、プライベートブラウズモードやタブグループの切り替えを行えるほか、ブックマークやリーディングリスト、履歴、あなたと共有、iCloudタブを表示する項目が用意されている。

Safariのサイドバーから各種機能を利用する

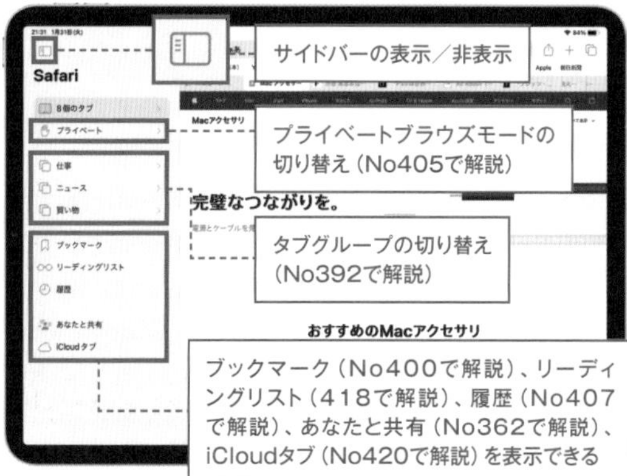

画面左上のサイドバーボタンから、いろいろな機能が呼び出せる。

no. 392

複数のタブを登録してあとでまとめて開ける

タブをタブグループにまとめる

タブをグループごとにまとめて整理する

タブを開きすぎてよく目的のWebページを見失う人は、Safariの「タブグループ」を使いこなそう。これは、複数のタブを目的やカテゴリ別にグループ分けできる機能だ。既存のタブをグループにまとめてもよいし、「仕事用」や「趣味用」といった空の新規タブグループを作成し、該当するタブを追加していってもよい。これでタブが増えて煩雑になることも避けられるはずだ。オンラインで商品を探して比較する際など、特定の作業用にタブグループを活用してもよい。また、作成したタブグループは、iPhoneやMacのSafariともiCloudで同期する。

1 タブグループの作成と切り替え

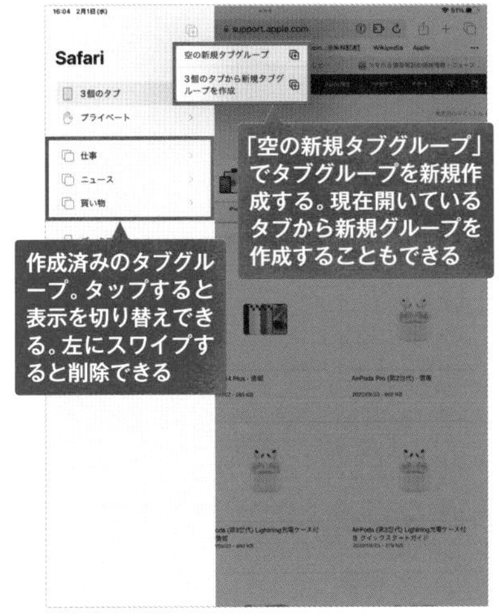

サイドバーを開いて上部の「＋」ボタンをタップ。「空の新規タブグループ」をタップして「仕事」や「ニュース」などタブグループを作成しておこう。作成済みのタブグループ名をタップすると、そのグループのタブ一覧に表示が切り替わる。

2 Webページをタブグループに追加する

表示中のWebページをタブグループに追加するには、画面右上のタブボタンをロングタップし、「タブグループへ移動」でタブグループを選択すればよい。一時的なブックマーク代わりにタブグループへ移動させる使い方もおすすめだ。

no. 393

複数人で同じタブを閲覧できる

タブグループを共有する

Safariのタブグループは、他のユーザーと共有して、同じタブグループの閲覧や編集を行うこともできる。例えば、一緒に旅行に行く友人と旅先の情報収集を共同で行ったり、複数の参考用Webサイトを仕事仲間と同時にチェックしたい際などに活用しよう。

1 ロングタップメニューから共有

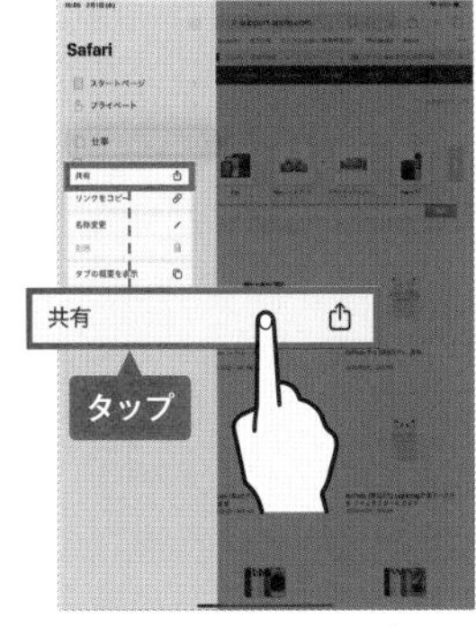

サイドバーで共有したいタブグループをロングタップし、「共有」をタップ。「メッセージ」をタップして共有したい人やグループに参加依頼を送ろう。

2 共有タブグループを管理する

メンバーは誰でもタブの追加や削除ができる。タブグループ画面上部のユーザーボタンから「共有タブグループを管理」を選ぶと、ユーザーの追加や共有の停止が可能だ。

no. 394

タブグループのお気に入りを表示

タブグループのスタートページをカスタマイズ

タブグループ内でスタートページの編集画面を開き（No426で解説）、「タブグループのお気に入り」をオンにすると、「タブグループのお気に入り」フォルダに追加したブックマーク（No399で解説）が、このタブグループのスタートページに表示されるようになる。

1 タブグループのお気に入りをオン

タブグループ内で新規タブを開いてスタートページを表示させ、一番下の「編集」ボタンをタップ。続けて「タブグループのお気に入り」をオンにしよう。

2 タブグループごとにスタートページが変わる

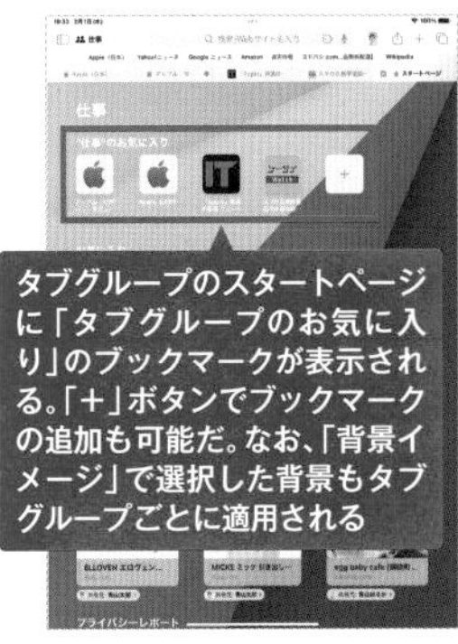

「タブグループのお気に入り」に追加したブックマークが、このタブグループのスタートページに表示される。タブグループごとによく使うWebサイトを表示させておこう。

no. 395

特定のタブを常に表示させる

タブグループ内で特定のタブを固定する

タブグループ内で特定のタブを常に表示させておきたい場合は、タブをロングタップして、表示されたメニューから「タブを固定」をタップしておこう。固定したタブは左端に表示され、誤って閉じることもない。固定したタブをロングタップして「タブを固定解除」で解除できる。

1 タブを固定をタップする

タブグループ内で常に表示したいタブをロングタップし、「タブを固定」をタップして固定表示できる。再度ロングタップして「タブを固定解除」で解除できる。

2 タブが固定表示される

固定したタブが左端にピン留めされるようになる。またタブ一覧画面を開いた際も、固定表示したタブは上部に小さく表示される。

no. 396

誤って閉じたタブを復元

最近閉じたタブを開き直す

過去にアクセスしたWebページは「履歴」(No407で解説)に残されているが、少し前に閉じたばかりのタブなら、いちいち履歴から復元する必要はない。新規タブ作成の「＋」ボタンをロングタップすれば、「最近閉じたタブ」が一覧表示されるので、これをタップすれば復元できる。

1 「＋」ボタンをロングタップ

誤ってタブを閉じてしまった場合は、いちいち履歴から探さなくても、もっと簡単に復元する方法がある。まず、右上の「＋」ボタンをロングタップしよう。

2 最近閉じたタブから復元

最近閉じたタブが表示され、タップすれば素早く開き直せる。なお、最近閉じたタブの一覧は、Safariを完全終了(No557で解説)することでリセットできる。

no. 397

タブ一覧画面で検索

タブの検索機能を利用する

タブを開きすぎて、目的のタブがどこにあるのかわからなくなってしまったら、タブのキーワード検索機能を利用しよう。右上のタブボタンをタップしてタブ一覧を開くと、左上に検索欄が用意されているはずだ。この検索欄で、タブの見出し部分をキーワード検索することができる。

1 タブボタンをタップする

タブを開きすぎると、タブバーに表示される見出しもほとんど隠れてしまい、どこになんのタブがあるのか見つけづらい。そんな時はタブボタンをタップしよう。

2 左上の検索欄でキーワード検索

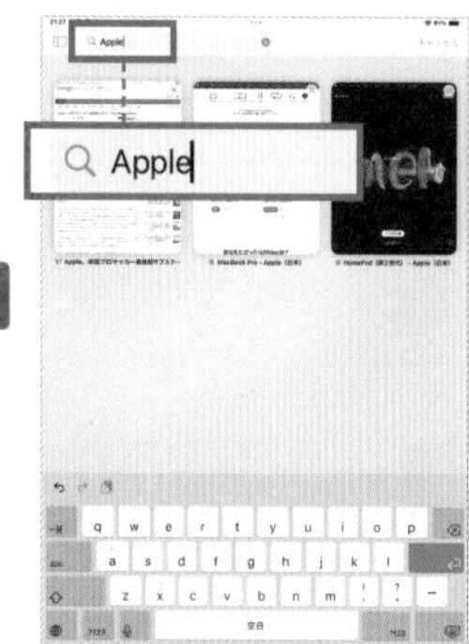

タブ一覧画面の左上に検索欄が用意されている。キーワードを入力すれば、見出しと一致するタブのみを絞り込んで表示できる。

no. 398

定期的にタブを消去したいなら

使っていないタブを自動で消去する

Safariのタブは、自分で閉じない限り残っていくため、いつのまにか大量のタブが開いたままの状態になりがちだ。タブをいちいち閉じていくのが面倒なら、タブを自動的に閉じる機能を使ってみよう。1日や1週間、1か月など、一定期間開いていないタブを自動で閉じるようにすることが可能だ。

1 設定から「タブを閉じる」をタップ

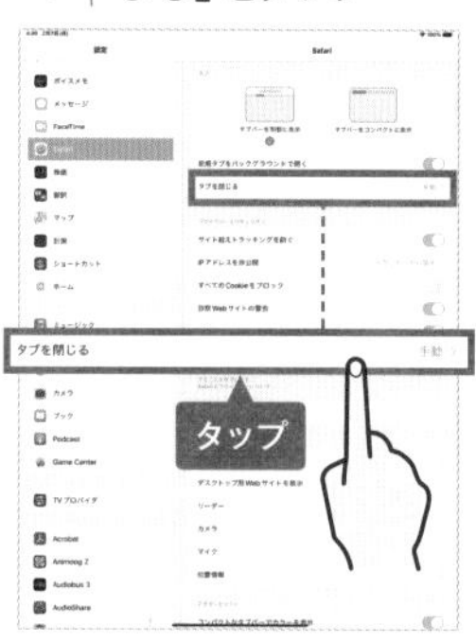

自動でタブを閉じる機能を使うには、あらかじめ設定が必要だ。「設定」を起動して、「Safari」→「タブを閉じる」をタップしよう。

2 タブを閉じるまでの期間を設定

「手動」、「1日後」、「1週間後」、「1か月後」の4つが選べるので、好きなものを選択しよう。通常は「1週間後」がオススメだ。

no. 399 よく使うサイトを素早く開く

気に入ったサイトをブックマークに登録する

よくアクセスするWebサイトはブックマークに追加しておけば、サイドバーから呼び出して素早くアクセスできる。また「お気に入り」に追加すると、新規タブを開いたりスマート検索フィールドをタップした際に開くスタートページに一覧表示されるので、最もよく利用するWebサイトを登録しておくといい。タブグループ別のお気に入りにブックマークを追加することもできる（No394で解説）。

1 「ブックマークを追加」をタップする

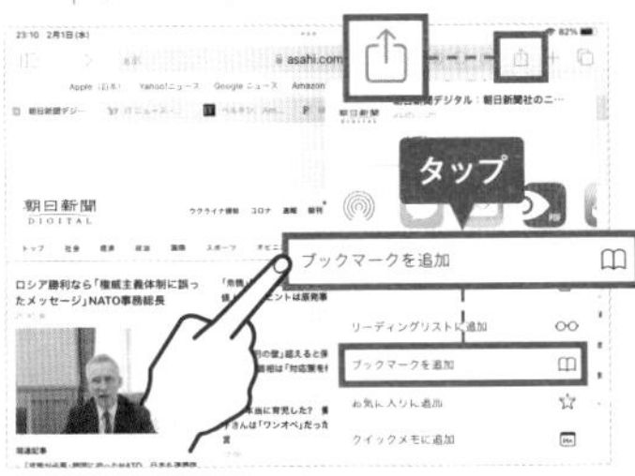

ブックマーク登録したいWebサイトを表示し、共有ボタンから「ブックマークを追加」をタップ。お気に入りに追加したい場合は「お気に入りに追加」をタップしてもよい。

2 追加先を指定して「保存」をタップ

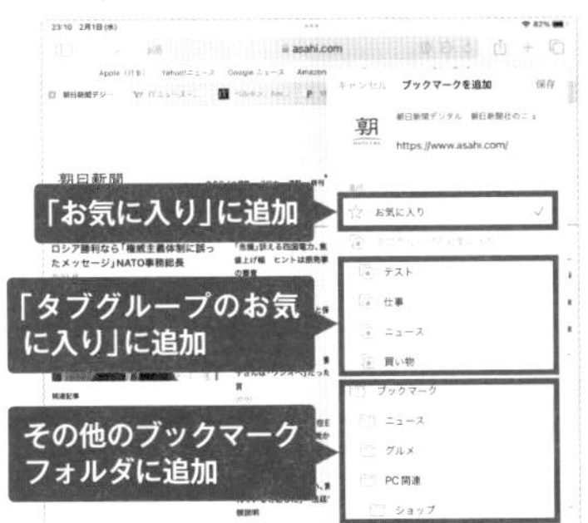

保存先を「お気に入り」や「タブグループのお気に入り」にすると、ブックマークしたWebサイトがスタートページに一覧表示されるようになる。または、作成済みのブックマークフォルダ（No401で解説）を選択しよう。

3 ブックマークに追加したWebサイトを開く

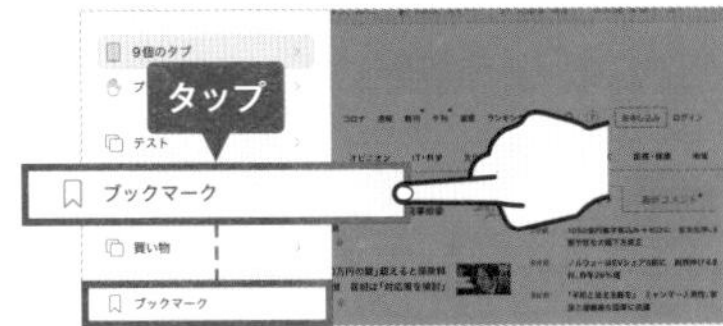

ブックマーク保存したWebサイトは、サイドバーを開いて「ブックマーク」をタップすると一覧表示され、タップして素早く開くことができる。

no. 400 複数のサイトを一気に登録できる

開いているタブをすべてブックマーク登録

Safariでタブを複数開いている場合、すべてのタブのサイトをまとめてブックマークに登録することができる。Safariのスマート検索フィールドをロングタップしたら、「○個のタブをブックマークに追加」を選択しよう。あとはNo399と同様にブックマーク保存すればいい。複数のサイトを一気にブックマークしておきたいときに便利だ。

1 スマート検索フィールドをロングタップする

Safariで複数のタブを開いた状態にし、画面上部のスマート検索フィールドをロングタップ。「○個のタブをブックマークに追加」をタップしよう。

2 場所を指定して「保存」をタップ

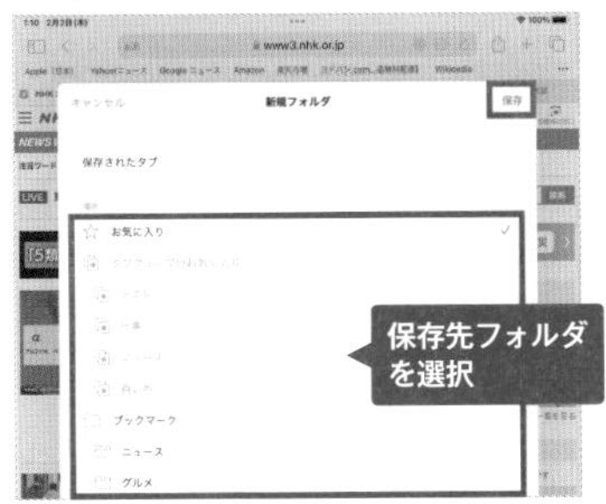

複数のタブは1つのフォルダにまとめて保存される。この画面でフォルダ名を指定したら、「場所」欄で保存先を選択。「保存」をタップしよう。

3 ブックマークに登録したサイトを開く

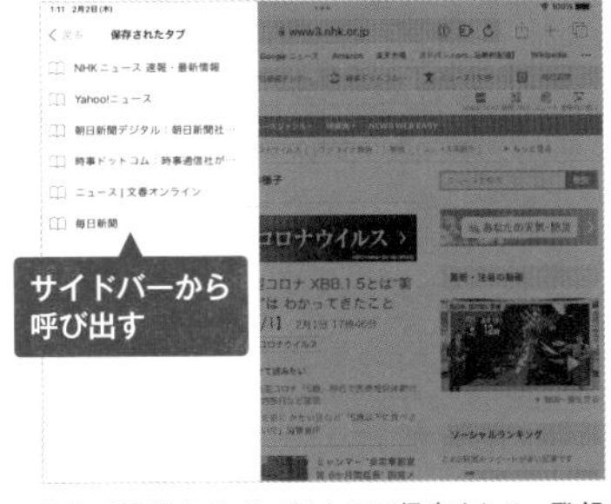

これで複数のサイトがまとめて保存される。登録したブックマークはサイドバーの「ブックマーク」から呼び出すことが可能だ。

no. 401 お気に入りサイトをわかりやすく管理

ブックマークを整理する

ブックマークに登録したサイトが増えてきたら、ブックマークをわかりやすく整理しておこう。左上のボタンでサイドバーを表示して「ブックマーク」→「編集」で、ブックマークの編集モードになる。各ブックマークは右端の三本線部分をロングタップしてからドラッグすると並べ替えできるほか、各ブックマークをタップすればブックマーク名や場所（フォルダ）を変更、「－」をタップすれば個別に削除できる。フォルダの作成は「新規フォルダ」から行える。

1 ブックマーク画面で「編集」をタップ

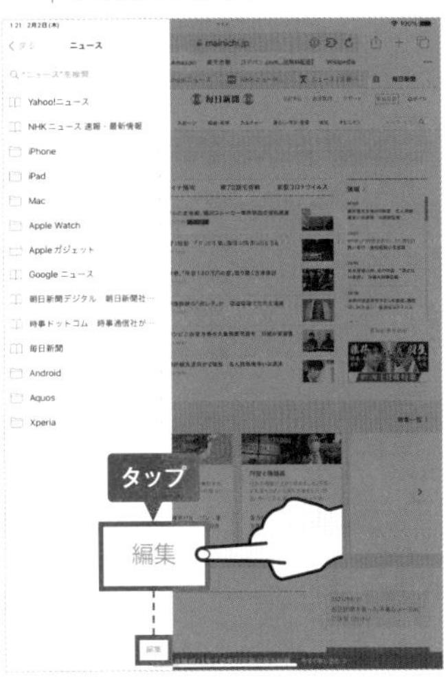

ブックマーク数が多くなってきたら、使いやすいように整理しておこう。まずは、サイドバーから「ブックマーク」を表示して編集したいフォルダを表示。画面下の「編集」を押して編集していこう。

2 ブックマークを編集する

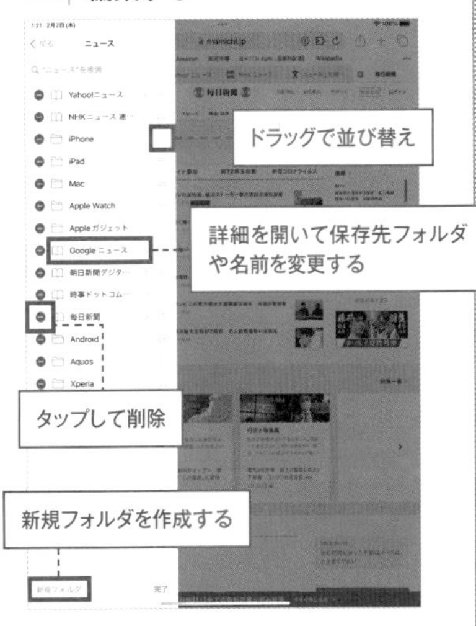

no. 402

新規タブをバックグラウンドで開く

リンクを開く際の動作を設定する

リンクをロングタップして「新規タブで開く」を選ぶと、通常は開いた新規タブに表示が切り替わる。ところが、「設定」→「Safari」→「新規タブをバックグラウンドで開く」のスイッチをオンにすると、メニューの「新規タブで開く」が「バックグラウンドで開く」に替わり、閲覧しているタブを表示したまま新規タブはバックグラウンドで開くようになる。2本指でリンクをタップした際も、新規タブがバックグラウンドで開くようになる。

「新規タブをバックグラウンドで開く」をオン

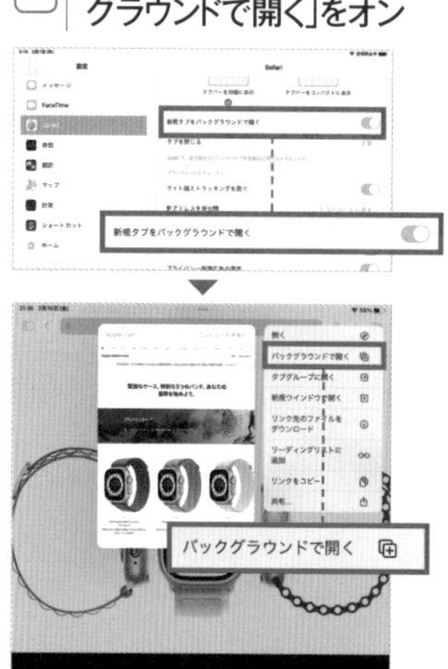

「設定」→「Safari」→「新規タブをバックグラウンドで開く」のスイッチをオン。リンクをロングタップして「バックグラウンドで開く」を選ぶと、表示中のタブを表示したままバックグラウンドで新規タブが開くようになる。

no. 403

別途対応アプリが必要

広告ブロック機能を利用する

Safariには、Webサイトの広告表示をブロックする「コンテンツブロッカー」機能が用意されている。ただしSafari単体では動作せず、別途「280blocker」などの広告ブロックアプリが必要だ。広告をブロックすることで、余計な画像を読み込むことなくページ表示が高速になるので、ぜひ導入しておこう。なお、月に一度は、アプリの「ブロックルールの更新をする」をタップして広告フィルタを最新版に更新しておくとよい。

設定でコンテンツブロッカーを有効にする

280blocker
有効にしたいコンテンツブロッカーをオンにする

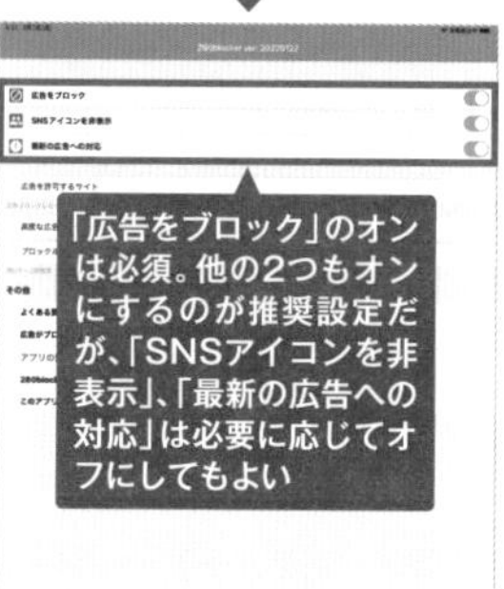

アプリをインストールしたら、「設定」→「Safari」→「拡張機能」をタップ。「280blocker」のスイッチをオンにしておこう。「280blocker」を起動し、3つのスイッチをオンにすれば設定完了だ。

280blocker
価格／800円 APP
カテゴリ／ユーティリティ
作者／Tobila Systems Inc.

no. 404

簡易的な表示にしたい場合は

モバイル向けのサイトに表示を変更する

iPadのSafariでWebページを開くと、標準ではパソコンで表示するのと同じデスクトップ向けの画面で表示される。これを、iPhoneのSafariなどで表示するのと同じモバイル向けの簡易ページに切り替えたい場合は、「ぁあ」→「モバイル用Webサイトを表示」をタップすればよい。

1 モバイル用の表示に切り替える

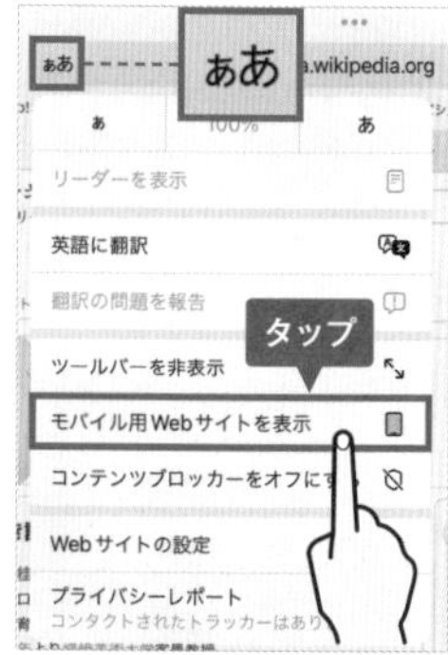

スマート検索フィールド横の「ぁあ」ボタンをタップして、「モバイル用Webサイトを表示」をタップ。これでモバイル向けの簡易ページに表示が切り替わる。

2 常にモバイル用の表示にする場合

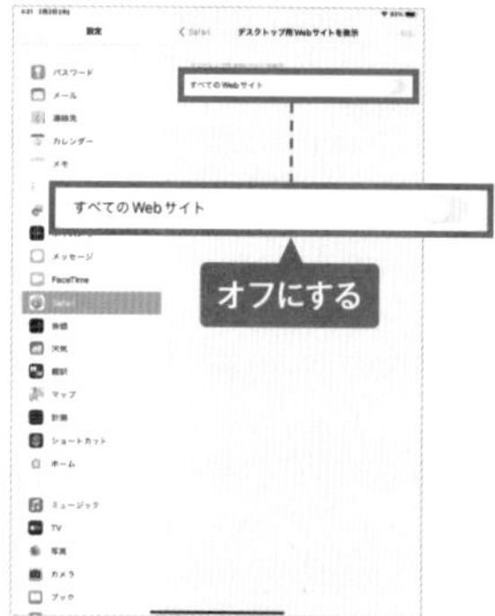

常にモバイル用の表示にしたい場合は、「設定」→「Safari」→「デスクトップ用Webサイトを表示」→「すべてのWebサイト」をオフにしておこう。

no. 405

iPadを貸し借りして使う場合などに

アクセス履歴の残らないプライベートブラウズを使用

Safariで閲覧履歴や検索履歴、自動入力などの記録を残さずにブラウジングしたい場合は、プライベートブラウズ機能を利用しよう。サイドバーにある「プライベート」をタップすると、ブラウザのスマート検索フィールドが黒くなり、履歴などを残さずにページを閲覧できるようになる。

1 「プライベート」をタップする

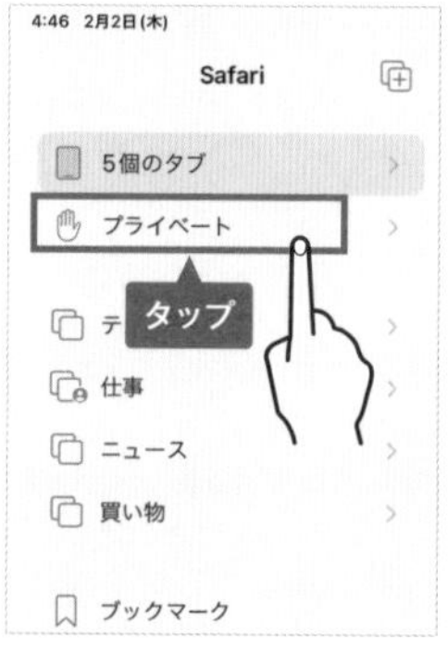

サイドバーを表示したら、「プライベート」をタップしよう。これでプライベートブラウズになる。「○個のタブ」をタップすれば通常モードに戻る。

2 プライベートブラウズが開始

プライベートブラウズ中に開いたタブは、次にプライベートブラウズにした時に復元されるので、すべてタブを閉じてから通常モードに戻ろう。

no. 406 ページ内の文字列をハイライト表示

表示サイト内をキーワード検索する

表示中のページ内で特定の文字列を探したい場合は、まず右上の共有ボタンから「ページを検索」をタップ。キーワードを入力すれば、一致する文字列が黄色でハイライト表示され、「∨」または「∧」キーで次の／前の結果に移動できる。または、スマート検索フィールド（アドレスバー）からでもページ内をキーワード検索可能だ。

1 「ページを検索」をタップ

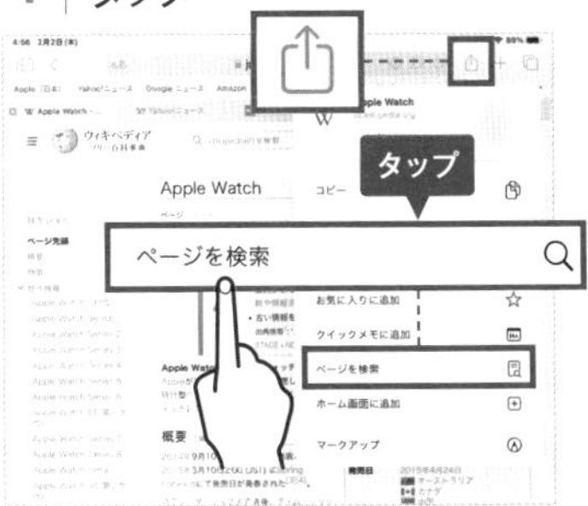

ページ内をキーワード検索するには、まず右上の共有メニューボタンをタップし、「ページを検索」をタップする。

2 キーワードがハイライト表示される

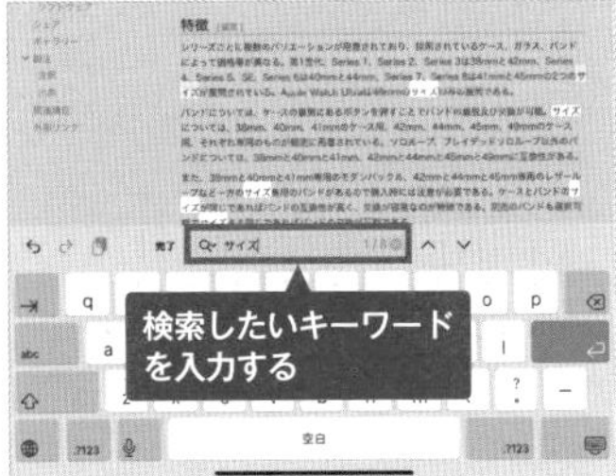

キーワードを入力すれば、一致する文字列が黄色や白色でハイライト表示される。「∨」および「∧」キーで前後の文字列に移動、「完了」でページ内の検索を終了する。

3 スマート検索フィールドから検索

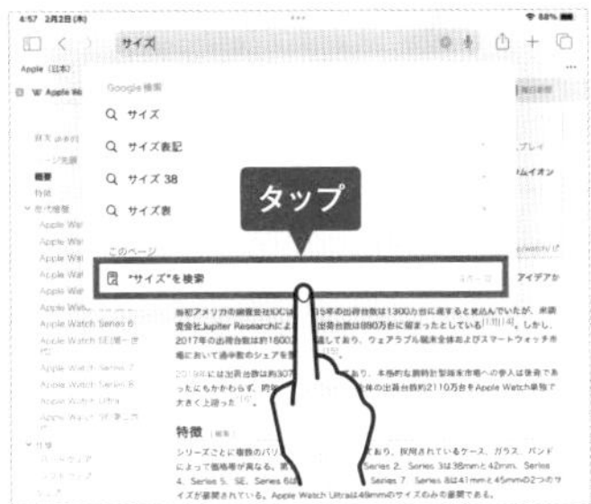

スマート検索フィールドにキーワードを入力し、一番下にある「"○○"を検索」をタップしてページ内を検索することも可能だ。

no. 407 過去のアクセスを一覧する

サイト閲覧履歴の確認と消去

以前表示したページに再びアクセスしたくなったら、閲覧履歴を確認しよう。履歴から項目を選べば、現在のタブでそのページが表示される。また、履歴を消去することも可能だ。

1 ブラウザの閲覧履歴を表示する

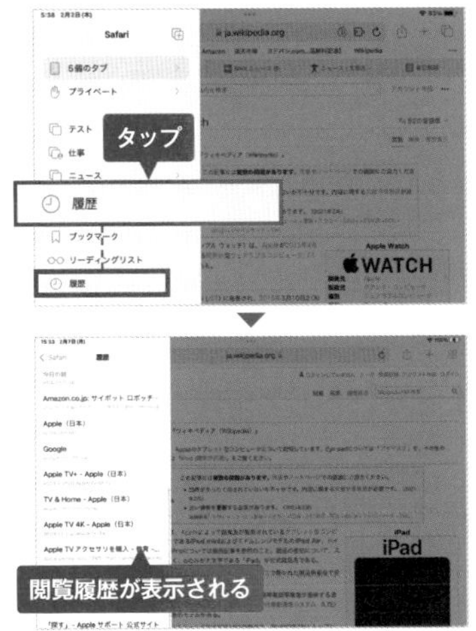

Safariのサイドバーを表示して、「履歴」をタップすると、今まで表示したサイトの閲覧履歴が表示される。各履歴をタップすれば、そのページが現在開いているタブで表示される。

2 閲覧履歴を消去する

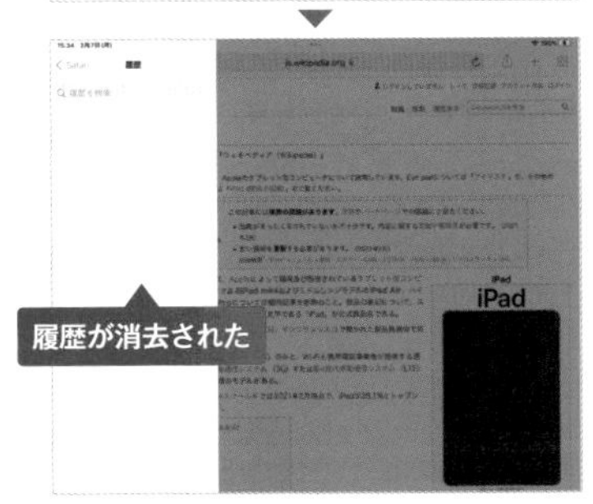

閲覧履歴を消去したい場合は、閲覧履歴の画面を開き、下の「消去」をタップ。消去の対象を「直近1時間」や「今日」などから選べばいい。

no. 408 ブックマークをホーム画面に配置

ホーム画面から特定のサイトにアクセスする

よくアクセスするWebサイトがあるなら、Safariのブックマークをホーム画面に配置しておこう。いちいちSafariのブックマークを開かなくても、ワンタップでアクセスできるようになる。

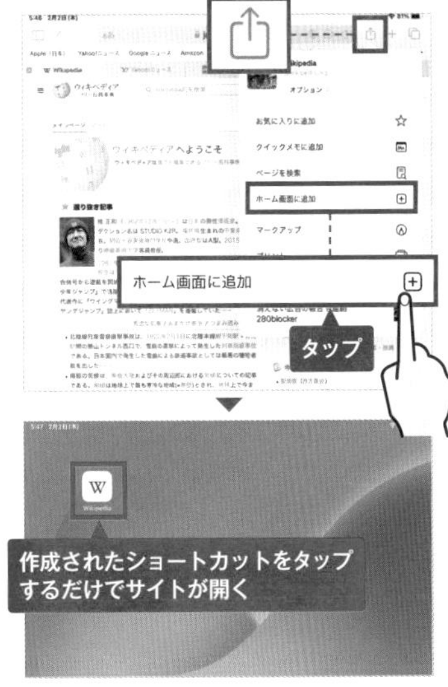

no. 409 気になるサイトを友人に教えるには

サイトをメールやメッセージで送信する

気になるサイトを友人に伝えたい場合は、サイトを開いた状態で共有ボタンをタップし、「メッセージ」または「メール」をタップしてみよう。メッセージの場合は、URLが入力された状態で新規作成画面が開き、送信できる。メールの場合は、表示中のサイトの名前を件名に、URLを本文に入力した状態で新規作成画面が開き、送信が可能だ。

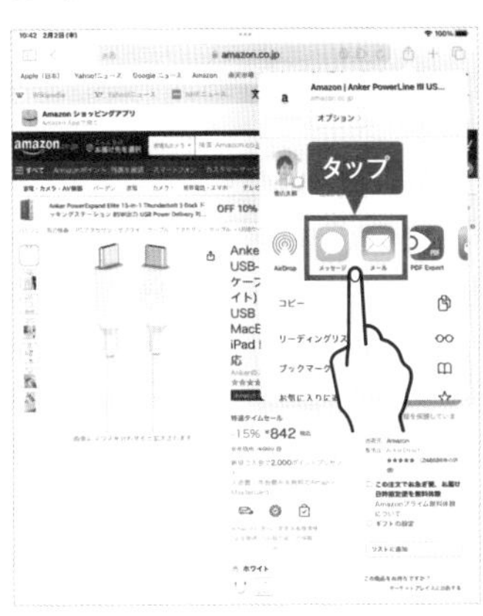

no. 410

Safariの自動入力を活用しよう

さまざまな情報の自動入力機能を利用する

連絡先、クレジットカード、ログインIDなどの情報を自動入力できる

「設定」→「Safari」→「自動入力」では、Safariの自動入力機能を有効にできる。「連絡先の情報を使用」をオンにすると、名前や住所の入力フォームに自分の連絡先情報を自動入力。「クレジットカード」をオンにすると、登録済みのクレジットカード情報を入力フォームに自動入力可能だ。なお、一度ログインしたWebサービスのユーザー名とパスワードを自動入力したい場合は、「設定」→「パスワード」→「パスワードオプション」の「パスワードを自動入力」をオンにしておこう。保存したユーザーIDやパスワード、登録したクレジットカード番号などは「設定」の「パスワード」画面で確認が可能だ(No189で解説)。他人に盗み見られないように、必ずFace IDやTouch ID、パスコードを設定した状態にして保護すること。

Safariの自動入力を有効にする

SafariでパスワードＤの自動入力を有効にするには、「設定」→「パスワード」→「パスワードオプション」→「パスワードを自動入力」をオンにしておこう(No057で解説)。

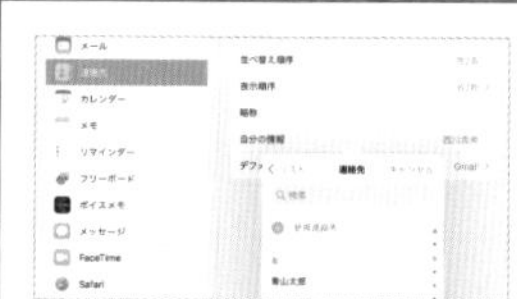

「連絡先の情報を使用」をオンにする場合は、この「自分の情報」をタップして自分の連絡先を選択するか、または「設定」→「連絡先」→「自分の情報」で自分の連絡先を選択しておこう。

「クレジットカード」をオンにする場合は、「保存済みクレジットカード」→「クレジットカードを追加」をタップし、クレジットカード情報を入力しておこう。「カメラで読み取る」をタップすれば、カメラでカードを撮影して名義人や番号を自動取得できる。

連絡先の情報を使用

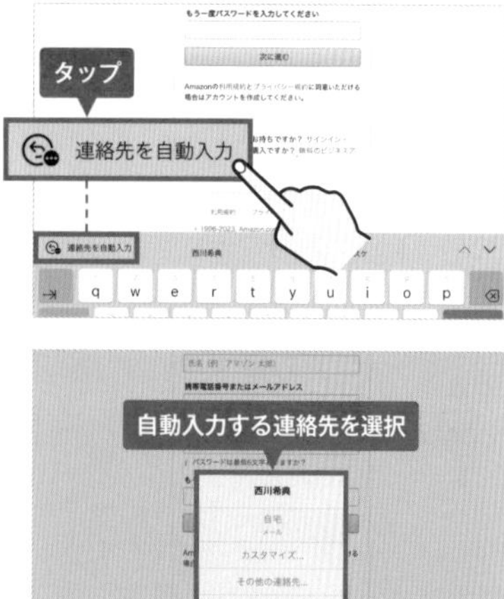

「連絡先の情報を使用」がオンだと、名前や住所といった入力フォーム内をタップした際に、キーボード上部に「連絡先を自動入力」が表示される。これをタップすれば、自分の連絡先情報を自動で入力してくれる。オンラインショップなどの住所登録時に役立つ機能だ。

クレジットカード

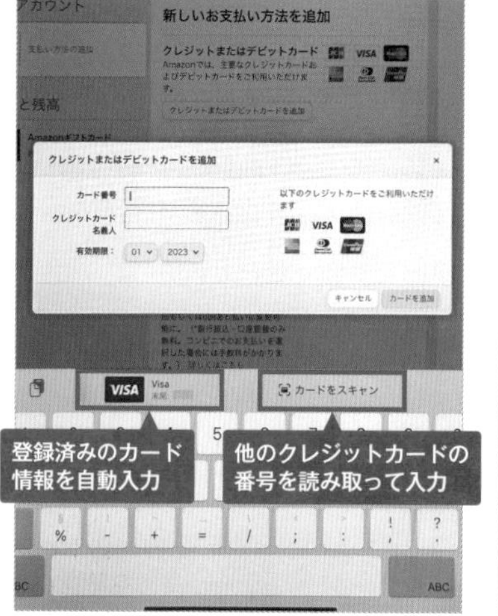

「クレジットカード」がオンだと、クレジットカード番号の入力フォーム内をタップした際に、キーボード上部に登録済みのカード情報の候補が表示される。これをタップすれば自動入力が可能だ。または、「カードをスキャン」で他のクレジットカードの番号をカメラで読み取り入力することもできる。

ユーザ名とパスワード

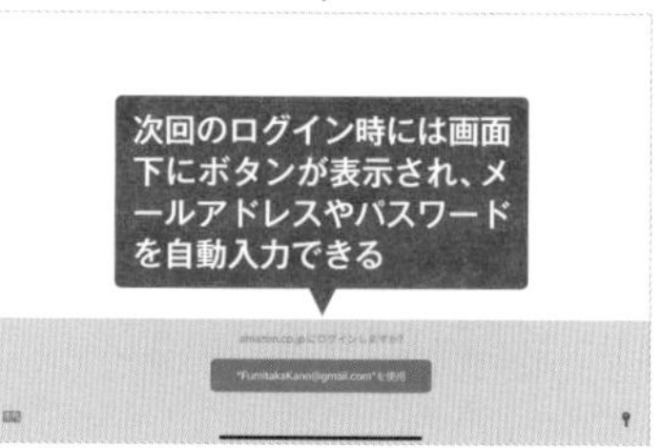

「設定」→「パスワード」→「パスワードを自動入力」がオンだと、Webサービスにログインした際に「パスワードを保存しますか?」と確認される。「パスワードを保存」をタップしておけば、次回のログインからユーザー名とパスワードを自動入力できる。

no. 411 文章を読みやすく表示する

リーダー機能で記事内容をテキスト表示

ニュースサイトなど長文を提供するサイトで、スマート検索フィールドの端にある「ぁあ」ボタンをタップし、「リーダーを表示」を選ぼう。すると、読みやすいシンプルな表示に切り替わる。

no. 412 画像上をロングタップ

サイト上の画像を保存する

Webサイト上の写真や図版を保存したい場合は、画像をロングタップしよう。表示されたメニューの「"写真"に追加」をタップすれば、画像がダウンロードされて「写真」アプリに保存される。

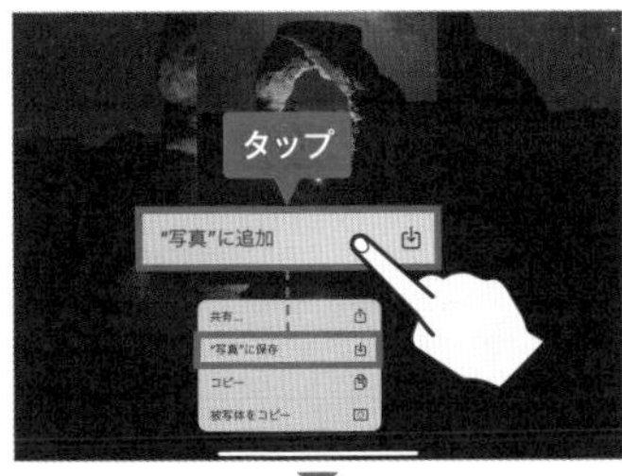

no. 413 「.」キーをロングタップ

URLの.comや.co.jpを素早く入力する

SafariなどWebブラウザのアドレスバーに入力する際や、メールアプリの宛先を入力する際は、英字入力モードで「.」キーをロングタップすると、「.jp」「.com」「.co.jp」「.net」などドメイン名の候補を素早く入力できる。なお、中国語や韓国語など他言語のキーボードを追加しておけば、「.cn」「.kr」などその国のドメイン名も候補に表示されるようになる。

no. 414 Safariに便利機能を追加してみよう

Safariの機能拡張を追加する

パスワード管理やメモ、ハイライト表示などの機能を追加できる

Safariは「機能拡張」に対応しており、App Storeで配信されている機能拡張をSafariに組み込むことができる。機能拡張を入手するには、「設定」→「Safari」→「機能拡張」→「機能拡張を追加」をタップして、App Storeを開けばいい。広告ブロック(No403で解説)やパスワード管理、メモ、蛍光マーカーなど、さまざまな機能拡張が用意されているので、好きなものを導入してみよう。導入したら、設定でオンにしておき、Webページの読み取りをすべてのWebページで許可しておくこと。これでSafariを起動すれば、機能拡張を使うことができる。

1 Safariに機能拡張を追加して設定する

「設定」→「Safari」→「拡張機能」を開いたら、「機能拡張を追加」をタップ。App Storeが起動するので、好きな機能拡張を導入しておこう。導入した機能拡張は、上の設定画面で「オン」にしてWebページの読み取りなどを許可しておくこと。

2 追加した機能拡張を利用する

Safariで適当なサイトを表示してみると、スマート検索フィールドの右端にアイコンが表示される。ここをタップすれば、各機能拡張の設定が可能だ。機能拡張を利用するには、各サイトごとに読み取りが許可されている必要がある。

no. 415

iPhoneやMacと同じ機能拡張を使う

機能拡張をデバイス間で共有する

「設定」→「Safari」→「機能拡張」で「デバイス間で共有」をオンにしておくと、iPhoneやMacで使っているSafariの機能拡張(No414で解説)が表示され、iPadにも追加して利用することができる。また、機能拡張のオン／オフの設定も他のデバイスと同期するようになる。

1 デバイス間で共有をオンにする

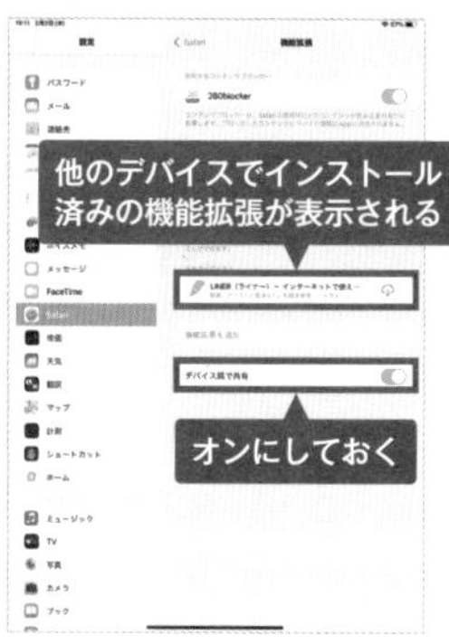

「設定」→「Safari」→「機能拡張」→「デバイス間で共有」をオンにしておくと、iPhoneやMacで入手した機能拡張が「ほかのデバイス上」欄に表示される。

2 他のデバイスの機能拡張を追加

雲型のボタンをタップすると、iPhoneやMacで使っている機能拡張をiPadにも追加することが可能だ。機能拡張のオン／オフの設定は他のデバイスと同期する。

no. 416

「ぁあ」ボタンでサイズ変更

サイトの表示を拡大／縮小する

Safariで開いたWebページのテキストが見づらい場合は、スマート検索フィールドの「ぁあ」ボタンをタップしよう。開いたメニューの大きい「あ」ボタンでフォントサイズを大きく、小さい「ぁ」ボタンでサイズを小さくできる。中央の%をタップすれば100%表示に戻る。

1 「ぁあ」ボタンをタップする

表示中のWebページのテキストサイズを変更するには、まずスマート検索フィールドの「ぁあ」ボタンをタップする。

2 フォントサイズを変更する

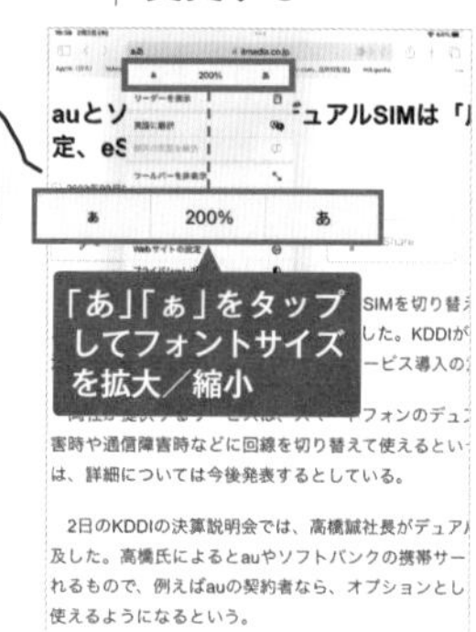

右の大きい「あ」でフォントサイズを大きく、左の小さい「ぁ」でフォントサイズを小さくできる。中央の拡大率をタップすると100%のサイズに戻る。

Safari

no. 417

Webサイトごとの表示設定を同期

Webサイトの設定を共有する

スマート検索フィールドの「ぁあ」→「Webサイトの設定」では、Webサイトごとに表示やアクセス許可の設定を変更できる。ここで施した設定は、「設定」→「Safari」→「デバイス間で共有」をオンにしておくことで、iPhoneやMacなど他のデバイスのSafariとも同期する。

1 Webサイトの設定を変更する

スマート検索フィールドの「ぁあ」→「Webサイトの設定」をタップすると、このWebサイトの表示やアクセス許可を個別に設定しておける。

2 他のデバイスと設定を共有する

「設定」→「Safari」にある「デバイス間で共有」をオンにしておくと、「Webサイトの設定」で施した設定が、iPhoneやMacのSafariとも同期して適用される。

no. 418

オフラインでも読める

後で読みたいサイトをリーディングリストに保存

気になる記事を時間のある時にゆっくり読みたい時は、共有ボタンから「リーディングリストに追加」をタップしよう。保存時に「自動的に保存」を選択すれば、表示中のページがオフラインでも読める状態で保存される。保存したページは、サイドバーの「リーディングリスト」から開くことが可能だ。

1 「リーディングリストに追加」をタップ

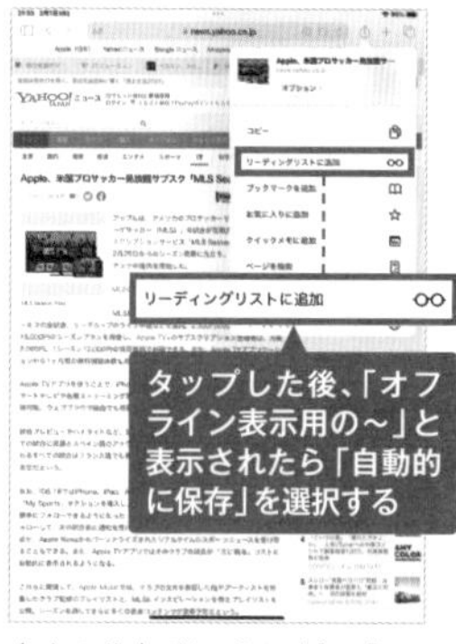

右上の共有ボタンをタップし、「リーディングリストに追加」をタップ。表示中のページが、オフライン状態でも読める状態で保存される。

2 リーディングリストに保存した記事を読む

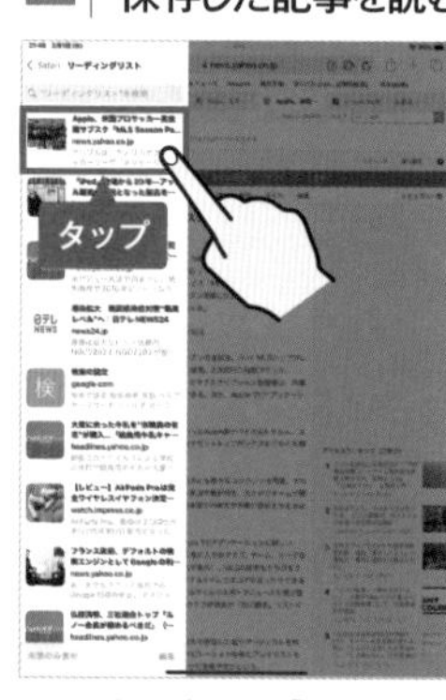

サイドバーを表示して「リーディングリスト」を開くと、保存したページが一覧表示される。ここから読みたいタイトルをタップして閲覧しよう。

no. 419

コンパクト表示に切り替えてみよう

タブの表示形式を変更する

Safariのタブバーには、2種類の表示形式がある。「設定」→「Safari」→「タブバーをコンパクトに表示」に設定すると、スマート検索フィールドとタブバーが合体したような見た目になり、通常よりも省スペースな表示にすることが可能だ。元に戻すには「タブバーを単独で表示」にしておこう。

1 タブバーをコンパクトに表示してみる

2 タブの表示形式が変わる

タブバーの見た目を省スペース化したいときは、「設定」→「Safari」を開き、「タブバーをコンパクトに表示」に設定しておこう。

Safariを起動すると、画面最上部にコンパクト化されたタブバーが表示されるようになる。複数のタブをあまり同時に開かないのであれば、こちらの方が使いやすいだろう。

no. 420

iCloudでタブを同期しよう

iPhoneなどで開いたページを表示する

「設定」の一番上のApple IDをタップして開き、「iCloud」→「すべてを表示」→「Safari」をオンにしておくと、iPhoneやMacのSafariで開いているタブをiPad上でも開くことができる。他のデバイスでも同一のApple IDでサインインし、Safariの同期をオンにしておこう。

1 iCloud設定でSafariを有効に

2 他端末で開いているタブを確認する

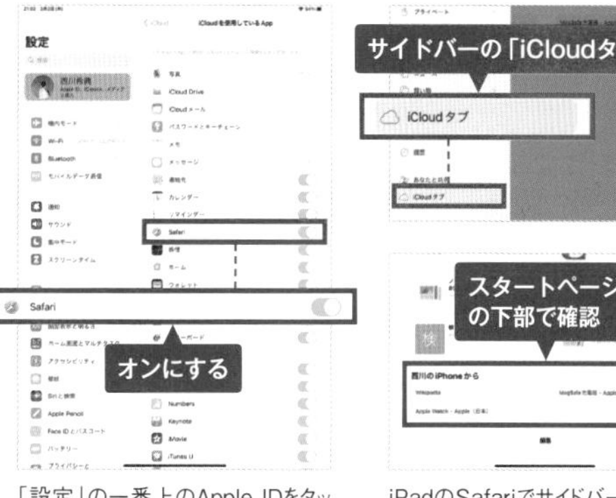

「設定」の一番上のApple IDをタップして開き、「iCloud」→「すべてを表示」→「Safari」を有効にする。同期する他の端末でもSafariのiCloud同期を有効にしておこう。

iPadのSafariでサイドバーを開いて「iCloudタブ」をタップすると、iPhoneやMacのSafariで開いているタブが一覧表示される。スタートページでも確認できる。

no. 421

「DuckDuckGo」にも変更可能

標準で使用する検索エンジンを変更する

Safariのスマート検索フィールドにキーワードを入力すると、標準ではGoogle検索の結果が表示されるが、設定で検索エンジンを変更することもできる。Google以外に選択できるのは、「Yahoo」、「Bing」、「DuckDuckGo」、「Ecosia」の4つ。「DuckDuckGo」や「Ecosia」は、検索履歴などのユーザー情報を収集しない、プライバシー保護を重視した検索エンジンだ。同じキーワードで検索しても、検索エンジンによって検索結果や連携サービスなどが違ってくるので、自分で使いやすいものを選択しておこう。

Safariの検索エンジンを変更する

「設定」→「Safari」→「検索エンジン」で、他の検索エンジンに変更できる。ただしGoogle以外で選択できるのは、Yahoo! JAPANのサービスと連携する「Yahoo」、マイクロソフトの独自検索エンジン「Bing」、ユーザー情報を収集しない「DuckDuckGo」、「Ecosia」の4つ。

no. 422

不要な広告表示を排除しよう

ポップアップで開くウインドウをブロックする

サイトによっては、アクセスするとポップアップ機能で別ページが開き、広告などを表示することがある。これを防ぐには、「設定」→「Safari」→「ポップアップブロック」をオンにしておけばよい。「コンテンツブロッカー」機能（No403で解説）とあわせて有効にしておくとさらに効果的だ。

1 「ポップアップブロック」をオンにする

2 オフにした場合も警告が表示される

ポップアップで新しいページが開かないようにするには、「設定」→「Safari」→「ポップアップブロック」のスイッチをオンにしておく。

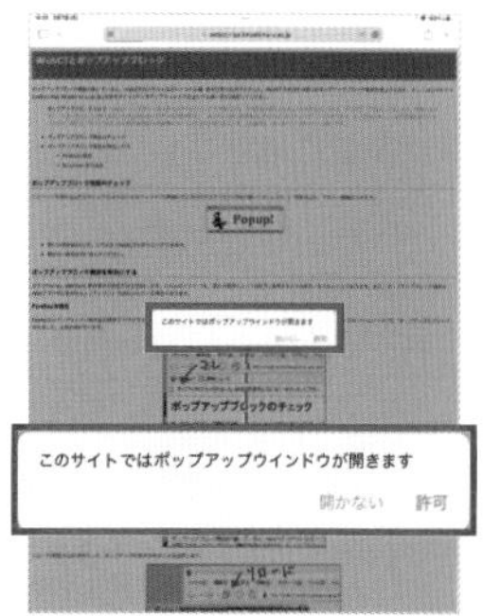

ポップアップブロックをオフにした場合でも、「このサイトではポップアップウインドウが開きます」と警告が表示され、「開かない」か「許可」を選択できる。

Safari

no. 423

クイックWebサイト検索機能を利用しよう

特定のWebサイト内を素早く検索する

1 クイック検索機能をオンにしてサイト内で検索

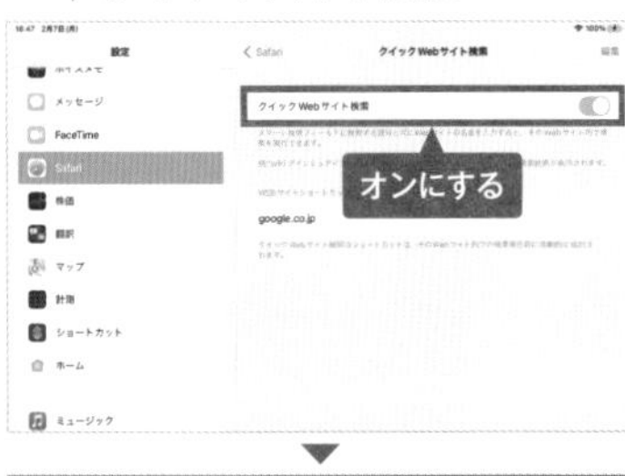

特定のWebサイト内を素早く検索するには、まず「設定」→「Safari」→「クイックWebサイト検索」でスイッチをオンにする。続けてSafariを起動し、特定のWebサイト(ここではAmazon)で数回適当な検索を行う。

2 WEBサイトショートカットにサイトが登録される

すると、「クイックWebサイト検索」のスイッチの下にある、「WEBサイトショートカット」に、検索したWebサイトのドメインが追加される。これで準備は完了だ。

3 クイックWebサイト検索を行う

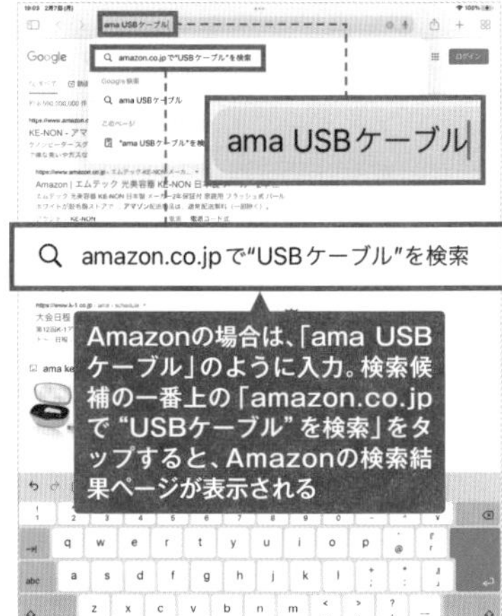

Safariのスマート検索フィールドに、WEBサイトショートカットに記録されたドメインの3文字以上とキーワードの組み合わせを入力。すると、そのサイト内で検索が行える。大手サイトだけでなく、検索機能を備えた個人ブログでも利用可能だ。

no. 424

手書きメモなども書き込める

WebサイトをPDFとして保存する

Safariでは、共有ボタンから「マークアップ」をタップして「完了」から保存するだけで、表示中のWebページを見えていない部分も含めてPDF化できる。保存したPDFは、「ファイル」アプリで確認可能だ。なお、スクリーンショット後(No031で解説)にサムネイルをタップして、画面上の「フルページ」を選ぶことでもページ全体のPDF化ができる。

1 「マークアップ」をタップする

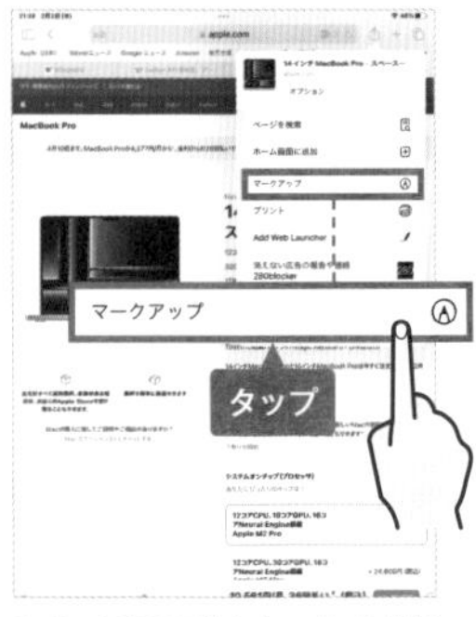

SafariでPDF化したいサイトを開き、共有ボタンをタップ。メニューから「マークアップ」をタップしよう。見えない部分も含め1ページのPDFとして保存できる。

2 書き込んで保存しよう

右上の「完了」で保存先を選択できる。またマークアップボタンをタップすると手書き文字なども書き込み可能だ。

no. 425

iCloud Driveなどに保存できる

Webサイト上のファイルをダウンロードする

Safariでは、各種ファイルのダウンロードが可能だ。ファイルのリンクを開いた時に「~をダウンロードしますか?」と表示されたら「ダウンロード」をタップしよう。または、現在タブ上で開いているファイルをダウンロードしたい場合は、共有メニューから「"ファイル"に保存」を選択すればいい。

1 Safariでファイルを保存する

SafariでZIPなどのダウンロードしたいファイルを開いたら、「ダウンロード」をタップする。なお、ファイルをタブで開いている時は、共有ボタン→「"ファイル"に保存」をタップしよう。

2 ダウンロードしたファイルを確認する

ファイルがダウンロードされ、iCloud Driveの「ダウンロード」フォルダに保存される。ダウンロードしたファイルは、Safariのダウンロードボタンから確認可能だ。

no. 426

新規タブの画面を編集

スタートページをカスタマイズする

Safariで新規タブを開いたり、スマート検索フィールドをタップした際に表示されるスタートページは、表示項目を自分好みに編集できる。「お気に入り」(No399で解説)や「あなたと共有」(No362で解説)の表示が不要ならオフにしよう。背景イメージの変更も可能だ。

1 スタートページの編集をタップ

Safariで新規タブを開いてスタートページを表示させたら、一番下までスクロールして「編集」ボタンをタップする。

2 表示させたい項目をオンにする

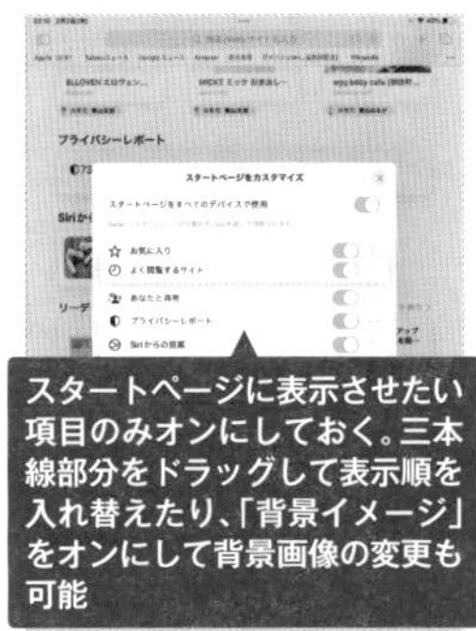

「お気に入り」「よく閲覧するサイト」「あなたと共有」など、スタートページでの表示が不要な項目はスイッチをオフにしておこう。

no. 427

他のブックマークフォルダを指定

「お気に入り」のフォルダを変更する

「設定」→「Safari」→「お気に入り」では、No399で解説した「お気に入り」フォルダを、他のブックマークフォルダに変更することが可能だ。Safariで新規タブを開いた際は、ここで指定したフォルダ内のブックマークがスタートページに一覧表示されるようになる(No426で解説)。

1 設定で「お気に入り」をタップする

お気に入りフォルダを、他の好きなブックマークフォルダに変更するには、「設定」→「Safari」→「お気に入り」をタップ。

2 変更したいフォルダを選択

「お気に入り」以外のブックマークフォルダにチェックを入れれば、そのフォルダがお気に入りとして扱われる。なお、「タブグループのお気に入り」(No394で解説)は変更できない。

no. 428

よく使われるキーワードがわかる

検索候補の表示をオン/オフにする

「設定」→「Safari」で「検索エンジンの候補」をオンにしておくと、スマート検索フィールドでキーワードを入力した際に、よく検索される関連キーワードが候補として表示される。

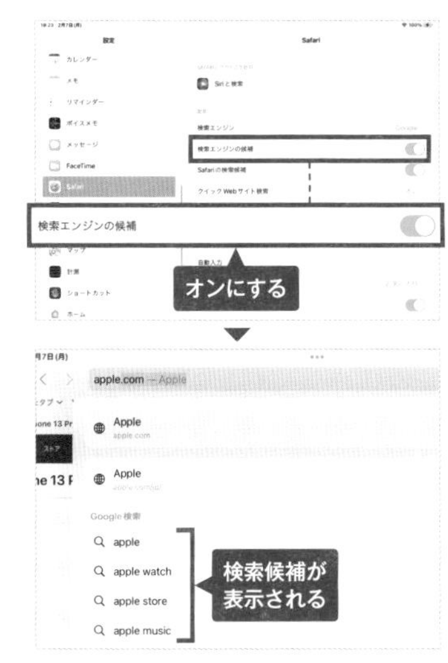

no. 429

一致の可能性が高いページを検出

トップヒットを事前に読み込む

「設定」→「Safari」で「トップヒットを事前に読み込む」をオンにしておけば、スマート検索フィールドにキーワードを入力した際に、ブックマークや履歴から判断して、最も一致する可能性が高いページを「トップヒット」に表示し、事前にページを読み込むようになる。

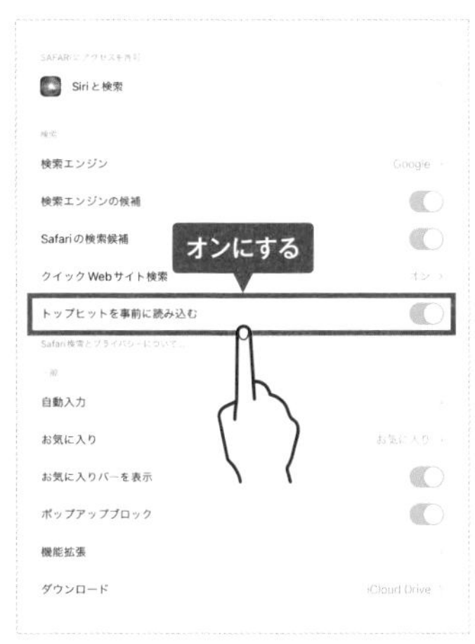

no. 430

ファイルの保存先をiPad内にできる

ダウンロードの保存先を変更する

Safariでダウンロード(No425で解説)したファイルは、標準だとiCloud Driveの「ダウンロード」フォルダに保存される。保存先を変更したい場合は、「設定」→「Safari」→「ダウンロード」を開き、「このiPad内」にするか、もしくは「その他」で保存先を指定しよう。

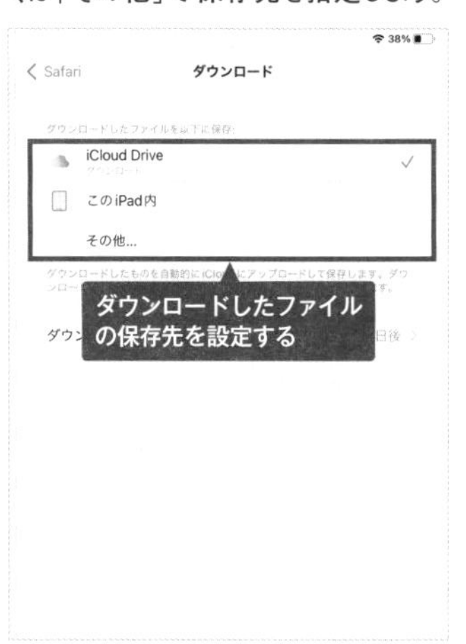

no. 431

膨大な数のアプリから役立つモノを探し出す

App Storeで欲しいアプリを検索する

アプリを入手してiPadの真価を引き出そう

「App Store」からは、さまざまな機能を持ったアプリをiPadへ追加インストールが可能だ。アプリには無料のものと有料のものがあり、膨大な数がリリースされている。カテゴリやランキング(No433で解説)をチェックし、さらにキーワード検索を使って欲しい機能を持ったアプリを見つけ出そう。App Storeの利用にはApple ID(No053で解説)が必須。サインインしていない場合は「設定」アプリを開き、画面左上の「iPadにサインイン」からサインインしておこう。有料アプリは、Apple IDに登録したクレジットカードかキャリア決済(No437で解説)、Apple Gift Card(No438で解説)で料金を支払う。まずは、App Storeと各アプリページの見方を確認しておこう。

App Storeの利用方法

App Storeを起動し各画面をチェック

Today　ゲーム　App　Arcade　検索

App Storeは、下部のメニューで5つの画面を切り替えて利用する。また、画面右上にある自分のApple IDアイコンをタップすれば、Apple IDのアカウント画面が表示され、支払い情報の管理などを行える。

キーワード検索を行う

検索
ゲーム、App、ストーリーなど

下部メニューの一番右にある「検索」をタップすると、検索ボックスが表示され、アプリのキーワード検索を行える。例えば、「ノート」や「スケジュール」などはもちろん、「写真　加工」や「ピアノ　作曲」など、複数のキーワードで目当てのアプリを絞り込むことも可能。より具体的なワードで検索すれば、おすすめやランキングに登場しないながらも、自分に最適なベストアプリが見つかることも。

画面下部のメニュー

画面下部のメニューは、左から本日のおすすめを紹介する「Today」、ゲームアプリに特化した「ゲーム」、新着アプリやカテゴリ別、ランキングなどをチェックできる「App」、月額600円でゲームが遊び放題になる「Arcade」(No451で解説)、ストア内をキーワード検索できる「検索」となる。

アプリの情報をチェックする

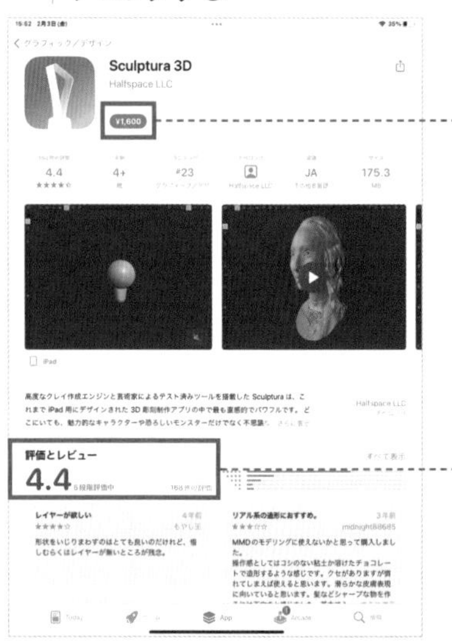

おすすめやランキング、カテゴリやキーワード検索結果の中から目当てのアプリをタップして詳細情報を表示する。価格やレビューを参考にインストールするかどうかを判断しよう。画面をスクロールすると、サイズやApp内課金の有無、互換性、類似アプリも確認可能だ。

アプリ名の近くにある購入ボタン。「入手」は無料でインストールできるアプリ。気軽にインストールして試してみよう。価格が表示されているものは有料アプリだ。それぞれのインストール方法は、No435、No436で解説している。

評価とレビュー
4.4 5段階評価中　168件の評価

ユーザーからの評価が5段階(5つ星)で表示される。横にはレビュー件数も掲載されている。点数とレビュー数、両方高い物が多くのユーザーに使われており評価も高いアプリだ。獲得点数の分布グラフやレビューの内容も掲載されているのでチェックしておこう。

同じ開発者のアプリをチェック

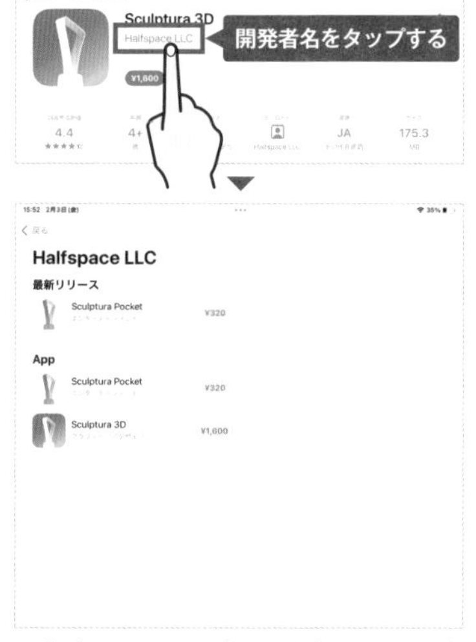

アプリ名の下には、アプリの開発者やメーカーの名前が表示されている。この開発者名をタップすれば、この開発者が開発、リリースしたアプリを一覧表示できる。同じ開発者のアプリは、同様の操作法で利用できたり、連携できたりするのでぜひチェックしてみよう。

no. 432

目的のアプリを効率よく探し出す

アプリの検索結果をフィルタで絞り込む

アプリのキーワード検索結果から、さらに絞り込みを行いたい場合はフィルタ機能を利用しよう。検索結果画面左上にある「フィルタ」をタップすると、サポート、価格、カテゴリ、並び順序、年齢といった5つの項目から絞り込みができる。無料アプリを探したい場合は「価格」を「無料」にすればいい。

1 フィルタの項目をそれぞれ選択

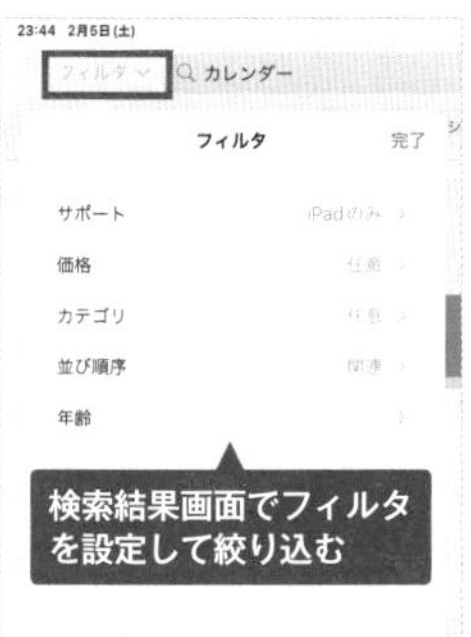

まずはApp Storeの検索機能でキーワード検索を行う。検索結果の画面で左上にある「フィルタ」をタップしよう。5つの項目が表示されるので、フィルタ(絞り込み)を有効にしたい項目をタップして設定する。

2 フィルタ適用で検索結果が変わる

フィルタを適用すると、より的確な検索結果が表示される。的外れなアプリが多いと感じたら、「カテゴリ」を設定してみよう。また、「並び順序」を「評価」にすると、優良アプリから順に表示される。

no. 433

人気アプリがひと目でわかる

アプリのランキングをチェックする

画面下部の「App」をタップして下へスクロールすると、「無料Appランキング」や「有料Appランキング」という項目があり、無料アプリおよび有料アプリごとのランキングを確認できる。「すべて表示」をタップした後、「すべてのApp」をタップしてカテゴリ別のランキングも表示可能。

1 有料／無料のランキングを表示

「App」画面を下にスクロールし、「無料Appランキング」もしくは「有料Appランキング」の右にある「すべて表示」をタップ。200位までのランキングを表示できる。

2 カテゴリ別のランキングを表示

ランキング画面右上の「すべてのApp」をタップすれば、カテゴリ別の有料および無料アプリランキングを表示することが可能だ。

no. 434

友人におすすめしたい時にも

アプリの情報を共有する

App Storeには、ブックマークやウィッシュリストのように気になったアプリを保存しておく機能がない。後でアプリをチェックしたい場合は、共有機能からメモアプリや「あとで読む」系のアプリへ記録しておこう。また、他のユーザーにメールやSNSでおすすめアプリを紹介したい時にも利用できる。

1 共有ボタンをタップする

アプリの詳細情報画面を表示したら、右上の共有ボタンをタップし、共有したいアプリを選択。ここでは「メモ」アプリを選択してみる。

2 アプリを選択し共有する

すると上のような画面になる。「保存」をタップすれば、アプリ情報をメモとして残すことが可能だ。メールやメッセージでアプリ情報を送信することもできる。

no. 435

まずは無料アプリを試してみよう

無料アプリをインストールする

App Storeには、無料で入手できるアプリが数多くリリースされている。App Storeを初めて使う人は、まずはこれらの無料アプリをチェックしてみよう。無料アプリをインストールしたい場合は、アプリの情報画面で「入手」の表示をタップ。顔認証や指紋認証、Apple IDのパスワードを求められたら入力して処理を進めよう。インストールが完了すると、ホーム画面またはAppライブラリにアプリのアイコンが追加される。なお、無料アプリは、Apple IDの支払い情報(No055で解説)が未登録状態でもインストール可能だ。

「入手」ボタンをタップしてインストールする

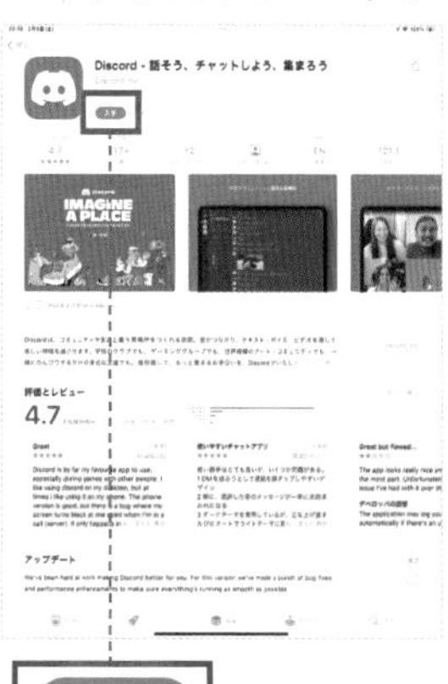

インストールしたいアプリの「入手」ボタンをタップ。顔認証や指紋認証、Apple IDのパスワードを要求されたら入力して「OK」をタップしよう。インストールが完了するとボタンが「開く」に変化するので、タップしてすぐにアプリを起動できる。ホーム画面にアプリが追加されたことも確認しよう。

no. 436

無料アプリと同じ操作で購入できる

有料アプリを購入してインストールする

有料のアプリの導入方法も特別な操作は必要なく、簡単に購入、インストールできる。価格の表示部分をタップし、顔認証や指紋認証、Apple IDのパスワードを求められたら、入力して処理を進めよう。通常はApple IDに登録したクレジットカード情報を利用するので、アプリを購入する度に支払い情報を入力する必要はない。Apple Gift Cardによる購入方法は、No438で解説している。また、キャリア決済(No437で解説)も利用可能だ。なお、Androidとは異なり払い戻しはできないので、しっかり検討してから購入すること。

価格ボタンをタップしてインストールする

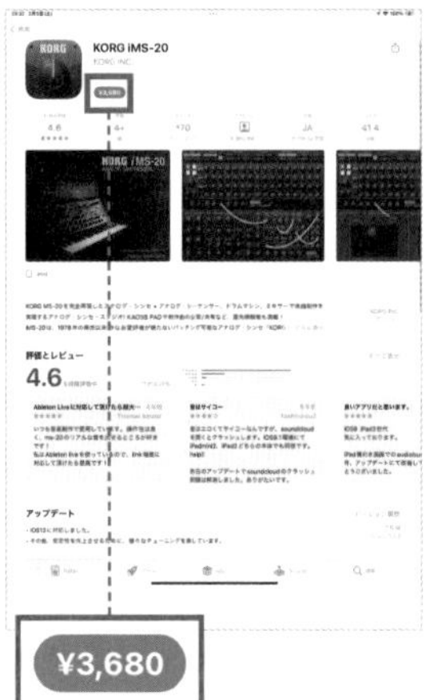

インストールしたいアプリの価格表示をタップ。顔認証や指紋認証、Apple IDのパスワードを要求されたら入力して「OK」をタップしよう。インストールが完了するとボタンが「開く」に変化するので、タップしてすぐにアプリを起動できる。ホーム画面またはAppライブラリにアプリが追加されたことも確認しよう。

no. 437

キャリア決済を利用しよう

通信料と合わせて料金を支払う

App StoreやiTunes Storeでの購入料金を、スマホや携帯電話の月々の利用料と合算して支払うことができる「キャリア決済」。docomo、au、SoftBankのスマートフォン、携帯電話を契約しているユーザーが設定できるサービスで、iPad単体では利用できない。設定するには、まず「設定」の一番上にあるApple ID名をタップし、続けて「お支払いと配送先」をタップする。「お支払い方法を追加」から「キャリア決済」にチェックを入れ、電話番号を入力して「確認」をタップ。入力した電話番号のSMSで確認コードを受け取り、設定を完了させておこう。なお、Apple IDの支払い情報がスマホ、携帯電話の利用料とひも付くため、例えばdocomoと契約中のiPadでのアプリ購入代金を、SoftBankのiPhone利用料と合算するといった使い方ができる。

no. 438

プリペイドカードを利用する

ギフトカードで有料アプリを購入する

家電量販店やコンビニなどで購入できる「Apple Gift Card」は、カードに記載されたコードを読み込んでApple IDに金額をチャージできるプリペイドカードだ。チャージしたクレジットは、App StoreやiTunes Storeだけでなく、Apple StoreでApple製のハードウェアを購入するのにも使える。

1 ギフトカードまたはコードを使う

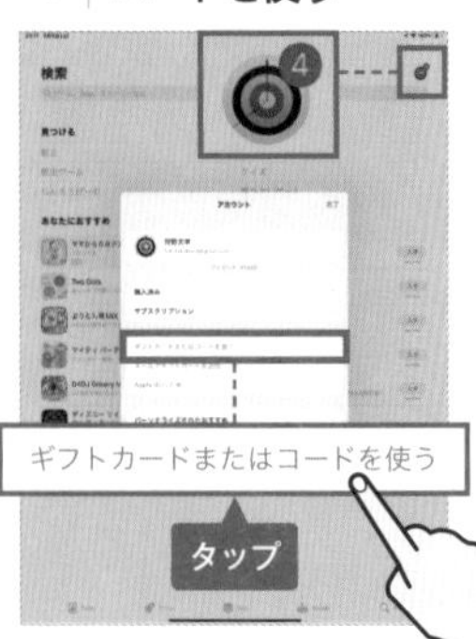

Apple Gift Cardを購入したら、App Storeを起動して画面右上にある自分のApple IDアイコンをタップ。アカウント画面で「ギフトカードまたはコードを使う」→「カメラで読み取る」をタップしよう。

2 裏面のコードをスキャンする

カメラが起動したら、Apple Gift Cardの裏面に印刷されているコードを捉えてみよう。すると自動的にコードがスキャンされ、カードの金額がチャージされる。App Storeのアプリ購入などに使おう。

no. 439

不要なアプリをiPadから削除

アプリをアンインストールする

不要になったアプリは、ホーム画面から削除すればiPadからアンインストールできる。アプリ内のデータ(例えばノートアプリで作成した書類やゲームアプリのセーブデータなど)もすべて削除されるので注意しよう。なお、アンインストールしたアプリは、App Storeから簡単に再インストール可能だ。

アプリをロングタップして削除する

アプリをロングタップすると、メニューが表示されるので「Appを削除」をタップしよう。続けて「Appを削除」→「削除」をタップすれば、そのアプリがアンインストールできる。

削除したアプリを再インストールする

アンインストールしたアプリは、App Storeでクラウドアイコンをタップすれば、簡単に(有料アプリも無料で)再インストールできる。

no. 440

リストから再インストールも行える

購入済みアプリを一覧表示する

App Storeの画面右上にある自分のApple IDアイコンをタップし、「購入済み」をタップすると、これまでに購入(無料アプリのインストールも含む)したすべてのアプリが一覧表示される。クラウドマーク(雲の絵柄)をタップすればすぐに再インストールが可能だ。なお、ここに表示されるのは、サインインしているApple IDで購入したすべてのアプリなので、同じアカウントを使って別のiPadやiPhoneで購入したアプリも含まれる。もちろん、別の端末で購入した有料アプリも無料でインストールすることが可能だ。

すべての購入済みアプリを表示する

「すべて」は、過去に購入、インストールしたすべてのアプリ。「このiPad上にない」は、一度購入、インストールしたものの現在端末にインストールされていないものを表示する。ファミリー共有使用時は、購入した家族ごとのリストを表示できる。

no. 441

アプリ選びの参考になるように

使用したアプリの評価やレビューを投稿する

アプリのレビューは、他のユーザーの参考になるよう自分でも積極的に投稿してみよう。5段階評価のみの投稿も可能だ。

1 評価とレビューを投稿する

インストール済みアプリの情報ページで、「評価とレビュー」欄にある5つの☆をスワイプして評価を行う。また、「レビューを書く」をタップして、アプリの使用感を書き込もう。なお、レビュアー名は、支払い情報に入力した請求先の名前になるので要注意。Windowsの場合は、iTunesで「アカウント」→「マイアカウントを表示」でニックネームを設定可能だ。macOSでは、App Storeアプリで左下のアカウント名→「アカウント設定」でニックネームを設定しておこう。

2 投稿したレビューを削除する

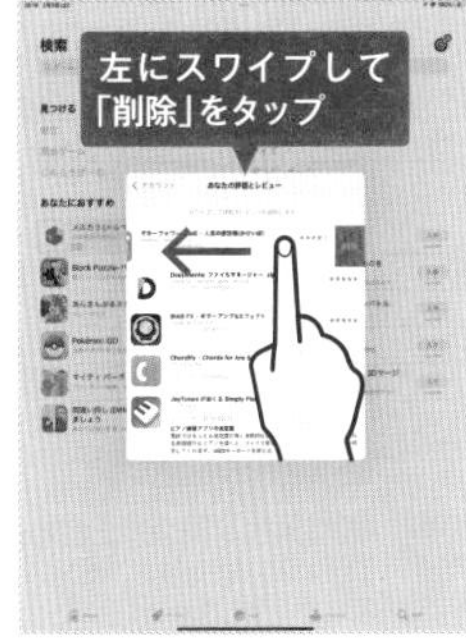

App Storeの画面右上にある自分のApple IDアイコンをタップし、続けてApple IDの名前をタップ。アカウント情報画面で「評価とレビュー」をタップすると、過去に投稿したレビューが一覧表示される。各レビューは、左にスワイプして「削除」をタップすれば削除可能だ。

no. 442

最新バージョンに更新する

アプリをアップデートする

新機能の追加や不具合の修正を反映させる

iPadのアプリの多くは、開発者によって不具合の修正や改良、新機能の追加が施された最新バージョンに無料でアップデートできる。App Storeアプリのアイコン右上に「①」といった数字のバッジが表示されたら、インストールしているアプリの内1本が、最新版に更新可能な合図。複数の場合は、その数がバッジで表示される。手動でアップデートしたい場合は、App Storeを起動し、右上にある自分のApple IDアイコンをタップ。さらに「すべてをアップデート」をタップしよう。これで複数アプリのアップデートを一括処理することが可能だ。

1 アップデートがバッジで通知される

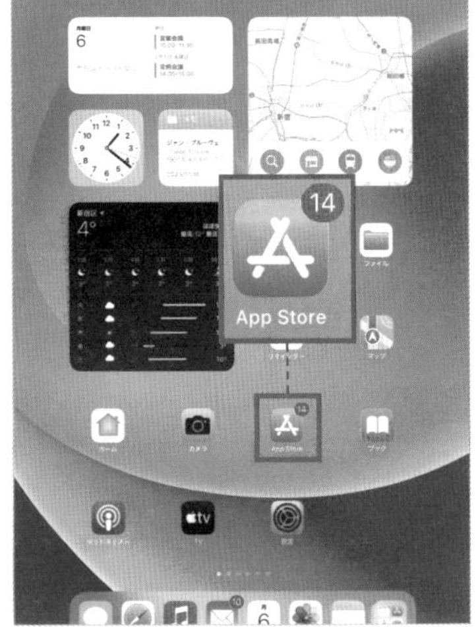

App Storeアプリに赤い数字のバッジが表示されたら、アップデートが配信された合図。App Storeを起動し、アップデートの処理を行おう。また、No443で解説している自動アップデートについてもあらかじめチェックしておこう。

2 App Storeでアプリをアップデートする

App Storeを開くと、右上にある自分のApple IDアイコンにも数字のバッジが表示されているはずだ。これをタップするとアカウント画面が開くので、「すべてをアップデート」をタップ。これで複数のアップデートを一括処理できる。

no. 443 更新の手間がなくなる便利設定

アプリを自動でアップデートする

アプリのアップデートは、設定で自動化することも可能だ。ただし、アップデートしたアプリに不具合が発生する場合も稀にあるので、更新内容を確認した上でアップデートしたい場合は、手動のままにしておこう。

アップデートを自動化するには、「設定」→「App Store」の自動ダウンロード欄にある「Appのアップデート」をオンにすればいい。これにより、アプリの最新版が公開された場合は自動的にアップデートが行われるようになる。

no. 444 アップデート以外の2つの項目を確認

自動ダウンロードの設定を行う

No443で解説した自動ダウンロードの欄には、「Appのアップデート」の他に「Appダウンロード」と「App内コンテンツ」という項目がある。iPhoneなどでインストールした同じアプリを自動でiPadにもイントールしたり、アプリ起動前にバックグラウンドでコンテンツをダウンロードするかどうかを設定できる。

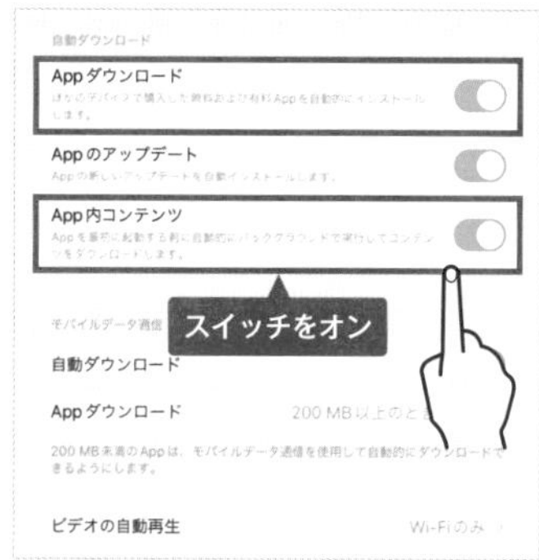

「設定」→「App Store」の自動ダウンロード欄にある「Appダウンロード」および「App内コンテンツ」のスイッチをオンにする。

no. 445 不具合の報告や解決できないトラブル時に

アプリの開発者に問い合わせを行う

アプリの利用中に不具合を発見した際や、どうしても解決できないトラブルに見舞われたときは、アプリ開発者に直接問い合わせてみよう。App Storeのアプリインストールページの「Appサポート」をタップすれば、問い合わせサイトにアクセスできる。また、「デベロッパWebサイト」から開発者のサイトを開き、問い合わせページを探すことも可能だ。

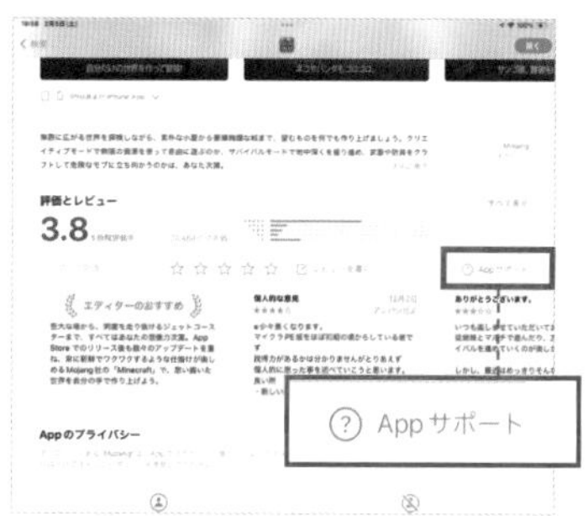

「Appサポート」という項目があればタップ。開発者が用意したサポートページへアクセスできる。

no. 446 誤った購入を防ぐために

アプリ購入時に毎回パスワードを要求

App StoreやiTunes StoreでのアイテムFace(Touch) IDで認証(No125参照)しない場合、Apple IDのパスワード入力が必要だ。ただし、一度入力すると15分以内の購入またはインストール時にパスワード入力が省略されるため、有料アプリを誤って購入してしまう恐れもある。誤購入が不安な場合やセキュリティを万全にしたい場合は、15分にかかわらず、毎回パスワードを要求する設定に変更しよう。

「設定」→自分のApple ID名→「メディアと購入」→「パスワードの設定」を開き、「パスワードを常に要求」か「15分後以降は要求」かを選択する。また、その下の「無料ダウンロード」欄の「パスワードを要求」をオンにすると、無料アイテムのダウンロード時にもパスワードを要求するよう設定できる。

no. 447 App Storeのギフト機能を使う

アプリを家族や友人にプレゼントする

有料アプリを家族や友人にプレゼントしたい時は、App Storeの「ギフト」機能を利用する。アプリの詳細情報画面の共有ボタンをタップし、続けて「Appを贈る」をタップしよう。なお、無料アプリはギフトに対応していない。

「Appを贈る」をタップし、送信先のメールアドレスやメッセージを入力しよう。プレゼントする日付の指定も可能だ。

no. 448 Apple IDにチャージした金額を表示

ギフトカードの残額を確認する

Apple IDにチャージされている残額は、App Storeアプリで確認が可能だ。App Storeの画面右上にある自分のApple IDアイコンをタップし、アカウント画面を表示すればいい。金額が表示されない場合は残高ゼロだ。

「App Store」を起動したら、画面右上のボタンをタップ。アカウント画面が表示されると、Apple IDの下に、現在チャージされているApple IDの残額が表示される。

no. 449

アプリをホーム画面に追加したくないなら

Appライブラリのみにアプリを追加する

アプリをApp Storeからダウンロードした際、通常はホーム画面にアイコンが追加されるようになる。しかし、以下の設定を行うと、App Storeからアプリをダウンロードしたとき、ホーム画面にはアイコンを追加せず、Appライブラリのみにアイコンを追加するという設定が可能だ。

1 ホーム画面とDockの設定を開く

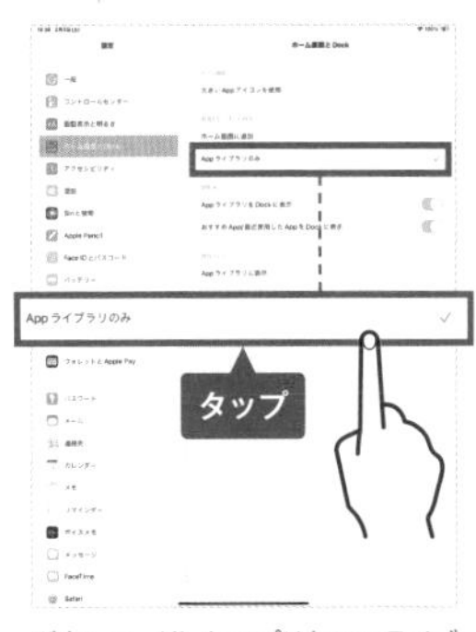

ダウンロードしたアプリをAppライブラリのみに追加したい場合は、「設定」→「ホーム画面とDock」を開き、「Appライブラリのみ」をタップ。

2 Appライブラリのみに追加される

設定を行った以降にダウンロードしたアプリは、ホーム画面に追加されず、Appライブラリのみに追加されるようになる。

no. 450

無駄な課金がないかチェック

サブスクリプションの利用状況を確認する

月単位などで定額料金を払う「サブスクリプション」契約のアプリやサービスは、必要な時だけ利用できる点が便利だが、使っていない時にも料金が発生する。中には無料を装って月額課金に誘導する悪質なアプリもある。不要なサービスに課金し続けていないか確認しておこう。

1 サブスクリプションをタップ

不要なサービスに課金し続けていないか確認するには、まず「設定」の一番左上のApple IDをタップ。続けて「サブスクリプション」をタップしよう。

2 サブスクリプションの利用状況を確認

現在利用中や有効期間が終了したサブスクリプションのサービスを確認できる。この画面から、サービスのキャンセルも行える。

no. 451

ゲームが遊び放題になる定額制サービス

Apple Arcadeを利用する

月額600円で約180タイトルの新作ゲームが遊び放題

「Apple Arcade」は、月額600円でさまざまなゲームが遊び放題になる定額制サービスだ。App Storeにあるゲームがすべて遊び放題になるのではなく、対象はApple Arcade対応のゲームに限定される。とはいえ、他のゲーム機で有料販売されているタイトルが数多く登録されているため、これらがすべて追加料金なしで遊べるのは大きな魅力だ。また、Apple Arcadeに登録されているすべてのゲームは、広告表示が排除され、ガチャなどの追加課金要素もない。普段よくゲームをプレイする人は試してみるといいだろう。

1 Apple Arcadeの契約を行う

App Storeの画面最下部にある「Arcade」をタップ。「無料で開始」からプランを選んで支払い手続きを行おう。初回契約時は1か月の無料期間があるが、無料期間終了後は自動的に課金されていく。不要ならサブスクリプションの設定でキャンセルしておこう。

2 遊びたいゲームを探して入手しよう

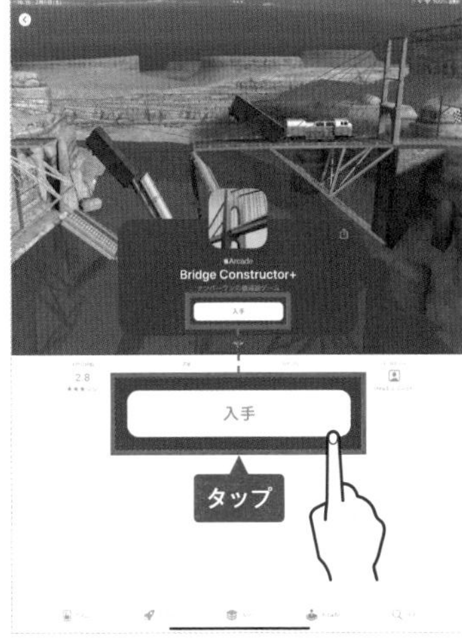

Apple Arcade対応のゲームを探す場合は、App Storeの画面下にある「Arcade」をタップ。表示される画面で面白そうなゲーム名をタップしよう。あとは「入手」をタップすればインストールされる。

no.
452

カメラアプリの基本操作を知ろう

写真やビデオを撮影する

カメラアプリの画面の見方

iPadにはバック／フロントカメラが搭載されており（第1世代を除く）、カメラアプリを起動して写真やビデオを撮影できる。右端のセンターにある丸いシャッターボタンをタップすれば、すぐに写真を撮影できる。また、本体側面の音量ボタンもシャッターとして利用できる。

横画面でも撮影できる

横画面でも撮影できる。シャッターボタンや各種メニューは、縦画面撮影時と同様に、右欄にまとめられている。

タイマーモードで撮影する

撮影タイマーを3秒／10秒にセットできる。カウント終了後に自動で撮影される（No454で解説）。

フラッシュを切り替える

カメラフラッシュを自動、またはオン／オフに切り替えできる(iPad Proのみ搭載)。

フロントカメラへ切り替える

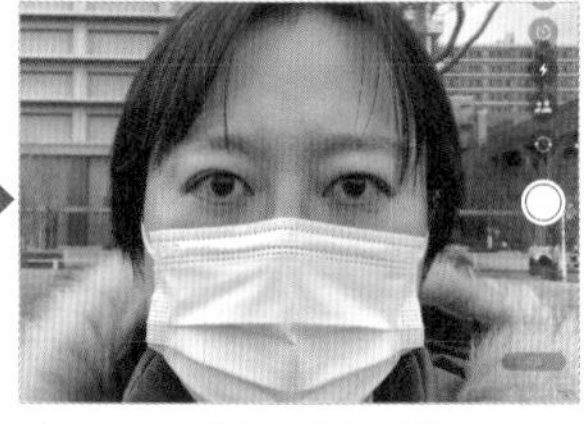

バック／フロントカメラを切り替える。フロントカメラでは、「スロー」「パノラマ」モードでの撮影はできない。

撮影した写真を確認する

タップすると、直前に撮影した写真のプレビューが表示される。右上の「すべての写真」をタップすると写真アプリが起動し、他の写真やビデオを確認できる。

他の撮影モードに切り替える

画面内を上下にスワイプすれば、「ビデオ」や「タイムラプス」（No454で解説）「スローモーション」（No454で解説）モードなど、他の撮影モードに切り替えできる。

no. 453 カメラのズーム機能を利用する

遠くの被写体を拡大して撮影

1 画面内をピンチ操作する

遠くの被写体を撮影したい時は、カメラの画面を2本の指で開くようにピンチアウトしよう。画面をズームして撮影できる。つまむようにピンチインすると拡大した画面が縮小する。

2 画面左端のボタンやスライダで操作する

画面左端の「1x」ボタンを上下にドラッグしてズームイン／アウトすることもできる。「1x」ボタンが表示されないiPadでは、代わりに表示されるスライダを上下にドラッグすればよい。

使いこなしヒント
レンズを切り替えて光学ズームで撮影する

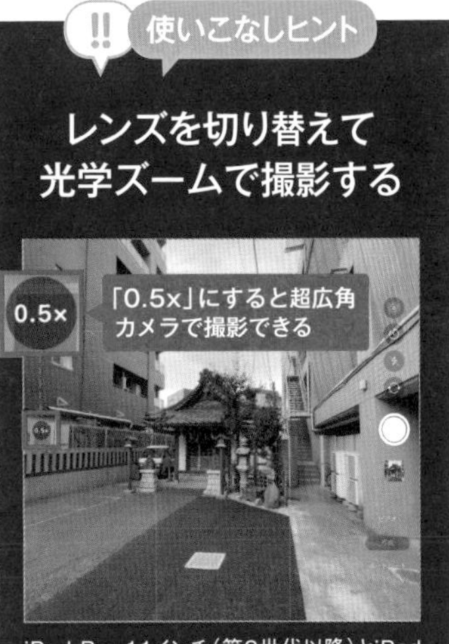

iPad Pro 11インチ（第2世代以降）とiPad Pro 12.9インチ（第4世代以降）のみ、通常の広角カメラに加えて超広角カメラが搭載されており、より広い範囲を撮影できる。「1x」ボタンをタップして「0.5x」にすると、超広角カメラに切り替わり、劣化のない光学ズームで撮影可能だ。0.6倍～0.9倍でも撮影可能だが、デジタルズームになり画質は少し劣化するので注意しよう。

no. 454 多彩な撮影モードを利用する

コマ送りビデオやスローモーション撮影も可能

タイマーモード

タイマーを3秒または10秒に設定してシャッターを押すと、カウント終了後に撮影される。バーストモード対応機種は10枚の連写になる。

タイムラプス

一定時間ごとに静止画を撮影し、それをつなげてコマ送りビデオを作成できる撮影モード。長時間動画を高速再生した味のある動画を楽しめる。

スローモーション

動画の途中をスローモーション再生にできる撮影モード。写真アプリで、スローモーションにする箇所を自由に変更できる。

ポートレート

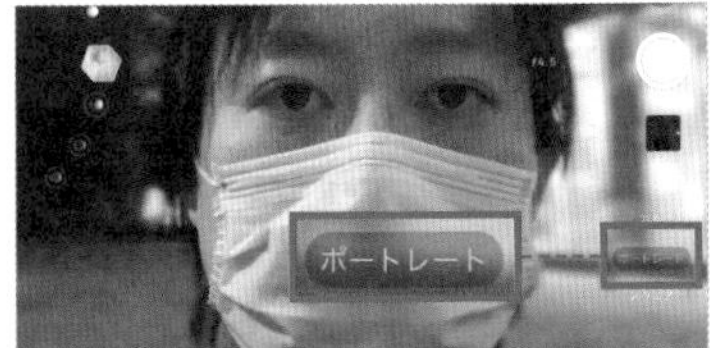

Face IDを搭載したiPad Pro 12.9／11インチのフロントカメラのみ、「ポートレート」モードで、一眼レフのような背景をぼかした写真を撮影できる。

スクエア

カメラ画面の枠が正方形になるモード。TwitterやInstagramなどの、SNSで投稿するのに適したサイズの写真を撮影できる。

パノラマ

シャッターをタップして、画面の指示に従い本体をゆっくり動かせば、横に長いパノラマ写真を撮影できる。本体を横向きにすれば、縦長の撮影も可能。

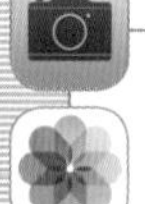

no. 455 任意の場所をタップするだけ

カメラのピントや露出を合わせる

iPadのカメラにはオートフォーカス(AF)および自動露出(AE)機能が搭載されており、画面中央の被写体に自動でピントが合い、最適な露出に調整される。画面の端にある被写体にピントを合わせたい場合は、その箇所をタップすればよい。そこにピントが合い、露出も自動調整される。ビデオ撮影時も同様だ。

no. 456 画面内をロングタップしてロック

ピントや露出を固定する

自動露出(AE)とオートフォーカス(AF)が有効だと、撮影のたびに明るさやピントの位置が変わる。これを固定したい場合は、画面内をロングタップしよう。黄色い枠が2回点滅したのち上部に「AE／AFロック」と表示され、その部分に露出／ピントを固定したまま撮影できる。再度タップでロック解除できる。

no. 457 画面内を上下にスワイプ

露出を手動で調整する

画面内をタップして露出とフォーカスを合わせると、黄色いフォーカス枠と、その右に太陽マークも表示されるはずだ。この状態で、タップしたまま画面を上下にスワイプしてみよう。太陽マークを上に動かすほど画面が明るく、下に動かすほど画面が暗くなり、露出を手動で調整できる。

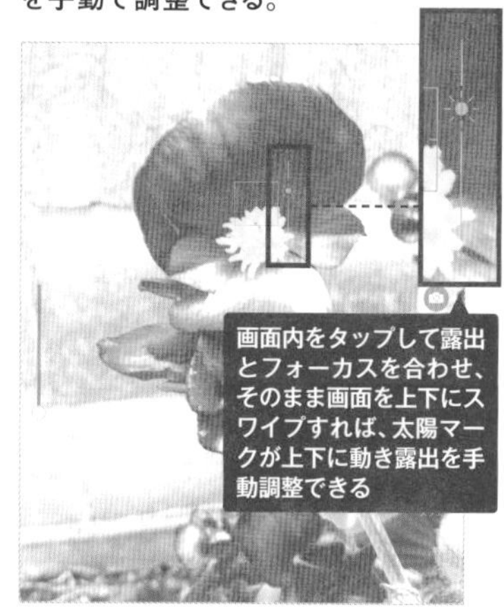

no. 458 動く写真を撮影しよう

Live Photosを撮影する

カメラアプリの三重丸ボタンをタップして黄色くすると、動く写真「Live Photos」を撮影できる。シャッターを切った時点の静止画に加えて、前後1.5秒ずつ合計3秒の映像と音声も記録する機能だ。撮影したLive Photosは、写真アプリで開いて画面内をタップし続けることで動き出す。

1 Live Photosをオンにして撮影する

カメラを起動したら、「Live Photos」ボタンをタップしてオンにしよう。この状態でシャッターボタンをタップすれば、Live Photosを撮影できる。

2 写真アプリで動く写真を確認しよう

写真アプリを起動し、Live Photosで撮影した写真を開こう。画面内を押し続けると、写真が動き出すはずだ。シャッターを押した前後1.5秒ずつが記録されている。

no. 459 HEIF／HEVC形式を変更

写真やビデオの保存フォーマットを変更する

2017年6月以降に発売されたiPadシリーズは、撮影した写真とビデオの保存形式が、より圧縮率の高いHEIF／HEVC形式に変更されている。この形式は、8／8.1以前のWindowsやSierra以前のmacOSだと標準で表示できないので、従来のJPEG／H.264形式で保存したい場合は設定を変更しよう。ただ、メールやAirDropで添付したり、他のアプリに共有する際は、自動的にJPEG／H.264形式に変換されるほか、パソコンに転送する際も自動変換できる(No506で解説)。

「互換性優先」にチェックする

HEIF／HEVC形式での撮影に対応した機種であれば、「設定」→「カメラ」に「フォーマット」項目があるので、これをタップ。「互換性優先」にチェックしよう。

no. 460 動きのある被写体の撮影時に

HDR撮影機能をオフにする

iPadのカメラでは、露出の異なる写真を撮影して1枚に合成する、「HDR」機能が自動でオンになっている。HDRがオンだと、明るすぎて白とびした部分や、暗すぎて黒つぶれした部分を、露出の異なる写真で補完してはっきり映し出せるが、複数の写真を合成するため、動きのある被写体の場合はぶれることがある。そんな時は、手動でオフにしておこう。

no. 461 HDRオン／オフ両方の写真を保存

HDR撮影時に通常の写真も保存する

No460で解説したように手動でHDRのオン／オフを切り替えて撮影しなくても、設定で「通常の写真を残す」をオンにしておけば、HDRがオンの写真に加え、HDRで合成する前の通常の写真も保存されるようになり、どちらか写りの良い方を選択できる。ただし、撮影するごとに2枚の写真が保存されるので、容量は圧迫される。必要に応じて設定しよう。

no. 462 9分割の補助線が表示される

撮影画面にグリッドを表示する

iPadで構図を考えて写真撮影するには、カメラの画面内に水平／垂直の目安となるグリッド線を表示させておくとよい。このグリッドは、「設定」→「カメラ」→「グリッド」のスイッチをオンにすることで表示されるようになる。カメラを起動すると、9分割の縦横線が表示されるはずだ。

no. 463 シャッターを押し続ければOK

連写機能で撮影する

iPadで写真を連続撮影したい場合は、シャッターボタンをタップし続ければよい。タップしている間は、一定間隔でシャッターが切られ続ける。音量ボタンを押しっぱなしでも連続撮影可能だ。「バーストモード」対応機種であれば、1秒間に10枚の高速連写が可能で、撮影した中からベストショットのみを選んで保存することもできる。

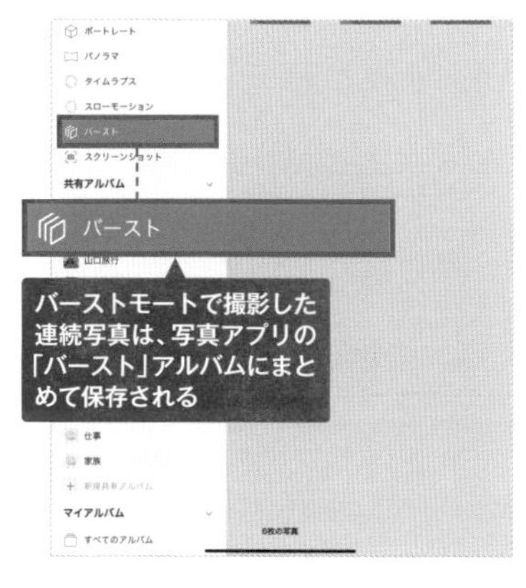

no. 464 個人情報の公開に注意しよう

写真に位置情報を記録する

カメラの位置情報をオンにして撮影すると、写真に現在地情報が埋め込まれる。マップで撮影場所を確認できるので、旅行写真の整理には便利だ（No503を参照）。ただし位置情報が付いた写真をネット上などにアップすると、自宅の場所などがうっかりバレてしまいかねない。写真に位置情報を付加したくない場合は、設定でオフにしておこう。

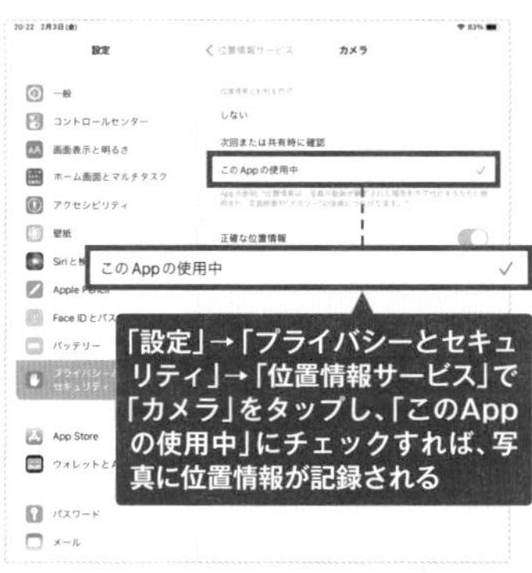

no. 465 スローモーションも変更可能

ビデオ撮影の画質を変更する

iPadでビデオを撮影する際の画質は、「設定」→「カメラ」→「ビデオ撮影」で変更できる。機種によって異なるが、最大で4K画質のビデオ撮影が可能だ。また、「スローモーション撮影」でスローモーション撮影時の画質も変更できる。高画質で撮影すると、ファイルサイズも大きくなるので、空き容量が少ない場合は画質を落とそう。

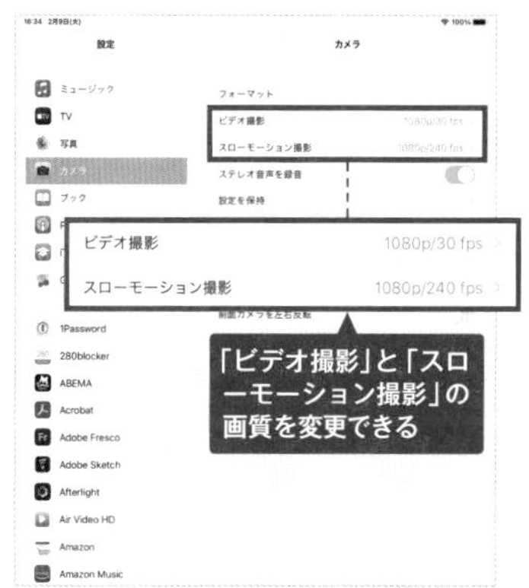

no. 466 フロントカメラで自撮りを楽しもう

左右反転もできるセルフィーを撮影

カメラの切り替えボタンをタップしてフロントカメラに切り替えると、自撮り写真やビデオ(セルフィー)を撮影できる。セルフィーで撮影した写真やビデオは、通常は左右が逆になって保存されるが、「設定」→「カメラ」→「前面カメラを左右反転」をオンにしておけば、カメラに写った向きのままで保存できる。

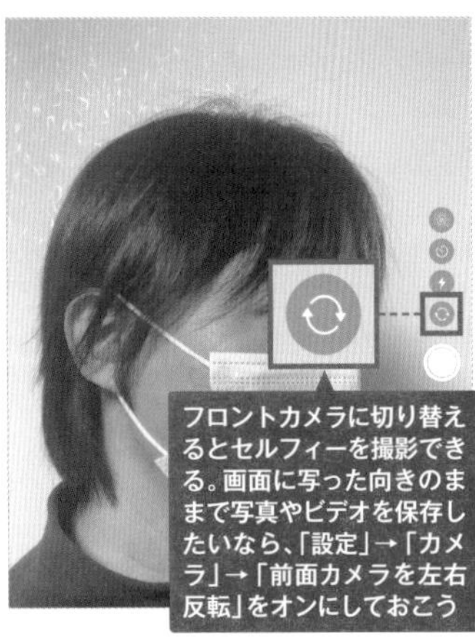

no. 467 決定的瞬間を逃さないカメラの起動方法

ロック画面から即座にカメラを起動する

今すぐ撮影したいのに、いちいちロックを解除してカメラアプリを起動して……という手順では、ベストショットの瞬間を逃してしまう。ロック画面からすぐにカメラを起動するには、画面を左にスワイプすればよい。また、コントロールセンターを開き、カメラボタンをタップして起動することもできる。

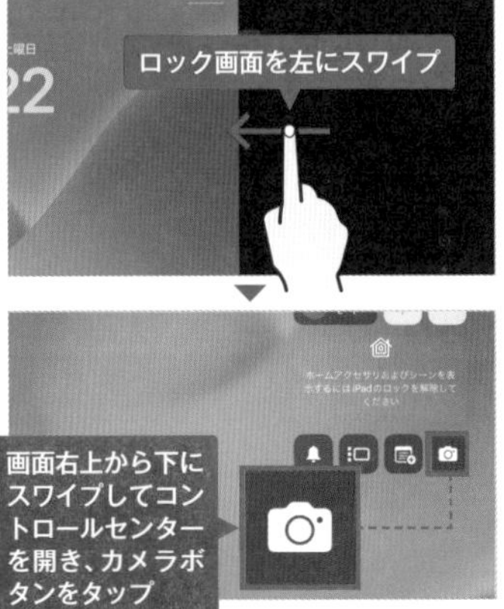

no. 468 コントロールセンターから起動する

QRコードを読み取る

あらかじめコントロールセンターに「コードスキャナー」を追加しておくと(No038で解説)、コントロールセンターからコードスキャナーを起動し、QRコードを読み取れる。この時、画面下部のフラッシュライトをタップするとカメラのフラッシュが点灯し、暗い場所でも読み取りが可能だ。

no. 469 余計な部分まで撮影しないように

実際の縦横比の画面でビデオを撮影する

iPadのカメラでビデオを撮影する際の画面は、実際の撮影範囲と違い上下が少し切れた状態(縦向き時)で表示されるので、撮影したビデオに余計な被写体が含まれる可能性がある。撮影開始前に画面内をダブルタップすれば、正しい構図を確認しながらビデオ撮影できる。

1 画面内をダブルタップする

iPadのビデオ撮影画面は、正しい撮影範囲が表示されていない。実際に撮影される範囲を確認するには、画面内をダブルタップする。

2 実際の撮影範囲が表示される

プレビュー画面が16:9の縦長表示に切り替わる。これが実際に撮影される範囲だ。横向きで撮影する際も、同じく横長の正しい撮影範囲を確認できる。

no. 470 いつものスタイルで即座に撮影

カメラモードなどの設定を保持する

カメラの「カメラモード」や「Live Photos」は、前回撮影時の設定を保持しておくことができる。例えば、カメラモードをスクエアにして撮影していれば、次回カメラを起動した際も、同じくスクエアモードのままになっており、すぐに撮影を開始することが可能だ。

1 カメラの設定を保持する

「設定」→「カメラ」→「設定を保持」で、「カメラモード」と「Live Photos」それぞれのスイッチをオンにしよう。

2 最後に使った設定でカメラが起動する

最後に使った設定のままで、カメラアプリが起動する。特にスクエアやビデオを最もよく使うユーザーは、スムーズに撮影を開始できて便利だ。

カメラと写真

no. 471

写真アプリの管理メニュー

写真アプリでサイドバーを利用する

見たい写真やビデオに素早くアクセスできる

iPadで撮影した写真やビデオを管理する「写真」アプリでは、サイドバーのメニューで写真やビデオを素早く探せるようになっている。すべての写真やビデオを撮影順に見たいなら、一番上の「ライブラリ」画面を開こう。撮影モード別に探したいなら、「メディアタイプ」欄の「ビデオ」「セルフィー」「スクリーンショット」といった項目から選択すると早い。また「ピープル」で特定の人物が写った写真を一覧表示したり、「撮影地」でマップ上から探し出せるほか、共有アルバムやマイアルバムの作成と管理もサイドバーで行える。

1 写真アプリのサイドバーを開く

写真アプリを起動し、画面の左端から右にスワイプするか、左上のボタンをタップすると、サイドバーが開いてメニューが表示される。「ライブラリ」画面などで撮影した写真を確認しよう。

2 アルバムもサイドバーで管理できる

サイドバーを下にスクロールすると、共有アルバムやマイアルバムが一覧表示される。アルバムの新規作成も可能だ。また上部の「編集」をタップすると、アルバム名の変更や並べ替え、削除ができる。

no. 472

サムネイルをタップして個別に表示

撮影した写真を表示する

1 見たい写真のサムネイルをタップ

写真アプリを起動してサイドバーを開き（No471で解説）、ライブラリやアルバムなどの画面を開くと、iPadで撮影した写真がサムネイルで一覧表示される。見たい写真のサムネイルをタップしよう。

2 タップした写真が表示される

サムネイルをタップした写真が大きく表示される。画面を左右にスワイプするか、下部のサムネイルバーを左右にスワイプすると、次の写真や前の写真を表示できる。

3 ピンチ操作で写真を拡大／縮小表示する

画面内をダブルタップするか、ピンチアウト／ピンチインすれば、表示中の写真を拡大／縮小表示できる。その際上下のメニューが消えるが、画面内をタップすれば再度メニューが表示される。

no.
473

写真アプリで再生できる

撮影したビデオを再生する

1 「アルバム」のビデオフォルダから探そう

写真だけでなく、iPadで撮影したビデオも「写真」アプリで再生できる。ビデオはサイドバーのメディアタイプ欄にある「ビデオ」から探すのが早い。スローモーションやタイムラプス動画もカテゴリ分けされる。

2 サムネイルの再生ボタンをタップで再生

ビデオのサムネイルをタップすると、自動で再生が開始され、上部メニューで一時停止やスピーカーのオン／オフができる。右上の編集ボタンでビデオの加工や編集も可能だ(No494で解説)。

3 ビデオ再生画面のメニューと操作

再生中の画面を一度タップすると、メニューが表示される。上部の一時停止ボタンをタップすると一時停止。下部のシークバーを左右にドラッグすれば再生位置を変更できる。

カメラと写真

no.
474

すべての写真を確認できる

「ライブラリ」メニューで写真やビデオを表示する

iPad上のすべての写真やビデオを確認するには、まず写真アプリのサイドバーから「ライブラリ」画面を開こう。上部の「すべての写真」をタップすると、すべての写真とビデオが撮影順に一覧表示される。「年別」や「月別」、「日別」に切り替えると、それぞれの期間のベストショットを楽しめる。

1 ライブラリ画面を開く

写真アプリを起動したら、左上のボタンをタップしてサイドバーを開き、一番上の「ライブラリ」をタップしよう。iPad内の写真やビデオが一覧表示される。

2 表示モードを切り替える

上部メニューで、年／月／日別のベストショットを表示できる。また「すべての写真」に切り替えると、撮影した順にすべての写真とビデオが一覧表示される。

no.
475

写真を素早く探すテクニック

写真の一覧表示をピンチ操作で拡大／縮小する

写真のライブラリ上でピンチインすると、サムネイルがどんどん小さくなり、画面内に表示される写真の点数が増えていく。サムネイルが最小でも、それぞれどんな写真かは確認できるので、過去の写真をざっと一望して目当てのものを見つけ出す際に最適だ。

1 ピンチインでライブラリを一望

ライブラリの「すべての写真」画面などでピンチインすると、サムネイルがどんどん小さく表示される。昔の写真をざっと振り返って探したいときに利用しよう。

2 スクロールで写真をチェック

ライブラリをピンチアウトして最大の表示にすると、前後の写真が連なった形でスクロールすることができるようになる。

no. 476

メモリーや共有の提案などが表示される

「For You」メニューでメモリーや共有を確認する

1 「For You」に表示される項目

サイドバーで「For You」を開くと、関連する写真やビデオをまとめた「メモリー」や、「おすすめの写真」「共有の提案」「エフェクトの提案」「共有アルバムアクティビティ」などが表示される。

2 メモリーで生成されたスライドショーを再生

「メモリー」で提案されたアルバムをタップすると、自動生成されたスライドショーを再生できる。編集でタイトルやBGMを変更したり、写真やビデオの入れ替えも行える。

3 共有アルバムの変更内容を確認

「共有アルバムアクティビティ」では、共有アルバムが一覧表示されるほか、最近追加された写真やコメントの投稿、「いいね!」などのアクティビティが通知される。

no. 477

特定の条件で抽出表示

写真のフィルタ機能を活用する

一覧画面から特定の条件で写真を探したい時は、フィルタ機能を利用しよう。一覧画面の右上にある「…」ボタンをタップし、メニューから「フィルタ」を選択すると、お気に入りや編集済み、写真、ビデオのみを抽出できる。複数の条件を組み合わせて抽出することも可能だ。

1 写真の一覧画面でフィルタをタップ

写真の一覧画面を開いたら、右上の「…」ボタンをタップする。続けて、表示されたメニューから「フィルタ」を選択してタップしよう。

2 選択した条件でフィルタリング

「お気に入り」や「編集済み」、「写真」、「ビデオ」にチェックすると、それぞれの条件に合致する項目を抽出表示できる。複数の条件を同時に選択することもできる。

no. 478

中身を素早く確認できる

ビデオをロングタップしてプレビュー再生する

ビデオの内容を素早く確認したい時は、サムネイル画像をロングタップしてみよう。画面がポップアップ表示されプレビュー再生できる。スピーカーがオンなら音声も流れる。なお、「ライブラリ」画面のベストショットにビデオがある場合は、画面をスクロールすると自動的にプレビュー再生される。

1 ビデオのサムネイルをロングタップ

ビデオアルバムなどでビデオを一覧表示し、中身をチェックしたいビデオのサムネイルをロングタップしよう。

2 ポップアップ表示でプレビュー再生

小さな画面が開いてビデオの中身がプレビュー再生される。プレビュー画面以外の部分をタップすると、元のサムネイル一覧に戻る。

no. 479

2つの方法を覚えておこう

写真やビデオを複数選択する

スワイプやロングタップでまとめて選択できる

写真の一覧から、複数の写真やビデオを選択したいときは、右上に表示される「選択」ボタンをタップしよう。選択モードになって写真をタップして選択できるようになる。この時、いちいち個別に写真をタップしなくても、サムネイルを左右上下にスワイプするだけで、その範囲の行列をまとめて選択できるので覚えておきたい。また、ファイルをロングタップしてポップアップさせ、少しドラッグして動かし、そのまま他のファイルをタップしていけば、複数の写真をまとめて選択でき、他のアプリにドロップできる。

1 選択画面でスワイプして一括選択

右上の「選択」をタップして選択モードにし、サムネイルを左右にスワイプすれば、その行の写真をまとめて選択できる。さらに上下にスワイプで複数行の選択も可能だ。

2 ロングタップでファイルをまとめる

選択モードにしなくても、写真をひとつロングタップして浮いた状態になったら少し動かし、そのままの他の指で別の写真を選択していけば、複数ファイルをまとめて操作できる

no. 480

検索用のタグにも使える

写真にキャプションを追加する

写真やビデオの「i」ボタンをタップすると、「キャプションを追加」欄にメモを追加できる。このキャプションは検索対象になるので、タグのように利用できる。例えば美味しかった料理に「また食べたい」とキャプションを付けておけば、「また食べたい」で検索して料理写真を素早く探せる。

1 キャプションを追加する

写真やビデオを開き、上部の「i」ボタンをタップして詳細を表示したら、「キャプションを追加」欄にメモを入力しておこう。

2 キャプションが検索でヒットする

「検索」画面でキーワード検索すると、キャプションの内容も検索結果に表示され、目的の写真やビデオを素早く探し出せるようになる。

no. 481

複数の一括削除もOK

写真、ビデオを削除する

不要な写真やビデオは、写真アプリ内で削除できる。複数選択して一括削除も可能だ。ただしパソコンと同期した写真や、他ユーザーの共有アルバムの写真は削除できない。またNo482で解説している通り、この操作で削除した写真は「最近削除した項目」に残っており、復元可能だ。

1 不要な写真やビデオを削除する

個別に削除する場合は、写真やビデオを開いて、右上のゴミ箱ボタンをタップし、続けて「写真（ビデオ）を削除」をタップすればよい。

2 複数の写真やビデオを一括削除する

サムネイル一覧で右上の「選択」をタップし、複数の写真やビデオを選択。右下のゴミ箱ボタンをタップし、続けて「○個の項目を削除」をタップすれば一括削除できる。

no. 482 「最近削除した項目」から復元

削除した写真やビデオを復元する

写真やビデオを削除しても、iPadから完全に削除されるわけではなく、最大30日間は「最近削除した項目」に残っている。選択して「復元」をタップすればライブラリに戻すことができ、「削除」で完全削除が可能だ。

no. 483 写真の内容から探し出せる

写真アプリの検索機能を利用する

サイドバーで「検索」を開くと、強力な写真の検索機能を利用できる。ピープルや撮影地、カテゴリなどで写真を探せるほか、被写体をキーワードにして検索することも可能だ。「猫」や「花」など具体的なワードで検索してみよう。また写真に付けたキャプション（No480で解説）も検索対象となる。

no. 484 撮影日時や場所などEXIF情報を表示

写真の詳細情報を確認する

写真やビデオを表示して上部の「i」ボタンをタップすると、撮影日時や場所、機材などのEXIF情報が表示されるほか、キャプションも入力できる（No480で解説）。また、撮影日時の右にある「調整」をタップして日付情報を、マップの右下にある「調整」をタップして位置情報を修正できる。

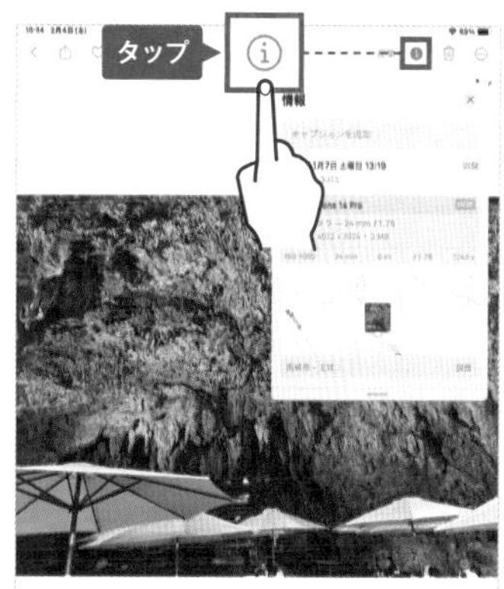

no. 485 切り抜いた写真を他のアプリに添付できる

写真の切り抜き機能を利用する

被写体をロングタップするだけで自動切り抜き

写真アプリでは、写真内の人物や動物、建築物、料理、図形などの被写体をロングタップするだけで、簡単に背景から切り抜くことができる。再生を一時停止したビデオからも、同様にロングタップで切り抜くことが可能だ。タップしたまま別の指でホーム画面に戻り、他のアプリを起動すると、メールやメモに添付したり、メッセージなどで送信してステッカーのように扱える。切り抜いた被写体を写真アプリに保存することもできる。なお、切り抜く範囲は自動で判定され調整できないので、写真によっては余計な部分も含まれる点に注意しよう。

1 被写体をロングタップする

人物や動物、建築物、料理、図形などの被写体をロングタップしてみよう。キラッと光るエフェクトが表示されたあとに指を動かすと、被写体を切り抜いてドラッグできる。

2 切り抜いた写真を他のアプリに添付

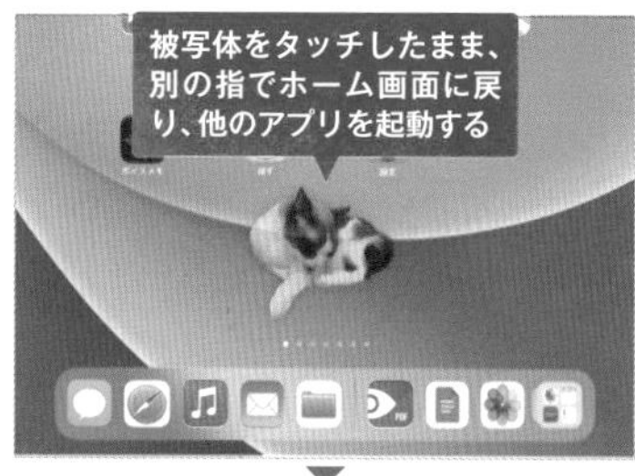

切り抜いた写真の指を離さずに別の指で他のアプリを起動し、ドロップすると添付できる。写真アプリのライブラリ画面にドロップして切り抜き写真を新規保存することも可能だ。

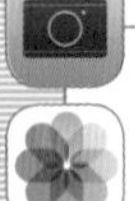

no. 486 よく写っている人を表示
「ピープル」を利用する

写真に人の顔が写っていると自動的に認識され、多く検出された人物は、サイドバーの「ピープル」画面に追加される。ピープルの顔写真をタップすると、その人が写った写真を一覧表示することが可能だ。またピープルに名前を付けておけば、写真を人物名で検索できるようになる。

1 「ピープル」画面で顔写真をタップ

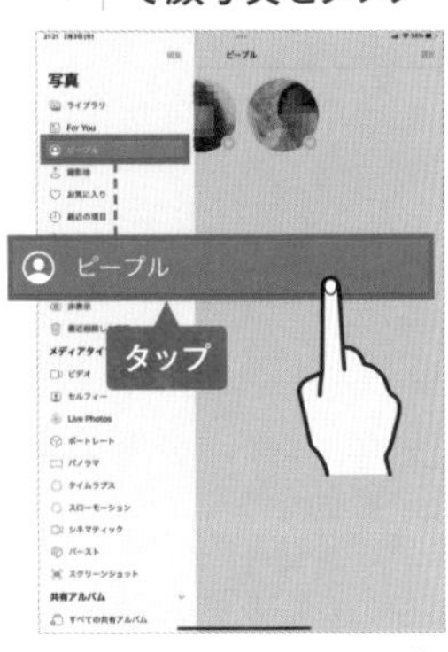

サイドバーの「ピープル」をタップすると、よく写っている顔写真が表示される。タップすると、この人物が写った写真が一覧表示される。

2 ピープルに名前を付けておく

顔写真をタップし、上部の「名前を追加」をタップして名前を付けておこう。この人物が写った写真を、名前でキーワード検索できるようになる。

no. 487 アルバムで写真を整理する
「マイアルバム」で写真やビデオを表示する

サイドバーを下の方にスクロールすると、「マイアルバム」欄にアルバムが一覧表示される。「すべてのアルバム」をタップすると、作成済みのアルバムのほか、すべての写真やビデオが撮影順に表示される「最近の項目」アルバムと、「お気に入り」（No505で解説）アルバムも表示される。

1 マイアルバムを確認する

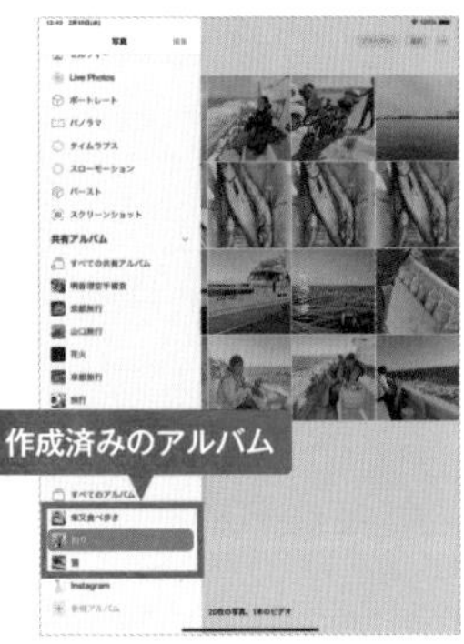

サイドバーを下の方にスクロールすると、「マイアルバム」欄でアルバムを確認できる。アルバムをタップすると、そのアルバムに整理した写真が一覧表示される。

2 すべてのアルバムを表示する

「すべてのアルバム」をタップすると、作成済みのアルバムに加えて、「最近の項目」と「お気に入り」アルバムも表示される。新規アルバムの作成や削除も可能だ。

no. 488 好きな写真を自分でまとめよう
新しいアルバムを作成する

サイドバーの「マイアルバム」欄にある「新規アルバム」をタップすると、自分でアルバムを作成できる。アルバムに追加する写真を選択して整理しておこう。

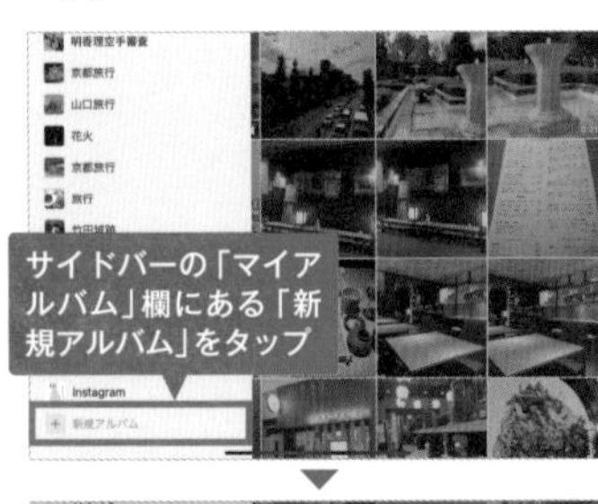

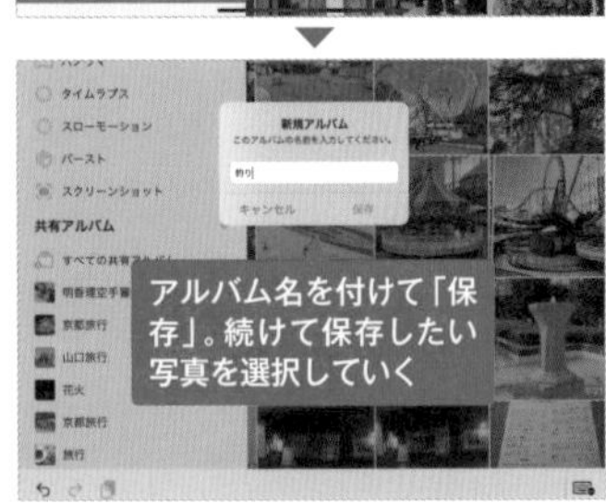

no. 489 選択した写真をアルバムで分類
写真、ビデオをアルバムに登録する

写真の一覧で「選択」をタップし、アルバムに追加したい複数の写真やビデオを選択したら、左下の共有ボタンをタップしよう。表示されたメニューから「アルバムに追加」をタップすれば、作成済みのアルバムに、選択した写真を追加することができる。

no. 490 きれいに撮れた写真だけ残そう
バーストモードの連続写真を1枚ずつ見る

「バースト」アルバムの連写した写真（No463で解説）は、タップしただけでは1枚しか表示されない。「選択…」をタップすると残りの連続写真も表示される。よく写ったものだけチェックして、残りを保存するか削除するか決めよう。

カメラと写真

no. 491

テキスト認識表示を利用する

写真に写った文字や文章を利用する

iPadでは、写真に写ったテキストや手書き文字を認識し、選択してコピーできる「テキスト認識表示」機能を備えている。紙資料の内容をメールするのにテキストで入力し直す手間を省いたり、写真内の単語をコピーしてWeb検索したい場合などに活用しよう。

1 テキスト認識表示のオンを確認

まずは、「設定」→「一般」→「言語と地域」→「テキスト認識表示」がオンになっていることを確認しておこう。

2 テキスト認識ボタンをタップ

写真を開いて右下のテキスト認識ボタンをタップすると、写り込んだテキストや手書き文字が認識される。ロングタップして選択状態にするとコピーして利用できる。

no. 492

テキスト認識して翻訳

写真に写った文字や文章を翻訳する

No491で解説した「テキスト認識表示」機能を利用すると、写真に写ったテキストを他の言語に翻訳できる。全文をまとめて翻訳できるほか、選択した一部のテキストのみ翻訳することも可能だ。標準の「翻訳」アプリの機能が使われ、19言語の相互翻訳に対応する。

1 写真内の全文を翻訳する

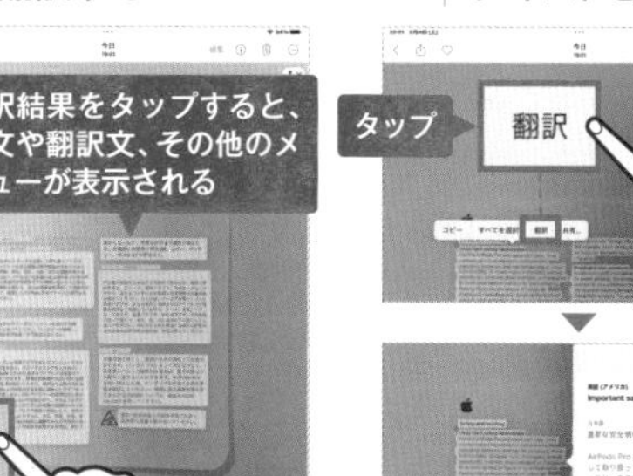

英文などが写った写真でテキスト認識ボタンをタップすると、左下に「翻訳」ボタンが表示される。これをタップすると、全文が日本語に翻訳される。

2 選択した一部のテキストを翻訳

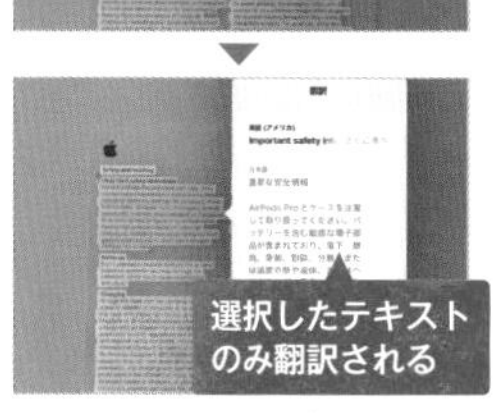

テキストをロングタップして選択し「翻訳」をタップすると、選択したテキストのみ翻訳できる。下にスクロールすると翻訳のコピーや言語の変更も可能だ。

no. 493

写真アプリだけで細かなレタッチが可能

写真を加工、編集する

1 編集をタップしてレタッチを行う

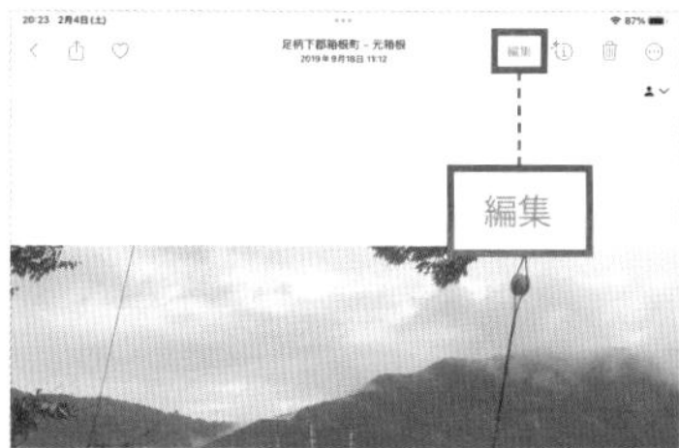

編集を加えたい写真を開いたら、上部の「編集」をタップして編集画面に切り替えよう。左側に並ぶメニューの一番上にある「調整」ボタンを選ぶと、右側に「自動」「露出」「ブリリアンス」などのボタンが表示され、明るさや色合いを自由に調整できる。

2 トリミングや傾き補正も簡単

左側に並ぶメニューの一番下のボタンをタップすると、トリミングや傾き補正が行える。写真を囲む四隅の白い枠をドラッグするとトリミング。右側の各ボタンで傾き、縦方向の歪み、横方向の歪みを調整できる。

3 編集した写真を保存する、元に戻す

編集を終えたら、右上のチェックマークをタップして保存する。編集をキャンセルするには左上の「×」をタップ。編集後の写真を編集モードにして、右上の「元に戻す」→「オリジナルに戻す」をタップすれば、いつでも元の写真に戻せる。

no.
494

ビデオもさまざまな編集を適用できる

ビデオを加工、編集する

1 編集をタップしてレタッチを行う

編集を加えたいビデオを開いたら、上部の「編集」をタップして編集画面に切り替えよう。写真の編集と同じように、左側に並ぶメニューボタンで編集モードを切り替えて、さまざまな加工を施せる。

2 ビデオの不要な部分をカットする

ビデオの場合は、不要な部分を削除するカット編集も行える。左メニューの一番上のボタンをタップし、下部のタイムラインで左右端をドラッグ。表示される黄色い枠で、ビデオの切り取り範囲を指定しよう。

3 調整やフィルタ、傾き補正も適用できる

そのほか、露出やコントラストを調整できる「調整」や、各種フィルタを適用できる「フィルタ」、サイズ変更や傾き補正を行える「傾き補正」などの適用も可能だ。写真と同じく、編集後にいつでも元のオリジナルビデオに戻せる。

カメラと写真

no.
495

同じ色味に揃えたい時などに

編集内容を他の写真やビデオにも適用する

写真やビデオに対して行った一連の編集内容は、コピーして別の写真やビデオにペーストすることで、同じ編集内容をそのまま適用できる。複数の写真やビデオを選択してまとめて同じ編集内容を適用することもできるので、大量の写真の色味を同じように調整したいときなどに活用しよう。

1 写真の編集内容をコピーする

写真に編集を加えたら、上部の「…」→「編集内容をコピー」をタップしよう。なお、トリミングや傾き修正などの編集内容はコピーされない。

2 複数の写真を選択し編集内容をペースト

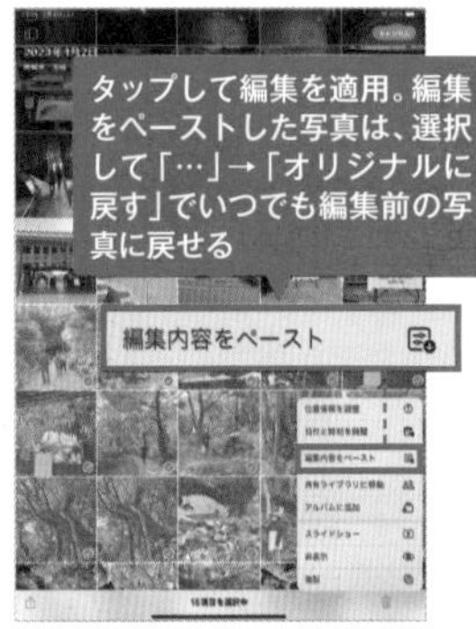

同じ編集を加えたい写真を複数選択し、右下の「…」→「編集内容をペースト」をタップ。コピーした一連の編集内容が、選択したすべての写真に自動的に適用される。

no.
496

もっとも品質の高いものを残す

重複した写真やビデオを結合する

写真アプリでは、ライブラリ全体から同じ写真やビデオを検出すると、「重複項目」アルバムに一覧表示してくれる。まったく同じものだけでなく、解像度やファイル形式が異なる項目も検出され、「結合」をタップすることでもっとも品質の高い写真やビデオだけを残せる。

1 重複項目アルバムを開く

写真アプリの「アルバム」→「重複項目」を開くと、ライブラリ全体から検出された重複写真やビデオが一覧表示される。

2 重複した写真を結合する

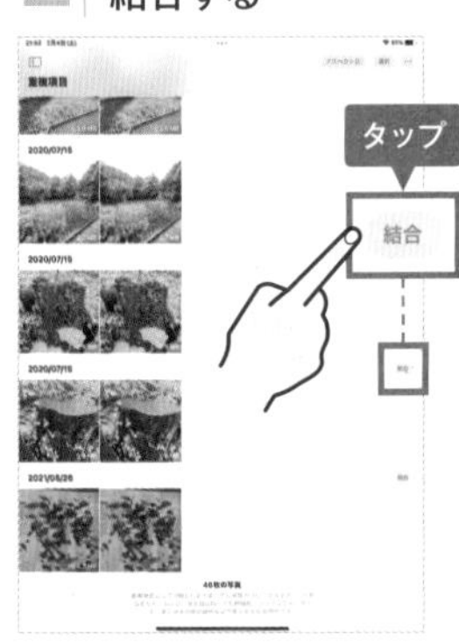

「結合」をタップすると、品質が高い写真を残して他を削除できる。右上の「選択」→「すべてを選択」をタップし、下部の「結合」ですべての項目を結合できる。

no. 497

ペンの太さや色も変更できる

マークアップ機能を使い文字や手書きで写真に書き込む

写真を開いて編集ボタンをタップし、上部のマークアップボタンをタップすると、ペンやマーカー、鉛筆などのツールを使って、写真内に手書き文字やイラストを書き込める。ペンの太さや透明度、カラーは自由に変更できるほか、テキストや図形も挿入することが可能だ。

1 マークアップをタップする

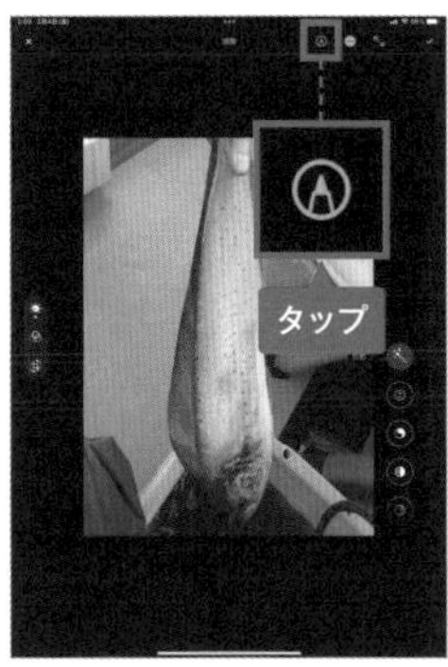

写真アプリで書き込みたい写真を開き、「編集」ボタンをタップして編集画面を開いたら、上部のマークアップボタンをタップしよう。

2 下部のツールで写真に書き込み

マークアップツールバーでペンの種類やカラーを変更できる。また「＋」をタップすれば、テキストや署名の入力、図形や矢印の挿入、拡大鏡などを利用できる。

no. 498

拡張機能対応アプリを入れておこう

他社製アプリのフィルタを利用する

No493の通り、基本的なレタッチは写真アプリの標準機能で行えるが、もっといろいろなフィルタや機能を使いたいなら、他社製の写真編集アプリをインストールしよう。拡張機能に対応したアプリであれば、写真アプリの編集画面からフィルタなどを呼び出して利用することができる。

1 編集画面で「…」をタップ

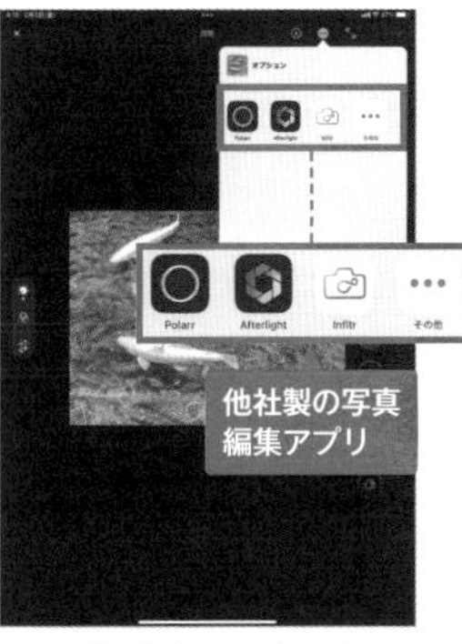

写真の「編集」をタップし、右上の「…」をタップすると、インストール済みの拡張機能に対応した写真編集アプリが一覧表示されるので、これをタップ。

2 編集画面で「…」をタップ

他社製の写真アプリのフィルタ機能を呼び出して、写真に適用できる。いちいち個別のアプリを起動せずに、写真アプリ内だけで編集が完結できて便利だ。

no. 499

ぼかし具合や照明を変更できる

ポートレートモードの写真を編集する

iPad Pro 12.9インチ（第3世代以降）とiPad Pro 11インチのフロントカメラのみ、「ポートレート」モードで、背景をぼかしたり照明の当て方を変えた写真を撮影できる（No454で解説）。このポートレートモードで撮影した写真は、あとからでも写真アプリで、ぼかし具合や照明エフェクトを変更できる。

1 ポートレート写真の編集画面を開く

写真アプリのサイドバーで「ポートレート」をタップし、撮影したポートレート写真を開いたら、上部の「編集」ボタンをタップする。

2 照明や被写界深度を変更できる

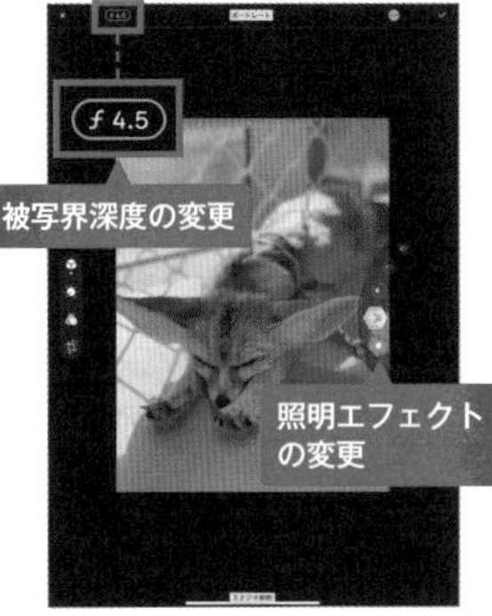

右側にある照明ボタンを上下にドラッグすれば、照明エフェクトを変更できる。また上部の「f」ボタンで、被写界深度を調整してぼかし具合を変更できる。

no. 500

スロー再生の位置を変更できる

スローモーションのビデオを編集する

「スローモーション」モードでビデオを撮影すると、通常の1/4または1/8のスピードで再生されるスローモーション動画を撮影できる。このスロー再生になる部分は、写真アプリの編集モードで自由に変更できる。スライダーでスロー再生にする範囲を指定しよう。

1 スローモーションの編集画面を開く

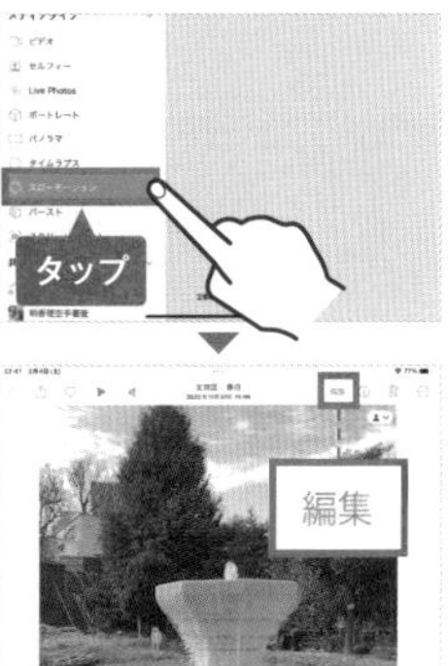

写真アプリのサイドバーで「スローモーション」をタップし、撮影したスローモーションビデオを開いたら、上部の「編集」ボタンをタップする。

2 スロー再生の範囲を指定する

下部のスライダーで、縦線の範囲が広くなっている部分が、スローモーションで再生される箇所になる。ドラッグして開始／終了位置を調整しよう。

no. 501

エフェクトを変更できる

Live Photosを編集する

動く写真「Live Photos」(No458で解説)で撮影した写真の動きを変えてみたいなら、写真アプリで編集しよう。「ループ(繰り返し再生)」「バウンス(再生と逆再生の繰り返し)」「長時間露光(長時間シャッターを開いたときの効果)」の、3種類のエフェクトを適用できる。

1 LivePhotosで撮影した写真を開く

写真アプリのサイドバーで「Live Photos」をタップし、LivePhotos写真一覧を開いたら、動きを変えてみたい写真を選択しよう。

2 適用するエフェクトを選択

左上に表示されている「LIVE」ボタンをタップするとメニューが開き、「ループ」「バウンス」「長時間露光」の3種類からエフェクトを選択できる。

no. 502

編集モードで簡単に変更できる

撮影した写真の比率を変更する

撮影した写真の画面比率は、No493で解説した写真の編集モードで簡単に変更できる。編集画面を開いたら、左側メニュー一番下の傾き補正ボタンをタップし、続けて上部の比率ボタンをタップしよう。下部メニューで、「スクエア」「2:3」「9:16」などの比率を選択できる。

1 編集画面で比率ボタンをタップ

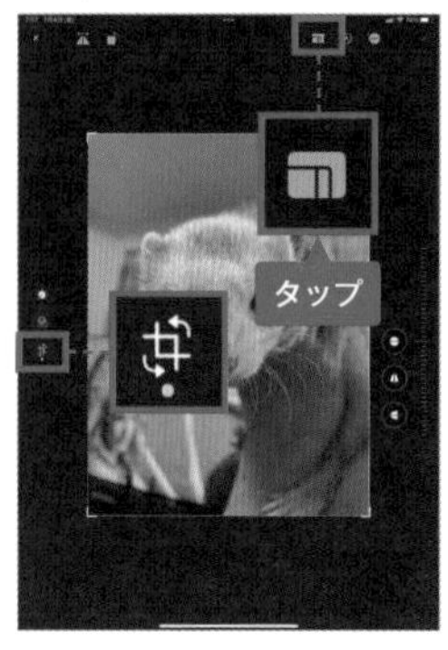

写真の編集画面を開いたら、左側の傾き編集メニューを開き、続けて上部の比率変更ボタンをタップしよう。

2 下部のメニューで比率を選択する

下部に「スクエア」「2:3」「9:16」などの比率がプリセットで用意されているので、タップしてトリミングしよう。

no. 503

「撮影地」アルバムで確認

写真、ビデオの撮影場所をマップで表示する

「設定」→「プライバシーとセキュリティ」→「位置情報サービス」→「カメラ」で、「このAppの使用中」にチェックしておけば、iPadで撮影した写真やビデオに撮影場所や日時が記録される。写真アプリのサイドバーで「撮影地」を開くと、撮影場所をマップ上で確認できる。

1 カメラの位置情報サービスをオン

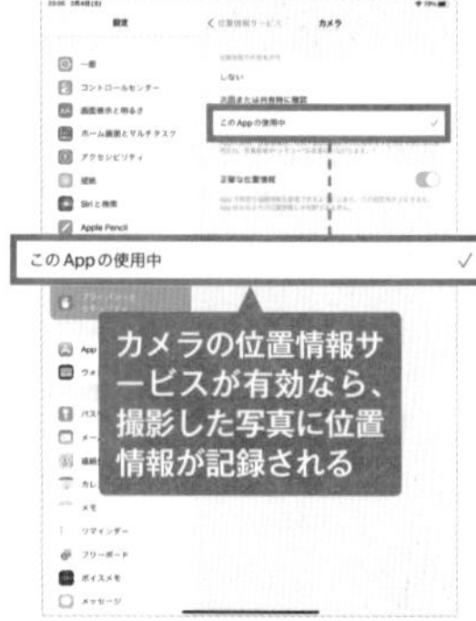

「設定」→「プライバシー」→「位置情報サービス」で、アプリのリストから「カメラ」をタップ。「このAppの使用中」にチェックしよう。

2 撮影地アルバムで撮影場所を確認

写真アプリのサイドバーで「撮影地」を開くと、位置情報が記録された写真やビデオの撮影地がマップ上に表示される。マップを拡大すればより詳細な撮影地が分かる。

no. 504

「スライドショー」をタップ

写真やビデオをスライドショーで楽しむ

写真アプリでアルバムを開き、右上の「…」→「スライドショー」をタップすれば、アルバム内の写真やビデオが次々と表示されるスライドショーが開始される。スライドショーの再生画面を1度タップするとメニューが表示され、右下の「オプション」でテーマや再生速度などを変更できる。

1 スライドショーを開始する

アルバムを開き、右上の「…」→「スライドショー」をタップで再生開始。写真を1枚開いて「…」ボタンから「スライドショー」をタップしてもよい。

2 テーマやBGMを変更する

再生中の画面をタップすればメニュー表示。右下の「オプション」で、テーマ、BGM、リピートのオン／オフ、再生速度などを変更できる。

no. 505 ハートボタンをタップ

写真やビデオをお気に入りに登録する

特に気に入った写真やビデオをまとめておきたいなら、写真アプリで写真やビデオを開き、上部のハートボタンをタップしよう。自動的に「お気に入り」アルバムに登録される。特定のアルバムに写真を移動するよりも簡単に、お気に入り写真のみをまとめられる方法だ。

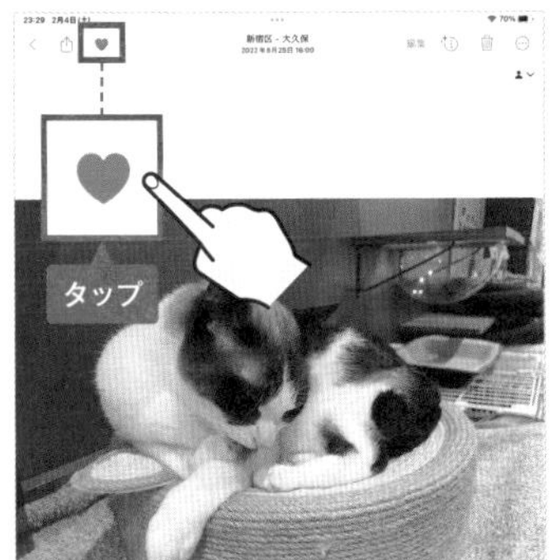

お気に入りの写真やビデオは、上部のハートボタンをタップしておこう。サイドバーの「お気に入り」アルバムにまとめて表示される。

no. 506 JPEG／H.264形式に自動変換

パソコン転送時にフォーマットを自動変換する

No459で解説している通り、最近のiPadは写真とビデオのファイル形式がHEIF／HEVCになっている。ただ、8／8.1以前のWindowsやSierra以前のmacOSだと標準では表示できないので、パソコンに転送する際は、従来のJPEG／H.264形式に自動変換するよう設定しておこう。

「設定」→「写真」で「自動」にチェックしておくと、HEIF／HEVC形式の写真やビデオをパソコンに転送した際に、自動的にJPEG／H.264形式に変換して保存される。

no. 507 見せたくない写真を隠す

特定の写真を非表示にする

写真を開いて上部の「…」→「非表示」をタップ。続けて「写真を非表示」をタップすれば、その写真は「非表示」アルバム以外の場所で表示されなくなる。非表示アルバムは標準だとロックされており、Face IDやTouch IDで認証しないと中身を表示できない(No513で解説)。

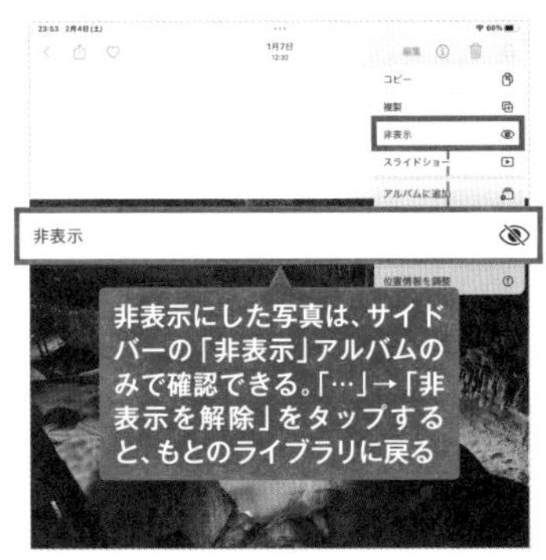

写真を開いて上部の「…」→「非表示」→「写真を非表示」をタップすると、この写真は「非表示」アルバム以外では見えなくなる。

no. 508 撮影場所が分からないようにする

位置情報を削除して写真やビデオを送信する

写真やビデオを他のユーザーに送信する(No514で解説)際に、撮影場所が分からないように位置情報を削除したい場合は、共有メニューで開いた画面上部の「オプション」をタップしよう。「位置情報」のスイッチをオフにしておけば、位置情報を取り除いた上で送信できる。

1 共有メニューのオプションをタップ

送信したい写真を開くか複数選択した状態で、共有ボタンをタップ。続けて、開いた画面の上部にある「オプション」をタップしよう。

2 「位置情報」をオフにする

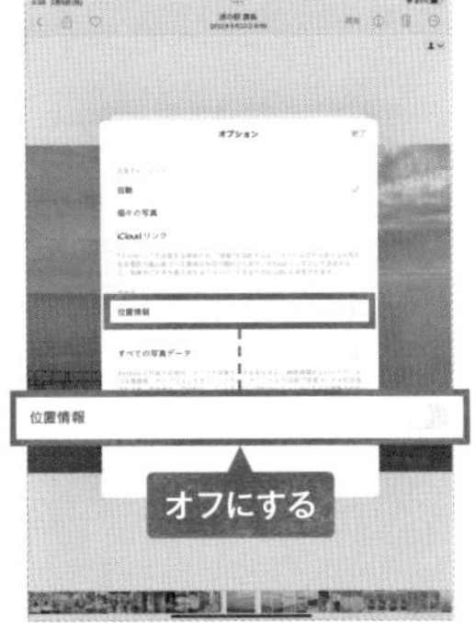

「位置情報」のスイッチをオフにしておこう。これで、位置情報を取り除いた状態で写真やビデオを送信することができる。

no. 509 候補への表示をリセット

メモリーの情報をリセットする

写真アプリの「For You」画面ではメモリーが自動的に作成される(No476で解説)が、特定の人や場所、休日などがメモリーに含まれないように、候補への表示を減らすことができる。この表示を減らした人や場所を再度メモリーの候補に表示させたい時は、設定でリセットすればよい。

1 メモリーの候補への表示を減らす

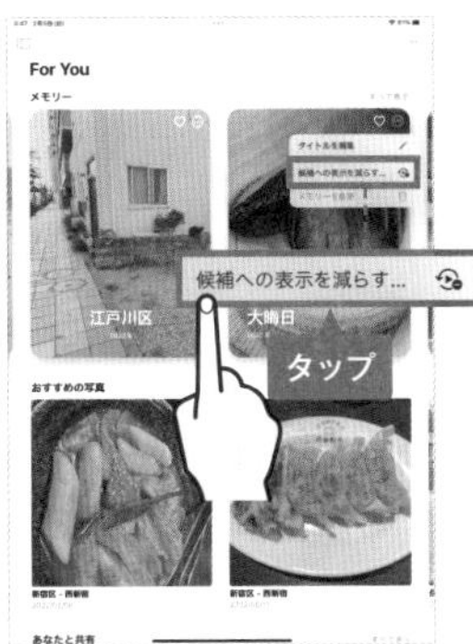

メモリー上部の「…」→「候補への表示を減らす」をタップすると、メモリーに特定の人や場所、休日などが表示されることを減らしたり表示しないように設定できる。

2 メモリーで行った設定をリセット

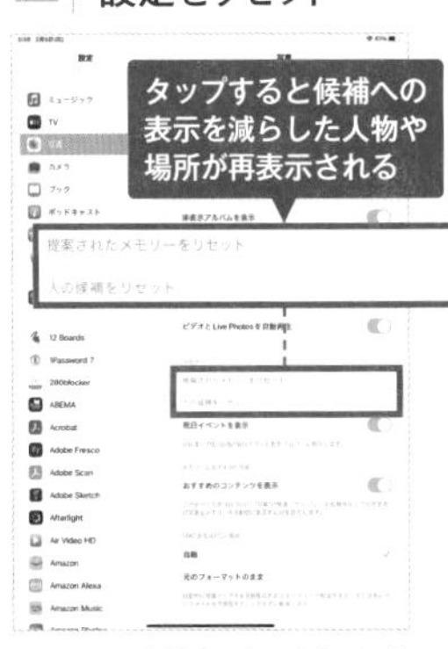

メモリーに表示させないようにした人物や場所は、「設定」→「写真」の「提案されたメモリーをリセット」や「人の候補をリセット」をタップすることで再表示できる。

no. 510

大切な写真やビデオはiCloudに残しておこう

iCloud写真を利用する

撮影した写真をiCloudに自動バックアップ

iPadで撮影した写真やビデオをバックアップするなら、「iCloud写真」機能を使うのがおすすめだ。撮影した写真やビデオはすべてiCloudへ自動アップロードされるので、同じApple IDでサインインしたiPhoneやパソコンで見ることができるし、iPadをなくしても思い出の写真がすべて消える心配もない。ただし、写真ライブラリをすべて保存できるだけのiCloud容量が必要となる。iCloudは無料だと5GBしか使えないので、よく写真を撮る人は容量を追加購入しておこう(No551で解説)。また、写真ライブラリは同期されているため、iCloud上や他のデバイスで写真を削除すると、iPadからも削除されてしまう(逆も同様)点にも注意が必要だ。

iCloud写真を利用する

1 iCloud写真をオンにする

「設定」→「写真」→「iCloud写真」をオンにすれば、すべての写真やビデオがiCloudに保存される。iCloudの空き容量が足りないと機能を有効にできない。また「iPadのストレージを最適化」にチェックしておくと、オリジナルの高解像度写真はiCloud上に保存して、iPadには縮小した写真を保存できる。

2 写真アプリの内容は特に変わらない

iCloud写真をオンにしても写真アプリの内容は特に変わらない。同じApple IDを使ったiPhoneやパソコンでも同じ写真を表示できる。ただし、iCloud上や他のデバイスで写真を削除すると、iPadからも削除される(逆も同様)点に注意しよう。

使いこなしヒント

写真ライブラリでバックアップする

設定でApple IDを開き、「iCloud」→「アカウントのストレージを管理」→「バックアップ」→「このiPad」→「写真ライブラリ」をオン

iCloud写真がオフの時は、「写真ライブラリ」をオンにして、現時点の端末内の写真やビデオを含めたiCloudバックアップを作成できる。ただこの機能は、どのみちiCloudの容量を消費する上に中身の写真を取り出せないので、写真のバックアップには「iCloud写真」を使う方がおすすめだ。

iCloudの容量が足りないときは

1 有料のストレージプランを購入する

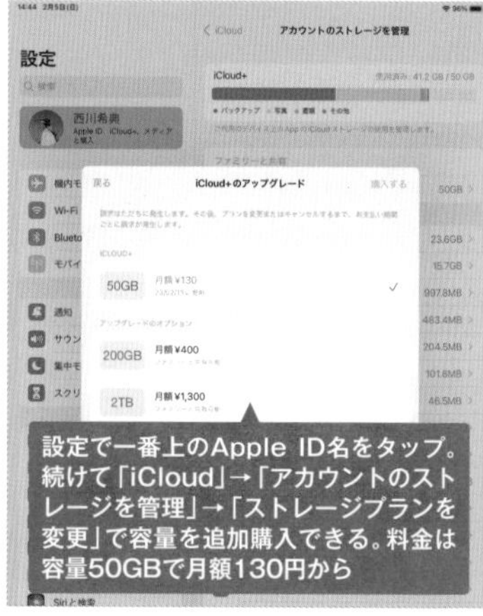

iCloudは無料で5GBまで使えるが、空き容量が足りないと新しい写真や動画をアップロードできなくなる。どうしても容量が足りない時は、設定で一番上のApple ID名をタップし、「iCloud」→「アカウントのストレージを管理」→「ストレージプランを変更」でiCloudの容量を追加購入しておこう。

2 パソコンや外部デバイスに保存する

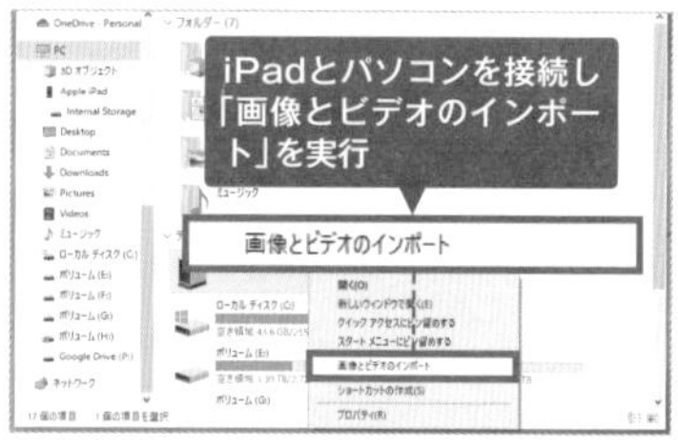

パソコンがあるなら、iPad内の写真やビデオをパソコンにバックアップしておこう。手動で定期的にバックアップする必要があるが、パソコンのストレージ容量が許す限り保存しておける。または、外付けSSDやSDカードなどの外部デバイスをiPadに接続して、写真やビデオをコピーしてもいい。

no. 511

旅行中などの写真の共有に最適

iCloud共有写真ライブラリを利用する

最大6人でシームレスに共有できる

設定で「iCloud共有写真ライブラリ」を有効にすると、自分を含め最大6人でシームレスに写真を共有できる共有ライブラリを作成できる。共有ライブラリには手動で写真を追加できるほか、カメラアプリで「共有ライブラリ」ボタンをオンにして撮影した写真も自動で追加される。たとえば、一緒に旅行に行くメンバーで設定しておけば、旅行中に撮影したすべてのメンバーの写真が同じ共有ライブラリにリアルタムで保存されるので、あとで写真を送ってもらう手間を省ける。なお、共有ライブラリの保存にはライブラリ管理者のiCloud容量が消費される。

1 共有ライブラリの設定を行う

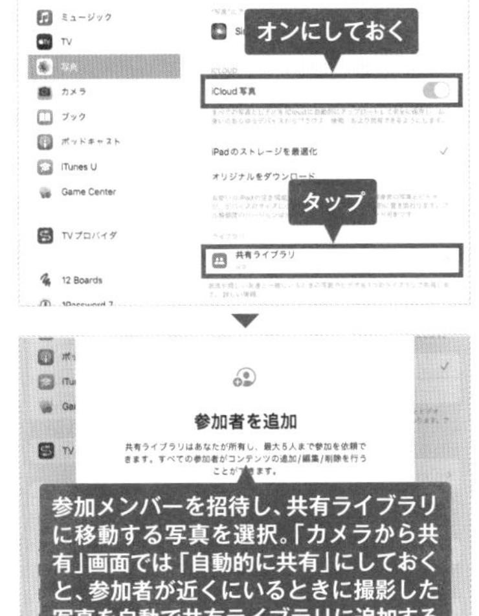

「設定」→「写真」→「iCloud 写真」をオンにしておき、「共有ライブラリ」→「始めよう」をタップ。「参加者を追加」で共有したいメンバーを選択し、画面の指示に従って各種設定を済ませよう。

2 共有ライブラリに写真を追加する

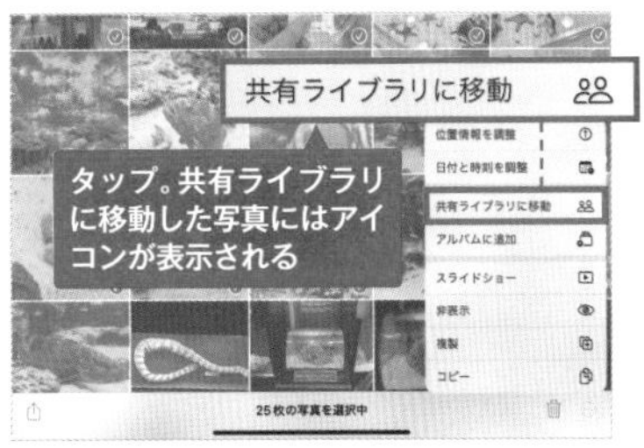

カメラアプリで共有ライブラリボタンをオンにして撮影すると、撮影した写真は共有ライブラリに直接追加される。写真アプリで写真を選択し、「…」→「共有ライブラリに移動」で追加することも可能。

no. 512

iCloud容量を消費せずに保存できる

共有アルバムで家族や友人と写真やビデオを共有する

最大200個まで作成可能、自動リサイズに注意

写真やビデオを家族や友人と共有するには「共有アルバム」を使う方法もある。iCloud共有写真ライブラリ（No511で解説）と違い、iCloud写真はオフでもよく、複数の共有アルバムを作成でき、しかも写真やビデオの保存に自分のiCloud容量を消費しない。共有アルバムは最大で200個まで作成でき、ひとつのアルバムに最大5000点まで保存可能だ。共有アルバムを自分一人で使ってもいいので、古い写真は共有アルバムに移動する使い方もおすすめ。ただし、共有アルバムの写真やビデオは自動でリサイズされ、少し劣化する点には注意しよう。

1 共有ライブラリの設定を行う

まず「設定」→「写真」→「共有アルバム」のオンを確認。続けて、写真アプリのサイドバーを開き、下の方にある「新規共有アルバム」をタップする。

2 メンバーを招待して共有アルバムを作成

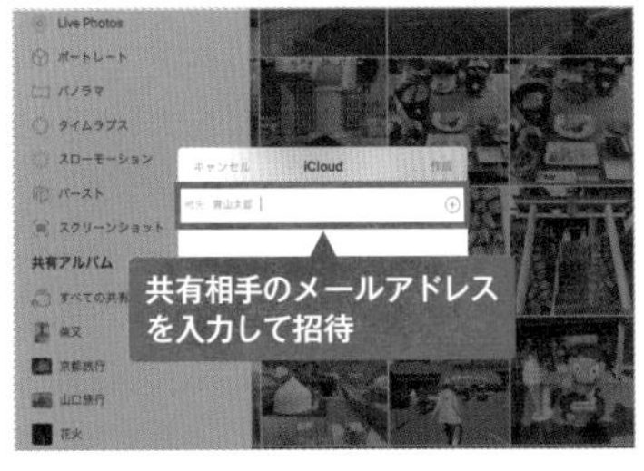

共有アルバムに招待する相手のメールアドレスを入力し、「作成」で共有アルバムが作成される。この共有アルバムには、自分や招待した相手が自由に写真を追加できる。

no. 513 認証しないと表示できなくする
「最近削除した項目」や「非表示」のロックを設定する

削除した写真が残る「最近削除した項目」(No482で解説)と、非表示にした写真が保存される「非表示」(No507で解説)アルバムは、標準だと他のユーザーが勝手に表示できないようロックされている。ロックの設定は「設定」→「写真」→「Face ID(Touch ID)を使用」で変更可能だ。

1 Face IDを使用をオンにする

「設定」→「写真」→「Face ID(Touch ID)を使用」をオンにしておくと、「最近削除した項目」と「非表示」アルバムがロックされ、表示する際に認証が必要となる。

2 非表示アルバム自体を隠す

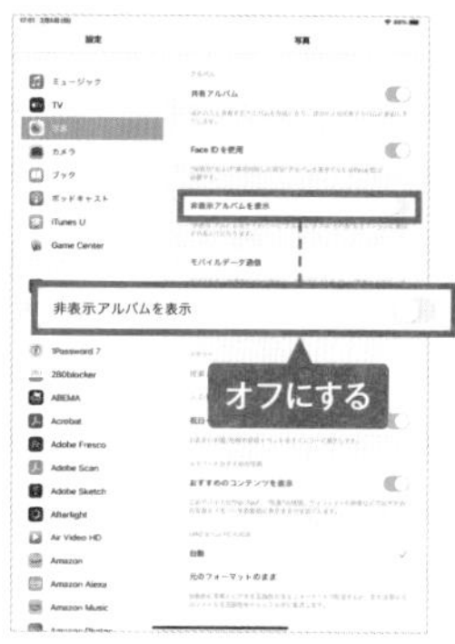

また、「非表示アルバムを表示」をオフにすると、非表示アルバム自体を隠すことが可能だ。サイドバーから「非表示」の項目が消えてアクセスできなくなる。

no. 514 共有ボタンで送信方法を選択
写真やビデオを他のユーザーへ送信する

写真やビデオを他のユーザーに送信するには、写真アプリで送信したいものを選んで、共有ボタンをタップしよう。メッセージやメールに添付したり、TwitterやFacebookに投稿できる。またAirDrop(No112で解説)で送信したり、共有アルバム(No512で解説)に追加することも可能だ。

1 写真やビデオを選び共有ボタンをタップ

写真アプリで送信したい写真やビデオを開いたり、一覧画面で「選択」をタップして複数を選択した状態で、共有ボタンをタップしよう。

2 送信する方法を選択する

メニューから送信方法を選択しよう。メールやメッセージに添付したりSNSに投稿できるほか、AirDropで送信したり、共有アルバムに追加することもできる。

no. 515 大量の写真をまとめて送る時に
写真やビデオのiCloudリンクを送信する

写真やビデオを他のユーザーに送信する(No514で解説)際に、写真データそのものではなく、iCloudのリンクを送って相手にダウンロードしてもらう事もできる。送信する写真の数が多い時は、この方法で送ったほうがスムーズだ。なお、iCloudリンクで送ると位置情報はオフにできない。

1 共有メニューのオプションをタップ

送信したい写真を開くか複数選択した状態で、上部の共有ボタンをタップ。続けて、開いた画面の上部にある「オプション」をタップしよう。

2 「iCloudリンク」にチェックする

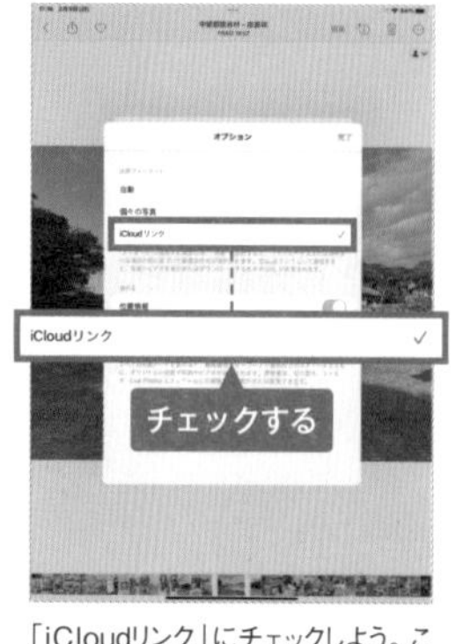

「iCloudリンク」にチェックしよう。これで、写真やビデオのデータ自体ではなく、ダウンロードできるiCloudリンクを相手に送信する。

no. 516 「いいね!」も付けられる
共有アルバムにコメントを投稿する

No512の解説の通り、設定で「共有アルバム」をオンにしておけば、他のユーザーとアルバムを共有できるようになる。共有アルバムの写真を開いて、下部の「コメントを追加」をタップすれば、その写真にコメントできるほか、「いいね!」を付けることも可能だ。

1 コメントや「いいね!」を投稿

共有アルバムの写真を開き、下部の「コメントを追加」をタップすれば、この写真にコメントを投稿できる。「いいね!」も付けられる。

2 他のユーザーの返信コメント

自分や他の共有ユーザーがコメントを投稿すると、「For You」画面(No476で解説)の「共有アルバムアクティビティ」で確認できる。

カメラと写真

no. 517

さまざまな音楽を一元管理する

ミュージックアプリで音楽を再生する

端末内の曲もクラウド上の曲もまとめて扱える

「ミュージック」は、音楽配信サービス「Apple Music」(No518で解説)の曲や、パソコンから取り込んだ曲、iTunes Storeで購入した曲を、まとめて管理できる音楽再生アプリだ。Apple Musicの利用中は、サイドバーの「今すぐ聴く」で好みに合った曲を提案してくれるほか、「見つける」で注目の最新曲を見つけたり、「ラジオ」でネットラジオを聴ける。また、「iCloudミュージックライブラリ」機能(No519で解説)で自宅パソコンの曲をすべてクラウド上にアップロードしておけば、いつでも自宅パソコンの曲をストリーミング再生したり、ダウンロード保存できるようになる。

ミュージックアプリの基本的な操作方法

1 ライブラリから曲を探す

画面を左端から右にスワイプしてサイドバーを開き、「ライブラリ」のアーティストやアルバムなどのカテゴリから聴きたい曲を探そう。Apple Musicから追加した曲や、パソコンから取り込んだ曲、iTunes Storeで購入した曲は、すべてこのライブラリで管理できる。

2 曲名をタップして再生を開始する

曲名をタップすると、すぐに再生が開始される。画面下部にミニプレイヤーが表示され、一時停止や次の曲へスキップといった操作が可能だ。より細かな操作を行いたい場合は、このミニプレイヤー部をタップしよう。再生画面が表示される。

3 再生画面を開いてコントロールする

ミニプレイヤー部をタップすると、このように再生画面が表示される。スクラブバーや再生コントローラー、音量バーなどが表示され、曲の再生をコントロールすることが可能だ。

4 出力デバイスの切り替えとメニュー表示

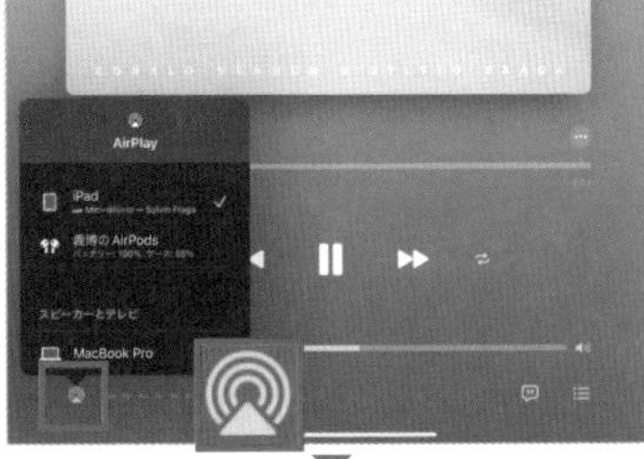

再生画面左下の出力先切り替えボタンをタップすると、Bluetooth接続のヘッドフォンやスピーカーに簡単に切り替えることができる。また「…」をタップすると、削除やプレイリストに追加、曲を共有といったメニューが表示される。

5 コントロールセンターやロック画面での操作

ホーム画面や他のアプリを利用中の場合は、いちいちミュージックアプリを起動しなくても、コントロールセンターのミュージックコントローラーで再生中の曲を操作できる。また再生中にスリープした場合は、ロック画面にコントローラーが表示される。

no. 518

1億曲が聴き放題

Apple Musicを利用する

初回登録時は1ヶ月間無料で利用できる

月額1,080円で国内外の約1億曲が聴き放題になる、Appleの定額音楽配信サービス「Apple Music」。簡単な利用登録を行うだけで、パソコンから取り込んだ曲やiTunes Storeで購入した曲と同じように、Apple Musicの曲をミュージックアプリのライブラリで扱えるようになる(もちろん解約すると削除される)。ただし、曲をライブラリに追加するには、「設定」→「ミュージック」で「ライブラリを同期」をオンにする必要があるので、あらかじめ設定しておこう。Apple Musicの曲は、ダウンロードしてオフラインで再生することも可能だ。なお、初回登録時は1ヶ月間のみ無料で利用できる。

Apple Musicの利用登録を行う

1 「Apple Musicに登録」でプランを選択して開始

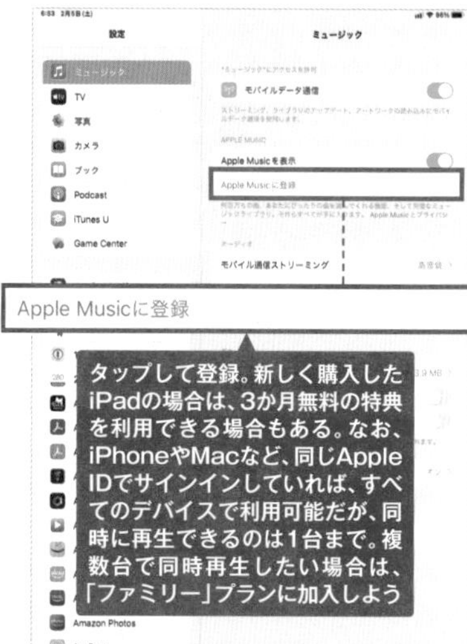

まずは「設定」→「ミュージック」→「Apple Musicに登録」でApple Musicに登録しよう。初回登録時は1ヶ月無料で試用できる。契約プランは、月額1,080円の「個人」や、ファミリー共有機能で6人まで利用できる「ファミリー」、在学証明が必要な「学生」などから選択できる。

2 自動更新はオフにしておこう

1ヶ月の無料期間が過ぎると、自動で課金が開始されてしまう。これを防ぐには、「今すぐ聴く」画面のユーザーボタンをタップし、「サブスクリプションの管理」→「サブスクリプションをキャンセルする」をタップすればよい。キャンセルしても、無料期間中は引き続きサービスを利用できる。

Apple Musicで音楽を探して再生する

1 Apple Musicの配信曲を検索する

サイドバーの「検索」でApple Music内をキーワード検索すると、上部のタブで「アーティスト」「アルバム」「曲」などを絞り込める。「ミュージックビデオ」にはライブ映像などもある。

2 Apple Musicの曲をライブラリに追加、保存する

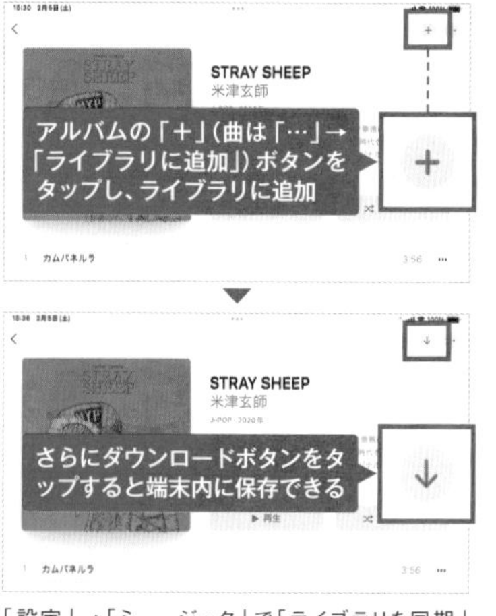

「設定」→「ミュージック」で「ライブラリを同期」(No519で解説)を有効にすれば、「+」でアルバムをライブラリに追加できる(曲単位は「…」→「ライブラリに追加」をタップ)。ライブラリ追加後はダウンロードボタンに変わり、タップして端末内にダウンロードしオフラインでも再生可能になる。

3 モバイルデータ通信でもストリーミング再生する

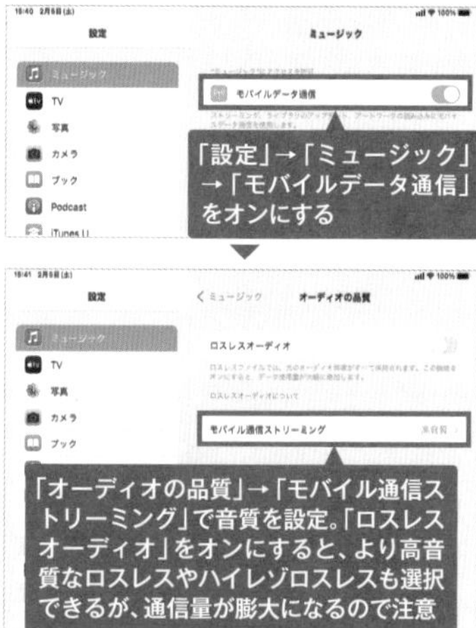

モバイルデータ通信でもApple Musicの曲をストリーミング再生したい場合は、「設定」→「ミュージック」→「モバイルデータ通信」をオンにしておこう。また「オーディオの品質」→「モバイル通信ストリーミング」で音質を設定できる。

no. 519

iTunes（ミュージック）のライブラリを同期する

iCloudミュージックライブラリを利用する

Apple Musicに付随する重要な機能を利用する

No518で解説している通り、Apple Musicの利用中は、「ライブラリを同期」を有効することで、曲をiPadに保存できる。さらに、パソコンのiTunes（Macではミュージック）側でも設定を有効にすることで、パソコンのすべての曲を、iPadやiPhoneとiCloud経由で同期することが可能になる。Apple Musicで扱われていない曲もパソコンからiCloudへアップロードされ、iPadでストリーミングおよびダウンロードして再生できるが、Apple Musicを解約するとiCloudから削除されてしまうので、元の曲ファイルは削除しないようにしよう。なお、曲をアップロードしても、個人のiCloudストレージ容量は消費しない。

パソコンのiTunes（ミュージック）で設定を有効にする

Windowsの iTunesで設定を有効にする

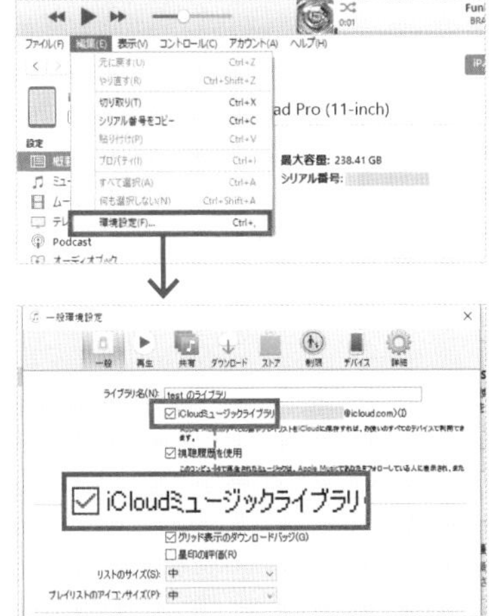

Windowsの場合は、iTunesを起動して、メニューの「編集」→「環境設定」をクリック。環境設定が開くので、「一般」タブにある「iCloudミュージックライブラリ」のチェックボックスをオンにしよう。iTunesライブラリのアップロードが開始される。

Macのミュージックで設定を有効にする

Macの場合は、ミュージックアプリを起動して、メニューの「ミュージック」→「設定」をクリック。「一般」タブにある「ライブラリを同期」のチェックボックスをオンにすれば、アップロードが開始される。

iPadでパソコンのミュージックライブラリの曲を再生する

1 「ライブラリを同期」を確認する

iPad側では、「設定」→「ミュージック」→「ライブラリを同期」のスイッチがオンになっているか確認しよう。なお、Apple Music（またはiTunes Match）にサブスクリプション登録していない場合は表示されない。

2 ミュージックライブラリの曲を再生できる

iCloudミュージックライブラリへのアップロードが完了していれば、パソコンのミュージックライブラリの曲を、iPadでもストリーミング再生することができるようになる。もちろん、ダウンロードしておけばオフライン再生することも可能だ。

3 ミュージックライブラリの曲を検索する

アップロードしたミュージックライブラリの曲から検索したい時は、サイドバーの「検索」画面を開いて検索欄をタップし、検索欄下のメニューで「ライブラリ」を選択してキーワード検索すればよい。

no. 520

キーワードで探し出そう

Apple Musicで曲を検索する方法

サイドバーで「検索」画面を開くと、Apple Musicの曲をカテゴリやキーワードで検索できる。アーティスト名や曲名だけでなく、歌詞の一部を入力してもよい。曲の歌いだしやサビなど、歌詞の一部さえ覚えていれば、目的の曲を探し出せる。よく検索されているトレンド検索ワードも表示される。

1 サイドバーの検索画面を開く

サイドバーの「検索」画面で、カテゴリから探したりキーワード検索できる。「朝」や「クリスマス」をキーワードにして、シチュエーションに合ったプレイリストも探せる。

2 歌詞の一部でも曲を探せる

歌詞の一部を入力して検索すると、そのフレーズを歌詞に含む曲が表示される。「歌詞:○○○○」と表示されているものが、歌詞でヒットした楽曲になる。

no. 521

同じタイプのアーティストをチェック

Apple Musicで好みの曲を探すコツ

Apple Musicで好みの曲を探すには、まず好きなアーティストのページ(No530で解説)を開いて、下の方にある「同じタイプのアーティスト」からたどっていくのがおすすめだ。また一部の海外レーベルは専用ページが用意されており、レーベルからジャンルの似たアーティストや曲を探し出せる。

1 似たアーティストから探す

アーティストページの下にある「同じタイプのアーティスト」には、自分の好きなアーティストと似たタイプのアーティストが並び、好みの曲に出会いやすい。

2 レーベルページから探す

海外の一部レーベルは専用ページが用意されている。レーベルごとの人気アーティストや最新曲をチェックしよう。

no. 522

必要なライブラリのみ表示させよう

ライブラリを追加、削除する

iPad上の曲は、すべて「ライブラリ」にある「アーティスト」「アルバム」「曲」などのカテゴリから探せる。これらの項目は、上部の「編集」で削除や追加、並べ替えが可能だ。聴きたい曲をアーティスト名で探すことが多い人は、表示する項目を「アーティスト」だけにしても使いやすい。

1 サイドバーの「編集」をタップ

サイドバーの「ライブラリ」は、あまり使わない項目を非表示にしておいた方が使いやすい。項目を編集するには、上部の「編集」をタップする。

2 不要なカテゴリは非表示にしておく

「アーティスト」や「最近追加した項目」など、自分がよく使う項目だけ残して、他の項目はチェックを外して非表示にしておこう。

no. 523

オフラインでも再生できる曲を表示

iPadに保存されている曲だけを表示する

ミュージックアプリでは、iPad内に保存されていない曲も表示されストリーミング再生できる。iPad内に保存した、オフラインでも再生可能な曲のみを表示したい場合は、ライブラリにある「ダウンロード済み」を開けばよい。

1 「ダウンロード済み」をタップ

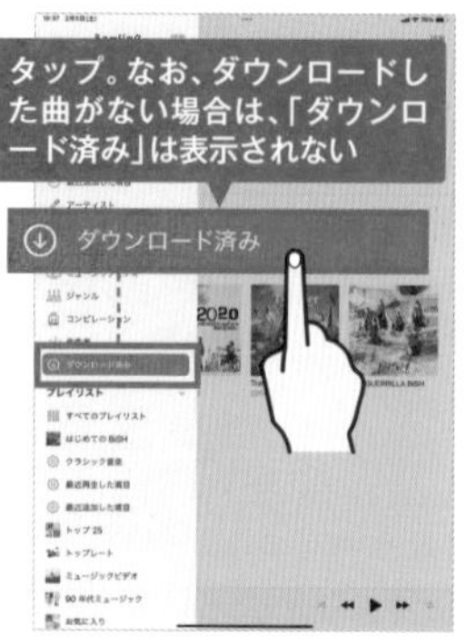

iPadに保存されたダウンロード済みの曲のみを表示するには、サイドバーを開いてライブラリ欄の「ダウンロード済み」をタップする。

2 iPad内にある曲のみが表示される

iPad内にある曲やアルバムを、「アーティスト」や「アルバム」などのカテゴリから探せる。これらの曲は、ネットに接続されていないオフライン環境でも再生できる。

no. 524

プレイリストへ追加や共有が可能

曲をロングタップしてさまざまな操作を行う

曲名をロングタップすると、メニューがポップアップ表示される。曲のダウンロードや、ライブラリからの削除、プレイリストへの追加、「次に再生」リストへの追加、曲の配信アドレスの共有などが可能だ。「ラブ」は、「今すぐ聴く」でおすすめ表示を学習する機能(No541で解説)。

1 曲名をロングタップする

曲に対してさまざまな操作を行うには、曲名をロングタップしよう。なお、曲のダウンロード状況や再生状況によって、表示される項目は異なる。

2 さまざまな操作を行える

曲の削除(No530で解説)や「プレイリストに追加」(No525で解説)、「次に再生」「最後に再生」(No526で解説)など、主要な操作を一通り行える。

no. 525

好みの曲を自由な曲順で再生

iPad上でプレイリストを作成する

お気に入りの曲だけを集めて好きな順番で再生したいなら、「プレイリスト」を作成しよう。サイドバーの一番下にある「新規プレイリスト」をタップすると、新規プレイリストを作成できる。プレイリスト名を付けたら、「ミュージックを追加」から曲を探し「+」で追加していこう。

1 「新規」でプレイリストを作成

サイドバーの一番下にある「新規プレイリスト」をタップ。プレイリストの名前を付けて、「ミュージックを追加」をタップしよう。

2 プレイリストに追加する曲を選択

追加したい曲の「+」をタップすれば、タップした順にプレイリストに追加されていく。あとで、曲順を変更したり削除することも可能だ。

no. 526

聴きたい曲をリストアップする

次に再生する曲を指定する

プレイリストを作らず好きな順番で曲を再生する

アルバムなどを選択して曲の再生を開始すると、通常はアルバムの曲順で再生されていく。この時、次に別のアーティストの曲を再生したい場合は、再生したい曲をロングタップして「次に再生」をタップしよう。再生画面の「次に再生」リストの一番上に追加される。「最後に再生」をタップした場合は、リストの一番下に追加される。いちいちプレイリストを作成するほどでもないが、気分で再生順を入れ替えたい時に利用しよう。「次に再生」の曲は、三本線ボタンをドラッグして、自由に順番を入れ替えできる。

1 ロングタップして「次に再生」をタップ

次に再生したい曲を選びロングタップして「次に再生」をタップしよう。再生リストの一番上に追加され、次にこの曲が再生される。「最後に再生」をタップした場合は、再生リストの一番最後で再生される。

2 再生リストで追加した曲を確認する

再生画面を開いて右下のボタンをタップすると、「次に再生」リストが表示され、先ほど追加した曲が表示されているはずだ。右端の三本線ボタンをドラッグすれば、再生リスト内の順番は自由に変更できる。

no. 527 歌詞情報があれば表示できる

再生中の曲の歌詞を表示する

Apple Musicの多くの曲では、再生画面右下の歌詞ボタンをタップすると、カラオケのように曲の再生に合わせて歌詞がハイライト表示される。また、スクロールして歌詞をタップすると、その箇所にジャンプできる。歌詞全文を表示するには、「…」→「歌詞をすべて表示」をタップ。

Apple Music以外の曲でも、歌詞情報が追加されていれば歌詞が表示されるが、カラオケのように歌詞が同期せず、歌詞をタップしてもその箇所にジャンプできない

no. 528 好きな歌詞の一節を送信

曲の歌詞を共有する

Apple Musicの曲は歌詞の共有も可能だ。曲をロングタップするか、曲名の横にある「…」ボタンをタップし、「歌詞を共有」をタップ。共有したい歌詞のフレーズをタップして選択したら、メッセージアプリで共有したり、InstagramやFacebookのストーリーズで投稿できる。

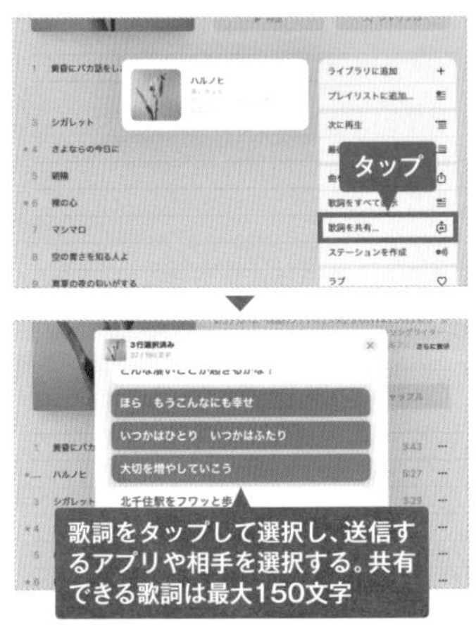

歌詞をタップして選択し、送信するアプリや相手を選択する。共有できる歌詞は最大150文字

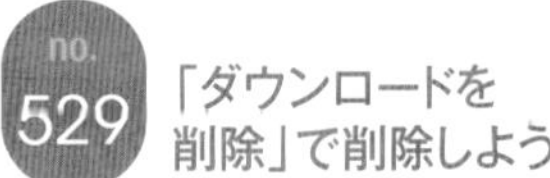

no. 529 「ダウンロードを削除」で削除しよう

ミュージックから曲を削除する

曲やアルバムのロングタップメニューから「削除」をタップすると、「ダウンロードを削除」「ライブラリから削除」の2つの削除方法が表示される。ダウンロード済みの曲をiPad内から削除したいだけなら、「ダウンロードを削除」をタップすればよい。iTunes Storeで購入した曲をライブラリから削除してしまうと、購入済み画面からも消えて、復元が面倒になるので要注意。

iPad内からファイルを削除したいだけなら「ダウンロードを削除」をタップ。Apple Musicの曲ならライブラリには残ったままで、そのままストリーミング再生できる

no. 530 すべての配信コンテンツを確認

アーティストのページをチェックする

再生画面でアーティスト名をタップし「アーティストへ移動」を選択したり、アルバムの曲一覧画面でアーティスト名をタップすると、そのアーティストの配信コンテンツを一覧できるページを表示可能。Apple Musicで配信中のすべてのアルバムやシングル、ミュージックビデオをチェックできる。

配信中の全アルバムやシングル、ミュージックビデオに加え、同じタイプのアーティストもチェックできる

no. 531 最新情報をキャッチするために

アーティストをお気に入りに登録する

好きなアーティストをお気に入りに登録しておくと、新曲リリースの情報などを通知で知らせてくれる。また、お気に入りの内容に応じたおすすめなども入手できる。登録方法は、アーティストのページの☆をタップするだけ。お気に入りアーティストに関する通知のオン／オフも設定可能だ。

アーティストのページの一番上にある☆をタップ。通知のオン／オフは、「設定」→「通知」→「ミュージック」→「"ミュージック"の通知設定」→「新着ミュージック」で設定する

no. 532 動くカバーアートを楽しむ

アニメーションのカバーアートを表示する

Apple Musicで配信されている一部アーティストのアルバムは、カバーアートが動くアニメーション仕様になっているものがある。「設定」→「ミュージック」→「アニメーションのアート」をオンにしておけば、アニメーション化されたカバーアートを再生できる。

「設定」→「ミュージック」→「アニメーションのアート」を「オン」か「Wi-Fiのみ」にしておく

ミュージック

no. 533

再生リストにあるボタンで操作

シャッフル再生やリピート再生を行う

シャッフルで再生リストをランダム再生

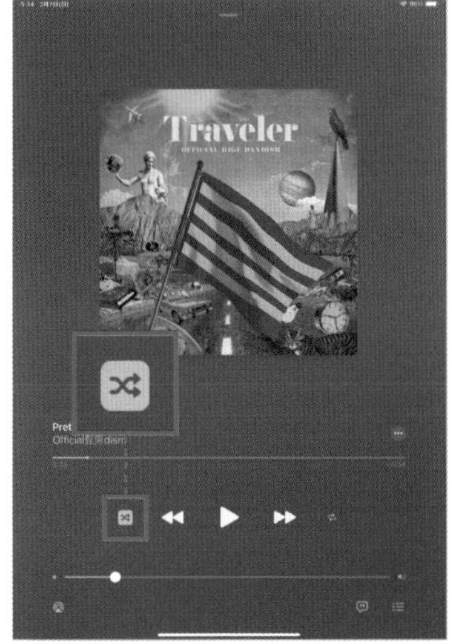

再生画面のコントロールボタンの左には、シャッフルボタンが用意されている。タップすると、再生リストの曲をランダムな順番で再生する。もう一度タップするとオフになる。

リピートで再生リストや曲を繰り返し再生

再生画面のコントロールボタンの右には、リピートボタンが用意されている。一度タップすると、再生リストを繰り返し再生する。もう一度タップすると、現在再生中の曲のみを繰り返し再生する1曲リピートになる。

ライブラリ全体をシャッフル再生する

ライブラリで「アルバム」「曲」などの画面を開くと、右上にシャッフルボタンが用意されている。これをタップすれば、ライブラリ上のすべてのアルバムや曲をシャッフル再生する。

no. 534

Apple Musicに選曲をまかせよう

似ている曲を次々に自動再生させる

Apple Musicには、現在再生中の曲に似た曲を探し、自動で再生リストに追加していってくれる機能が搭載されている。再生画面右下の三本線ボタンをタップし、再生リストを表示。「次に再生」の右にある自動再生ボタン(∞マーク)をタップしよう。

1 自動再生ボタンをタップする

再生画面右下の三本線ボタンをタップ。再生リストで「次に再生」の右にある自動再生ボタンをタップする。似たテイストの曲が再生リストに追加される。

2 自動再生中はこのように表示

自動再生で追加された曲の再生中は、再生画面右下の三本線ボタンに自動再生のマークが表示される。なお、自動再生中はリピートやシャッフル機能は利用できない。

no. 535

SNSやメールでおすすめしよう

おすすめのアルバムや曲を共有する

Apple Musicのアルバムや曲は、各種SNSやメール、メッセージなどで共有することもできる。Twitterでおすすめのコメントと共にツイートすることも簡単だ。ただし、リンクをタップした相手もApple Musicに加入していないと曲を聴くことはできない。

1 「…」ボタンからメニューを表示

アルバムや曲の「…」ボタンをタップし、表示されたメニューで「アルバムを共有」や「曲を共有」をタップする。アーティストのページも右上の「…」から共有可能だ。

2 共有する手段を選択する

共有シートから共有手段を選択すると、アルバムや曲のリンクを送信したり、SNSに投稿することができる。受け取った相手は、タップして該当のアルバムや曲を表示できる。

ミュージック

曲が一定容量を超えないようにしてくれる

no.536 しばらく再生していない曲を自動削除する

自動ダウンロードを有効にしつつ容量を確保できる

Apple Musicを利用し、「設定」→「ミュージック」→「ライブラリを同期」をオンにしていると、「自動的にダウンロード」機能を利用できるようになる。ただ、この機能を有効にしていると、Apple Musicでライブラリに追加した曲がすべてiPadに保存されるので、あっという間に容量が足りなくなる。そこで、「ストレージを最適化」も設定しておこう。ダウンロードした曲の容量が一定以上になったら、しばらく再生していない曲を、iPadから自動的に削除してくれる。

1 「自動ダウンロード」を有効にする

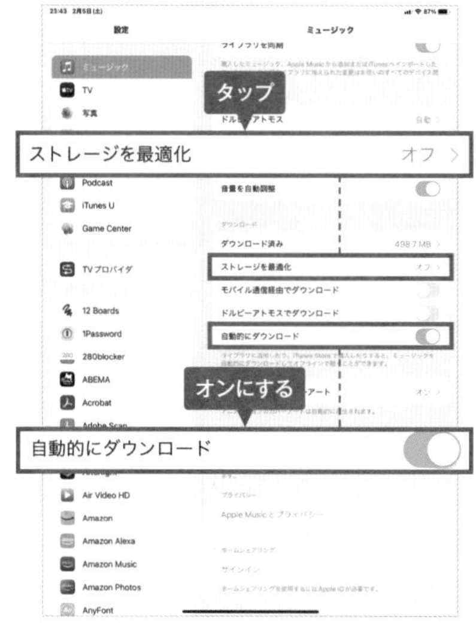

Apple Musicの登録を済ませ、「設定」→「ミュージック」→「ライブラリを同期」をオンにしておく。同じ画面の「自動的にダウンロード」をオンにし、「ストレージを最適化」をタップ。

2 「ストレージを最適化」の容量を設定する

「ストレージを最適化」をオンにし、その下のメニューで端末内に残しておく最小限の容量を選択しておこう。ダウンロードした曲が指定した容量を超えると、しばらく再生していない曲から順に削除される。

独自のラジオ番組を楽しめる

no.537 ラジオ機能で人気の音楽を聴く

サイドバーで「ラジオ」画面を開くと、Apple Musicで配信中のラジオ番組が一覧表示され、タップして聴ける。ジャンルやアーティストから番組を探すことも可能だ。また、好きな曲やアーティストに似た曲を、ラジオのように次々と流す「ステーション」を作成することもできる。

1 Apple Musicのラジオを聴く

サイドバーで「ラジオ」をタップすると、Appleオリジナル番組やアーティストの番組などが一覧表示され、タップして聴ける。

2 ステーションを作成する

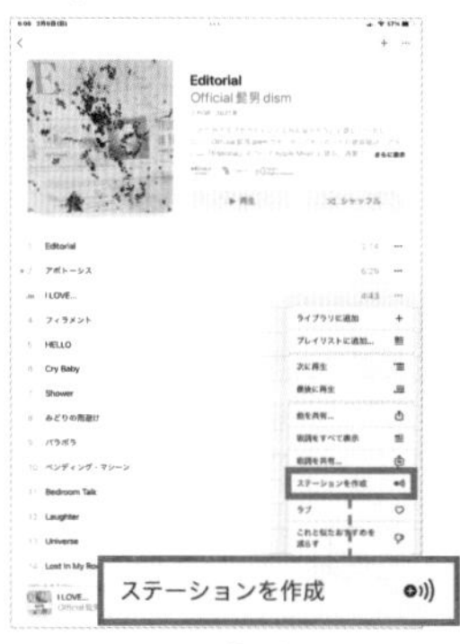

曲やアーティストの「…」ボタンをタップし、メニューから「ステーションを作成」をタップすると、その曲やアーティストに似た曲を連続再生してくれる。

最適な音量や音質で音楽を楽しむ

no.538 音質や音量の設定をチェックする

ミュージックアプリで再生されるサウンドは、標準ではニュートラルで自然な音だ。曲のジャンルや種類によって音質を変えたい時は、「設定」→「ミュージック」→「イコライザ」で曲に合った設定に変更しよう。また、音源によって異なる音量を自動調節したい場合は、同じく「ミュージック」の「音量を自動調整」をオンにする。

1 イコライザで音質を変える

「設定」→「ミュージック」→「イコライザ」で、各ジャンルに最適な音質に変更できる。

2 音量の自動調整を利用する

「設定」→「ミュージック」→「音量を自動調整」をオン。音源によって違う音量を一定に保つことが可能だ。

no. 539
アルバムを新しい順に表示する
「最近追加した項目」をもっと表示する

サイドバーの「最近追加した項目」は60項目しか表示されないので、Apple Musicで気になるアルバムをどんどん追加していると、少し前に追加したアルバムが消えてしまう。そんな時は「アルバム」で「並べ替え」→「最近追加した項目順」を選ぼう。全アルバムを新しく追加した順に表示できる。

1 サイドバーの「最近追加した項目」

サイドバーの「最近追加した項目」を開くと、新しく追加したアルバムやプレイリストが一覧表示される。ただしこの画面では、最大で60項目しか表示されない。

2 全アルバムを新しい順に表示

すべてのアルバムを新しく追加した順に表示したいなら、サイドバーで「アルバム」を開き、「並べ替え」→「最近追加した項目順」を選択すればよい。

no. 540
自分好みのプレイリストを表示
「今すぐ聴く」画面で好みの曲に出会う

「今すぐ聴く」画面では、Apple Musicで聴いた曲や、「ラブ」を付けた曲（No541で解説）、Apple Music登録時に選択したジャンルやアーティスト情報を元に、おすすめのプレイリストやアルバムを提案してくれる。プレイリストは毎週更新されるほか、新譜情報などもチェックできる。

1 「今すぐ聴く」を選択する

ミュージックアプリのサイドバーで「今すぐ聴く」を開くと、好みのジャンルやアーティスト情報に沿った、おすすめの曲やプレイリストを提案してくれる。

2 新譜情報などもチェックできる

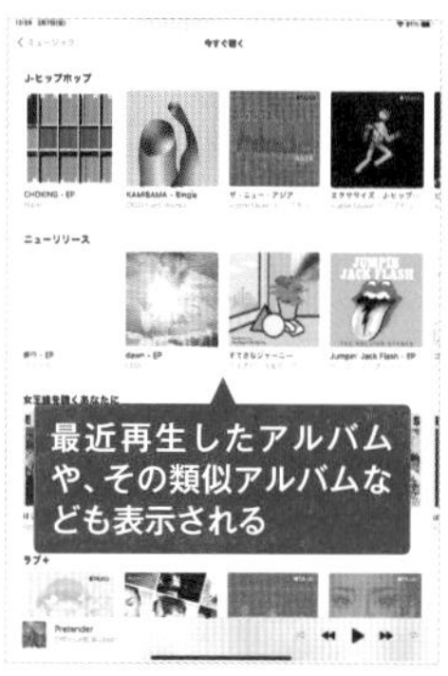

下の方にスクロールすると、おすすめのニューリリースなども表示される。その他の新曲やニューアルバムは、「見つける」画面で探そう（No544で解説）。

no. 541
「今すぐ聴く」の精度をアップする
曲を評価しリコメンドの精度を上げる

好みの曲には「ラブ」を付けておこう。「今すぐ聴く」画面で似たジャンルやアーティストが提案されるようになり、おすすめ曲の精度がアップする。なお、「ラブ」以外にも曲を5段階の星印で評価できる機能があるが、この星印は「今すぐ聴く」のおすすめには影響しない。

1 ラブ機能で好みの曲を学習させる

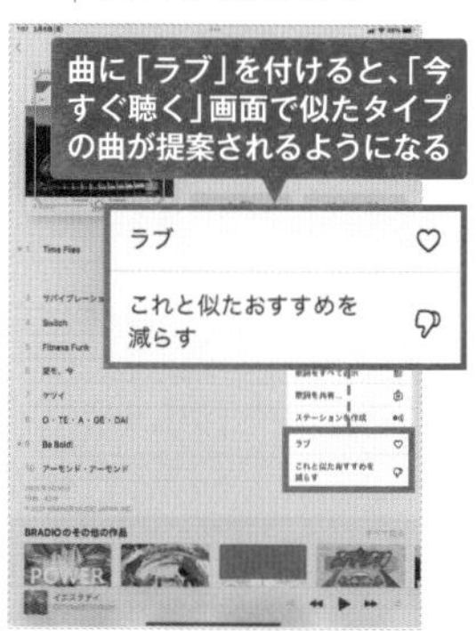

曲やアルバムをロングタップするか、曲名の横にある「…」ボタンをタップ。開いたメニューの「ラブ」や「これと似たおすすめを減らす」で、楽曲の好みを学習させよう。

2 星印で個人的な評価を付ける

曲をロングタップするか、曲名の横にある「…」ボタンをタップし、「曲を評価する」をタップすると、5つ星で曲を評価できる。この評価は「今すぐ聴く」に反映されない。

no. 542
Apple Musicをより高音質で再生
ロスレスオーディオで曲を再生する

Apple Musicの曲は、音楽CDと同音質のロスレス再生に対応し、一部楽曲はさらに高音質なハイレゾロスレスで配信されている。「設定」→「ミュージック」→「オーディオの品質」で「ロスレスオーディオ」をオンにし、その下でモバイル通信やWi-Fiでの再生時の音質を設定しよう。

1 ロスレスオーディオを有効にする

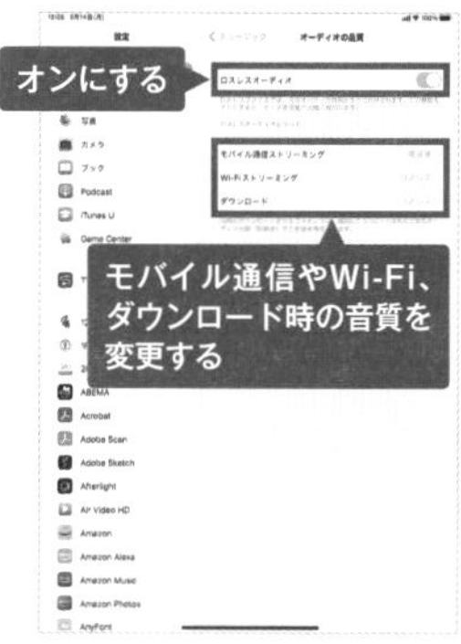

「設定」→「ミュージック」→「オーディオの品質」で「ロスレスオーディオ」をオンにすると、その下で音質をロスレスやハイレゾロスレスに変更できる。

2 ロスレスやハイレゾ再生時の注意

通信量が膨大になるため、モバイル通信でのロスレスやハイレゾ再生は非推奨の警告が表示される。ダウンロード時もストレージ容量の消費に注意しよう。

no. 543

友達が聴いている曲をチェック

友達をフォローして音楽を共有する

Apple Musicでは、友達と音楽を共有することも可能だ。「今すぐ聴く」画面右上のユーザーボタンをタップし、「プロフィールの設定」→「今すぐ始めよう」をタップ。Apple Musicを利用中の友達をフォローすれば、友達が共有しているプレイリストや最近聴いた曲を確認できる。

1 「今すぐ聴く」画面で共有設定を行う

「今すぐ聴く」画面右上のユーザーボタンをタップし、「プロフィールの設定」→「今すぐ始めよう」をタップ。画面の指示に従い、自分のプロフィールを設定しよう。

2 友達を探してフォローする

連絡先からApple Musicを利用しているユーザーが表示されるので、フォローや参加の依頼を行おう。友達が最近聴いた曲などを確認できるようになる。

no. 544

旬な曲やプレイリストを確認

「見つける」画面で注目曲をチェックする

「見つける」画面では、新曲リリースや最新アルバム情報、話題のプレイリストなどをチェックできる。また、ミュージックビデオやインタビュー動画の視聴や、曲やアルバムランキングの確認、カテゴリ別に新曲や注目プレイリスト情報を確認するといったことも可能だ。

1 「見つける」画面で最新情報をチェック

ミュージックアプリのサイドバーで「見つける」を開くと、ニューリリースの曲やアルバムをチェックしたり、話題のプレイリストなどをチェックできる。

2 カテゴリやランキングで探す

下の方にスクロールすると、「カテゴリでチェック」「ランキング」といったメニューが用意されており、タップするとカテゴリやランキングから注目曲を発見できる。

no. 545

配信時に自動でライブラリに追加

発売前の作品をライブラリに追加する

Apple Musicには、今後リリースされる新作もあらかじめ登録されていることが多い。好きなアーティストの新作情報が解禁されたら、検索して「＋」ボタンをタップしておこう。先行配信曲が追加されたり、リリース日になると、通知が届き自動的にライブラリに追加される。

1 「まもなくリリース」をチェック

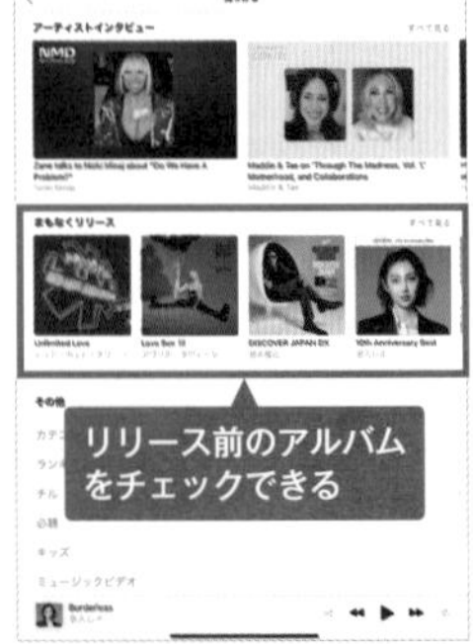

「見つける」タブにある「まもなくリリース」欄で、近日配信予定の注目作品をチェックすることもできる。「すべて見る」をタップして一覧表示しよう。

2 ライブラリに先行追加しておく

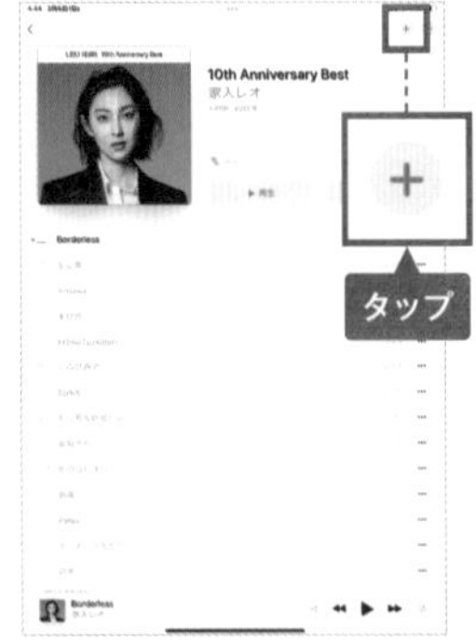

配信日に必ず聴きたいアルバムは、「＋」ボタンをタップしてライブラリに先行追加しておこう。すでに先行配信曲があればタップしてすぐに再生可能だ。

no. 546

不要なメニューを非表示にする

メニューからApple Musicの項目を消す

Appleの定額音楽配信サービス「Apple Music」(No518で解説)を使わないなら、「設定」→「ミュージック」で「Apple Musicを表示」をオフにしておこう。ミュージックアプリのサイドバーから、Apple Musicの関連メニューが消え、スッキリした表示になる。

1 「Apple Musicを表示」をオフ

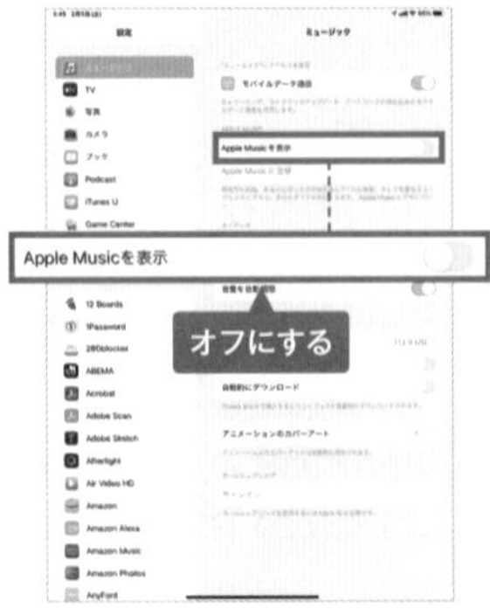

デフォルトでは「設定」→「ミュージック」で「Apple Musicを表示」がオンになっており、関連メニューが表示される。使う予定がないならオフにしておこう。

2 Apple Musicメニューが消える

サイドバーから、Apple Musicの関連メニューである「今すぐ聴く」と「見つける」が消えて、スッキリしたメニューになる。

no.547

クラウド経由でメールや写真などを同期できる

iCloudでさまざまなデータを同期する

クラウド経由でデータを同期する便利な機能

Apple IDを取得する(No053で解説)ことで利用できるAppleのクラウドサービス「iCloud」。iPadやiPhoneのデータをバックアップする機能(No549で解説)とiPadやiPhone、Macの各種アプリのデータを同期する機能の2つがメインの役割だ。ここでは、データの同期について解説する。同期とは、iCloudを介すことで、同じApple IDを使ったiPadやiPhone、Macの各種データが同じ状態になることを言う。例えばカレンダーの予定をiPadとiPhone、Macで共有したり、同じメモにiPadとiPhoneから書き込んだり、iPadとiPhone、MacのSafariで同じブックマークを利用するなど、さまざまな連携が簡単に行える。

また、パソコンについてはMacのみならずWindowsとも同期可能だ。ただし、OS自体にiCloudの機能が内蔵されたMacとは異なり、Windowsの場合は「Windows用iCloud」と呼ばれる同期用ソフトを別途インストールする必要がある。

なお、同期されたデータは、実質的にiCloudにバックアップされた状態とも言える。iPadの紛失などに備えて、同期を有効にしておくことをおすすめする。

iCloudで同期される項目を確認しておこう

1 iCloudの設定を開く

「設定」で一番上のApple ID名をタップし、続けて「iCloud」→「すべてを表示」をタップしよう。iCloudで同期できるアプリが一覧表示される。

2 アプリの同期をオンにしておく

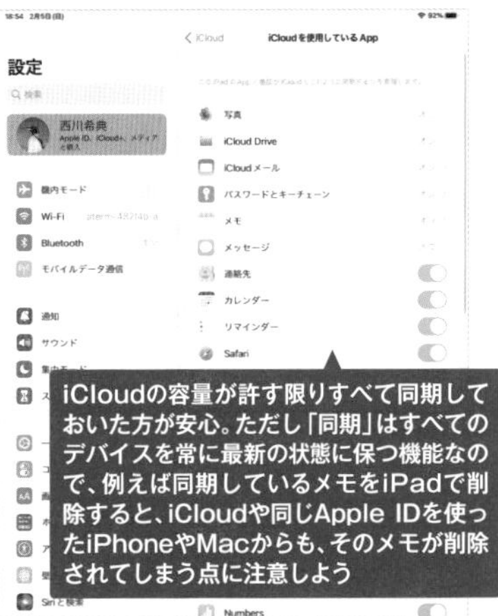

「写真」や「iCloudメール」などのスイッチをオンにしておけば、iPadで撮影した写真や送受信したメールは自動的にiCloudに保存され、実質的なバックアップになる。

iCloudで提供されるおもな同期機能

項目	概要
写真	カメラロールに保存された写真をiCloud上に保存し、他のiOS端末やMacに同期する機能が提供される。「Windows用iCloud」を導入すれば、iPadの写真をWindowsパソコンに自動保存することも可能だ
iCloud バックアップ	iCloudでiPadのバックアップデータを保存できる(No549で解説)
キーチェーン	Safariなどで利用するIDやパスワードの情報をiCloud上に保存し、他のiOS端末やMacと同期できる
iCloud Drive	iCloud上にアプリのファイルなどを保存して、他端末やパソコンと同期できる
iCloudメール	同期をオンにすると、標準のメールアプリでiCloudメール(○○○@icloud.com)を同期できる。iCloudメールは、Apple IDを作ると無料で利用が可能だ
連絡先/カレンダー/リマインダー	iCloudで連絡先/カレンダー/リマインダーを他端末と同期できる。Windows用iCloudを介すことでマイクロソフトの「Outlook」と同期することも可能だ
メモ	iCloudでメモアプリのデータを他端末と同期する
メッセージ	メッセージの履歴などを他のiOS端末と同期する
Safari	パソコン上の各種ブラウザとiPadのSafariでブックマークなどを同期できる
株価	株価アプリで登録した情報を他端末と同期できる
ホーム	HomeKit対応アクセサリをiOS端末でコントロールする「ホーム」機能を同期する
Game Center	Game Centerに対応しているゲームアプリでハイスコアなどの記録を同期する
Siri	Siriに関する各種設定や情報を他端末と同期する

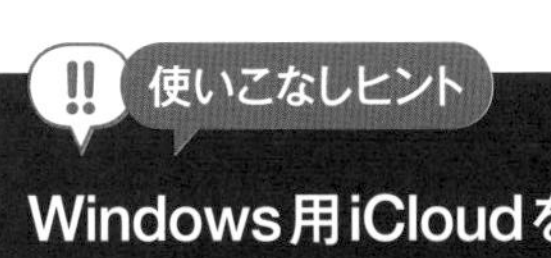

!! 使いこなしヒント

Windows用iCloudを導入しておこう

Windows用iCloud
https://support.apple.com/ja-jp/HT204283

Windowsパソコンを使っている場合は、Appleの公式ページから「Windows用iCloud」を導入しておこう(macOSでは、iCloudの機能が標準搭載されているので導入不要)。Windows用iCloudを導入したら、Apple IDでサインインしておく。これでパソコンとiCloudとの同期が行われ、iPadで撮った写真なども自動的にパソコン上に保存されるようになる。その他にブックマークなども同期可能だ。

アプリ側は自動で同期される

iCloudの設定を有効にすると、iCloudに対応したアプリが自動的に同期される。例えば「カレンダー」アプリでは、iCloud上のカレンダーが追加され、イベントなどが自動同期されるようになる。

no. 548

iCloudを介してファイルをアップロード／ダウンロードする

iCloud Driveを利用する

Apple公式のクラウドストレージ機能を利用してみよう

「iCloud Drive」とは、iCloud内のクラウドストレージ機能だ。Apple IDを取得すると（No053で解説）、無料で5GB分のストレージ容量を使えるようになり、好きなファイルをアップロードすることができる。iPadだけでなく、他のiOS端末やパソコンからもアクセスでき、「自宅のパソコンで作成した文書をiCloud Driveに保存しておき、外出先のiPadから文書をダウンロードして編集する」といったことも手軽に可能だ。なお、Windowsの場合は「Windows用iCloud」が必要なので、右の手順で設定しておこう。iPadからiCloud Driveにアクセスするには、標準の「ファイル」アプリを利用すればいい。または、iCloud Driveに対応した他のファイルビューワーアプリを利用してもOKだ。ちなみに、パソコンのWebブラウザでもiCloud.comからアクセスできる。

使いこなしヒント

macOSでiCloud Driveを使う

macOSでは、iCloud Driveの機能がOSに標準搭載されている。Finderで適当なフォルダを開き、サイドバーに表示されている「iCloud Drive」を開いてみよう。iCloud Drive内のファイルが表示され、ここからアップロードやダウンロードが可能だ。

iCloud Driveにパソコンのファイルをアップロード

1 iPadとパソコンでiCloud Driveを有効にする

まずはiPadの「設定」→Apple ID名→「iCloud」→「iCloud Drive」をタップし、「このiPadを同期」のオンを確認しよう。次に、パソコンに「Windows用iCloud」をインストールし、設定画面で「iCloud Drive」を有効にした後「適用」をクリックする。

2 パソコン側でiCloud Driveにファイルをアップロード

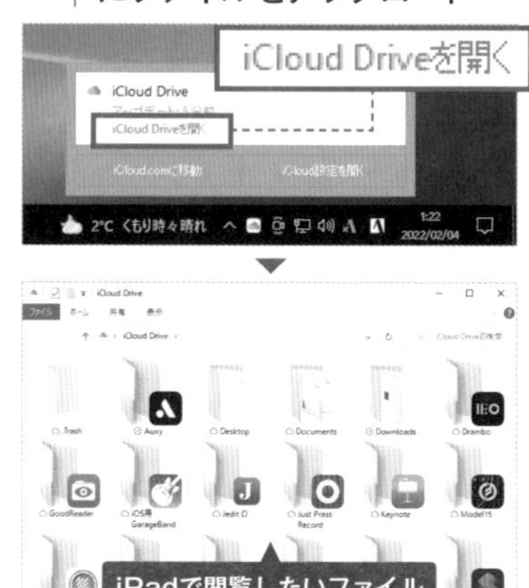

タスクトレイにあるiCloudのアイコンから「iCloud Driveを開く」をクリックしよう。すると、iCloud Driveの同期用フォルダが開く。ここに同期したいファイルをコピーしておけば、自動的にiCloud上にアップロードされる。また、iPad側からiCloud Driveに保存したファイルもこのフォルダから取り出すことが可能だ。

iCloud Drive上のファイルにアクセスする

1 iPadのiCloud Drive対応アプリで閲覧する

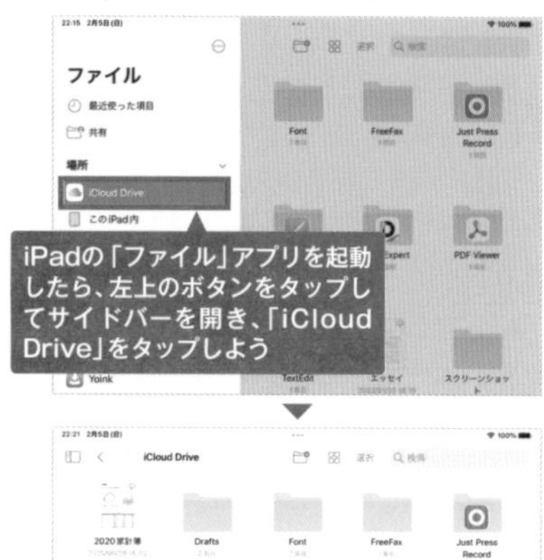

iPadでiCloud Driveにアクセスするには、まず「ファイル」アプリを起動。左上のボタンをタップしてサイドバーを開き、「場所」欄にある「iCloud Drive」をタップすればよい。

2 iCloud.comからもアクセスが可能

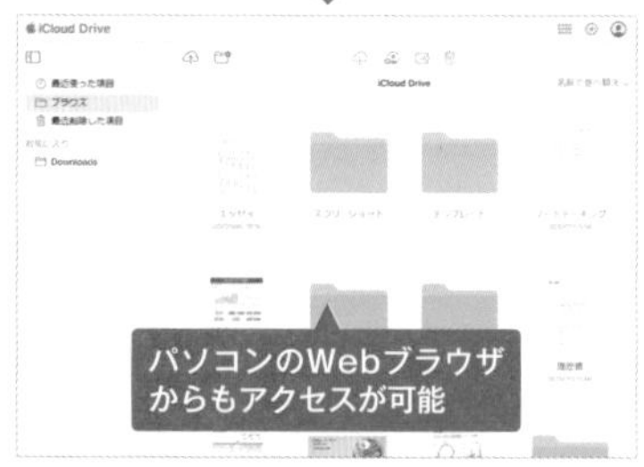

パソコンのWebブラウザで「iCloud.com」にアクセスしてもiCloud Driveの利用が可能だ。もちろん、ファイルのアップロード／ダウンロードやフォルダ管理もブラウザ上で操作できる。

iCloud

iPadを手軽にバックアップできる

iPadのデータをiCloudへバックアップする

iCloudの同期とバックアップ設定を確認しよう

iPadの標準アプリのデータは、iCloudで同期(No547で解説)しておくことで、最新のデータが常にiCloudに保存され実質的にバックアップされる。iPadを初期化したり機種変更した際は、同じApple IDでサインインするだけで復元可能だ。その他のデータは、設定で「iCloudバックアップ」をオンにしておくと、電源とWi-Fi(5G対応のセルラーモデルはモバイル通信でも可)に接続中に、毎日定期的にバックアップを自動作成してくれる。iPadを初期化したり機種変更した際は、初期設定中に「iCloudバックアップから復元」を実行すると、本体の設定や、メッセージや通話の履歴、インストール済みアプリなどを一通り復元できる。バックアップ対象に含めていれば、アプリ内で保存した書類やデータも復元可能だ。

!! 使いこなしヒント

空き容量が足りなくてもバックアップ可能

Cloudの空き容量が足りないとiCloudバックアップは作成できないが、「設定」→「一般」→「転送またはiPadをリセット」で、「新しいiPhoneの準備」の「開始」をタップすると、iCloudの容量が不足しているときでも、無料でiCloudの空き容量を超えたサイズのバックアップを作成できる。ただし保存されるのは最大3週間の一時的なバックアップなので、機種変更や初期化時にiCloudの空き容量が足りないときに利用しよう(No572で解説)。

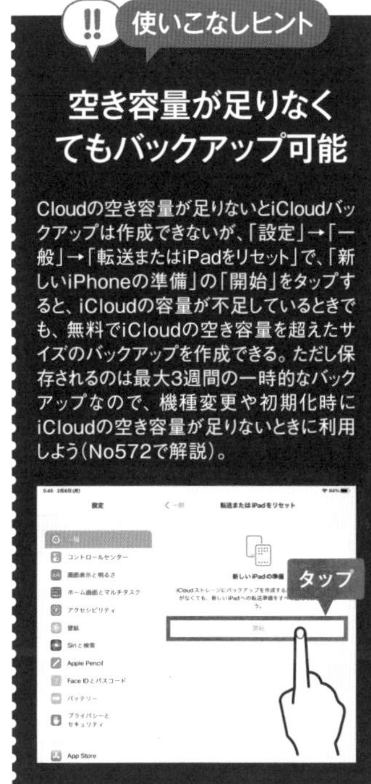

iCloudでデータを保存するための設定と復元手順

1 標準アプリのデータをバックアップする

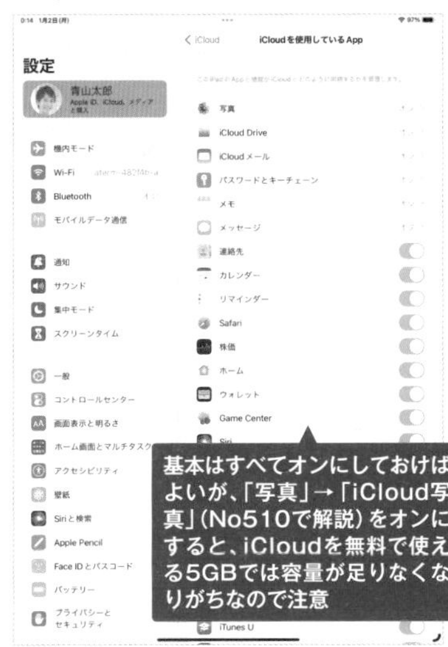

「設定」のApple ID名をタップし「iCloud」→「すべてを表示」をタップ。「写真」「iCloudメール」「連絡先」など、標準アプリのスイッチをそれぞれオンにして同期しておこう。最新のデータが常にiCloudに同期されるので実質的なバックアップになる。

2 iPadの設定などをバックアップする

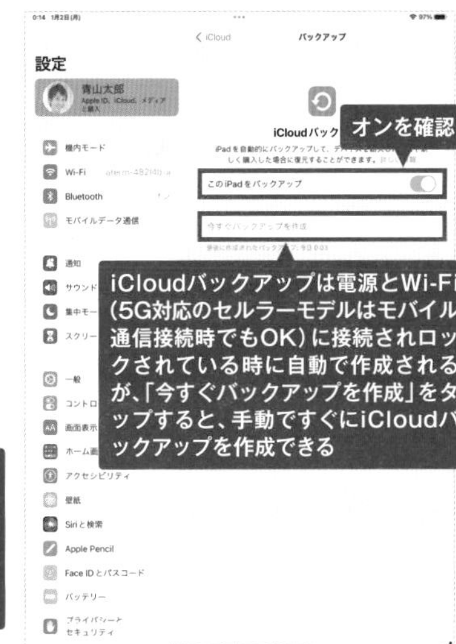

「iCloud」→「iCloudバックアップ」→「このiPadをバックアップ」がオンになっていることも確認しよう。本体の設定や、ホーム画面の構成、標準アプリ以外のアプリのデータなどをiCloudへ定期的にバックアップする。

3 標準アプリ以外のデータをバックアップ

「iCloud」→「アカウントのストレージを管理」→「バックアップ」→「このiPad」をタップすると、標準以外のインストール済みアプリが一覧表示される。スイッチをオンにしたアプリのデータは、手順2の「iCloudバックアップ」でバックアップされる。

4 iCloudバックアップから復元する

iPadを初期化したり機種変更した際は、iCloudバックアップがあれば元の環境に戻せる。初期設定中の「Appとデータ」画面で「iCloudバックアップから復元」をタップし、Apple IDでサインイン。最新のバックアップを選んでタップし、復元作業を進めていこう。

no. 550

iCloudのデータ容量が満杯になったら?

iCloudのデータを管理する

5GBの無料ストレージ容量を有効活用しよう

iCloudでは、Apple IDごとに無料で5GBのクラウドストレージ容量が用意されている。iCloudで利用する各種データは、このクラウドストレージに保存される仕組みだ。しかし、複数のiPhoneやiPadで同じApple IDを使っていると、バックアップデータや各種データなどでストレージ容量が満杯になってしまうことがある。取り急ぎストレージの空き容量を確保したい場合は、必要のないバックアップデータを削除してしまおう。それでも追いつかない場合は、iCloudのストレージ容量を有料でアップグレードしたほうがいい(No551参照)。

1 「ストレージを管理」で管理したい項目を選択する

「設定」から左上のApple ID名→「iCloud」→「アカウントのストレージを管理」をタップする。現在iCloud上のストレージに保存されているデータ一覧が表示されるので、削除したいものを選ぼう。不要なアプリの書類やデータはここから削除しておける。

2 バックアップデータを削除してiCloudの容量を確保する

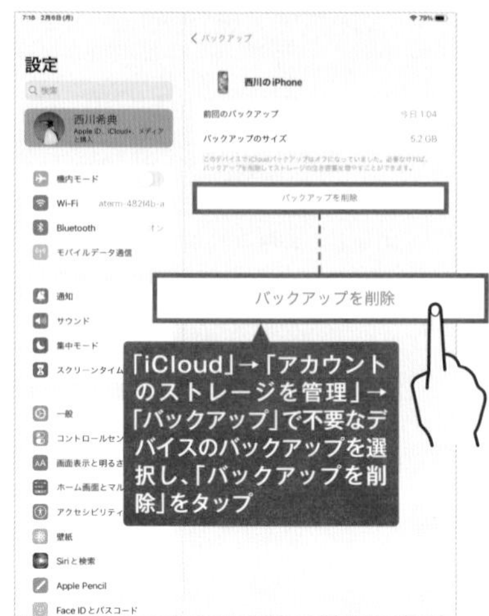

複数のiPhoneやiPadで同じApple IDを使っていると、バックアップデータも複数作成されてiCloud容量を圧迫しがちだ。もう使っていないデバイスのバックアップが残っていれば削除しておこう。

no. 551

iCloudを本格的に使いたいなら

iCloudの容量を増やす

本格的にiCloudを利用するなら、有料で用意されているストレージプランのアップグレードを購入して、空き容量を増やしておこう。50GB(月額130円)〜2TB(月額1,300円)までの契約プランをiPad上から簡単に申し込むことができる。

1 ストレージプランを変更をタップする

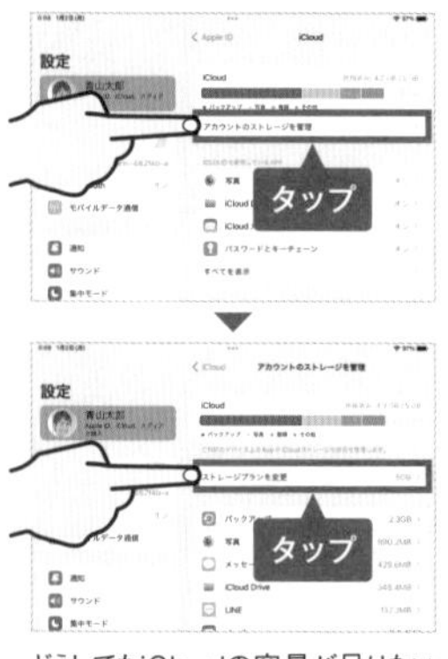

どうしてもiCloudの容量が足りない時は、容量を追加購入したほうが早い。設定で一番上のApple IDをタップし、「iCloud」→「アカウントのストレージを管理」→「ストレージプランを変更」をタップする。

2 必要な容量にアップグレードする

有料プランを選んでアップグレードしよう。一番安い月額130円のプランでも50GBまで使えるので、iCloudの空き容量に悩むことはほとんどなくなる。200GB(月額400円)や2TB(月額1,300円)のプランも選べる。

no. 552

パソコンでiCloudを管理する

パソコンのWebブラウザでiCloudを利用する

メールやカレンダー、連絡先、メモ、リマインダーなど、iCloudで同期される機能の一部は「iCloud.com」のWebサービス上で直接管理できる。カレンダーのスケジュールやリマインダーをより快適に使いたいなら活用しよう。連絡先の復元(No253で解説)や紛失したiPadを探す機能(No571で解説)も利用できる。

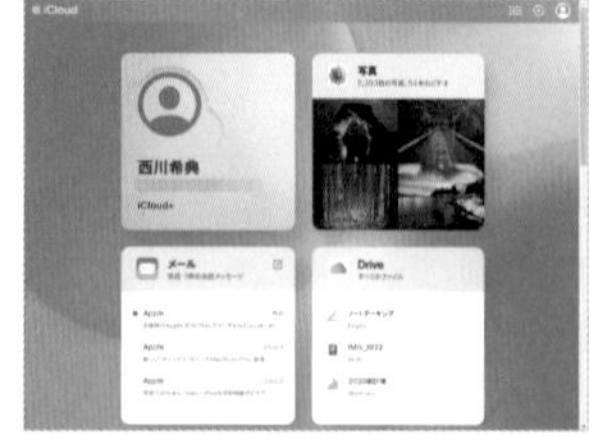

1 iCloud.comにアクセスする

iCloud.com
https://www.icloud.com/

パソコンのWebブラウザでiCloud.comにアクセスし、Apple IDでサインインすると、写真やメールなどの内容がタイルで表示される。

2 その他のアプリを表示する

右上のタイルメニューをタップすると、タイルで表示されていないその他の標準アプリにもアクセスできる。「ホームページをカスタマイズ」をクリックすると、タイルの追加や削除も可能だ。

no. 553

家族や友人の現在位置がわかる

他のユーザーと位置情報を共有する

iPadでは、端末の位置情報を友達や家族と共有することが可能だ。以下の設定を確認したら、Appleの公式アプリ「探す」を使ってみよう。友達をアプリ上で追加して承認してもらうことで相手の現在位置がマップ表示されるはずだ。

1 「位置情報を共有」を有効にする

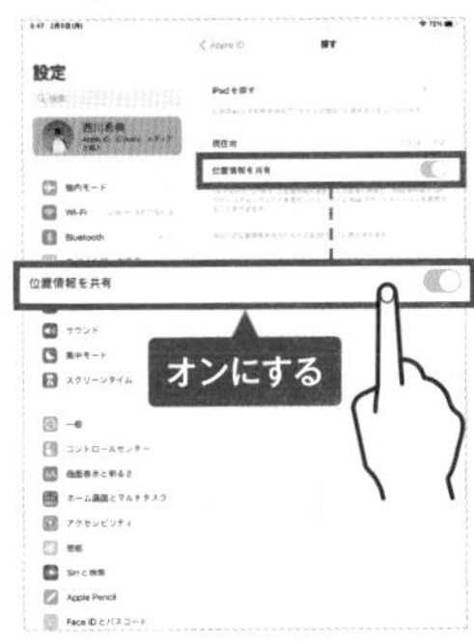

「設定」で自分のApple ID名をタップして「探す」をタップ。上の画面で「位置情報を共有」を有効にしておこう。

2 「探す」アプリで現在位置を把握する

「探す」アプリを起動したら、「人を探す」タブの「位置情報の共有を開始」をタップ。宛先に共有したい相手の名前や電話番号を入力して「送信」し、共有する期間を設定すると、自分の位置が相手に共有される。

no. 554

パスワードを自動入力できる

iCloudキーチェーンを利用する

「iCloudキーチェーン」とは、Safariや各種アプリで利用するアカウント名やパスワード、クレジットカード番号などをiPhoneやiPad、Mac同士で共有できる機能だ。自動入力機能も使えるので、機能が有効になっていることを確認しておこう。

1 キーチェーンを有効にする

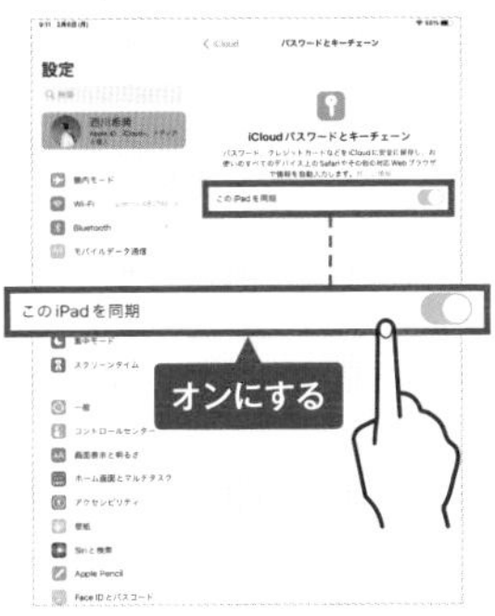

「設定」を開いたらApple ID名→「iCloud」→「パスワードとキーチェーン」をタップし、「このiPadを同期」をオンにする。Apple IDの2ファクタ認証(No059で解説)を済ませていない場合は、別途認証作業が必要だ。

2 自動入力の設定を有効にする

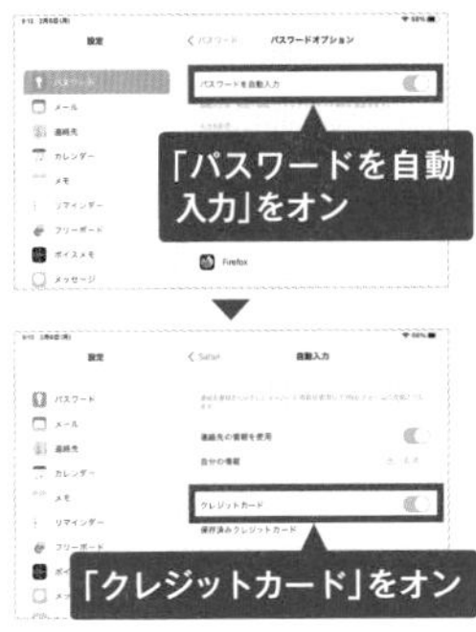

「設定」→「パスワード」→「パスワードオプション」で「パスワードを自動入力」をオンにして、「設定」→「Safari」→「自動入力」→「クレジットカード」もオンにする。これでパスワードやクレジットカード情報などが自動入力されるようになる。

no. 555

Appleの人気4サービスにまとめて登録

Apple Oneに加入する

個人プランで個別に契約するより1,510円も安い

「Apple One」は、音楽配信サービスのApple Musicと、動画配信サービスのApple TV+、ゲーム配信サービスのApple Arcade、iCloudの容量を追加できるiCloud+(No551で解説)の、4サービスをまとめて契約できるサブスクリプションだ。料金は個人プランが月額1,200円(iCloud+は50GB)で、個別に契約するより1,510円安くなる。ファミリープランは月額1,980円(iCloud+は200GB)で、個別に契約するより1,600円安い。Apple MusicとiCloud+など、対象サービスを2つ以上を利用している人はお得感が高いので、Apple Oneの契約に乗り換えよう。

1 サブスクリプションのApple Oneをタップ

人気の4サービスをお得に利用できるApple Oneに登録するには、「設定」で一番上のApple IDをタップして、「サブスクリプション」→「Apple One」をタップする。

2 プランを選択して登録する

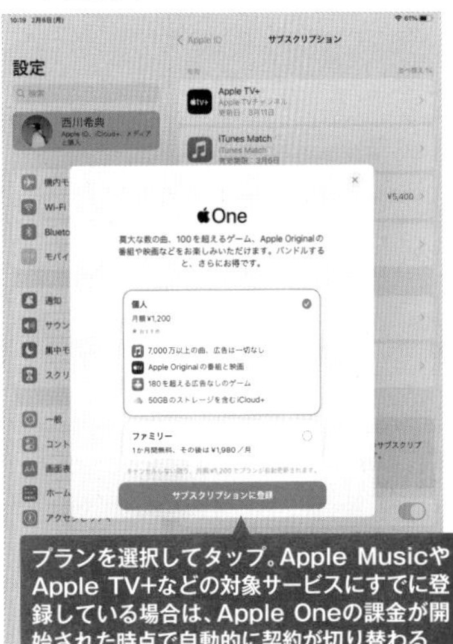

Apple Oneのプランを「個人」または「ファミリー」から選択し、「サブスクリプションに登録」をタップ。決済を済ませて登録しよう。

no. 556 フリーズしても慌てずに
本体がフリーズしたり動作がおかしい時は

一度機能を終了するか、再起動してみるのが基本

iPadの電源が入らないときは、まずバッテリー切れを疑おう。完全にバッテリー切れになると、ある程度充電しないと電源をオンにできない。充電器につないでも充電できない場合は、ケーブルや充電アダプタをチェック。正規品を使わないとうまく充電できないことがある。Wi-FiやBluetoothの通信トラブルは、一度機能を無効にして再度有効にすると解決するケースが多い。本体の動作がおかしい場合は再起動するのが基本中の基本だ。電源／スリープボタン(＋音量ボタン)の長押しが効くなら、「スライドで電源オフ」で電源を切ろう。効かないなら、一定の操作を行うことで強制再起動が可能だ。再起動しても調子が悪いなら、No572の手順に従ってiPadを初期化しよう。

本体の充電や通信機能のトラブル

iPadが正常に充電されない場合は

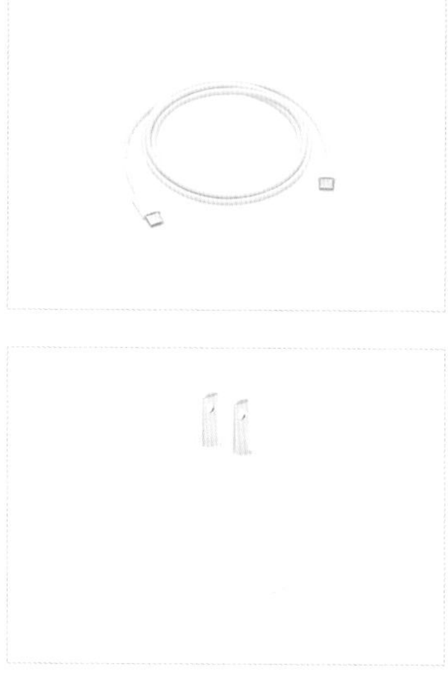

iPadを充電したのに電源が入らない場合は、まずケーブルやUSB電源アダプタを疑おう。特に完全にバッテリーが切れてから充電する場合は、純正のものを使わないとうまく充電されない場合がある。

通信トラブルは機能をオン／オフ

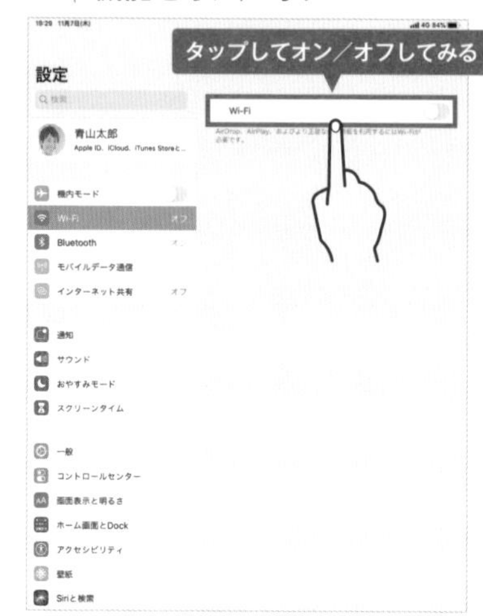

Wi-FiやBluetoothがうまく通信できなかったり、接続が途切れたりする場合は、Wi-FiやBluetoothのスイッチを一度オフにしてからオンにしてみよう。これだけで直ることも多い。なお、コントロールセンターのWi-FとBluetoothボタンは、ネットワークへの接続／切断を行うもので、機能の有効／無効を切り替えるものではない。「設定」内のスイッチで操作を行おう。

本体の動作がおかしい、フリーズした場合は

本体の電源を切って再起動してみる

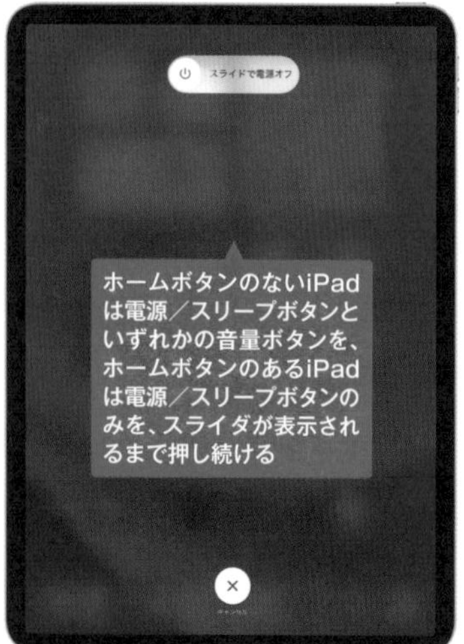

電源／スリープボタン(＋音量ボタン)の長押しで表示される、「スライドで電源オフ」を右にスワイプすると、本体の電源を切ることができる。もう一度電源／スリープボタンを長押しすればiPadが再起動する。

本体を強制的に再起動する

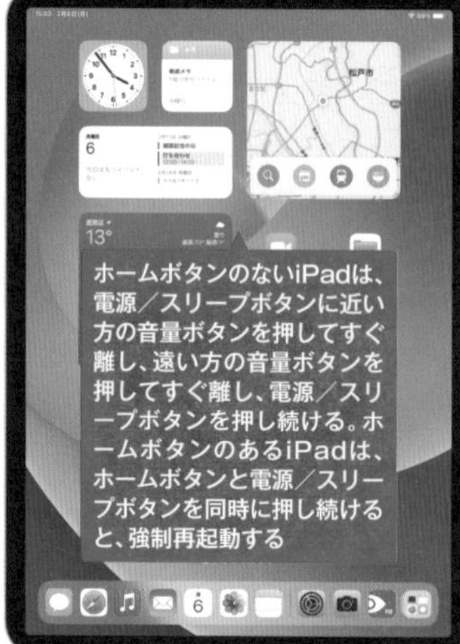

電源／スリープボタン(＋音量ボタン)の長押しで「スライドで電源オフ」が表示されない場合は、デバイスを強制的に再起動することも可能だ。機種によって強制再起動の手順が異なるので注意しよう。

それでもダメなら各種リセット

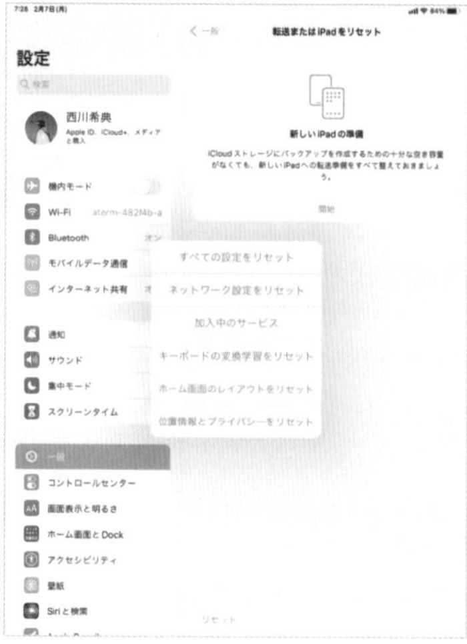

まだ調子が悪いなら「設定」→「一般」→「転送またはiPadをリセット」→「リセット」の各項目でリセットを試してみよう。端末内のデータが消えていいなら、「すべてのコンテンツと設定を消去」で初期化する(No572を参照)のが確実だ。

トラブル解決

no. 557

一度完全終了して再起動

アプリがフリーズしたり動作がおかしい時は

iPadではアプリの画面を閉じても、バックグラウンドで待機状態になっている。アプリが反応しなかったり動作がおかしい時は、最近使ったアプリが一覧表示されるAppスイッチャー画面を開き、調子の悪いアプリを探して上にスワイプして、一度完全に終了させてから再起動しよう。

1 Appスイッチャー画面を起動する

画面の下から上にスワイプすると、Appスイッチャー画面が開く。最近使ったアプリが一覧表示されるので、左右にフリックして調子が悪いアプリを探そう。

2 アプリを上にスワイプして終了

調子が悪いアプリの画面を上にスワイプすると、そのアプリを完全に終了できる。それでも調子が悪いなら、一度削除して再インストールしよう(No558で解説)。

no. 558

一度削除して再インストール

アプリをアップデートしたら起動しなくなった

アップデートしたアプリがうまく起動しなかったり強制終了する場合は、そのアプリを削除して、あらためて再インストールしてみよう。これで動作が正常に戻ることが多い。一度購入したアプリは、購入時と同じApple IDでサインインしていれば、App Storeから無料で再インストールできる。

1 不調なアプリを削除する

不調なアプリをロングタップし、表示されたメニューで「Appを削除」をタップすれば、このアプリをアンインストールできる。

2 アプリを再インストール

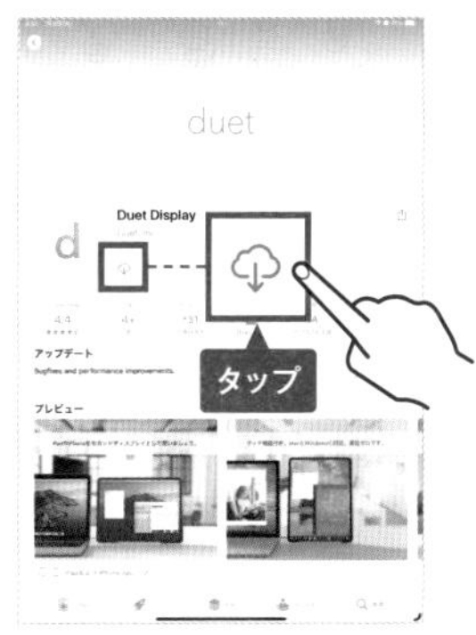

App Storeで削除したアプリを探し、iCloudボタンをタップして再インストールしよう。一度購入したアプリなら無料で再インストールできる。

no. 559

初期化してバックアップから復元しよう

画面ロックのパスコードを忘れた際は

端末を初期化すればパスコードなしの状態で復元できる

画面ロックのパスコードをうっかり忘れても、「iCloudバックアップ」(No549で解説)さえ有効なら、そこまで深刻な状況にはならない。「探す」アプリやiCloud.comでiPadのデータを消去したのち、初期設定中にiCloudバックアップから復元すればいいだけだ。復元が完了すると自動的にパスコードもリセットされる。最新のバックアップが作成されているか不明なら、電源とWi-Fiに接続された状態(5G対応のセルラーモデルはモバイル通信接続時でもOK)で一晩置けば、バックアップが作成される可能性がある。

1 「探す」アプリなどでiPadを初期化

他にiPhoneやiPad、Macを持っているなら、「探す」アプリで完全にロックされたiPadを選択し、「このデバイスを消去」で初期化しよう。また、Webブラウザでicloud.comにアクセスし、「デバイスを探す」画面から初期化することもできる。

2 iCloudバックアップから復元する

初期設定中の「Appとデータ」画面で「iCloudバックアップから復元」をタップして復元しよう。前回iCloudバックアップが作成された時点に復元しつつ、パスコードもリセットできる。

no. 560 不要な写真やビデオ、サイズの大きいアプリを削除する
内蔵メモリがいっぱいで アプリやファイルを追加できない

写真やビデオは「最近削除した項目」からも削除しよう

iPadの空き容量を増やすなら、まずは写真やビデオを削除するのが手っ取り早いだろう。ただ、見落としがちなのが、ライブラリから削除しても、データ自体はまだ端末に残っているという点。「最近削除した項目」からも完全に削除しないと空き容量は増えないので注意しよう。また「設定」→「一般」→「iPadストレージ」では、サイズの大きい不要なアプリを探し出して削除できるほか、空き容量を増やすための提案もいくつか表示される（No167で解説）ので、それぞれ確認して実行しておこう。

1 不要な写真やビデオを完全に削除する

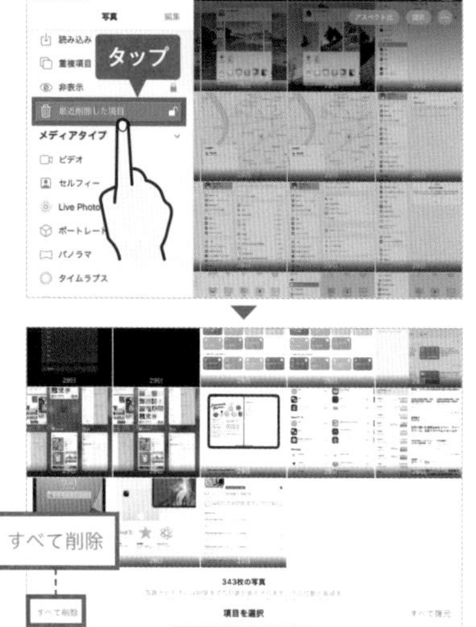

写真アプリで写真やビデオを削除したら、サイドバーの「最近削除した項目」をタップ。右上の「選択」をタップし、左下の「すべて削除」をタップすれば、端末内から完全に削除でき空き容量が増える。

2 サイズが大きい不要なアプリを削除する

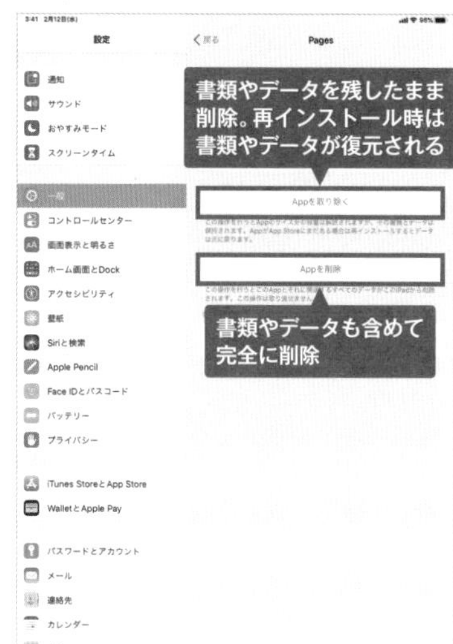

「設定」→「一般」→「iPadストレージ」で、サイズの大きい順にアプリが表示されるので、不要なアプリを削除しておこう。「Appを取り除く」は、書類やデータを残したままアプリ本体のみ削除できる。

no. 561 Appの使用中は許可しておく

位置情報の許可を聞かれたときは

位置情報を使うアプリを初めて起動すると、位置情報の使用許可を確認される。これは基本的に「Appの使用中は許可」を選べばよい。アプリによっては、位置情報の使用を常に許可しないと使えない機能もあるが、初めて機能を使う時にまた警告が表示されるので、「常に」に変更しよう。

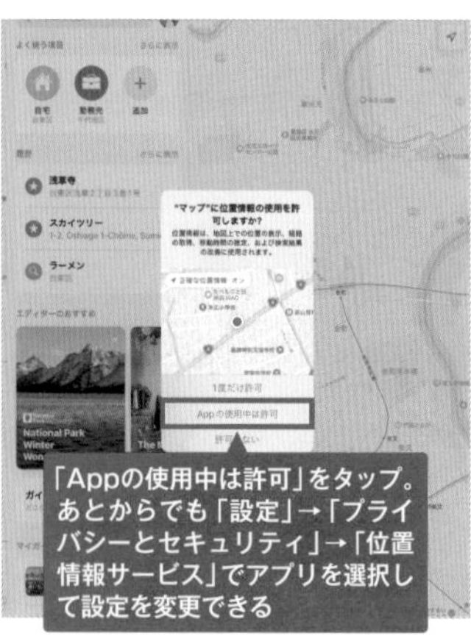

「Appの使用中は許可」をタップ。あとからでも「設定」→「プライバシーとセキュリティ」→「位置情報サービス」でアプリを選択して設定を変更できる

no. 562 パソコン接続時の警告画面を再表示

誤って「信頼しない」をタップした時の対処法

iPadをパソコンなどに初めて接続すると、「このコンピュータを信頼しますか？」と表示され、「信頼」をタップすることでiPadへのアクセスを許可する。この時、誤って「信頼しない」をタップした場合は、「位置情報とプライバシーをリセット」を実行すれば警告画面を再表示できる。

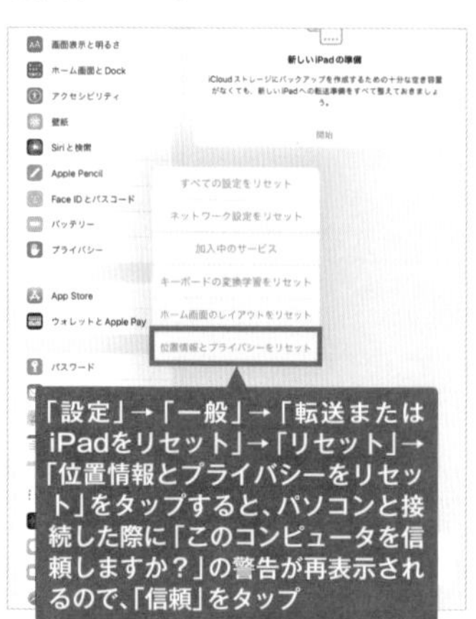

「設定」→「一般」→「転送またはiPadをリセット」→「リセット」→「位置情報とプライバシーをリセット」をタップすると、パソコンと接続した際に「このコンピュータを信頼しますか？」の警告が再表示されるので、「信頼」をタップ

no. 563 「共有中に表示」をオフにしよう

共有シートのおすすめを消去する

アプリの共有ボタンをタップすると、以前にメッセージやLINE、AirDropなどを使ってやり取りした相手とアプリが表示され、すばやく選択できるようになっている。ただ、あまり使わない連絡先が表示されると誤タップの危険もある。不要なら「設定」→「Siriと検索」→「共有中に表示」をオフにして非表示にしておこう。

「設定」→「Siriと検索」→「共有中に表示」をオフにすると、この欄が消える。なお、あまり使わない連絡先のアイコンをロングタップし、続けて「おすすめを減らす」をタップすると、この連絡先のみ非表示にできる

no. 564 ファミリー共有を停止しよう
支払い方法を削除できない時は

Apple IDの支払い方法は、ファミリー共有(No113で解説)を設定していると削除できない。ファミリー共有を停止しよう。その他、未払い残高がある場合は支払いを済ませてから処理しよう。自動更新の定期購読コンテンツがある場合も、解約するまで支払い方法を削除できない場合がある。

1 ファミリー共有を停止する

支払い方法に登録済みのクレジットカードなどを削除できないなら、ファミリー共有の設定を確認しよう。設定のApple ID画面から、ファミリー共有を停止しておく。

2 支払い方法をなしに変更できる

設定のApple ID画面で「お支払いと配送先」をタップし、登録済みのカードの「お支払い方法を削除」をタップしてすべて削除しよう。これで支払い方法をなしに変更できる。

no. 565 おすすめ写真から削除しよう
写真ウィジェットに表示したくない写真がある

写真ウィジェット(No043で解説)で表示される写真は、写真アプリの「For You」でピックアップされた「おすすめの写真」や「メモリー」から自動で選ばれるので、自分で選択できない。勝手に表示されたくない写真は、「おすすめの写真」や「メモリー」から削除しておこう。

1 「おすすめの写真」を削除する

写真アプリの「For You」にある「おすすめの写真」の写真をロングタップし、「"おすすめの写真"から削除」で削除すると、ウィジェットに表示されなくなる。

2 「メモリー」を削除する

同じく「For You」にあるメモリーを選び、「…」→「メモリーを削除」で削除すると、ウィジェットに表示されなくなる。

no. 566 複数のApple ID使用上の注意
Apple IDの90日間制限を理解する

App StoreやiTunes Storeでアプリやコンテンツを購入したり、Apple MusicなどAppleのサブスクリプションに登録すると、このiPadと購入に使用したApple IDが関連付けされる。以後90日間は、他のApple IDに切り替えても購入済みアイテムをダウンロードできないので注意しよう。

1 デバイスが関連付けられる条件

アプリやコンテンツを購入したりApple Musicなどに登録すると、このiPadに購入済みアイテムをダウンロードできるApple IDは、基本的にiTunes/App Storeにサインイン中のものだけになる。複数のApple IDを使い分けている人は気をつけよう。

2 他のApple IDでは機能が制限される

他のApple IDでサインインし直して購入済みのアイテムをダウンロードしようとすると、「すでに他のApple IDに関連付けられている」と警告が表示される。別のApple IDで購入したアイテムをiPadにダウンロードするには、90日間待って、関連付けし直す必要がある。

no. 567 Apple IDに直接チャージ
Appleアカウントに入金する

iPadでの支払い方法としては、クレジットカードやギフトカードを使うほかに、あらかじめApple IDへチャージする方法もある。チャージした金額は、アプリの購入やiCloudストレージの支払い、製品購入などに利用可能だ。また、他のユーザーにメールでギフトカードを贈ることもできる。

1 Apple IDにチャージする

App Storeアプリで右上のユーザーボタンをタップし、「アカウントにチャージ」をタップ。Appleアカウントに入金する金額を選択しよう。

2 ギフトカードを贈る

「メールでギフトカードを送信」をタップすると、ギフトコードを購入して、そのコードを他のユーザーにメールで送信してプレゼントすることができる。

no. 568

「AppleCare+ for iPad」を購入しよう

iPadの保証期間を確認、延長する

ハードウェア保証と電話サポートは2年まで延長できる

すべてのiPadには、製品購入後1年間のハードウェア保証と90日間の無償電話サポートが付いている。保証期間が残っていれば、本体の「設定」→「一般」→「情報」→「限定保証」や「AppleCare+」で確認が可能だ。本体が動作しないときは、Appleの確認ページ(https://checkcoverage.apple.com/jp/ja/)で、背面に記載されたシリアル番号を入力すればよい。保証期間を延長したいなら、有料の「AppleCare+ for iPad」に加入しよう。期間限定プランは2年間、月払いプランなら解約するまで延長できる。

iPadの無料保証期間を確認する

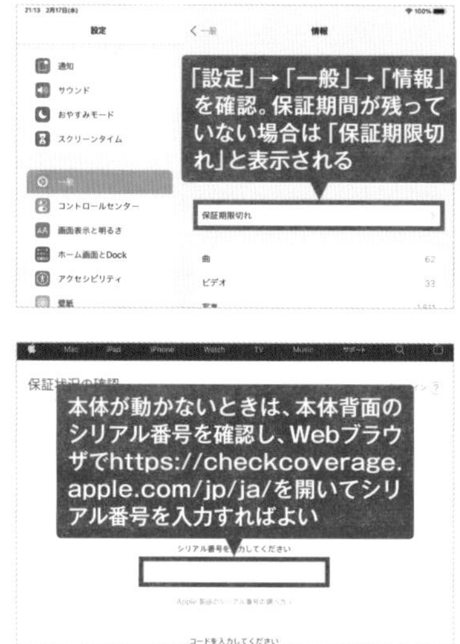

「設定」→「一般」→「情報」→「限定保証」や「AppleCare+」で、残りの保証期間を確認できる。Webブラウザでアップルの確認ページにアクセスし、シリアル番号を入力して確認することも可能だ。

「AppleCare+ for iPad」で保証を延長する

有料の「AppleCare+ for iPad」に加入すれば、ハードウェア保証と電話サポートの期間を延長できる。iPad本体だけでなく、付属品にも延長保証が適用される。

トラブル解決

no. 569

破損などの深刻なトラブル対処に

Appleサポートアプリで各種トラブルを解決

どうしても解決できないトラブルに見舞われたら、「Appleサポート」アプリを利用しよう。Apple IDでサインインして端末と症状を選択すると、主なトラブルの解決方法が提示される。電話サポートに問い合わせしたり、アップルストアなどへの持ち込み修理を予約することも可能だ。

1 Apple サポートをインストール

Appleサポート
APP
価格／無料
カテゴリ／ユーティリティ
作者／Apple

まずは、Appleサポートアプリをインストールして起動。Apple IDでサインインしたら、トラブルが発生した端末と、その症状を選んでタップしよう。

2 トラブルの

アップルストアなどに持ち込み修理を予約したり、サポートに電話して問い合わせたり、トラブル解決に役立つ記事を読むなどの方法で解決できる。

no. 570

AssistiveTouchを利用しよう

ホームボタンや音量ボタンが効かなくなったら

iPadのホームボタンや音量ボタンは、摩耗してボタンの利きが悪くなることがある。そんな時は、「設定」→「アクセシビリティ」→「タッチ」で、「AssistiveTouch」をオンにしてみよう。画面上にホームボタンや音量ボタンの代わりになる白丸のボタンが表示されるようになる。

1 「AssistiveTouch」をオンにする

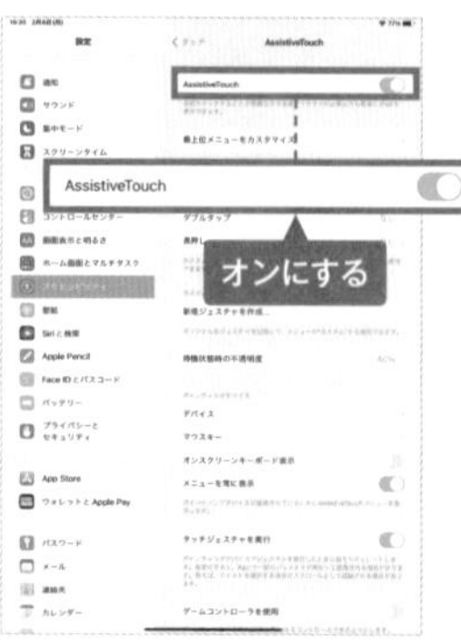

設定の「アクセシビリティ」→「タッチ」→「AssistiveTouch」をタップして開き、「AssistiveTouch」のスイッチをオンにする。

2 表示された白丸のボタンをタップ

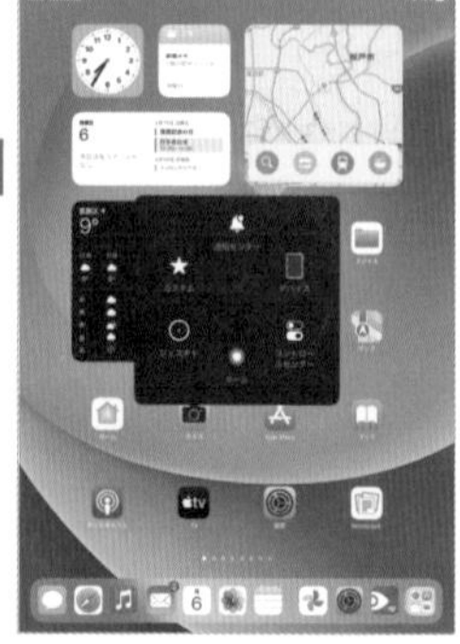

画面上に、半透明の白くて丸いボタンが表示されるはずだ。これをタップするとメニューが表示され、ホームに戻ったり、音量を調節することができる。

no. 571

「探す」アプリで探し出せる

なくしたiPadを見つけ出す

万一の紛失に備えて「探す」機能を有効にしておこう

iPadの紛失に備えて、iCloudの「探す」機能をあらかじめ有効にしておこう。万一iPadを紛失した際は、他にiPhoneやiPad、Macを持っているなら、「探す」アプリを使って現在地を特定できる。または、家族や友人のiPhoneを借りて「探す」アプリの「友達を助ける」から探したり、パソコンやAndroidスマートフォンのWebブラウザでiCloud.com（https://www.icloud.com/）にアクセスして「iPhoneを探す」画面から探すことも可能だ。どちらも2ファクタ認証はスキップできる。また、紛失したiPadの「"探す"ネットワーク」がオンになっていれば、オフラインの状態でもBluetoothを利用して現在地がわかる仕組みだ。

事前の設定と紛失時の操作手順

1 iPadの事前設定を確認する

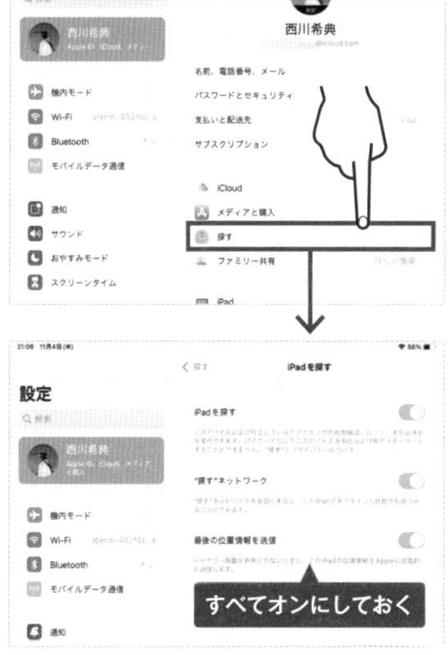

「設定」のApple IDをタップして「探す」→「iPadを探す」をタップし、「iPadを探す」のオンを確認しよう。また、「"探す"ネットワーク」と「最後の位置情報を送信」もオンにしておく。「設定」→「プライバシーとセキュリティ」→「位置情報サービス」のスイッチもオンにしておくこと。

2 「探す」アプリで紛失したiPadを探す

iPadを紛失した際は、同じApple IDでサインインした他のiPhoneやiPad、Macで「探す」アプリを起動しよう。紛失したiPadを選択すれば、現在地がマップ上に表示される。

3 友人のiPhoneを借りて探す

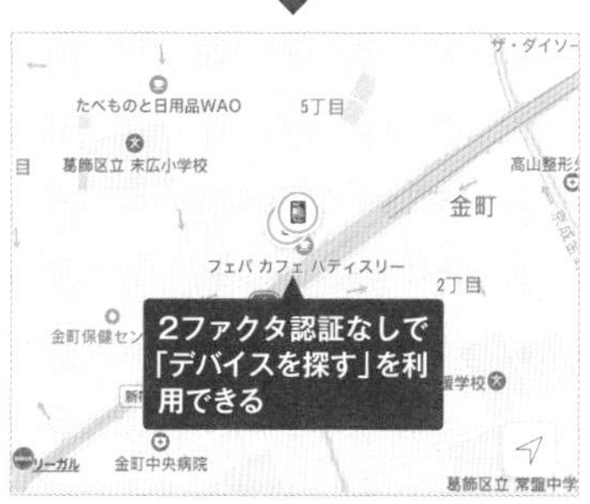

家族や友人のiPhoneを借りて探す場合は、「探す」アプリで「自分」タブを開き、「友だちを助ける」→「サインイン」→「別のApple IDを使用」からサインインすればよい。

4 サウンドを鳴らしたり紛失モードでロックする

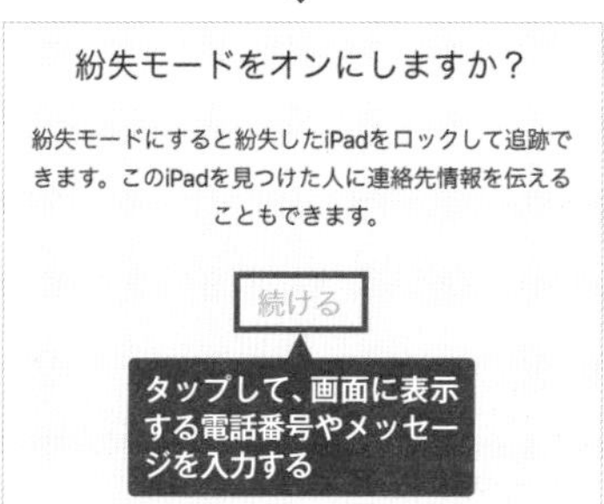

「サウンド再生」をタップすると、徐々に大きくなるサウンドが約2分間再生される。「紛失モード」→「続ける」をタップすると、端末が紛失モードになり、iPadは即座にロックされる。またApple Payも無効になる。

5 情報漏洩の阻止を優先するなら端末を消去

発見が絶望的な場合は、「iPadを消去」をタップすると、iPadのすべてのデータを消去して初期化できる。消去したあとでもiPadの現在地は確認可能だ。

no. 572

多くの問題は端末の初期化で解決する

不調が直らない時の初期化手順

iPadを初期化してiCloudバックアップで復元

1 「新しいiPadの準備」を開始

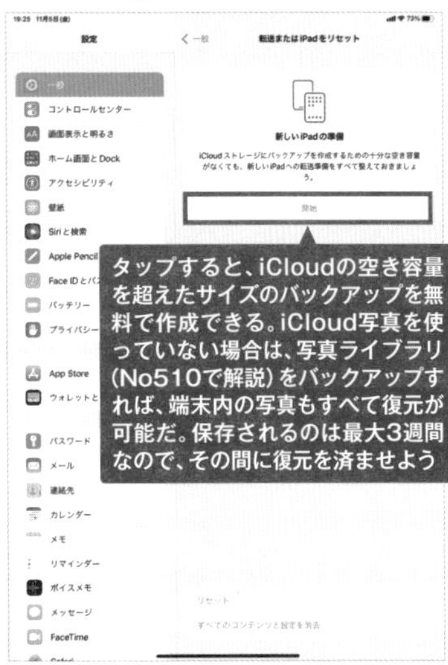

まず「設定」→「一般」→「転送またはiPadをリセット」で「新しいiPadの準備」の「開始」をタップ。この機能を使うと、iCloudの空き容量が足りなくても、一時的にiPadのすべてのデータや設定を含めたiCloudバックアップを作成できる。

2 iPadの消去を実行する

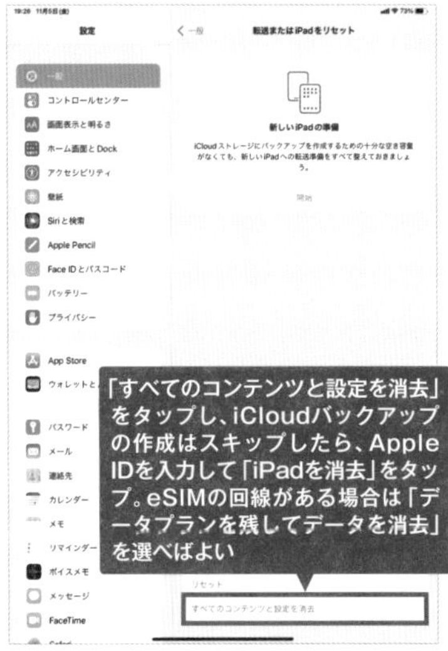

バックアップが作成されたら、「設定」→「一般」→「転送またはiPadをリセット」→「すべてのコンテンツと設定を消去」をタップして、iPadの消去を実行しよう。

3 iCloudバックアップから復元する

初期化した端末の初期設定を進め、「Appとデータ」画面で「iCloudバックアップから復元」をタップ。最後に作成したiCloudバックアップデータを選択して復元しよう。

パソコンのバックアップからの復元とリカバリモード

1 パソコンでバックアップを作成する

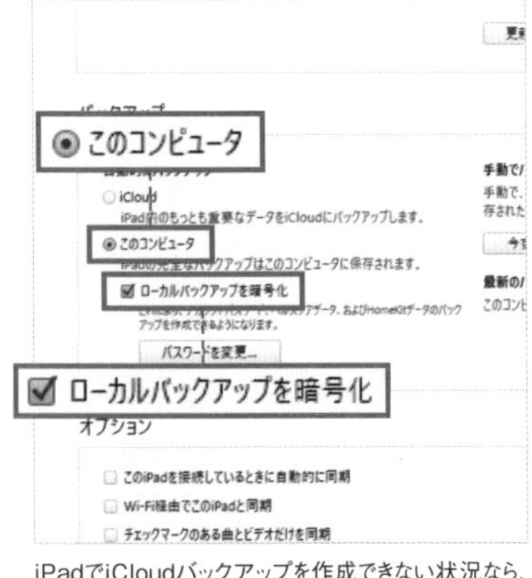

iPadでiCloudバックアップを作成できない状況なら、パソコンのiTunes(MacではFinder)でバックアップを作成しよう。iPadをパソコンと接続して、「このコンピュータ」と「ローカルバックアップを暗号化」にチェック。パスワードを設定すると、暗号化バックアップの作成が開始される。パソコンのストレージ容量が許す限りiPadのデータをすべてバックアップでき、iCloudではバックアップしきれない一部のログイン情報なども保存される。

2 パソコンのバックアップから復元する

iPadを消去したら初期設定を進めていき、途中の「Appとデータ」画面で「MacまたはPCから復元」をタップ。パソコンに接続し作成したバックアップから復元する。

最終手段はリカバリモードで初期化

これまで解説した方法で初期化できないなら、リカバリモードを試そう。まず、Windowsパソコン(iTunesのインストールが必要)またはMacを用意する。次にiPadの電源を一度切り、フルディスプレイモデルの場合は電源/スリープボタンを、ホームボタン搭載モデルの場合はホームボタンを長押ししながら、すぐにiPadとパソコンをケーブルで接続。iPadにリカバリモードの画面が表示されるまでボタンを押し続ける。リカバリモードの画面が表示されたら、iTunes(MacではFinder)でiPadを選択し、まず「アップデート」をクリックして、iPadOSの再インストールを試そう。それでもダメなら「復元」をクリックし、工場出荷時の設定に復元する

用語索引

iPadとiPadOSの機能やメニューの名称など、各用語から解説記事を検索できる。用語の右の数字は、ページ数ではなく記事のナンバーなので注意しよう。

数字、A~Z

ア行

カ行

サ行

タ行

ナ行

ハ行

マ行

ヤ行

ラ行

iPad 全操作使いこなしガイド 2023

Staff

Editor
清水 義博
(standards)

Writer
西川 希典

Designer
越智 健夫

2023年3月5日発行

編集人
清水義博

発行人
佐藤孔建

発行·発売所
スタンダーズ株式会社
〒160-0008
東京都新宿区四谷三栄町12-4 竹田ビル3F
TEL 03-6380-6132

印刷所
株式会社シナノ

本書の記事内容に関するお電話でのご質問は一切受け付けておりません。編集部へのご質問は、書名および何ページのどの記事に関する内容かを詳しくお書き添えの上、下記アドレスまでEメールでお問い合わせください。
内容によってはお答えできないものやお返事に時間がかかってしまう場合もあります。

info@standards.co.jp

ご注文FAX番号
03-6380-6136

https://www.standards.co.jp/